Recherche
psychosociale

Presses de l'Université du Québec
Le Delta I, 2875, boulevard Laurier, bureau 450, Québec (Québec) G1V 2M2
Téléphone : 418 657-4399 – Télécopieur : 418 657-2096
Courriel : puq@puq.ca – Internet : www.puq.ca

Diffusion/Distribution :

Canada et autres pays : Prologue inc., 1650, boulevard Lionel-Bertrand, Boisbriand (Québec) J7H 1N7 – Tél. : 450 434-0306 / 1 800 363-2864

France : Sodis, 128, av. du Maréchal de Lattre de Tassigny, 77403 Lagny, France – Tél. : 01 60 07 82 99

Afrique : Action pédagogique pour l'éducation et la formation, Angle des rues Jilali Taj Eddine et El Ghadfa, Maârif 20100, Casablanca, Maroc – Tél. : 212 (0) 22-23-12-22

Belgique : Patrimoine SPRL, 168, rue du Noyer, 1030 Bruxelles, Belgique – Tél. : 02 7366847

Suisse : Servidis SA, Chemin des Chalets, 1279 Chavannes-de-Bogis, Suisse – Tél. : 022 960.95.32

Recherche psychosociale

POUR HARMONISER RECHERCHE ET PRATIQUE

2e édition

Sous la direction de
Stéphane Bouchard
et Caroline Cyr

2011

Presses de l'Université du Québec
Le Delta I, 2875, boul. Laurier, bur. 450
Québec (Québec) Canada G1V 2M2

Catalogage avant publication de Bibliothèque et Archives Canada

Vedette principale au titre :

Recherche psychosociale : pour harmoniser recherche et pratique

2e éd.

ISBN 2-7605-1335-1

1. Sciences sociales – Méthodologie. 2. Sciences humaines – Méthodologie. 3. Psychologie sociale – Méthodologie. 4. Statistique mathématique. 5. Questionnaires. I. Bouchard, Stéphane, 1966- . II. Cyr, Caroline.

H61.R36 2005 300'.1 C2004-942014-3

Nous reconnaissons l'aide financière du gouvernement du Canada par l'entremise du Programme d'aide au développement de l'industrie de l'édition (PADIE) pour nos activités d'édition.

Révision linguistique : Le Graphe enr.

Composition typographique : Caractéra production graphique inc.

Couverture :
Learning, œuvre de Benjamin Chee Chee.
D'après une reproduction de Canadian Art Prints,
avec la permission de *The Estate of Kenneth Benjamin Chee Chee*.
Conception graphique : Richard Hodgson

1 **2** 3 4 5 6 7 8 9 PUQ 2011 9 8 7 6 5 **4** 3 2 1

Dépôt légal – 1er trimestre 2005
Bibliothèque et Archives nationales du Québec / Bibliothèque et Archives Canada
Imprimé au Canada

DÉDICACE ET REMERCIEMENTS

À Maude et Antoine

Ce livre a été écrit et révisé en pensant aux étudiants qui suivent les cours d'initiation aux méthodes de recherche, mais aussi aux gens auprès de qui ces étudiants poseront un jour des actes professionnels. Il faut reconnaître que les étudiants souhaitent souvent avoir terminé ce cours avant même d'en connaître le contenu. Nous espérons que l'effort d'intégration de la recherche et de la clinique rende la matière plus accessible et plus intéressante.

La seconde édition de cet ouvrage a permis de mettre à jour certaines informations données dans les différents chapitres. Parmi les ajouts, le lecteur notera la présence d'un chapitre sur la recherche qualitative et des questions permettant aux étudiants de réviser les concepts abordés dans chaque chapitre. Nous remercions sincèrement tous les étudiants qui ont inspiré la préparation de la seconde édition de cet ouvrage.

Stéphane Bouchard, Ph.D.
Titulaire de la Chaire de recherche du Canada
en cyberpsychologie clinique
Université du Québec en Outaouais

Caroline Cyr, M.Ed. Ps. Ed.
Chargée de cours à l'Université du Québec en Outaouais
Agente de recherche au Pavillon du Parc

Gatineau, le 1er novembre 2004

TABLE DES MATIÈRES

CHAPITRE 5
LES PROTOCOLES À CAS UNIQUE

CHAPITRE 13 SPÉCIFICITÉ MÉTHODOLOGIQUE DE DIVERS CHAMPS DE RECHERCHE

LISTE DES AUTEURS

Micheline Allard
École de psychologie
Université d'Ottawa

Miriam Beauchamp
Département de psychologie
Université de Montréal

Marie-Claude Bertrand
Département de psychologie
Université de Montréal

Danielle Boisvert
Bibliothèque
Université du Québec
en Outaouais

Stéphane Bouchard
Département de psychoéducation
et de psychologie
Université du Québec en Outaouais

Jean-Philippe Boulenger
SHU de psychiatrie
Montpellier

Richard Boyer
Épidémiologie
Centre de recherche Fernand-Seguin

François Bowen
Département de psychologie
Université de Montréal

Philippe Cappeliez
École de psychologie
Université d'Ottawa

Mélanie Clément
École de psychologie
Université d'Ottawa

Sophie Côté
École de psychologie
Université d'Ottawa

Sylvain Coutu
Département de psychoéducation
et de psychologie
Université du Québec en Outaouais

Caroline Cyr
Département de psychoéducation
et de psychologie
Université du Québec en Outaouais

Christian Dagenais
LAREHS
Université du Québec – Montréal

Jean-Pierre Deslauriers
Département de travail social
Université du Québec en Outaouais

Chantal Desmarais
École de psychologie
Université d'Ottawa

François Doré
École de psychologie
Université Laval

Julien Doyon
Département de psychologie
Université de Montréal

Michèle Gagnon
Faculté de médecine
Université d'Ottawa

Isabelle Gonthier
École de psychologie
Université d'Ottawa

Louis Laurencelle
Département des sciences
de l'activité physique
Université du Québec – Trois-Rivières

Yvan Lussier
Département de psychologie
Université du Québec – Trois-Rivières

André Marchand
Département de psychologie
Université du Québec – Montréal

Pierre Mercier
École de psychologie
Université d'Ottawa

Amélie Morin
Département de psychologie
Université de Montréal

Robert Proulx
Département de psychologie
Université du Québec – Montréal

Marc. A. Provost
Département de psychologie
Université du Québec – Trois-Rivières

Luc Reid
Département de psychologie
Université du Québec – Montréal

Vicky Rivard
École de psychologie
Université du Québec en Outaouais

Stéphane Sabourin
École de psychologie
Université Laval

Marc Tourigny
Département de psychologie
Université de Sherbrooke

Pierre Valois
Département d'éducation
Université Laval

CHAPITRE 1

INTRODUCTION À LA RECHERCHE

Notions de base et introduction à l'ouvrage

SOPHIE CÔTÉ ET STÉPHANE BOUCHARD

Pourquoi apprendre les méthodes de recherche? Les étudiants[1] en psychologie, en psychoéducation, en travail social et dans les autres disciplines des sciences sociales posent sans cesse cette question. La réponse semble toute simple: c'est pour mieux exercer son jugement professionnel et comprendre les phénomènes.

1. Tout au long de cet ouvrage le masculin a été privilégié afin d'alléger le texte. Il faut néanmoins préciser qu'un nombre très important de femmes exercent des rôles de chercheuse, de clinicienne, de praticienne-scientifique ou d'étudiante.

En sciences humaines et sociales, nous nous intéressons à des phénomènes extrêmement complexes, tels la psychologie humaine et animale, le développement, l'apprentissage, les phénomènes d'adaptation et d'inadaptation psychosociale, le fonctionnement du cerveau, les interactions humaines, la dynamique des groupes et des communautés, la prévention, l'évaluation de programme, la psychothérapie, etc. Les conséquences des décisions prises en tant que professionnels de ces disciplines sont si importantes que nous ne pouvons nous fier à de vagues impressions. Nos jugements doivent reposer sur des informations objectives et non biaisées. En cette époque où nous sommes exposés à tant d'idées et d'opinions, la recherche scientifique constitue un phare qui guide les professionnels dans l'acquisition et l'application des connaissances et les protège contre certains écueils de la psychologie populaire.

Puisque nous partageons des caractéristiques communes avec les gens que nous essayons de comprendre, il semble plausible que nous puissions analyser et interpréter les phénomènes humains simplement à partir de notre propre expérience, de nos impressions subjectives et de raisonnements logiques. Certains diront même que la recherche ne sert qu'à démontrer ce que nous savons déjà. Pourtant, il faut reconnaître que notre jugement doit bien souvent reposer sur des explications scientifiques pour expliquer des faits évidents. Par exemple, si nous nous fions uniquement à nos impressions et à notre logique, il est absolument incroyable que la Terre soit ronde ou que des objets inanimés et lourds comme les avions et les hélicoptères puissent voler. Cela va contre le gros bon sens, non? Et ces deux idées ont d'ailleurs été considérées comme des hérésies pendant des siècles. Sur une planète ronde, qui de surcroît tourne sur elle-même à plus de 500 km/h, une bonne part de la population devrait tomber dans le vide. Si un objet de métal de quelques kilogrammes ne peut flotter dans les airs ni voler, même s'il a la forme d'un oiseau, comment est-ce possible pour un avion? Pourtant, si l'on connaît les lois de la physique, ces phénomènes s'expliquent de façon logique et irréfutable. Ces lois, elles, s'appuient sur une démarche scientifique rigoureuse plutôt que sur des impressions subjectives... Il en va de même pour la psychologie. Par exemple, il peut sembler logique d'enseigner la relaxation à une personne qui souffre d'attaques de panique, ou même de donner des trucs pour éviter d'avoir peur et de paniquer. Pourtant, les études montrent que ce ne sont pas de bonnes stratégies à appliquer avec cette clientèle (Barlow, 2002). Comme pour le fait que la Terre est ronde, il semble parfois plus approprié de se fier aux données scientifiques qu'à notre instinct.

Comment cela s'applique-t-il à la pratique de la psychologie, de la psychoéducation, du travail social ou d'autres professions ? Avant d'émettre un jugement sur les causes d'un phénomène ou sur la façon de le modifier, le professionnel devrait s'inspirer des connaissances scientifiques actuelles et ne pas se fier uniquement à ses impressions ou à la théorie en laquelle il croit. Au-delà des apparences trompeuses, le fait de se fier à la validité apparente d'une hypothèse ou d'un traitement peut avoir des conséquences négatives. Par exemple, les interventions de crise auprès des élèves dans les écoles après une tentative de suicide ou un suicide complété sont largement répandues et plusieurs cliniciens défendent farouchement leur utilisation. Encore une fois, le « gros bon sens » suggère qu'il faut absolument intervenir auprès des étudiants possiblement en détresse, afin d'éviter d'autres suicides et, vu notre bagage de connaissances et d'expérience, il est difficile de croire que nous ne sommes pas les mieux placés pour prendre ce genre de situation en main. Malheureusement, l'efficacité de ce type d'intervention a souvent été remise en question (p. ex., Goldney & Berman, 1996). Il existe même une étude dont les résultats font ressortir un effet négatif de la postvention (Callahan, 1996). Il en va de même pour l'efficacité du *debriefing* après un événement traumatisant pour réduire les risques de développement d'un trouble de stress post-traumatique (Bisson, 2003 ; Iucci, Marchand, & Brillon, 2003). En bref, encore de nos jours, bien des institutions ont des plans d'intervention d'urgence dont l'efficacité n'a pas encore été établie.

Comment pouvons-nous discerner les terrains plus solides sur lesquels on peut mettre le pied avec conviction ? Pour y arriver, il ne faut pas se contenter d'écouter les opinions de personnes qui ont une certaine autorité (notamment les professionnels et les superviseurs), ni de lire des textes tirés de revues ou trouvés sur un site Internet. Il faut poser un regard critique sur la multitude d'information disponible. Chaque domaine a son propre jargon et, comme dans l'apprentissage de toute nouvelle discipline, il faut se familiariser avec un nouveau vocabulaire afin de bien comprendre ces informations. Après tout, il y a une décennie, le mot « Internet » ne faisait même pas partie des livres de science-fiction ! Pourtant, avec le temps, le nouveau vocabulaire s'intègre naturellement à notre discours. La recherche, comme tout autre domaine, a aussi son langage propre. Le lecteur qui bénéficie d'outils pour analyser les connaissances scientifiques a de meilleures chances d'articuler un jugement approprié et, par conséquent, d'exécuter des actes professionnels de plus grande qualité. Par exemple, faut-il absolument viser l'abstinence dans le traitement de l'alcoolisme ? Est-ce que l'instauration de la peine de mort est une bonne façon de dissuader les criminels ? La psychothérapie est-elle une science, un art ou une science appliquée avec art ? Dans le même ordre d'idées, lorsque vient le temps de communiquer nos connaissances aux autres chercheurs et cliniciens du domaine, il est plus facile d'utiliser un langage commun à tous. Les sections suivantes introduiront quelques concepts et termes de base communs à la majorité des études en sciences psychosociales.

1.1. LE MODÈLE DU PRATICIEN-SCIENTIFIQUE

Il faut reconnaître qu'il existe bien souvent un fossé entre le monde de la recherche et celui de la pratique, principalement de la pratique clinique. Ce fossé demeure parfois maintenu par l'attitude de quelques enseignants universitaires, mais il se fait surtout sentir chez les étudiants et les intervenants. Il est regrettable de constater que les gens adoptent souvent une approche très critique et scientifique pour aborder des sujets non cliniques, mais plusieurs changent d'attitude lorsqu'ils abordent des phénomènes cliniques. À titre d'exemple, il existe des formes d'interventions pour plusieurs troubles mentaux dont l'efficacité a été évaluée empiriquement depuis plusieurs années (Nathan Gorman, 2002), notamment pour le trouble panique avec agoraphobie. Comment se fait-il alors que 37 % des gens souffrant de ce problème rencontrent des professionnels qui leur offrent des traitements reconnus comme inefficaces depuis la fin des années 1980 (Barlow, 1994, 2002 ; Goissman et al., 1994) ? Ces chiffres proviennent d'études américaines, britanniques et canadiennes menées au début des années 1990 (Swinson, Cox, Kerr, Kuch, & Fergus, 1992), mais depuis ce temps la situation risque de ne pas avoir évolué autant qu'on pouvait l'espérer. Peut-être faut-il y voir une illustration de la nécessité de bien former les professionnels à la consommation de la recherche.

Dès 1947, Shakow (Shakow, Hilgard, Kelly, Luckey, Sandford, Shaffer, 1947) publiait un article en faveur d'une formation universitaire combinant la recherche et la pratique. Le modèle du praticien-scientifique s'imposa lors d'une conférence à Boulder au Colorado (Raimy, 1950), d'où est née l'expression « modèle de

Boulder ». Selon ce modèle, la formation des étudiants doit reposer à la fois sur la pratique et la recherche. On espère ainsi qu'à la fin de sa formation le praticien puisse : (a) intégrer les connaissances scientifiques dans ses évaluations et ses interventions, (b) évaluer avec rigueur ses propres interventions et actes professionnels et (c) contribuer à l'avancement des connaissances en faisant lui-même de la recherche.

Bien que ce modèle existe depuis des décennies, encore peu de praticiens et d'étudiants intègrent recherche et pratique. Le tableau 1.1 résume les motifs les plus fréquemment invoqués et invite à la discussion en référant aux chapitres appropriés de ce livre. Il semble louable que tous les intervenants et tous les praticiens contribuent formellement à l'avancement des connaissances scientifiques et que tous les chercheurs maintiennent des activités professionnelles à caractère pratique. Toutefois, cela paraît très difficile à réaliser. Les exigences de la recherche sur les plans de l'organisation, de l'obtention de subventions et du maintien d'un bon dossier de publications nuisent significativement au maintien d'activités pratiques intenses de la part des chercheurs. Par ailleurs, la pression liée à la nécessité d'obtenir des résultats rapides, l'hétérogénéité de la clientèle et le manque de ressources posent des défis importants au praticien qui désire

TABLEAU 1.1 **Motifs invoqués par les praticiens pour ne pas s'inspirer de la recherche dans les activités professionnelles et chapitres apportant des informations à ce sujet**

Motif	Chapitre
– Motivation	1
– La recherche est déconnectée des préoccupations des praticiens.	1, 5 et 13
– On perd de vue les différences individuelles lors des analyses, ce qui donne l'impression que tous les cas sont identiques.	5 et 10
– Il est difficile de comprendre les analyses statistiques.	9
– Il est difficile de voir la signification clinique des résultats.	5, 11 et 13
– Les gens participant aux études sont des cas « purs », très différents de ceux rencontrés dans la « vraie vie ».	2, 10 et 13
– Il faut se tenir informé, ce qui est compliqué.	14

faire de la recherche. Quelques professeurs et superviseurs cliniques réussissent à maintenir un équilibre entre la pratique et la recherche, mais ils sont encore aujourd'hui une minorité et se voient forcés de faire un choix de carrière parfois difficile qui favorise un champ d'activité aux dépens de l'autre. Néanmoins, il demeure clair qu'il faut privilégier une attitude d'intégration mutuelle de la pratique et de la recherche. À défaut de constituer une façon d'organiser la pratique professionnelle, le modèle du praticien-scientifique doit tout au moins refléter une attitude. Le clinicien actif doit savoir « consommer de la recherche » et maintenir ses connaissances à jour. Pour sa part, le chercheur doit rester à l'écoute des conditions pratiques associées à ses recherches, tant sur le plan de la pertinence et de la portée des travaux que sur celui de la méthode employée, et maintenir un lien étroit avec les cliniciens, qui sauront apporter toute la saveur « comme dans la vraie vie » à leurs recherches et aux interprétations qu'ils en font.

À ce point, il importe de mentionner qu'un livre de méthodes de recherche ne constitue pas, comme le dit si bien Kazdin (1998), un « livre de recettes » pour faire de la recherche. En effet, il ajoute que plusieurs façons de faire qui ont acquis une réputation solide dans le monde de la recherche ne constituent pas toujours une avenue obligatoire à emprunter lorsqu'on veut atteindre des conclusions considérées comme valides. Un livre sur les méthodes de recherche, que ce soit celui-ci ou d'autres (par exemple, Robert, 1988 ou Vallerand & Hess, 2000), vise d'abord et avant tout à développer une façon de penser. Kazdin (1998) soutient que la connaissance des principes rationnels qui sous-tendent les méthodes de recherche, autant que celle des méthodes elles-mêmes, est d'une importance critique puisqu'une vaste gamme d'influences peuvent venir brouiller les pistes qui nous amènent à établir des relations entre les phénomènes. Ces influences, selon Kazdin (1998), ne servent aucunement d'excuses à une recherche mal structurée. C'est à ce moment que l'imagination et l'ingéniosité des chercheurs entrent en scène et permettent de jouer d'audace en appliquant de nouvelles façons de faire qui permettent d'enrayer ces nouveaux problèmes. De plus, les connaissances en méthodologie et la philosophie qui lui est propre nous amènent à nous poser les bonnes questions et à poser les gestes qui mènent à des réponses éclairées.

1.2. LA DÉMARCHE SCIENTIFIQUE

Les travaux de Francis Bacon dans les années 1600 ont façonné la recherche en sciences sociales et humaines telle qu'on la connaît aujourd'hui. Bacon a critiqué la philosophie pour son manque d'intérêt à l'égard de la mesure objective des phénomènes et a suggéré d'utiliser une démarche empirique et des observations systématiques pour étudier les phénomènes humains (Durant, 1954). D'autres penseurs ont contribué à élaborer notre façon d'aborder les problèmes, notamment Gustav Fechner et Claude Bernard (Boring, 1950), qui insistèrent dans les années 1800 sur l'importance de la manipulation des phénomènes humains (p. ex., sensations et perceptions), ainsi que Ivan Pavlov et John Watson, qui ont plus tard valorisé l'étude des comportements observables (Herrnstein & Boring, 1966 ; Hyman, 1964).

La science représente l'acquisition de connaissances objectives à partir d'observations systématiques et rigoureuses. Selon Neale et Liebert (1986), la science constitue à la fois une méthode (l'acquisition et l'évaluation systématique des informations) et un objectif (l'identification des principes qui gouvernent l'élément à l'étude). Elle progresse grâce au développement des connaissances et demeure en constante évolution. Par exemple, les chercheurs ont d'abord cru que les électrons, les protons et les neutrons étaient les plus petites particules possible. Par la suite, les scientifiques ont longtemps considéré que les quarks et les leptons étaient les constituantes les plus fondamentales de la matière. Récemment, d'autres particules plus petites ont été découvertes, venant remettre en question les hypothèses antérieures.

La démarche scientifique – il ne faut pas l'oublier – n'est pas l'apanage des sciences pures. Elle s'applique aussi aux sciences humaines et sociales. Comme pour les atomes, des données nouvelles ou des hypothèses contredisant celles initialement proposées peuvent s'imposer au chercheur à tout moment, que ce soit au moment de la sélection des participants, dans la façon dont la recherche est organisée, durant l'analyse statistique des résultats, etc. Peu importe la discipline, devant de nouvelles données le travail du chercheur consiste en quelque sorte à se placer dans la position du sceptique, à remettre en question ses observations, à identifier toutes les façons possibles d'expliquer les résultats et, avec une grande ouverture d'esprit, à les éliminer une à une jusqu'à ce qu'une hypothèse s'impose comme la seule explication objectivement valable. Mais à quoi peut ressembler cette démarche scientifique, au juste ?

1.2.1. Les étapes de la démarche scientifique

La démarche scientifique présente une séquence qui s'apparente à celle suivie par une personne qui tente de résoudre un problème de la vie quotidienne ou un intervenant qui tente d'aider quelqu'un (voir figure 1.1, ou une version plus détaillée dans Vallerand et Hess, 2000). Le processus s'enclenche avec la formulation d'une question de recherche. Poser une question de recherche, c'est en quelque sorte énoncer ce que l'on désire savoir. Pour la personne peu familiarisée avec un domaine de recherche, voici trois avenues à explorer pour formuler une question de recherche (Anger, 1996) : (a) Pourquoi est-ce que je m'intéresse à ce sujet ? (b) Qu'est-ce que j'espère apprendre sur le sujet (description, classification, explication, compréhension, prédiction) ? (c) Que sait-on sur le sujet ?

FIGURE 1.1 **Étapes de la recherche scientifique**

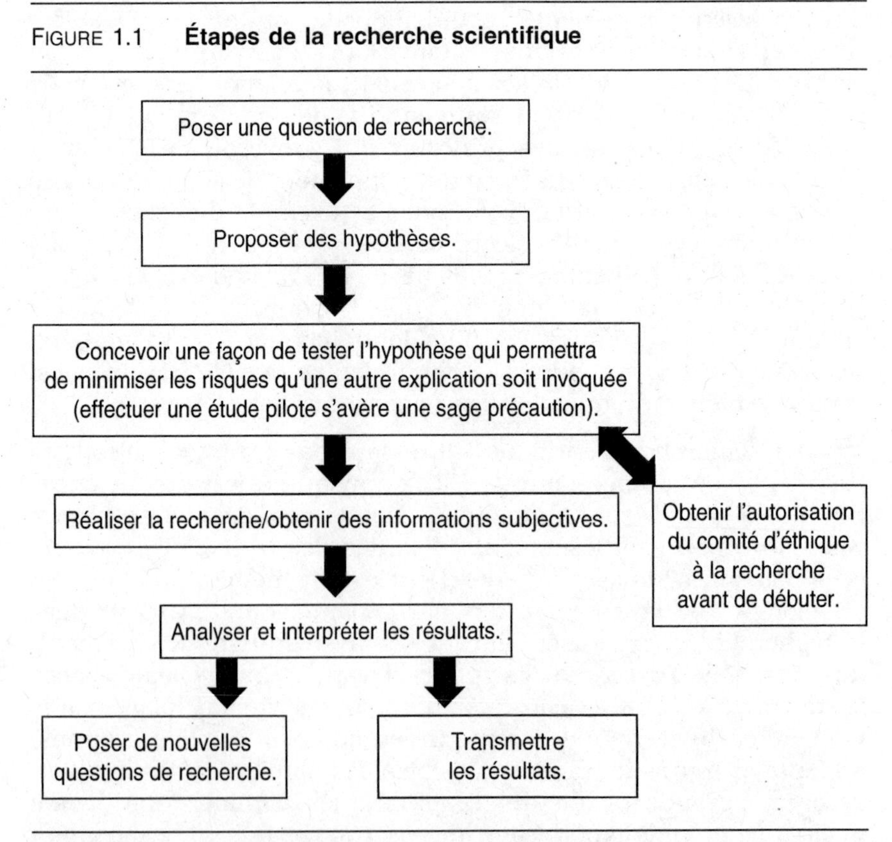

Note : En recherche qualitative, le chercheur peut modifier sa question de recherche et sa méthodologie tout au long de la démarche, ce qui n'est pas le cas en recherche quantitative (voir le chapitre 10).

Bien souvent, pour poser une bonne question de recherche et avancer des hypothèses valables, il faut connaître l'état des connaissances dans un domaine et les principales théories pertinentes. Par la suite, la définition du protocole de recherche et des aspects méthodologiques nécessite une bonne compréhension des diverses stratégies dont dispose le chercheur. En fait, en élaborant le devis, on jette les fondations d'une recherche solide. Par la suite, l'élimination des biais, sources d'erreur et contre-hypothèses devient l'objectif visé.

Après avoir obtenu l'autorisation du comité d'éthique, la réalisation de la recherche constitue certainement la phase la plus active de la démarche. Elle se déroule de façon rigoureuse et méthodique afin de respecter le protocole, la méthodologie, et de s'assurer que n'importe qui peut reproduire exactement les mêmes opérations. À la suite de l'analyse et de l'interprétation des résultats, il se peut que le chercheur raffine sa question de recherche et analyse à nouveau ses résultats, propose des modifications à la théorie ou ouvre la voie à d'autres recherches. Peu importe la conclusion, la démarche relance le cycle. De la même façon, le lecteur averti ne devrait pas se sentir totalement apaisé par la lecture d'un article scientifique, mais sentir, tout au long de sa lecture et après celle-ci, que d'autres questions foisonnent dans son esprit pour pousser le sujet abordé plus loin, trouver une façon originale d'aborder la question ou de répondre à certains problèmes méthodologiques de l'étude, par exemple.

1.2.2. Les réplications

Malgré toutes les précautions possibles, on ne peut prétendre qu'une recherche, quelle qu'elle soit, atteigne la perfection. L'élaboration et la réalisation d'une recherche entraînent des choix et, même dans les meilleures conditions, il y aura toujours place pour la critique. Il ne faut pas non plus croire que l'existence d'une étude appuyant une hypothèse démontre hors de tout doute la véracité de celle-ci. La portée d'une étude découle de sa résistance à la critique et des multiples confirmations apportées par différents chercheurs utilisant des méthodes diverses. C'est ce qu'on nomme la convergence des résultats. Dans le jargon scientifique, on parle de réplication d'une étude ou de ses résultats. Il existe plusieurs façons de répliquer une étude. La *réplication directe* représente la reprise, la plus fidèle possible, de l'étude originale. La *réplication systématique* décrit une tentative de répéter l'étude originale en modifiant systématiquement certaines facettes (sélection des participants, manipulation expérimentale, analyses statistiques, etc.).

La répétition des résultats donne une crédibilité considérable à une hypothèse ou à une théorie. Ainsi, seriez-vous prêt à essayer un nouveau vaccin contre le sida (ce qui suppose, par exemple, de recevoir une dose infime du virus) sachant qu'une seule étude confirme son efficacité ? Par contre, lorsqu'on tente de répliquer une étude, il n'est pas rare que les résultats se contredisent. Dans ces cas, avant de rejeter la théorie, il faut faire un examen détaillé des études pour expliquer l'inconsistance des résultats. D'une étude à l'autre, comme à travers l'histoire, la science est un domaine en constant réajustement. Ce qui était conçu comme un principe sûr hier ne le sera peut-être plus demain... et, aussi surprenant que cela puisse paraître, il doit en être ainsi, comme nous le verrons plus loin.

Avant de poursuivre sur des détails du vocabulaire de la recherche, il convient de distinguer les divers types de recherche possibles.

1.2.3. Recherche descriptive, corrélationnelle et expérimentale

L'approche empirique, contrairement à l'approche philosophique, repose sur l'obtention systématique d'évidences par l'observation de faits concrets et mesurables à l'aide de procédés reproductibles. Dans cette approche, trois grandes méthodes de recherche peuvent être utilisées. La méthode descriptive vise essentiellement à décrire les phénomènes. À ce point, le chercheur observe les faits et les rapporte. Pensons par exemple aux sondages d'opinion ou à l'établissement du taux de suicide dans une région. La méthode corrélationnelle vise à décrire les relations entre les phénomènes. Le chercheur désire entre autres prédire la valeur d'une variable à partir d'une autre, sans avoir recours à la manipulation de l'une ou l'autre variable. La méthode corrélationnelle permet de répondre à des questions comme celles-ci : Quelle est la relation entre le stress et la performance à un examen ? Est-ce qu'il y a un lien entre la richesse et le bonheur ? Est-ce que la relation entre la toxicomanie et la délinquance est plus forte que celle entre la pauvreté et la délinquance ? Malgré son utilité indéniable, il faut savoir que la méthode corrélationnelle ne permet *jamais* de conclure à la présence d'une relation de cause à effet. En voici un bon exemple. Nous avons calculé la corrélation entre le taux de criminalité en 2001 (tel qu'il a été estimé par le nombre d'infractions au code criminel répertoriées par le ministère de Sécurité publique pour les 17 régions administratives du Québec) et le nombre d'églises catholiques au Québec à la même période (selon les données de l'annuaire de la Conférence des évêques catholiques du Canada). Il est fascinant de constater qu'il existe une très forte relation entre le taux de criminalité et le nombre d'églises, soit 0,81 ! Cette corrélation est statistiquement significative ($p < 0{,}0001$). Ainsi, dans les endroits où il y a beaucoup d'églises, le taux de criminalité est beaucoup plus élevé que dans les endroits où il y a peu d'églises[2]. Pourtant, cela ne signifie pas que les églises causent la criminalité. On peut croire que cette forte relation s'explique, par exemple, par l'effet d'une troisième variable, le nombre de personnes dans la population (pour les curieux, la corrélation se situait à 0,09 dans une corrélation partielle contrôlant la taille de la population). La meilleure façon de conclure à la présence d'une relation causale serait de construire rapidement plusieurs églises et de vérifier si le taux de criminalité augmente. Cette façon de procéder caractérise la méthode expérimentale qui vise l'établissement de relations causales entre les phénomènes. Elle demande que l'expérimentateur manipule une variable indépendante et effectue des contrôles rigoureux de tous les autres facteurs susceptibles d'influencer la variable dépendante.

1.3. NOTIONS ET COMPOSANTES D'UNE RECHERCHE

1.3.1. Les théories

Les scientifiques tentent de simplifier les faits complexes pour mieux les comprendre. Ils élaborent donc des théories afin d'établir les déterminants des facteurs à l'étude et le mécanisme en cause dans leur développement, leur maintien et leur modification. Puisque la science tente de découvrir des lois, des relations, il est logique de conclure que la science présuppose que le monde est gouverné par de telles lois et relations. Ce mode de pensée, le déterminisme, présume que des lois de cause à effet régentent les

2. Pour être exact, la corrélation a été établie en calculant pour chacune des régions du Québec le nombre de paroisses et le nombre total de toutes les infractions au code criminel dans la région correspondante. Cette analyse a été effectuée à des fins pédagogiques et la démarche ne prétend pas avoir de valeur sur le plan scientifique.

phénomènes de l'univers. Plus on connaît ces lois, meilleures seront les prédictions d'un phénomène donné. On ne peut découvrir ces lois que par une observation systématique et rigoureuse des phénomènes qui nous entourent. Par la suite, une façon d'organiser ces lois en un tout cohérent est d'élaborer des théories. Une théorie représente un *ensemble* cohérent de propositions, de règles et de définitions qui vise à décrire ou à expliquer un phénomène et à en prédire les manifestations. Les théories évoluent constamment. Elles sont évaluées et bonifiées par l'apparition de nouvelles données. Ainsi, il s'opère un processus itératif de remise en question constante où les théories orientent la recherche et où la recherche permet d'évaluer les théories.

Il semble donc que les connaissances scientifiques proviennent à la fois d'une démarche inductive et déductive. Avoir la possibilité de remettre une théorie en question est, pour certains, une condition vitale. Karl Popper (1959) estimait qu'une théorie était scientifique seulement dans la mesure où elle pouvait être réfutée. C'est ce qu'il appelait le principe de falsifiabilité. Il a longuement critiqué les théories de Freud et d'Adler parce que peu importe ce que l'être humain fait, il existe toujours un moyen de manipuler ces théories pour qu'elles concordent avec les faits. Une théorie comme l'astrologie échouerait aussi le test de falsifiabilité, pour les mêmes raisons. Popper estimait que pour être scientifiquement valide, une théorie ne devait pas simplement se borner à trouver une explication à des faits déjà observés (postdiction). D'ailleurs, expliquer simplement un phénomène augmente le risque d'échouer le test de falsifiabilité, puisque la théorie produite risque de coller trop «confortablement» aux faits. Au contraire, Popper soulignait qu'une théorie se devait de prendre des risques et tenter de prédire des phénomènes non encore observés, en critiquant les connaissances déjà accumulées (prédiction). On n'a qu'à penser aux théories qui sous-tendent les prévisions météorologiques pour se rendre compte qu'elles passeraient le test de falsifiabilité haut la main!

De cette façon, chaque théorie est révisée et améliorée avec le temps, perpétuant le constant mouvement de la science. Selon Popper, une théorie n'est pas un fait absolu, mais toujours une affirmation dans l'attente d'être réfutée. Dans la même lignée, il y a deux démarches possibles pour élaborer des théories. La démarche inductive repose sur l'observation de faits concrets pour dégager des règles générales. Par exemple, si un professeur constate que les étudiants dorment ou discutent durant son cours, il pourrait en induire qu'il est mauvais enseignant. Quant à la démarche déductive, elle décrit un processus où les raisonnements théoriques mènent à des énoncés sur des faits concrets. Ainsi, le même professeur pourrait déduire que, s'il est mauvais enseignant, les étudiants manifesteront peu d'intérêt durant ses cours.

Mais attention. Une théorie qui échoue le test de falsifiabilité n'est pas nécessairement inutile ! Les théories de Freud et d'Adler, bien que très peu testables scientifiquement, ont largement influencé les courants de pensée de leur temps jusqu'à nos jours. En plus de s'appuyer sur des bases scientifiques, une théorie doit se révéler parcimonieuse (expliquer les faits le plus simplement possible) et utile. Selon Bandura (1986), une théorie psychosociale utile doit permettre : (a) de prédire les événements (comportements, émotions, pensées, processus de développement, etc.), (b) d'identifier les déterminants des événements et leurs mécanismes sous-jacents et (c) d'agir sur les déterminants afin de modifier les événements.

1.3.2. Les hypothèses

Les recherches ne confirment ni n'infirment directement une théorie ; elles permettent d'appuyer des hypothèses, qui, elles, découlent de théories. Une hypothèse représente une tentative d'expliquer, de prédire ou d'explorer une relation entre des faits. Elle constitue une réponse à une question de recherche, à l'énoncé du problème, et exprime la relation attendue entre deux événements. Dans l'examen d'une relation de cause à effet, une hypothèse peut conceptuellement prendre la forme d'un énoncé « si..., alors... » comme dans les exemples suivants : « si j'étudie, alors je vais réussir ce cours », « si les gens fument beaucoup, alors ils vont développer le cancer des poumons », « si la relaxation est plus efficace que l'exercice physique, alors les gens faisant de la relaxation présenteront une plus grande diminution de leur niveau de stress quotidien que ceux faisant de l'exercice physique ». Notons tout de même que bien peu d'hypothèses sont formulées de cette façon dans les articles scientifiques, la première partie étant souvent escamotée ou implicite.

Les hypothèses ont aussi leur langage propre. Ainsi, elles seront formulées de la façon la plus claire et la plus précise possible, en ramenant les affirmations sur des échelles de mesure particulières utilisées dans l'étude. Par exemple, un chercheur désire savoir si des clients bénéficieraient d'une intervention plus longue pour traiter leur dépression. Il procède alors à une exploration des écrits scientifiques et découvre qu'en général les interventions de courte durée (6 sessions, par exemple) devraient avoir moins d'effet sur la dépression que les interventions de plus longue durée (20 sessions, par exemple). Il en conclut que les interventions plus longues ont plus d'effet sur la dépression. Il se trouve maintenant prêt à prédire son phénomène, à formuler son hypothèse et à entreprendre son étude. Cependant, lorsque viendra le temps de formuler l'hypothèse, il ne parlera pas d'« amélioration de la dépression en fonction de la durée du traitement », mais bien d'une « diminution significative des scores sur l'échelle de dépression ABC pour le traitement de 20 sessions ». Un autre détail à considérer est que, pour des raisons statistiques, il est préférable de ne pas formuler d'hypothèses sur l'absence de différences (par exemple, le traitement de 20 sessions sera aussi efficace que le traitement de 6 sessions). Cette nuance sera explicitée dans le chapitre 9 sur les statistiques.

Finalement, une hypothèse doit être formulée de manière à pouvoir être vérifiée empiriquement, c'est-à-dire à pouvoir être soumise au « test de la réalité ». Le philosophe Karl Popper (1959) propose d'ailleurs de formuler les hypothèses de recherche de façon à pouvoir prouver qu'elles sont fausses et d'élaborer les recherches pour prouver la fausseté de l'hypothèse. Si la démarche est correctement effectuée et que l'hypothèse n'est pas réfutée, on peut dire qu'elle résiste bien au test de la réalité. Par contre, l'obtention de résultats en accord avec une hypothèse ne prouve pas absolument la véracité de la théorie ; elle ne confirme la véracité de la théorie que lorsque toutes les explications rivales ou « alternatives » ont été éliminées. Il faut donc minimiser l'ambiguïté dans l'interprétation des résultats observés.

1.3.3. Les variables indépendantes et dépendantes

Afin de bien comprendre la nature d'une recherche et comment les hypothèses sont mises à l'épreuve, il faut savoir reconnaître les variables dépendantes et indépendantes. La variable *indépendante* est une variable à laquelle le chercheur donne volontairement certaines valeurs, par suite d'une intervention ou d'une manipulation qu'il pratique, afin d'en évaluer l'impact. Elle se retrouve bien souvent dans la partie « si... » de l'hypothèse. Sur le plan d'une analyse de cause à effet, la variable indépendante représente la cause et la variable *dépendante* représente l'effet. Le chercheur manipule donc la cause pour en observer l'effet.

Reprenons l'exemple précédent sur la durée d'un traitement pour la dépression. Il y a plusieurs façons d'identifier la variable dépendante et la variable indépendante. Dans un premier temps, on peut se demander : « Quelle est la question de recherche ? » Ici, la question de recherche pourrait être « Quel est *l'impact* de la durée du traitement sur les scores de dépression ? ». L'hypothèse pourrait se formuler comme suit : « si le traitement est de longue durée, alors les scores de dépression seront plus bas » ou « le traitement de 20 sessions sera plus efficace que le traitement de 6 sessions pour réduire les scores de dépression à l'échelle ABC ». Sachant que la variable indépendante est celle manipulée par le chercheur et constitue la cause probable de l'effet observé, on conclut que la durée du traitement représente la variable indépendante. La variable qui *reçoit* cet impact est notre variable dépendante, soit les scores de dépression à l'échelle ABC. Rappelons que la variable que le chercheur fait varier systématiquement ici est la durée du traitement (6 et 20 sessions, par exemple), ce qui constitue la variable indépendante.

Un autre type de question à se poser pour trouver les variables indépendantes et dépendantes repose sur le pouvoir de prédiction. On a vu que la variable indépendante représente la cause présumée de l'effet qu'on observe. En repérant la cause d'un phénomène, on arrive donc à prédire son effet sur ce phénomène. Quelle variable tente-t-on de prédire ici ? Tente-t-on de prédire la durée du traitement ? Non, puisque c'est quelque chose qui sera déterminé à l'avance par le chercheur lorsqu'il va préparer son étude. Il a déjà décidé que son traitement serait de 6 ou de 20 sessions. Ce qu'on cherche à prédire, c'est l'évolution des scores de dépression des participants. La variable qu'on prédit (variable prédite) constitue donc une variable dépendante (ici, les scores de dépression) et la variable qui permet de prédire (variable prédictrice) représente la variable indépendante (ici, la durée du traitement).

1.3.4. Les variables modératrices et médiatrices

Les notions de variables dépendante et indépendante ne s'appliquent pas à tous les types de recherche. En effet, dans les études corrélationnelles, il n'existe ni variable dépendante ni variable indépendante à proprement parler, puisque ce type de recherche ne permet pas de conclure à une relation de cause à effet, seulement à des interrelations. En revanche, il existe des types de variables qui sont propres à ce genre de recherche. La variable *modératrice* représente une variable qui affecte la magnitude d'une relation existante entre deux autres variables (Judd, Kenny, & McLelland, 2001). Par exemple, Stern, McCants et Pettine (1982) ont déterminé qu'il existe une corrélation positive entre les événements qui marquent la vie de façon importante et la gravité d'une maladie dont les gens peuvent souffrir. Ainsi, plus une personne vit des événements bouleversants, plus la maladie physique dont elle souffre risque de s'aggraver. Toutefois, ils ont aussi découvert que le caractère contrôlable ou incontrôlable de cet événement a aussi un effet sur la gravité de la maladie. Par exemple, subir une rupture conjugale pendant une maladie peut augmenter l'impact de ce changement, étant donné la faible perception de contrôle sur cet événement. Or, se voir ajouter une imposante tâche au travail habituel pourrait avoir moins d'impact que la rupture conjugale, puisqu'on a davantage l'impression de pouvoir contrôler la situation. L'impact de la variable modératrice, dans notre exemple, pourrait se représenter comme suit, car elle vient modérer, ou influencer, la relation entre le stresseur et la réaction :

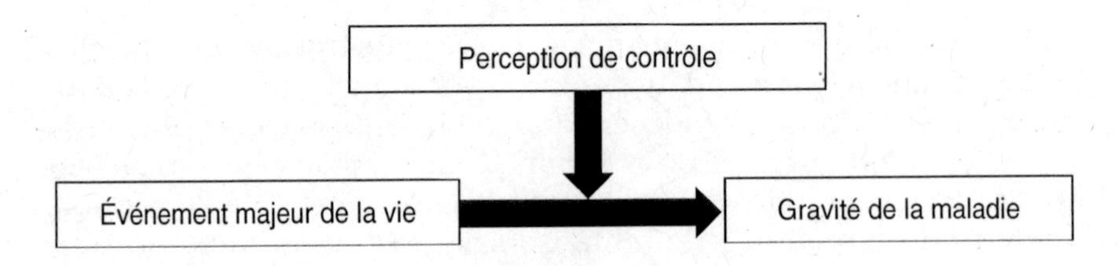

Quant à elle, la variable *médiatrice* influence les variables à l'étude de plusieurs façons. Comme pour la variable modératrice, on a comme point de départ une relation existante entre une variable A et une variable B. Une variable est toutefois dite médiatrice si elle représente un mécanisme qui produit l'effet observé. La variable médiatrice est ainsi influencée par les fluctuations de la variable A et, en retour, elle influence les fluctuations de la variable B. On peut se représenter ces relations dans le modèle suivant, où l'effet d'une variable passe par la variable médiatrice pour se faire sentir :

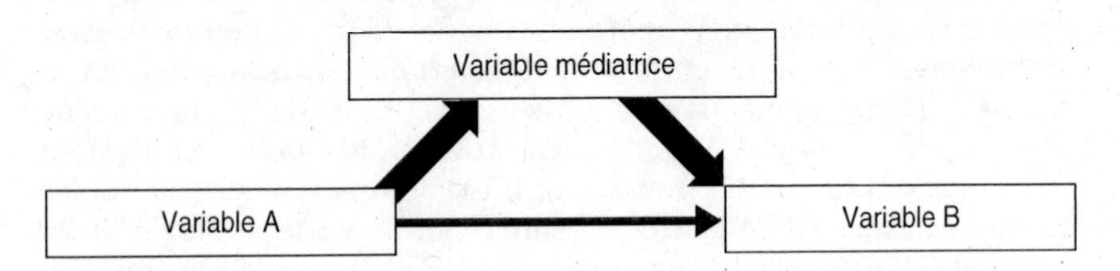

Prenons un exemple inspiré de Judd, Kenny et McLelland (2001). Supposons qu'un chercheur compare auprès de plusieurs universités trois approches d'enseignement des méthodes de recherche et découvre que plus l'enseignement comporte d'exercices pratiques, plus les étudiants intègrent la matière enseignée. Bien que cette découverte présente un intérêt en soi, il serait aussi intéressant de comprendre ce qui explique la relation entre les méthodes d'enseignement et les résultats scolaires. Une augmentation de l'intérêt envers la matière, un nombre plus élevé d'heures investies à étudier ou la prise de conscience de la signification réelle des concepts abordés en classe représentent toutes des variables médiatrices possibles car elles peuvent expliquer, du moins en partie, la relation observée. Par ailleurs, la compétence des enseignants, leur ouverture à offrir des ateliers pratiques ou le nombre d'étudiants dans les classes constituent des modérateurs potentiels, car ils peuvent influencer la relation observée.

1.3.5. Les notions de causalité

La notion de causalité jouit d'une grande popularité en philosophie. Un phénomène peut avoir plusieurs causes ou une cause principale, une première cause, des causes secondaires, une cause immédiate, et toute une chaîne causale. Haynes (1992) propose quatre conditions pour considérer une relation comme causale : (a) la cause précède l'effet, (b) la cause et l'effet varient dans le temps de façon concomitante, (c) il existe un lien logique entre la cause et l'effet, et (d) l'effet observé ne peut être entièrement expliqué par une autre cause.

Prenons ici aussi un exemple pour illustrer les conditions proposées par Haynes. Un chercheur veut documenter l'impact d'une nouvelle forme de motivation dans les classes de première année du primaire. Pour accroître l'assiduité des jeunes élèves dans la qualité et la remise des devoirs, il récompense d'une barre de chocolat chaque élève qui obtient un A et remet son devoir à temps. Comment s'assurer, lorsque l'assiduité des élèves augmente en flèche, que ce phénomène découle vraiment de la nouvelle forme de motivation ? Si le chercheur constate que l'assiduité des élèves n'a commencé à changer *qu'après* l'introduction de la nouvelle forme de motivation, il pourra constater que la cause précède l'effet (le critère *a* de Haynes). Sachant que l'assiduité a changé dans les deux semaines qui ont suivi l'introduction de cette forme de motivation, les deux phénomènes varient donc dans le temps de façon concomitante (le critère *b*). Qui plus est, il semble logique de penser que c'est la nouvelle méthode de motivation qui explique le changement, montrant qu'il existe un lien logique entre la cause et l'effet (le critère *c*). Enfin, après avoir consulté les écrits scientifiques et bien orchestré son étude, le chercheur ne peut trouver aucune autre cause survenue pendant l'étude qui pourrait expliquer le changement chez les élèves. L'effet observé ne peut donc être entièrement expliqué par une autre cause (le criètre *d* de Haynes). Le chercheur aurait conclu autrement si, par exemple, un conférencier très aimé par les jeunes était venu les sensibiliser à l'importance de la réussite scolaire pendant la durée de l'étude. Cette cause aurait pu servir d'explication alternative au changement d'attitude chez les jeunes.

On retrouve aussi dans les écrits sur la causalité les notions de cause nécessaire et de cause suffisante. La cause suffisante est capable de produire l'effet et se résume à : « B se produit lorsque A se produit ». Donc, A est suffisant pour causer B. Par exemple, la phobie des avions (le A) est suffisante pour expliquer le fait que des gens ne prennent pas l'avion (le B). Même si cette cause est suffisante, peut-être existe-t-il d'autres causes suffisantes pour empêcher les gens de prendre l'avion. Par ailleurs, la cause nécessaire doit être présente pour que l'effet se produise et elle se traduit par : « B ne se produit jamais sans A ». Par exemple, il est nécessaire de savoir lire le français pour comprendre le présent chapitre (mais cela n'est pas suffisant). La cause nécessaire devient donc un élément essentiel pour qu'un phénomène se produise, mais cette cause a besoin d'autres causes pour produire le phénomène. Il est nécessaire de respirer pour vivre, mais cela n'est pas suffisant pour assurer la survie ; il faut aussi manger, bouger, etc. Bien entendu, il existe aussi des causes nécessaires *et* suffisantes. Dans ce cas, « B se produit toujours après A et jamais sans être précédé de A ». Ce type de cause semble bien rare en sciences humaines et sociales, les causes suffisantes étant celles qu'on rencontre le plus fréquemment.

1.4. CONCLUSION

Puisque le praticien-scientifique représente un consommateur de recherche averti, il comprend la démarche scientifique et peut séparer le bon grain de l'ivraie. Toutes les études publiées ne possèdent pas les mêmes qualités, et les sciences sociales ont tiré profit des leçons acquises au cours des années (Shadish, 2002). Les chapitres de cet ouvrage visent donc à fournir aux étudiants les connaissances nécessaires pour juger de la qualité d'une étude et, s'ils le désirent, pour élaborer eux-mêmes des projets de recherche. Ainsi que l'illustre le tableau 1.2, nous respectons délibérément dans la séquence de présentation des chapitres un ordre permettant d'étudier un thème par semaine durant un trimestre universitaire.

TABLEAU 1.2 **Parallèle entre la séquence des chapitres et les étapes de réalisation d'une recherche**

L'organisation d'une recherche	
Comprendre les sources d'erreur	Chapitre 2
Choisir un protocole de recherche	Chapitres 3 et 5
Choisir une condition témoin	Chapitre 4
La mesure des phénomènes	
Comprendre les sources d'erreur	Chapitre 6
Choisir un questionnaire	Chapitre 7
Documenter des comportements observables	Chapitre 8
Les applications pratiques	Chapitre 9
Y a-t-il une autre approche à considérer (qualitative) ?	Chapitre 10
Comment évaluer un programme ?	Chapitre 11
Quels sont les aspects éthiques en jeu ?	Chapitre 12
Comment faut-il s'adapter à différents champs de recherche ?	Chapitre 13
Comment trouver l'information pertinente ?	Chapitre 14

Au chapitre 2, Reid expose les principales sources d'erreur susceptibles d'invalider ou de biaiser les conclusions d'une recherche. Ces sources d'erreur donnent la fausse impression que la manipulation expérimentale cause le changement observé sur la variable dépendante. Dans ce chapitre, Reid présente aussi les éléments qui empêchent de généraliser les résultats de l'étude à d'autres situations ou contextes.

Le chapitre écrit par Mercier, Gagnon et Clément aidera le lecteur à passer du statut de recherchiste à celui de chercheur. Les recherchistes recueillent des informations qui existent déjà, alors que les chercheurs créent des connaissances nouvelles à l'aide de méthodes les plus rigoureuses possible. L'objectif du chapitre 3 est donc d'expliquer et d'illustrer les principaux protocoles pour mener une recherche empirique auprès de plusieurs personnes. Les protocoles dits expérimentaux possèdent une grande valeur méthodologique, alors que ceux qualifiés de quasi et de préexpérimentaux résistent moins bien à l'analyse critique.

Le choix d'un protocole pour évaluer l'effet d'une manipulation expérimentale est une tâche importante, mais il apparaît tout aussi important de bien isoler la manipulation expérimentale. Pour ce faire, les chercheurs ont recours à des conditions témoins où les participants sont soumis à des conditions analogues à celles de la condition expérimentale, à l'exception de la manipulation elle-même. Dans la foulée du chapitre précédent, Mercier, Gonthier, Desmarais et Clément ont organisé le chapitre 4 autour d'exemples concrets et pertinents. Après ce chapitre, le lecteur ne devrait plus avoir l'impression de comparer des pommes avec des oranges, mais plutôt sentir qu'il maîtrise les subtilités des conditions témoins.

L'information fournie jusqu'à présent offre des éléments pour évaluer la rigueur d'études comme celle sur l'efficacité du programme B-5. Mais comment l'intervenant qui se définit comme un praticien-scientifique peut-il évaluer l'efficacité de ce programme lorsqu'il l'applique lui-même ? Autrement dit, comment un intervenant peut-il faire de la recherche s'il ne possède pas les ressources nécessaires pour organiser une étude auprès de 1701 participants ? La même personne pourrait aussi reprocher à la recherche traditionnelle de ne pas accorder assez d'importance aux différences individuelles des participants. Les protocoles à cas unique présentés par Rivard et Bouchard au chapitre 5 répondent à ces préoccupations.

Les chapitres 6, 7 et 8 portent essentiellement sur la mesure de la variable dépendante. Dans le chapitre 6, Bouchard introduit les notions de validité et de fidélité, alors que Sabourin, Valois et Lussier montrent au chapitre 7 comment élaborer, traduire et utiliser les questionnaires. Pour leur part, Coutu, Provost et Bowen présentent une démarche structurée pour une évaluation valide et systématique des comportements à l'aide d'observations directes plutôt que de questionnaires. Dans notre exemple sur le stress aux examens, cela se traduit par une présentation des concepts en cause dans les questions suivantes : Est-ce que le chercheur mesure vraiment le stress aux examens et avec une faible marge d'erreur (chapitre 6) ? Le questionnaire choisi est-il approprié et bien administré (chapitre 7) ? La personne observant les comportements associés à la nervosité des participants durant l'examen a-t-elle suivi une procédure rigoureuse (chapitre 8) ?

Les statistiques rebutent beaucoup d'étudiants en sciences humaines et sociales. À la lecture d'un article scientifique, ces étudiants s'empressent de passer à la section suivante dès qu'ils abordent un passage avec des chiffres ou des « p < 0,05 »... Dans les première et troisième sections du chapitre 9, Laurencelle permet au lecteur d'apprivoiser la statistique inférentielle et ses principaux outils. Il présente les concepts et formules dans un langage simple et accessible afin de démontrer l'importance des statistiques comme complément et prolongement de la méthodologie de recherche. En effet, l'analyse statistique éclaire le chercheur en faisant la part, dans les résultats qu'il obtient, de ce qui peut être attribué au hasard et de ce qu'on doit imputer à la manipulation expérimentale. Dans la deuxième section de son chapitre, Laurencelle donne en paradigmes quatre exemples majeurs de tests d'hypothèses.

Alors que le chapitre 9 s'inscrit résolument dans une approche quantitative de la recherche, il faut rappeler qu'il existe d'autres façons d'étudier les phénomènes. Lorsqu'un chercheur découvre un nouveau champ de recherche et qu'il n'existe pas de théories solides pour guider ses hypothèses, la seule façon de faire progresser les connaissances consiste souvent à se concentrer sur l'individu plutôt que sur les statistiques. Par ailleurs, lorsque les questions de recherche deviennent plus raffinées, une approche qualitative peut permettre d'obtenir des informations uniques et riches. Ainsi, l'approche qualitative gagne en popularité et Deslauriers en trace les grandes lignes dans le chapitre 10.

Tirant profit des forces des approches qualitative et quantitative, les intervenants et les gestionnaires disposent désormais d'outils pour évaluer de façon empirique des programmes mis en place. Ils peuvent désirer évaluer les besoins de la population, voir si les programmes se déroulent de la façon prévue, s'ils sont efficaces et à quel coût, et mesurer leur impact direct et indirect. Les méthodes de recherche abordées jusqu'ici dans l'ouvrage contribuent à faire comprendre les subtilités de l'évaluation de programme. Toutefois, Tourigny et Dagenais ont analysé les écrits à ce sujet et décrivent de façon cohérente, au chapitre 11, la méthodologie de la recherche évaluative.

Le chapitre 12 aborde les considérations éthiques de la recherche auprès de sujets humains. Ce thème a toujours occupé une place importante dans les ouvrages sur les méthodes de recherche, car il faut connaître et comprendre les grands principes visant la protection de l'intégrité des personnes qui participent au développement des connaissances. Allard et Bouchard résument les principales informations que l'on doit détenir pour entreprendre un questionnement sur des sujets tels que l'évaluation des risques et bénéfices d'une recherche, le consentement à participer à une recherche, la duperie, la fraude, etc. Ils accordent en outre une attention particulière à l'énoncé de politiques que les trois principaux organismes subventionnaires fédéraux ont publié conjointement en 1998.

Le chapitre 13 comprend huit sections rédigées par divers chercheurs. Chaque auteur a reçu le mandat d'exposer brièvement les concepts méthodologiques propres à son champ de recherche, afin d'outiller l'étudiant et le praticien-scientifique dans leur démarche d'acquisition de connaissances ; il est ainsi possible de diversifier les exemples de thèmes et de stratégies de recherche. Bien entendu, nous n'avons pu couvrir tous les champs d'application, et chaque section mériterait une plus grande attention. Toutefois, la présentation des contraintes et défis propres à quelques domaines d'études place l'étudiant dans une meilleure position pour comprendre leurs spécificités tout en lui permettant de constater l'absurdité d'une application aveugle et irréfléchie des règles méthodologiques.

En terminant, au chapitre 14, Danielle Boisvert décrit de manière originale les étapes d'une recherche d'information et de documentation. Étant donné que le savoir se démocratise et se présente sous plusieurs formes, le lecteur sera incité à développer des habiletés qui favoriseront son autonomie. Pour mieux s'organiser dans sa collecte d'information, l'étudiant apprendra à cerner et à exprimer clairement en langage documentaire ses besoins d'information, à choisir les outils les plus pertinents et à évaluer la qualité de ses trouvailles. Le lecteur y trouvera aussi une démarche pour repérer les renseignements disponibles dans des ouvrages ou des articles et sur des sites Internet. Au moment de la préparation du texte, une attention particulière a été accordée à l'éclatement des moyens offerts pour obtenir l'information. Ainsi, de plus en plus de gens ont accès à leur bibliothèque ou à des articles à partir de leur domicile. En outre, les banques de données se multiplient, évoluent constamment, et leur interface varie d'un établissement à l'autre.

1.5. QUESTIONS

1. Nommez les sept étapes de la démarche scientifique.
2. Vrai ou faux. La méthode expérimentale est plus utile que la méthode corrélationnelle.
3. Un chercheur observe pendant des semaines les comportements d'enfants de 3 et 4 ans pour tenter de comprendre comment les liens amicaux se font et se défont à l'âge préscolaire. Utilisera-t-il une démarche déductive ou inductive pour élaborer sa théorie ?
4. Selon le principe de falsifiabilité de Karl Popper :
   a) toutes les théories sont fausses ;
   b) les théories non réfutables sont non scientifiques ;
   c) les théories non réfutables sont inutiles ;
   d) les théories sont constamment dans l'attente d'être renouvelées ;
   e) b et c sont vraies ;
   f) b et d sont vraies ;
   g) aucune de ces réponses.
5. Un chercheur désire évaluer l'efficacité d'un programme d'intervention pour augmenter la réussite scolaire et réduire le taux de décrochage. L'échantillon se compose de 120 sujets au primaire, 120 sujets au secondaire et 120 sujets au collégial. Il utilise un protocole de type prétest post-test avec condition témoin de type liste d'attente. Nommez une variable indépendante et une variable dépendante dans cette étude.
6. Les résultats d'une étude se lisent comme suit : « Il existe une différence significative entre les deux groupes de sujets quant à leur capacité de supporter la douleur ($p < 0,05$). Ceux recevant un traitement par rigolothérapie se portent mieux que ceux recevant un traitement selon la méthode Borg. » Identifiez une variable dépendante dans cette étude.
7. Une chercheuse parvient à documenter l'influence de la fatigue physique sur le taux de participation en classe. Elle observe aussi que le niveau général d'intérêt des étudiants envers la matière peut augmenter ou diminuer l'influence de la fatigue. Le niveau d'intérêt représente quel type de variable ?
8. Je sais qu'un enfant peut pleurer si sa mère quitte la maison pour aller travailler. Quel type de cause représente le départ de la mère ?

1.6. RÉFÉRENCES

Anger, M. (1996). *Initiation pratique à la méthodologie des sciences humaines.* Montréal : Les Éditions CEC.

Barlow, D.H. (1994). Psychological interventions in the era of managed competition. *Clinical Psychology Science and Practice, 1*, 109-122.

Barlow, D.H. (2002). *Anxiety and its disorders : The nature and treatment of anxiety and panic* (2e éd.). New York : Guilford Press.

Bisson, J.I. (2003). Single-session early psychological interventions following traumatic events. *Clinical Psychology Review, 23*(3), 481-499.

Boring, E.G. (1950). *A history of experimental psychology* (2e éd.). New York : Appleton Century Croft.

Callahan, J. (1996). Negative effects of a school suicide postvention program. A case example. *Crisis, 17*(3), 108-115.

Durant, W. (1954). *The story of philosophy.* New York : Pocket Library.

Goisman, R.M., Warshaw, M.G., Peterson, L.G., Rogers, M.P., Cueno, P., Hunt, M.F., Tomlin-Albanese, J.M., Kazim, A., Gollan, J.K., Epstein-Kaye, T., Reich, J.H., & Keller, M.B. (1994). Panic, agoraphobia, and panic disorder with agoraphobia : Data from a multicenter anxiety disorders study. *The Journal of Nervous and Mental Disease, 182*, 72-79.

Goldney, R.D., & Berman, L. (1996). Postvention in schools : Affective or effective ? *Crisis, 17*(3), 98-99.

Haynes, S.N. (1992). *Models of causality in psychopathology.* Toronto : Maxwell Macmillan Canada.

Herrnstein, R.J. & Boring, E.G. (1966). *A sourcebook in the history of psychology.* Cambridge : Harvard University Press.

Hyman, R. (1964). *The nature of psychological inquiry.* Englewood Cliffs : Prentice Hall.

Iucci, S., Marchand, A., & Brillon, P. (2003). Pouvons-nous diminuer ou prévenir l'apparition des réactions de stress post-traumatiques ? Analyse critique de l'efficacité du débriefing. *Canadian Psychology, 44*(4), 351-368.

Judd, C.M., Kenny, D.A., & McLelland, G.H. (2001). Estimating and testing mediation and moderation in within-subject designs. *Psychological Methods, 6*(2), 115-134.

Kazdin, A.E. (1998). *Methodological issues & strategies in clinical research* (2e éd.). Washington, DC: American Psychological Association.

Nathan, P.E., & Gorman, J.M. (2002). *A guide to treatments that work* (2e éd.). New York: Oxford University Press.

Neale, J.M., & Liebert, R.M. (1986). *Science and behavior. An introduction to methods or research* (3e éd.). Englewood Cliffs: Prentice Hall.

Popper, K. (1959). *The logic of scientific theory.* New York: Basic Books.

Raimy, V.C. (1950). *Training in clinical psychology (Boulder Conference).* New York: Prentice Hall.

Robert, M. (1988). *Fondements et étapes de la recherche scientifique en psychologie.* Saint-Hyacinthe: Édisem.

Shadish, W.R. (2002). Revisiting field experiments: Field notes for the future. *Psychological Methods, 7*(1), 3-18.

Shakow, D., Hilgard, E.R., Kelly, E.L., Luckey, B., Sanford, R.N., & Shaffer, L.F. (1947). Recommended graduate training program in clinical psychology. *American Psychologist, 2,* 539- 558.

Stern, G.S., McCants, T.R., & Pettine, P.W. (1982). The relative contribution of controllable and uncontrollable life events to stress and illness. *Personality and Social Psychology Bulletin, 8,* 140-145.

Swinson, R.P., Cox, B.J., Kerr, S.A., Kuch, K., & Fergus, K.D. (1992). A survey of anxiety disorders clinics in Canadian hospitals. *Canadian Journal of Psychiatry, 37,* 188-191.

Vallerand, R.J. & Hess, U. (2000). *Méthodes de recherche en psychologie.* Montréal: Gaëtan Morin Éditeur.

CHAPITRE

LES SOURCES D'INVALIDITÉ ET DE BIAIS

Comment tirer des conclusions valides

LUC REID

La raison d'être de l'approche scientifique est de produire des connaissances objectives, c'est-à-dire des connaissances qui ne sont pas affectées par nos préjugés personnels, nos croyances, des circonstances fortuites ou qui ne reposent que sur un raisonnement théorique. L'objectif que nous poursuivons dans une recherche consiste justement à mettre nos hypothèses à l'épreuve en évaluant dans quelle mesure elles sont appuyées par les faits. Pour que les résultats obtenus soient de quelque utilité, il faut que la recherche réponde à certains critères: elle doit présenter à la fois une bonne validité interne, une bonne validité externe et une bonne validité de concept.

Dans une recherche, on tente d'abord de mettre en relation différentes variables. Le plus souvent, on cherche à voir par ce moyen les effets de la variation d'une variable indépendante sur une variable dépendante. Pour atteindre un objectif d'objectivité, dans une recherche, on doit être en mesure de pouvoir contrôler l'influence sur les résultats des variables qui sont extérieures à l'étude. Ces variables extérieures, qui sont appelées les variables parasites ou variables nuisibles, peuvent contaminer les résultats, devenant la source de contre-hypothèses ou d'hypothèses rivales pour expliquer les résultats obtenus. Il devient alors impossible de se prononcer sur la relation qui existe entre la variable indépendante et la variable dépendante. La *validité interne* représente le degré auquel une étude établit clairement que les effets observés découlent de la manipulation de la variable indépendante.

Ensuite, il est important de pouvoir généraliser les résultats d'une étude. Il faut réaliser qu'une recherche qui présente une bonne validité interne ne fait que nous assurer de l'existence d'une relation réelle entre la variable indépendante et la variable dépendante, relation qui ne vaut que pour les individus et le contexte précis dans lequel s'est déroulée la recherche. En général, le chercheur désire que ses résultats dépassent le cadre étroit de sa recherche pour s'appliquer à d'autres individus et à d'autres situations. Lorsqu'on s'intéresse à la possibilité de généraliser les résultats d'une recherche, on touche alors à la question de la validité externe. La *validité externe* porte donc sur le degré auquel les résultats peuvent être généralisés à des individus, des situations ou des moments du continuum temporel différents des conditions précises dans lesquelles la recherche s'est déroulée.

Enfin, pour générer des connaissances qui reflètent la réalité, la recherche doit respecter de façon satisfaisante un troisième critère. Il faut que les situations concrètes utilisées aient effectivement manipulé ou mesuré les aspects que le chercheur voulait mesurer. Ce questionnement sur la correspondance entre ce que l'expérience mesure réellement et ce qu'elle était censée mesurer renvoie à ce qu'on appelle la validité de concept. La *validité de concept* correspond donc au degré auquel une étude mesure et manipule réellement les concepts théoriques qui intéressent le chercheur.

Dans ce chapitre, nous traiterons principalement des deux premiers types de validité, soit la validité interne et la validité externe. La validité de concept sera présentée brièvement.

2.1. LA VALIDITÉ INTERNE

Pour reprendre ce qui a été mentionné plus haut, précisons que la validité interne d'une recherche concerne le degré de confiance que nous pouvons avoir dans les conclusions auxquelles elle arrive quant à la relation existant entre deux variables. Elle correspond donc à la capacité d'une procédure de pouvoir dissocier clairement les effets dus aux variables d'intérêt des effets que pourraient générer des variables qui ne sont pas directement considérées dans la recherche. L'évaluation de la validité interne d'une recherche repose sur l'examen de l'existence de différents facteurs pouvant avoir contaminé les résultats obtenus. Nous allons d'abord considérer les différentes sources d'invalidité, puis nous nous intéresserons aux différentes méthodes permettant le contrôle des variables nuisibles.

2.1.1. Facteurs d'invalidité

Dix facteurs principaux menacent la validité interne d'une recherche (Campbell & Stanley, 1966 ; Christensen, 1997 ; Cook & Campbell, 1979 ; Kazdin, 1992). Plus spécifiquement, ces facteurs sont les facteurs historiques, la maturation, la sélection des participants, la fluctuation de l'instrument de mesure, la réactivité de la mesure, la régression statistique, la défection de participants, les effets associés à l'expérimentateur, les attentes des participants et la diffusion ou l'imitation de l'intervention. Chacune de ces sources agit comme hypothèse rivale ou contre-hypothèse pour expliquer les effets observés de l'intervention ou de la condition auxquels les participants ont été exposés. Il faut être conscient que l'existence d'hypothèses rivales ne signifie aucunement que la variable indépendante n'est pas responsable de l'effet observé. Cependant, leur existence fait en sorte qu'il est impossible de conclure de façon sûre quant à l'effet réel de l'intervention ou de la condition. Ces facteurs font en sorte que le chercheur ne peut savoir si les effets qu'il a observés sont attribuables à la manipulation de sa variable indépendante, au facteur d'invalidité, à l'effet additif ou interactif de la variable indépendante et du facteur d'invalidité, ou à une interaction entre les facteurs d'invalidité. Nous allons maintenant considérer chacune de ces menaces.

2.1.1.1. LES FACTEURS HISTORIQUES

Les facteurs historiques peuvent constituer une menace à la validité interne, surtout dans les expériences qui sont conçues de telle façon que la variable dépendante est mesurée avant et après la manipulation de la variable indépendante. Ces facteurs historiques correspondent à tout événement spécifique (autre que la variable indépendante) qui se produit à l'extérieur ou à l'intérieur du cadre de la recherche entre les deux mesures de la variable dépendante et qui pourrait expliquer les résultats obtenus. Supposons, à titre d'exemple, qu'un chercheur veut évaluer l'efficacité d'une technique de gestion du stress sur des ouvriers travaillant à une chaîne de montage. Ce chercheur procède d'abord à la mesure du niveau de stress des employés avant l'amorce de l'intervention, afin d'obtenir des données sur le niveau initial de stress ressenti par les employés. Il effectue l'intervention auprès des employés pendant une période d'un mois. Par la suite, il mesure le niveau de stress rapporté par les ouvriers au terme de l'intervention. La comparaison des résultats aux deux mesures montre une réduction importante et significative du niveau de stress chez les employés. Un tel résultat pourrait amener le chercheur à conclure à l'efficacité de l'intervention. Cependant, cette conclusion serait pour le moins hasardeuse étant donné que certains événements extérieurs à la recherche peuvent également être responsables de l'amélioration observée. Supposons qu'au moment de la première évaluation des rumeurs aient circulé quant à la fermeture prochaine de l'usine et que durant l'intervalle séparant les deux mesures cette rumeur se soit estompée ou que de façon concomitante avec l'intervention la cadence de la chaîne de montage ait été diminuée. Il est facile de supposer que ces événements eux-mêmes puissent être responsables de la diminution du niveau de stress observé entre les deux mesures. L'assurance d'une plus grande stabilité de l'emploi ou la baisse du rythme de travail deviennent alors des hypothèses rivales plausibles pour expliquer le changement obtenu au niveau de la variable dépendante de l'étude. Il est toujours possible que la technique de gestion du stress soit efficace. Cependant, comme il est impossible de dissocier les effets découlant de l'intervention de ceux provenant des événements qui se sont produits entre les deux mesures, on ne peut conclure avec certitude en ce qui a trait aux bénéfices réels pouvant être associés avec l'utilisation de cette technique. Dans une expérience, il est primordial de pouvoir faire la distinction entre les effets d'événements spécifiques se produisant dans la vie des participants et les effets de l'intervention.

Les facteurs historiques peuvent également contribuer à masquer l'efficacité d'une intervention. Supposons que durant l'intervalle entre les deux mesures une rumeur se soit répandue parmi les employés quant à la fermeture prochaine de l'usine ou à l'augmentation prochaine de la cadence de production. Il est facile de concevoir que de tels événements pourraient se traduire, au mieux, par une absence de différence entre les mesures de stress pré- et post-test, ou même par une détérioration du niveau de stress des employés. Dans le premier cas, l'absence de différence pourrait amener le chercheur à faussement conclure à l'inefficacité de l'intervention, alors que celle-ci a en réalité empêché une détérioration dans le niveau de stress ressenti par les ouvriers. Dans le second cas, les résultats sembleraient indiquer que la technique est nuisible, alors qu'elle est inefficace ou pas assez puissante pour faire obstacle aux nouveaux agents stresseurs qui sont apparus entre les deux mesures.

À partir des exemples mentionnés, d'aucuns pourraient prétendre que les facteurs historiques ne représentent pas une grande menace, puisqu'un chercheur le moindrement attentif devrait détecter l'apparition de tels événements et en tenir compte dans l'interprétation des résultats obtenus dans sa recherche. Cependant, les facteurs historiques peuvent se présenter sous une forme plus subtile ou plus insidieuse qui rend leur détection beaucoup plus difficile. Par exemple, une baisse marquée des cotes de l'entreprise à la bourse se produisant entre les deux mesures pourrait également contribuer à un changement dans le niveau de stress des employés. D'un autre côté, le niveau de stress des individus peut suivre des variations cycliques ou saisonnières. À supposer, par exemple, que les conditions climatiques constituent un agent stresseur, il est possible que le niveau de stress des employés ait tendance à diminuer normalement à mesure que les conditions climatiques s'améliorent. Ainsi, le niveau de stress des employés à la fin du mois de février tend peut-être à être plus élevé qu'à la fin mars où le début de l'adoucissement dans la température rend les conditions de transport moins difficiles. À ce moment, si la mesure au prétest a été prise à la fin février et la mesure au post-test à la fin mars, il est possible que la baisse dans le niveau de stress des employés soit imputable, du moins en partie, au changement dans les conditions climatiques. De façon générale, on peut avancer que plus long est le laps de temps s'écoulant entre les deux mesures, plus les facteurs historiques deviennent une hypothèse rivale à prendre en considération (Christensen, 1997). Cependant, on peut comprendre que même un intervalle très bref peut être suffisant pour que se produise un événement qui peut altérer le comportement des participants à la recherche.

Enfin, bien que les facteurs historiques correspondent habituellement à des événements qui surviennent en dehors de l'expérience, ils peuvent aussi inclure des événements qui se déroulent durant l'expérience. Le chercheur n'est pas à l'abri d'événements imprévus pouvant altérer le comportement ou les réponses des participants. Par exemple, une urgence médicale pour l'un des participants, qui survient au moment où les employés sont réunis pour répondre à l'instrument destiné à mesurer leur niveau de stress, peut entraîner des réactions émotives susceptibles d'augmenter momentanément le niveau de stress perçu par les participants.

2.1.1.2. La maturation

Tout comme les facteurs historiques, la maturation correspond à des changements qui se produisent chez les participants avec le passage du temps. Toutefois, à la différence des facteurs historiques, les effets de la maturation relèvent de changements qui surviennent à l'intérieur des individus et non de changements provenant d'événements extérieurs. Ces modifications dans les conditions internes impliquent autant les processus biologiques que psychologiques. Ainsi les changements dus à l'âge, à la fatigue, à la faim tout comme les changements sur le plan de la motivation, de l'intelligence ou des émotions représentent des effets de la maturation.

Il ne viendrait à l'esprit de personne d'attribuer de façon univoque à un programme d'exercices physiques le fait que plusieurs enfants de 12 mois ont atteint la marche bipède alors qu'ils ne possédaient pas cette capacité deux mois auparavant. Ce changement fait partie du développement naturel et apparaît chez les enfants vers 12 mois en moyenne, indépendamment de la présence d'exercices spécifiques. De même, en s'appuyant sur une étude qui montre que le niveau de dépression pouvant accompagner le veuvage diminue chez des personnes ayant bénéficié d'une méthode d'intervention pendant une période de un an, il serait impossible de conclure que l'intervention est efficace. En effet, la réaction de dépression associée au deuil s'estompe graduellement à partir de six mois de deuil (Norris & Murrell, 1990). Enfin, la différence dans le fonctionnement intellectuel d'enfants soumis pendant une année à un programme de stimulation ne peut être considérée comme une démonstration claire de l'efficacité du programme. En effet, au terme de l'intervention, les enfants ont vieilli de 12 mois et ils devraient normalement démontrer de plus grandes habiletés cognitives, même en l'absence de toute intervention.

En somme, le dénominateur commun de ces trois exemples est qu'il est impossible de déterminer dans quelle mesure les changements observés chez les participants sont attribuables directement à la méthode d'intervention et non à des processus naturels de changement. Comme dans le cas des facteurs historiques, l'importance de la maturation comme hypothèse rivale augmente à mesure que grandit l'intervalle de temps entre la mesure initiale prétest et la mesure post-test.

Bien que les exemples présentés semblent suggérer que les changements liés à la maturation apparaissent selon une échelle temporelle relativement longue, de tels changements peuvent être récurrents ou survenir selon une séquence temporelle relativement plus serrée. On connaît maintenant l'existence, tant chez l'humain que l'animal, de bon nombre de changements biologiques qui apparaissent de façon endogène selon, entre autres, des rythmes circadiens qui présentent une périodicité de 20 à 28 heures et des rythmes de basses fréquences qui se produisent de façon hebdomadaire ou mensuelle (Reinberg & Ghata, 1982). Parmi les changements mensuels, Robert (1988) relève le cycle menstruel de la femme auquel sont associées des variations psychophysiologiques mesurables tant au niveau des rythmes respiratoire et cardiaque qu'au niveau de la température corporelle et de la résistance électrodermale. Sur le plan quotidien, la concentration en cortisol, une hormone qui joue un rôle dans le stress et la dépression, varie normalement au cours de la journée. De la même façon, on parle de rythmes psychologiques qui entraînent des fluctuations dans les capacités cognitives telles que l'attention et la mémorisation. Il est donc important de ne pas confondre ces variations endogènes avec l'effet de l'intervention.

2.1.1.3. La sélection des participants

Afin de pouvoir tirer des conclusions claires et valides sur les effets de la manipulation de la variable indépendante, il est primordial que les différentes conditions soient en tous points comparables au début de l'expérience. Cette équivalence initiale des conditions est fondamentale pour permettre de circonscrire sans aucune ambiguïté l'influence de l'intervention (Larzelere, Kuhn, & Johnson, 2004). Si, au point de départ, des différences systématiques existent entre les conditions en ce qui regarde le mode de sélection des participants ou le mode d'affectation des participants aux différentes conditions de l'expérience, alors les résultats des recherches peuvent porter flanc au biais de sélection. Afin d'éviter cet écueil, l'affectation aléatoire des différentes conditions aux participants constitue la meilleure technique pour éviter que ceux-ci se distinguent systématiquement les uns des autres par une ou plusieurs caractéristiques.

L'auto-affectation représente un cas patent où le mode d'affectation des participants est susceptible de conduire à des différences dans les caractéristiques des individus qui composent les différentes conditions. Selon ce mode de sélection, ce sont les individus eux-mêmes qui déterminent la condition dans laquelle ils vont participer à l'expérience. L'auto-affectation peut survenir lorsque la variable indépendante est de type invoqué ou assigné. Une variable indépendante invoquée renvoie à une caractéristique qui n'est pas manipulée par l'expérimentateur, mais qui fait partie de l'individu (p. ex., sexe, race, niveau d'estime de soi, etc.). C'est pour cette raison que certains donnent à ce type de variable le nom de variable organismique. Ainsi, par exemple, si vous désirez évaluer l'existence de différences sexuelles dans le rendement à une tâche spatiale, alors l'appartenance des individus à chacune des conditions ne peut évidemment pas se faire aléatoirement, mais dépend de leur genre. On peut facilement concevoir que les deux conditions ne se distinguent pas seulement sur le plan de leur sexe biologique, mais également par le type de pratiques éducatives et de socialisation auxquelles ils ont été soumis (Serbin, Powlishta, & Gulko, 1993). Une variante de l'auto-affectation se retrouve dans les expériences où les participants choisissent eux-mêmes la condition à laquelle ils vont participer. Si les participants choisissent eux-mêmes leur condition, vous savez alors déjà qu'il se distinguent sur une dimension : une condition est composée d'individus qui ont décidé d'être exposés à l'intervention, alors que l'autre condition comprend des personnes qui ont préféré ne pas y être exposées. De plus, comme ce choix ne s'est sûrement pas fait au hasard, il est fort probable que les deux conditions se distinguent sur d'autres dimensions dont la nature échappe totalement au chercheur. En somme, laisser les participants choisir eux-mêmes leur condition, c'est s'exposer en fin de course à comparer des pommes avec des oranges. Quelquefois les effets de l'auto-affectation sont évidents. Par exemple, supposons que vous désirez déterminer l'efficacité d'une nouvelle thérapie cognitivo-comportementale destinée à aider les gens à cesser de fumer. Dans un échantillon donné de fumeurs qui ont présenté des problèmes respiratoires et à qui le médecin traitant a recommandé fortement l'arrêt de toute consommation de tabac, vous laissez les individus décider eux-mêmes s'ils vont participer ou non au traitement. La constatation subséquente que les participants au programme ont en plus grand nombre cessé de fumer ne constituera pas une démonstration très puissante de l'efficacité du traitement. En effet, de toute évidence ceux qui ont décidé de participer au traitement pouvaient posséder un plus grand désir ou une plus grande motivation à vaincre le tabagisme. La motivation devient alors une hypothèse rivale dans l'explication des résultats de la recherche.

En d'autres occasions, les effets de l'auto-affectation peuvent être plus subtils. Supposons que vous vous intéressez à l'apprentissage et que vous voulez comparer une nouvelle technique d'enseignement basée sur l'apprentissage par la découverte à une technique traditionnelle d'enseignement magistral. Si vous laissez les participants choisir eux-mêmes la méthode d'enseignement, il est alors possible que ceux qui choisiront la méthode d'apprentissage par la découverte soient plus intelligents ou plus motivés que ceux qui opteront pour la technique traditionnelle. Au terme de l'expérience, la constatation d'un plus grand apprentissage chez les participants qui ont bénéficié de la nouvelle technique pourrait dépendre de l'efficacité de la méthode, de la différence dans le degré d'intelligence, du niveau différent de motivation ou de l'interaction entre ces facteurs. Encore une fois, il serait donc impossible de relier les effets observés dans la variable dépendante aux variations de la variable indépendante.

Pour circonvenir le problème de l'auto-affectation, il peut venir à l'idée du chercheur d'utiliser une règle arbitraire pour décider de l'affectation des participants aux différentes conditions. Par exemple, le chercheur pourrait recourir à l'ordre d'arrivée ou, si tous les participants sont réunis dans une salle, les affecter selon leur emplacement spatial (gauche-droite, avant-derrière). Ce faisant, le chercheur peut avoir l'impression qu'il utilise un mode d'affectation aléatoire susceptible de conduire à la constitution de conditions équivalentes. Or, cette impression est tout à fait erronée. Il faut se rappeler que le propre d'une affectation aléatoire est de ne reposer sur aucune règle. Le recours à une règle d'affectation, aussi arbitraire soit-elle, constitue une négation du principe de variation aléatoire. Dit plus simplement, la raison pour laquelle l'affectation arbitraire ne constitue pas une façon satisfaisante de former des conditions équivalentes est que l'affectation des participants est basée sur leurs différences. Par exemple, les premiers arrivés sont peut-être plus motivés, plus conformistes, plus anxieux ou moins intelligents que ceux qui arrivent plus tard. De même, ceux qui s'assoient en arrière sont peut-être plus timides, plus réservés et moins confiants que ceux qui s'assoient en avant (voir le chapitre 3 pour une démonstration de la façon d'obtenir une affectation aléatoire).

Dans la recherche clinique, des impératifs pratiques et humanitaires peuvent conduire à l'utilisation d'une règle pour déterminer l'affectation des clients à la condition expérimentale et à la condition contrôle. Par exemple, vous travaillez dans un centre qui se spécialise dans le traitement de l'agoraphobie et vous voulez déterminer si votre technique d'intervention est efficace. À ce moment, pour constituer votre condition expérimentale et votre condition de comparaison, vous pourriez baser l'affectation des participants sur un critère lié à la sévérité des symptômes. Ainsi, les participants dont l'état psychologique interfère de façon significative avec leur fonctionnement quotidien seront placés dans la condition expérimentale, alors que les participants dont les activités sont moins perturbées par leur condition seront placés sur une liste d'attente. Bien qu'il soit légitime de procéder ainsi sur le plan clinique, il reste que, sur le plan méthodologique, les deux conditions ne sont pas comparables. D'une part, la gravité de l'atteinte psychologique est différente pour les deux conditions. D'autre part, les deux conditions de participants peuvent également se distinguer sur d'autres variables. Par exemple, les participants dont le fonctionnement semble moins perturbé peuvent jouir d'un soutien social qui leur permet de composer avec leur problème actuel, alors que les participants de la condition expérimentale peuvent être des individus qui ne peuvent compter sur la présence d'autres personnes pour les appuyer dans leurs activités quotidiennes. Dans de telles circonstances, il est préférable de comparer le mode de traitement à une forme alternative d'intervention et d'affecter aléatoirement les participants aux deux conditions. Dans la mesure où les résultats montrent clairement la supériorité de la nouvelle technique d'intervention, il est possible d'en faire bénéficier les participants qui ont été soumis à la forme alternative de traitement. C'est à cette seule condition qu'on pourra déterminer précisément l'efficacité du nouveau mode d'intervention. Encore faut-il évidemment qu'un tel traitement alternatif existe !

En plus d'agir seule, la sélection peut aussi interagir avec les facteurs de maturation et d'histoire pour produire des effets qui semblent découler de l'intervention. Une interaction sélection × maturation se produit lorsque le mode de sélection résulte en un rythme différent de maturation pour les participants des deux conditions. Par exemple, Kusche et Greenberg (1983: cités dans Christensen, 1997) indiquent que la compréhension des concepts de bien et de mal se développe plus lentement chez les enfants sourds que chez les enfants entendants. Si ces différences maturationnelles étaient inconnues, une étude qui tenterait de stimuler le développement de ces concepts pourrait faussement conclure que le programme est plus efficace pour les enfants entendants. Ce résultat, en fait, pourrait découler strictement d'une interaction sélection × maturation et non du programme lui-même.

La sélection peut aussi interagir avec les facteurs historiques. Cette interaction se produit lorsque des événements historiques se produisent seulement pour les participants de l'une des conditions. Supposons qu'un chercheur veut mesurer l'influence de la zoothérapie sur le bien-être psychologique de personnes âgées vivant en centre d'accueil. Pour ce faire, il cible deux centres d'accueil qui apparaissent le plus semblables possible tant sur le plan des caractéristiques physiques (p. ex., espace, nombre de résidents) que de la politique institutionnelle (p. ex., horaire des visites, ratio bénéficiaires/employés). Après avoir mesuré, au moyen de divers instruments, le niveau de bien-être psychologique des résidents, il fournit quelques animaux à l'un des centres d'accueil, comptant mesurer de nouveau le niveau de bien-être psychologique des participants 60 jours après l'amorce de l'intervention. Or, pendant que se déroule l'intervention, la direction du centre qui participe au traitement décide d'instaurer différentes activités sociales pour rompre l'isolement des bénéficiaires et assouplit l'horaire des visites. À ce moment toute différence dans le niveau de bien-être psychologique des participants qui bénéficient de la zoothérapie pourrait venir non pas du traitement, mais de l'interaction sélection × facteurs historiques.

2.1.1.4. LES FLUCTUATIONS DE L'INSTRUMENT DE MESURE

La fluctuation dans l'instrument de mesure renvoie aux changements qui surviennent avec le temps dans la mesure de la variable dépendante. En théorie, toute technique de mesure peut subir de telles fluctuations. La situation la plus vulnérable à cette source d'erreur est celle qui utilise les humains comme outil de mesure pour assurer la collecte des données. Dans plusieurs recherches cliniques on a recours à des observateurs humains pour enregistrer les comportements d'intérêt des clients, ou à des intervieweurs pour recueillir les opinions ou les points de vue des participants. En recherche fondamentale, on a aussi recours à l'observation pour mesurer, par exemple, les interactions sociales, les comportements de résolution de problème. Le danger dans l'utilisation d'êtres humains est qu'ils sont influencés par différents facteurs, comme la fatigue, l'ennui et l'apprentissage. En faisant passer un test d'intelligence, l'expérimentateur peut acquérir une plus grande aisance dans l'utilisation d'un tel instrument et obtenir graduellement des mesures plus valides et plus fidèles. Les intervieweurs, en se familiarisant davantage avec le protocole de l'entrevue, peuvent obtenir un meilleur contact avec les participants, favorisant ainsi la production d'un matériel plus riche de la part des participants, ou être plus disponibles pour observer les comportements des participants. Inversement, la fatigue ou l'ennui peut entraîner une diminution dans l'acuité des observations et dans la qualité de la relation au cours de l'entrevue. Les différences observées dans les mesures prétest et posttest peuvent alors découler de changements dans l'enregistrement des données plutôt que de changements réels dans les comportements des participants. C'est pour cette raison que les études qui ont recours à l'observation ou à l'entrevue doivent d'abord soumettre les observateurs et les intervieweurs à un programme de formation de façon qu'ils observent les mêmes comportements et qu'ils les observent de manière identique. En fait, l'objectif de la formation consiste à calibrer l'observateur ou l'intervieweur, tout comme un outil mécanique ou électronique peut avoir besoin de calibrage. L'utilisation de plusieurs observateurs constitue un autre moyen important de s'assurer de la validité et de la fidélité des observations. En effet, il devient alors possible, par la concordance des observations, de s'assurer que les comportements enregistrés ont bel et bien eu lieu. On a alors recours à ce qu'on nomme l'accord inter-juge afin d'évaluer dans quelle mesure les résultats varient d'un juge à l'autre. Les problèmes de fluctuation peuvent aussi survenir lorsqu'on utilise des instruments mécaniques, par exemple un pèse-personne dans les études sur l'anorexie. De même, les résultats à un questionnaire qui ne serait pas fidèle (voir chapitre 6) risquent de fluctuer beaucoup.

2.1.1.5. La réactivité de la mesure

Si les participants doivent reprendre une épreuve, il se peut que leurs réponses lorsqu'ils sont à nouveau soumis à l'instrument soient différentes des réponses données au moment de la première passation simplement en raison de l'expérience acquise la première fois. En somme, les réponses à la deuxième passation sont affectées par différents facteurs tels que la pratique ou la familiarité avec l'instrument de mesure. Par exemple, un chercheur demande à des participants de mémoriser une liste de 25 mots. Après avoir vérifié le niveau de rappel qui suit une période d'étude de trois minutes, il fournit aux participants une stratégie pour favoriser la mémorisation, comme celle de la catégorisation (regrouper les mots à l'intérieur de catégories plus générales). Immédiatement après la présentation et l'explication de cette stratégie, il présente à nouveau la même liste de mots aux participants. Il est fort probable que le taux de rappel sera plus élevé à la deuxième mesure qu'à la première. Cependant, peut-on vraiment conclure que ce résultat montre l'efficacité de la stratégie de catégorisation ? Pas nécessairement puisque, étant donné le court laps de temps qui sépare les deux mesures, il est tout à fait plausible que les participants se rappellent encore certains des mots contenus dans la liste. En somme, un même taux d'apprentissage dans les deux passations pourrait donner l'impression d'un taux différentiel simplement à cause des apprentissages antérieurs des participants.

Doit-on comprendre de l'exemple précédent que l'effet de la réactivité de la mesure aurait pu être contré par l'utilisation d'une nouvelle liste de mots ? Une telle interprétation ne serait pas exacte. Il est vrai que le recours à une nouvelle liste de mots éliminerait le problème du rappel antérieur. Cependant, cette procédure n'éliminerait pas l'effet de séquence qui existe entre les deux conditions. Lorsque s'amorce la condition avec la stratégie de catégorisation, les participants ont une familiarité avec la tâche qu'ils n'avaient pas à la première session, quand aucune stratégie ne leur était suggérée. En fait, le problème principal réside dans la séquence de présentation des conditions. C'est pour cette raison que certains désignent le problème de la réactivité de la mesure par l'expression « effet de séquence ».

De façon générale, le fait que le participant soit soumis à plus d'une mesure peut entraîner deux effets différents sur le rendement postérieur à une situation initiale de mesure : un effet de sensibilisation ou un effet d'inoculation (Robert, 1988). On parle d'effet de sensibilisation lorsque la première situation de mesure rend les participants plus réceptifs à la seconde situation. Des phénomènes comme la familiarisation, l'apprentissage ou une augmentation de l'intérêt ou de la motivation par rapport aux situations de mesure peuvent être reliés à ce genre d'effet. On parle d'effet d'inoculation lorsque les situations antérieures auxquelles a participé l'individu affectent à la baisse le rendement aux situations présentées ultérieurement. À ce moment des facteurs comme l'ennui, la fatigue, l'interférence proactive peuvent être responsables, du moins en partie, du rendement des participants à ces mesures.

Un autre concept associé à la réactivité de la mesure est l'impact que la prise de mesure elle-même peut avoir sur la variable dépendante, et ce dès la première utilisation de la mesure. Par exemple, dans une étude portant sur l'élimination du tabagisme, supposons que les participants doivent consigner sur une feuille chaque cigarette qu'ils se préparent à consommer. Il y a fort à parier que le simple fait de noter le comportement de prendre une cigarette amènera la personne à réduire un peu sa consommation, imitant ainsi l'effet du traitement (Barlow, Hays, & Nelson, 1984).

2.1.1.6. La régression statistique vers la moyenne

Le phénomène de la régression statistique peut se produire dans les expériences où les participants sont mesurés à plus d'une reprise (prétest/post-test) et où seuls les individus présentant des résultats extrêmes sont retenus pour l'expérience. La régression statistique est liée au fait que les résultats extrêmes d'une distribution donnée tendent à revenir (à régresser) naturellement vers la moyenne de la distribution. Ce phénomène est de nature statistique et ne relève pas de la maturation. Bien que les résultats de tous les participants aient tendance à migrer vers la moyenne, il reste que ce phénomène est beaucoup plus marqué pour les participants qui présentent un résultat extrême. Ce phénomène semble complexe et difficile à comprendre, mais nous en avons tous une connaissance intuitive. Supposons que normalement vous ramenez une carte de pointage de 120 après vos rondes de golf. Si un jour vous obtenez un pointage de 70, vous serez sûrement très heureux de votre performance. Cependant malgré l'euphorie du moment vous allez en même temps être très conscient que votre rendement lors de votre prochaine partie sera probablement moins reluisant et se rapprochera de votre moyenne. Inversement, si votre pointage est de 150, il y a fort à parier que votre prochaine partie sera plus satisfaisante. En somme, le résultat de la prochaine partie se rapprochera de votre rendement habituel. La régression statistique est un phénomène du même ordre : les individus qui présentent un résultat extrême à un instrument donné auront tendance à retourner vers la moyenne observée dans la population. L'existence de ce phénomène dépend, pour une bonne part, du manque de fidélité de nos techniques de mesure ; c'est-à-dire que nos techniques de mesure ne sont pas parfaitement exactes ou stables, de sorte que les résultats obtenus peuvent varier d'une mesure à l'autre (ce phénomène sera plus amplement discuté au chapitre 6).

La régression statistique peut devenir une hypothèse rivale sérieuse lorsque le problème de recherche demande que l'échantillon soit constitué d'individus présentant des résultats extrêmes sur une dimension donnée. Supposons qu'un chercheur veut mesurer l'effet d'une intervention thérapeutique donnée visant à améliorer l'estime de soi d'enfants qui possèdent une vision très négative d'eux-mêmes. De façon opérationnelle, ces enfants présentent un résultat variant entre 1 et 2 (sur un maximum de 4) à l'échelle de Harter (1988). À la suite du traitement, le chercheur fait passer de nouveau le questionnaire et l'analyse statistique confirme que les enfants présentent un niveau plus élevé d'estime de soi au post-test. Il pourrait être tentant de conclure que le changement observé est une conséquence directe de l'intervention. Toutefois, il est également plausible qu'une amélioration ait pu être observée de toute façon, en l'absence de tout traitement, en raison du phénomène de la régression statistique. Le problème associé à cette recherche est qu'il est impossible de distinguer les changements qui relèvent de l'intervention des changements apparents causés par la régression vers la moyenne.

2.1.1.7. La défection de participants

Une autre source de biais peut découler de la perte de participants entre la mesure prétest et la mesure post-test. Ce biais est parfois appelé mortalité expérimentale, bien qu'il n'implique nullement le décès des participants. Certains participants peuvent, en effet, quitter l'étude avant qu'elle soit terminée. Par exemple, un chercheur désire évaluer l'efficacité d'une intervention visant le développement des habiletés sociales pour améliorer le fonctionnement d'enfants inhibés. Son échantillon de départ comprend 100 enfants pour lesquels on a obtenu un score d'inhibition à partir d'une batterie d'instruments. En cours d'expérience, 20 d'entre eux cessent leur participation. La comparaison des moyennes obtenues au pré et au post-test montre une diminution marquée dans le niveau d'inhibition au sein de l'échantillon. Ce résultat pourrait signifier que l'intervention est efficace. Or, on apprend que les enfants qui ont abandonné l'expérience sont précisément ceux qui présentaient en prétest le plus haut niveau d'inhibition. Ainsi, même en l'absence d'intervention, les scores d'inhibition auraient diminué entre les deux mesures.

Cet exemple illustre le danger inhérent à la perte des participants. L'échantillon au terme de l'expérience n'est plus comparable à l'échantillon initial. Certains pourraient être tentés de croire que l'illustration utilisée ici est purement théorique et que les abandons, de façon générale, se produisent de façon aléatoire. Cependant, il n'en est rien. L'abandon ne peut être considéré comme un phénomène aléatoire. Bien qu'il puisse être difficile d'identifier les facteurs responsables ou qu'ils ne soient pas aussi évidents que dans l'exemple précédent, on peut toujours soupçonner l'existence d'un dénominateur commun entre les participants qui abandonnent. Ce dont on peut être sûr, cependant, c'est que l'échantillon ne possède plus les mêmes caractéristiques qu'il avait au point de départ.

Dans les recherches qui comportent la comparaison de plusieurs conditions, au danger de modification de la composition de l'échantillon s'ajoute celui de la perte différentielle des participants. Cette perte différentielle peut revêtir deux formes : (a) un taux différent des abandons dans les diverses conditions ; ou (b) un taux d'abandon similaire, mais une différence dans les caractéristiques des participants qui abandonnent dans les diverses conditions. Par rapport à la première forme, nous pouvons reprendre l'exemple utilisé plus haut. Cette fois, cependant, pour vérifier l'efficacité de son programme d'acquisition d'habiletés sociales, le chercheur compare un groupe d'enfants qui sont soumis au traitement à un groupe d'enfants qui ne reçoivent aucun traitement. La mesure de prétest indique que les deux groupes présentent un niveau similaire d'inhibition avant l'amorce du traitement. En cours de recherche, plusieurs participants de la condition expérimentale abandonnent l'expérience, mais aucun des participants de la condition sans traitement. De plus, ce sont les enfants qui présentaient le plus haut niveau d'inhibition qui cessent leur participation. Par conséquent, indépendamment de l'influence du traitement, la condition bénéficiant de l'entraînement devrait après le traitement démontrer un niveau moindre d'inhibition simplement par la perte des participants qui présentaient les résultats les plus élevés sur la mesure de la variable dépendante. À ce moment, il est facile de concevoir que la perte de participants devient une hypothèse rivale sérieuse pour expliquer une différence éventuelle dans les niveaux d'inhibition en faveur de la condition de traitement. De façon générale, on peut dire que les abandons seront plus nombreux dans la condition expérimentale si le chercheur demande au participant un effort important sur le plan cognitif ou affectif ou en termes d'investissement de temps. Inversement, le taux d'abandon sera moindre dans la condition expérimentale si elle est attrayante, intéressante et efficace.

La seconde forme de perte différentielle peut survenir lorsque la condition expérimentale et la condition contrôle présentent un taux similaire d'abandons, mais que les participants qui cessent de participer dans chacune des conditions présentent des caractéristiques différentes. Par exemple, un chercheur veut mesurer l'efficacité d'une manipulation visant à améliorer le rendement des individus à une tâche de rotation mentale. Dans ce type de tâche, l'individu doit identifier parmi un ensemble d'alternatives le stimulus-cible tridimensionnel auquel on aurait fait subir une rotation dans l'espace. À partir d'un échantillon de 60 participants, il constitue deux conditions : dans la première 30 participants seront soumis à la manipulation, tandis que la condition contrôle comprend également 30 individus. Cependant, comme le chercheur est conscient que, de façon générale, les hommes sont supérieurs aux femmes dans ce type de tâche (Halpern, 1992), il neutralise l'effet de ce facteur en affectant un nombre égal d'hommes et de femmes dans chacune des conditions (15 participants des deux sexes dans chaque condition). Supposons que sept participants abandonnent dans chacune des conditions. Le nombre de participants demeure donc le même dans les deux conditions. Cependant, dans la condition expérimentale les sept abandons sont le fait de participants de sexe féminin, alors que ce sont des hommes qui ont abandonné dans la condition contrôle. À ce moment, bien que la perte des participants soit identique pour les deux conditions, les abandons impliquent des participants qui présentent des caractéristiques différentes. Cette différence a pour effet de rompre l'équivalence des conditions et d'introduire un biais possible dans l'expérience. Comme la condition expérimentale comprend presque deux fois plus d'hommes que de femmes, alors que c'est l'inverse pour la condition contrôle, il devient difficile d'attribuer uniquement à l'intervention une éventuelle supériorité du rendement des participants de la condition expérimentale sur les participants de la condition contrôle. La perte différentielle des participants peut également être responsable de la différence observée entre les deux conditions.

2.1.1.8. Les effets de l'expérimentateur

Bien que les ouvrages de psychologie expérimentale dissertent longuement sur différentes variables nuisibles pouvant affecter la validité interne de l'étude, on semble souvent faire peu de cas de l'influence que l'expérimentateur lui-même peut avoir sur les résultats obtenus. Pourtant, l'expérimentateur, au même titre que les autres aspects qui entourent l'expérience, représente une variable susceptible d'interagir avec les conditions expérimentales pour produire les effets observés. On peut identifier deux ensembles de caractéristiques des expérimentateurs qui risquent de menacer la validité interne de la recherche : les attentes et les attributs du chercheur.

Les attentes de l'expérimentateur

Le chercheur qui entreprend une recherche est, bien sûr, animé d'un très grand désir d'objectivité. Sa motivation première n'est-elle pas de découvrir les lois de la nature ? L'atteinte de cet objectif nécessite une approche neutre, dépourvue de passion à l'égard des résultats éventuels de sa recherche. Force est d'admettre cependant qu'à cette motivation première se surimposent d'autres motivations qui font que le chercheur, un peu malgré lui, n'est pas aussi complètement détaché de la situation que le commanderait l'approche scientifique. En premier lieu, s'il entreprend une expérience, c'est qu'il est convaincu que les résultats vont appuyer son hypothèse, sinon il ne se serait pas lancé dans une telle entreprise. En d'autres termes, le chercheur nourrit des attentes à l'égard des résultats qu'il devrait obtenir. En second lieu, la tendance marquée des revues scientifiques à publier davantage des expériences qui présentent des résultats positifs ajoute encore à son désir de voir ses hypothèses appuyées par les résultats. Bien que ces motivations soient légitimes, il faut demeurer conscient qu'elles peuvent conduire à certains problèmes sur le plan de la validité interne de l'étude. On peut ici distinguer les effets sur l'expérimentateur et les effets sur les participants.

Les effets sur l'expérimentateur

Une première difficulté vient du fait que les attentes du chercheur peuvent influencer l'enregistrement des données. Par exemple, supposons qu'un chercheur utilise l'observation systématique en milieu naturel pour vérifier son hypothèse que les adolescents de milieux défavorisés commettent plus de gestes violents que les adolescents issus de milieux favorisés. Afin de faire une observation objective, ce chercheur va, bien sûr, définir opérationnellement ce qu'est un geste violent, c'est-à-dire qu'il va traduire ce concept en termes de comportements observables. Aussi précise que soit sa définition, il restera toujours des cas ambigus qui sont à la limite de cette définition. Pour ces cas limites, il est à craindre que le chercheur aura tendance à classer les comportements comme des gestes violents lorsqu'ils sont le fait d'adolescents provenant d'un milieu défavorisé et de ne pas classer ces gestes comme des manifestations de violence quand ils sont faits par des adolescents issus d'un milieu favorisé. Remarquez que ces erreurs seraient involontaires de la part du chercheur. Elles découleraient plutôt du fait que les attentes peuvent biaiser les perceptions que nous avons de notre monde social ou de notre monde physique, comme l'ont démontré les travaux dans le domaine de la perception sociale (p. ex., Ditto & Lopez, 1992 ; Fiske & Taylor, 1991). Un exemple réel de ce phénomène nous est fourni par l'étude de Kennedy et Uphoff (1939, cités dans Christensen, 1997). Dans cette étude, les participants étaient répartis selon qu'ils croyaient ou non à la télépathie. La tâche des participants consistait à classer comme « réussite » ou « échec » les réponses d'un « récepteur » qui tentait de percevoir les stimuli transmis par un « émetteur ». Les auteurs ont constaté que 63 % des erreurs quant aux « réussites » provenaient des individus qui croyaient au phénomène de la télépathie, alors que 67 % des erreurs quant aux « échecs » étaient commises par les individus qui ne croyaient pas à l'existence d'un tel phénomène. De tels résultats sont loin d'être isolés, puisque dans une recension de 21 études Rosenthal (1978) rapporte que 60 % des erreurs d'enregistrement vont dans le sens des attentes de l'expérimentateur. Bien qu'une telle proportion soit impressionnante, il est important de comprendre que les erreurs ne représentent que 1 % des observations enregistrées. Par conséquent, ces erreurs n'auraient pu affecter les conclusions de la recherche. Néanmoins, il ne faudrait pas banaliser ce problème, puisque le fait d'en minimiser l'importance pourrait se traduire par une vigilance moindre qui pourrait résulter en une augmentation de ce type d'erreurs.

Les effets sur les participants

Les attentes de l'expérimentateur, en plus d'affecter son propre comportement, peuvent amener les participants à se comporter de façon à conforter les attentes de l'expérimentateur. L'*effet Pygmalion* mis en évidence par Rosenthal et Jacobson (1968) constitue une démonstration impressionnante de l'effet de nos attentes sur le comportement d'autrui. Dans cette étude, les auteurs avaient fourni de faux renseignements aux institutrices concernant leurs élèves. Aléatoirement, ils avaient désigné certains participants comme étant en plein développement, alors que d'autres étaient étiquetés comme étant plus « lents ». Au terme de l'année scolaire, les élèves identifiés comme étant en plein développement surpassaient l'autre condition tant dans leur rendement en lecture et en arithmétique que sur le plan du quotient intellectuel.

Plusieurs recherches ont montré que ce phénomène peut également se produire en contexte expérimental (p. ex., Rosenthal, 1976). Par exemple, des expérimentateurs à qui on avait fait croire que leurs participants obtiendraient sans doute un bon rendement à une tâche cognitive rapportaient des résultats supérieurs à ceux obtenus par d'autres expérimentateurs chez qui on avait créé l'attente que les participants éprouveraient de la difficulté à exécuter la tâche. Cet effet s'étend même aux recherches à exécuter avec les animaux. Des expérimentateurs qui croyaient que leurs rats possédaient de bonnes habiletés dans le parcours d'un labyrinthe ont ainsi observé des résultats supérieurs à ceux obtenus par des expérimentateurs qui pensaient avoir des animaux peu performants (Rosenthal & Fode, 1963a).

Les mécanismes de la transmission des attentes de l'expérimentateur ne sont pas encore bien compris. Dans le cas des expériences animales, la transmission doit se faire par les canaux tactiles et kinesthésiques. Avec les humains, les indices sont probablement d'origine verbale ou visuelle. Les indices verbaux qui transmettent au participant les attentes de l'expérimentateur incluent non seulement les mots, mais aussi les intonations et les autres processus dynamiques de la communication. Les indices visuels peuvent être des gestes, des regards, des mimiques. Rosenthal et Fode (1963b) ont mené deux expériences pour examiner la transmission des indices de l'expérimentateur aux participants. Dans cette expérience, les participants devaient évaluer la qualité de photos sur une échelle allant de −10 à +10. Les chercheurs disent à cinq des dix expérimentateurs que les évaluations des participants seront autour de +5. Pour les cinq autres expérimentateurs, on crée l'attente que les évaluations devraient se situer autour de −5. Les résultats indiquent que les participants des expérimentateurs biaisés positivement ont fait des évaluations plus élevées des photos que les participants des expérimentateurs biaisés négativement. Puisqu'on ne permettait pas aux expérimentateurs de dire autre chose que ce qui était écrit sur la feuille des instructions, la transmisssion doit s'être faite, par le ton, les gestes ou l'expression faciale. La seconde expérience visait à explorer le mode de transmission des indices. Au lieu que l'expérimentateur présente chaque photo aux participants, les photos étaient montées sur un canevas. L'élimination des indices visuels de l'expérimentateur par la présentation simultanée des photos a réduit significativement le biais des participants. À partir de ces résultats, on peut émettre l'hypothèse que les indices visuels sont importants dans la transmission des biais. Cependant, selon les auteurs, les indices verbaux demeureraient encore plus importants dans la transmission des attentes.

Les attributs de l'expérimentateur

Les attributs de l'expérimentateur correspondent aux caractéristiques physiques et psychologiques que possède ce dernier et qui peuvent affecter les résultats en interagissant avec la mesure de la variable dépendante. Ces caractéristiques peuvent être autant de nature biologique (sexe, race), sociale (croyances religieuses), affective (niveau d'anxiété) qu'individuelle (traits de personnalité). Étant donné que la situation de recherche est fondée sur des interactions sociales, il est assez facile de concevoir que les comportements des participants puissent être affectés par les caractéristiques de l'expérimentateur.

Supposons la situation suivante : deux expérimentateurs conduisent une même recherche. L'un présente un haut niveau d'anxiété, alors que l'autre manifeste très peu cette caractéristique. On peut s'attendre à ce que les stimuli émis par ces deux expérimentateurs (p. ex., intonation, geste, débit verbal, attitudes) seront différents en nature ou en valeur. Quels effets pourrait avoir cette différence au niveau des expérimentateurs sur les résultats obtenus ? Selon McGuigan (1963) trois scénarios sont possibles. En premier lieu, cette caractéristique (niveau d'anxiété) peut ne pas interagir avec la variable dépendante de sorte que les résultats obtenus par les deux expérimentateurs ne devraient pas différer (en supposant, il va sans dire, que les deux échantillons sont comparables). En deuxième lieu, la variable sur laquelle diffèrent les expérimentateurs interagit avec la variable dépendante. Cependant, tous les participants, indépendamment de la condition qu'on leur assigne, sont affectés de la même façon. À ce moment, les deux expérimentateurs n'obtiendront pas les mêmes données. Par exemple, les participants de l'expérimentateur anxieux pourraient globalement réaliser une performance supérieure à celle des participants de l'expérimentateur peu anxieux. Toutefois, comme la question de recherche porte sur la comparaison du rendement des participants des différentes conditions, l'écart dans les données recueillies n'aura aucun effet sur les conclusions de l'étude. Comme on peut le constater, dans ces deux premiers scénarios la validité interne de l'étude n'est pas remise en question.

Il existe cependant une troisième possibilité qui est plus préoccupante sur le plan de la validité interne de l'étude. Dans ce scénario, les caractéristiques des expérimentateurs peuvent interagir avec les conditions de l'expérience, c'est-à-dire affecter de manière diverse les participants des différentes conditions de l'expérience. Par exemple, la performance des participants de la condition expérimentale peut surpasser celle des participants de la condition contrôle pour les participants de l'expérimentateur anxieux, alors que l'inverse est vrai pour les conditions de l'expérimentateur peu anxieux. Dans une telle situation, les résultats obtenus ne découlent pas des variables d'intérêt, mais sont causés par une variable extérieure à l'étude.

2.1.1.9. Les attentes du participant

À l'instar des expérimentateurs, les participants peuvent développer des attentes à l'égard de l'expérience. Ils vont tenter d'interpréter la situation, d'imaginer ce qu'ils ont à faire et de planifier leurs réponses en accord avec l'analyse qu'ils viennent de faire de la situation. Ces activités cognitives peuvent interagir avec les procédures expérimentales et fausser les résultats de la recherche.

Étant donné que les participants acceptent volontairement de participer à une recherche, leur bonne foi ne peut être mise en doute. Leur motivation étant de contribuer à l'avancement des connaissances, il est certain qu'ils veulent répondre le plus honnêtement possible. Néanmoins, le dispositif de l'expérience, les tâches utilisées, les rumeurs entourant l'expérience fournissent aux participants des informations qui peuvent les amener à construire une représentation plus ou moins exacte de la situation. Ces informations, qu'on appelle les exigences implicites, définissent l'expérience selon le point de vue du participant. Or, cette perception peut fausser les réponses des participants. En effet, outre la motivation de contribuer à la science, une autre motivation va s'ajouter: celle de vouloir présenter une image positive de soi. Les participants vont donc utiliser leur perception de la situation pour déterminer les comportements qui, selon eux, les présentent sous un jour favorable. Par exemple, supposons qu'un chercheur s'intéresse à la prévalence et à l'évolution des sentiments de détresse et de dépression consécutifs à la perte d'un être cher. Pour recueillir ses données, le chercheur fait à deux reprises des entrevues avec les participants, soit trois mois et six mois après le décès. Il est possible que les données recueillies montrent une baisse dans les niveaux de détresse et de dépression. Ces résultats peuvent indiquer l'évolution réelle du processus de deuil. Par contre, ils peuvent aussi refléter la tendance des participants à vouloir présenter une image positive d'eux-mêmes. Le fait que les chercheurs les interrogent une seconde fois sur le même événement peut amener les participants à supposer que le chercheur s'attend à ce qu'une personne adaptée ait surmonté la situation. Ils pourraient alors être enclins à moins rapporter de détresse ou d'épisodes dépressifs simplement pour satisfaire leur désir d'être jugés favorablement par l'expérimentateur.

L'implication de cette tendance à présenter une image positive de soi est que les chercheurs doivent prendre en considération l'influence des perceptions des participants. Nous ne pouvons pas supposer que les réponses des participants sont déterminées uniquement par les caractéristiques physiques ou psychologiques des stimuli utilisés comme variables indépendantes.

2.1.1.10. Diffusion ou imitation du traitement

Une dernière source de biais peut survenir lorsque l'intervention dont bénéficie une condition expérimentale est fournie à quelques-uns ou à tous les participants de l'autre condition. Évidemment, cet événement se produit à l'insu du chercheur. Néanmoins, la diffusion a pour conséquence que le chercheur se trouve à comparer des conditions beaucoup plus semblables que ce qui était prévu. Comme les deux conditions se ressemblent sur le plan de l'intervention qu'elles reçoivent, il est possible que les mesures prises au post-test n'indiquent aucune différence dans le rendement des deux conditions. La diffusion du traitement, en égalisant le rendement des deux conditions, risque d'amener le chercheur à conclure faussement que l'intervention n'est d'aucune efficacité.

À titre d'exemple, on peut considérer l'expérience de Austin, Liberman, King et DeRisi, 1976 (cités dans Kazdin, 1992) qui portait sur la comparaison de l'efficacité de deux programmes offerts pour des personnes souffrant de maladies mentales dans deux hôpitaux de jour. Un des programmes était d'orientation comportementale, alors que l'autre milieu favorisait surtout une approche éclectique. Après trois à six mois de traitement, les résultats indiquaient une légère supériorité de l'approche comportementale. Cependant, cette différence n'était pas significative. Après la conclusion de l'étude, les auteurs ont découvert que l'un des thérapeutes de la condition éclectique faisait largement usage de techniques comportementales. Parce que les clients de ce thérapeute ne recevaient pas véritablement un traitement selon une approche éclectique, leurs données ont été retirées et les résultat analysés de nouveau. Cette fois les analyses démontrent clairement la supériorité de la méthode comportementale sur la méthode éclectique. Comme on peut le constater, ce biais est particulièrement pernicieux, puisque, s'il passe inaperçu, d'aucune façon un chercheur ou un lecteur ne pourra en supposer l'existence.

Ce type de biais est évidemment plus susceptible de se produire lorsque la manipulation n'est pas directement sous le contrôle de l'expérimentateur ou que la comparaison se fait dans le milieu naturel. Cependant, il ne faudrait pas croire que la recherche en laboratoire peut être exempte de ce type de biais. Il y a quelques années, l'auteur de ce chapitre menait une étude visant à améliorer les capacités de communication référentielle chez les enfants. Différents modes d'intervention étaient utilisés dont l'un, relativement simple, impliquait l'utilisation d'un feed-back correctif. Vers la fin de l'expérimentation, un des participants de la condition contrôle fit la remarque que les tâches étaient amusantes et qu'elles ressemblaient à ce qu'il faisait en classe. Intrigué par ce commentaire, j'allai parler à l'enseignante qui avoua avoir discuté avec ces élèves de ce qu'ils faisaient avec moi. Comme elle avait trouvé les exercices intéressants, elle avait décidé de faire des exercices similaires avec ces élèves. Bien que les exercices fussent différents de ceux utilisés dans la recherche, ils étaient suffisamment semblables pour réduire la différence entre la condition de contrôle et l'une des conditions expérimentales. Tous les participants de cette classe ont dû être retirés de l'échantillon pour préserver la validité interne de la recherche. Sans cette remarque en apparence anodine de l'un des participants, ce vice méthodologique serait passé complètement inaperçu.

2.1.2. Contrôle des variables nuisibles

Les nombreuses menaces à la validité interne que nous venons d'examiner témoignent de façon éloquente de la nécessité de contrôler l'influence des variables nuisibles (parasites) pour qu'il soit possible d'établir clairement l'existence d'une relation entre la variable indépendante et les effets observés sur la variable dépendante. Le contrôle d'une variable nuisible peut signifier son *élimination complète*. Par exemple, si la lumière ambiante risque d'influencer le rendement à une tâche de perception visuelle, on peut éliminer complètement cette variable en conduisant l'expérience dans une chambre noire. Cependant, pour la majorité des variables qui peuvent affecter une expérience psychologique – comme l'intelligence, l'expérience passée ou la classe sociale – il est impossible d'éliminer complètement leur influence. Pour ce type de variable, le contrôle signifie *l'élimination de l'influence différentielle* que ces facteurs peuvent avoir sur les différentes conditions de l'expérience. On ne peut empêcher, par exemple, que des manifestations reliées au phénomène de maturation apparaissent au cours d'une expérience. Toutefois, dans la mesure où cette influence est la même pour *toutes* les conditions de l'expérience, alors la maturation ne peut être avancée comme contre-hypothèse pour expliquer les résultats obtenus.

Essentiellement, il existe trois méthodes par lesquelles nous pouvons éliminer l'influence différentielle des variables nuisibles. La première implique l'adoption d'un plan de recherche adéquat. Les différents plans de recherche ainsi que leurs caractéristiques quant au contrôle des variables nuisibles seront présentés aux chapitres 3 et 5. Disons simplement que l'un des objectifs des plans de recherche consiste justement à éliminer l'influence différentielle des variables nuisibles. Une deuxième méthode repose sur l'utilisation de certaines techniques statistiques, telles que l'analyse de la covariance. L'explication de ces techniques et de leurs limites dépasse le cadre du présent ouvrage. Pour plus d'informations, nous renvoyons le lecteur aux nombreux livres consacrés à la présentation des outils statistiques. Enfin, la troisième méthode consiste à utiliser différentes techniques de contrôle à l'intérieur du plan de recherche. Nous allons examiner brièvement certaines techniques.

2.1.2.1. L'AFFECTATION ALÉATOIRE

L'affectation aléatoire des participants constitue la méthode de contrôle la plus importante. C'est en fait la seule technique qui permet de contrôler l'influence de variables nuisibles connues ou inconnues. Le principe sous-jacent est que les différentes variables nuisibles devraient se distribuer aléatoirement dans les diverses conditions de l'expérience. À ce moment, les conditions devraient être équivalentes pour ces différentes variables. Par exemple, en affectant aléatoirement les participants, les différentes conditions ne devraient pas différer pour une variable comme l'intelligence. Comme chaque participant a une chance égale de faire partie des différentes conditions, on devrait retrouver à l'intérieur de chacune d'elles un nombre semblable d'individus peu, moyennement ou très intelligents. L'affectation aléatoire constitue une excellente technique pour neutraliser les effets associés à la maturation, aux facteurs historiques, à la régression statistique. Elle sera plus amplement discutée au chapitre 4.

2.1.2.2. L'APPARIEMENT

Une autre technique consiste à apparier les participants des différentes conditions. L'appariement fait en sorte que l'on retrouve dans chacune des conditions exactement le ou les mêmes niveaux de la variable nuisible. Dans *l'appariement par constance*, tous les participants de chacune des conditions présenteront le même niveau ou le même type de variable nuisible. Par exemple, pour contrôler l'effet du sexe du participant dans le rendement à une tâche, de visualisation spatiale par exemple, le chercheur peut n'utiliser que des participants de l'un ou l'autre des deux sexes. Comme tous les participants sont du même sexe, cette variable ne peut être invoquée comme hypothèse rivale. Dans *l'appariement par variation systématique*, le chercheur inclura différents niveaux de la variable nuisible. Chacun de ces niveaux sera représenté également dans chacune des conditions. Par exemple, supposons qu'un chercheur désire comparer diverses méthodes d'apprentissage. Il peut, avec raison, vouloir écarter que les résultats puissent être attribuables à une différence dans le niveau d'intelligence des participants des différentes conditions. Pour effectuer un appariement par variation systématique, il pourrait diviser ses participants en trois niveaux de Q.I. (90-99, 100-109, 110-119) et affecter aléatoirement un nombre égal de participants de chacun de ces niveaux aux différentes conditions expérimentales. Il est important de noter que l'appariement est une technique de contrôle qui peut s'ajouter à l'affectation aléatoire, mais qui ne peut se substituer à cette dernière. En effet, comme il est impossible d'apparier les participants sur toutes les variables qui pourraient influencer l'étude, il faut s'assurer que les autres variables qui ne font pas l'objet de l'appariement se distribuent aléatoirement dans les différentes conditions.

2.1.2.3. Le contrebalancement

Le contrebalancement constitue la méthode appropriée pour contrôler les effets de réactivité de la mesure dans les expériences où les participants participent à plusieurs conditions ou à plusieurs mesures. Pour éviter les effets de séquence, il s'agit tout simplement de faire varier l'ordre de présentation des conditions ou des épreuves. Par exemple, si les participants doivent répondre à trois questionnaires mesurant respectivement le niveau de dépression, l'estime de soi et la satisfaction conjugale, il serait préférable de les présenter dans trois ordres différents : le tiers des participants serait soumis aux mesures selon l'ordre présenté plus haut ; un autre tiers répondrait d'abord au questionnaire d'estime de soi, puis à celui de satisfaction conjugale et au questionnaire sur la dépression ; enfin, le dernier tiers répondrait d'abord au questionnaire de satisfaction conjugale, puis à celui sur la dépression et terminerait par le questionnaire portant sur l'estime de soi. De cette façon, chacun des instruments aurait été rempli en premier, en deuxième et en troisième par un nombre égal de participants.

2.1.2.4. Le contrôle des effets de l'expérimentateur

Différentes techniques peuvent être utilisées pour contrôler les erreurs d'enregistrement ainsi que l'effet des attentes et des attributs de l'expérimentateur sur le comportement des participants à la recherche.

Le contrôle des erreurs d'enregistrement

Pour se prémunir contre cette menace, la seule technique efficace consiste à utiliser plusieurs personnes pour enregistrer les données. L'utilisation de ce procédé permet de comparer les enregistrements faits par chacune des personnes ; la convergence des enregistrements nous assure que les données sont un reflet exact de ce qui s'est passé. Cette technique est d'autant plus efficace que ces personnes sont « naïves » quant aux hypothèses de la recherche, c'est-à-dire qu'elles ignorent les hypothèses de la recherche.

Le contrôle des attentes

Deux stratégies peuvent être utilisées pour contrôler les effets des attentes de l'expérimentateur sur les comportements des participants. La première consiste dans *l'automatisation* complète de l'expérience : les instructions, la présentation des tâches et l'enregistrement des données s'effectuent de façon mécanique ou électronique. Comme la participation de l'expérimentateur dans la conduite de l'expérience est réduite au minimum, celui-ci a peu l'occasion de transmettre ses attentes par inadvertance. Cela représente l'idéal de la standardisation d'une recherche. Bien que cette technique soit possible dans certains domaines de recherche en psychologie fondamentale, son utilisation peut se révéler impossible dans le cadre de la recherche clinique.

Le « procédé à l'insu » est une autre technique pour minimiser les effets des attentes de l'expérimentateur. Dans les recherches menées dans le domaine médical, le procédé à l'insu signifie que l'expérimentateur ignore à quelle condition appartient le participant. Par exemple, dans les expériences portant sur les effets de certaines drogues, l'expérimentateur ignore s'il administre la drogue ou un placebo. Dans le monde de la psychologie, le procédé à l'insu se traduit plutôt par l'ignorance des hypothèses de la recherche. Comme l'expérimentateur ne connaît pas les hypothèses qui sont mises à l'épreuve, il peut difficilement influencer le comportement des participants dans le sens des hypothèses. On parle ainsi souvent d'expérimentateur naïf. Certains pourraient objecter, avec raison, qu'il est peu réaliste de croire que l'expérimentateur puisse demeurer naïf par rapport aux hypothèses de la recherche. En effet, bien que le chercheur ne lui communique pas explicitement la nature des hypothèses, la part de l'expérimentateur dans la situation fait qu'avec un minimum de perspicacité il peut arriver à inférer plus ou moins correctement ces hypothèses. Par exemple, dans une expérience simple ne comprenant qu'une condition expérimentale et une condition contrôle, il est assez difficile d'ignorer à qui on administre l'intervention et quels en sont les effets escomptés sur le rendement des participants. À ce moment, on peut faire en sorte que la phase d'intervention et l'évaluation de ses effets soient menées par des expérimentateurs différents. En médecine les chercheurs utilisent souvent le terme « à double insu ». De cette façon, l'expérimentateur qui fait passer les mesures post-test est naïf à la fois par rapport aux hypothèses de la recherche et par rapport à la condition à laquelle le participant est affecté.

Le contrôle des attributs

La nature des attributs qui peuvent affecter le comportement des participants ainsi que les mesures qui sont les plus susceptibles d'être influencées par les attributs de l'expérimentateur demeurent encore largement inconnues. Pour diminuer la plausibilité de cette menace comme hypothèse rivale, on peut soit automatiser complètement l'expérience, soit traiter l'expérimentateur comme une variable indépendante. Comme on l'a vu précédemment, le problème lié à la première technique est que celle-ci n'est pas applicable à tous les domaines de recherche. La seconde technique nécessite le recours à deux ou plusieurs expérimentateurs qui seront responsables de la conduite de l'expérience avec un nombre égal de participants des différentes conditions. La comparaison des résultats obtenus par les différents expérimentateurs pour les différentes conditions de l'expérience permet alors d'évaluer à quel point les mesures obtenues interagissent avec les attributs des expérimentateurs. Évidemment, l'utilisation de ce procédé n'élimine pas complètement l'influence possible des attributs de l'expérimentateur, étant donné le très grand nombre de caractéristiques qui peuvent être invoquées. Néanmoins, elle nous permet d'apprécier dans quelle mesure les résultats obtenus sont indépendants de certaines caractéristiques de l'expérimentateur.

2.1.2.5. Le contrôle des attentes du participant

Plusieurs techniques peuvent être utilisées pour contrôler les effets des attentes du participant. Nous en examinerons quelques-unes.

Le procédé du « double insu »

Cette technique est probablement la plus efficace pour contrôler l'influence des exigences implicites. Elle implique que ni l'expérimentateur ni les participants ne connaissent la condition expérimentale qui est administrée. Par exemple, si vous voulez étudier l'influence de la morphine sur la réduction de la douleur, une solution saline peut être injectée aux membres de l'une des conditions (condition placebo), alors que les membres de l'autre condition reçoivent effectivement de la morphine (condition expérimentale). Puisque les participants des deux conditions pensent qu'on leur injecte de la morphine, leurs attentes demeurent constantes. La difficulté inhérente à cette technique est que toutes les conditions doivent apparaître rigoureusement identiques. Or, cela n'est pas possible dans toutes les expériences, d'où la nécessité de recourir à d'autres techniques.

L'enquête post-expérimentale

L'enquête post-expérimentale consiste à demander aux participants de livrer, après l'expérience, leurs perceptions sur les objectifs poursuivis par l'expérience, sur ce qu'on attendait d'eux et sur les réponses qu'ils devaient fournir, de même que sur les comportements qu'ils devaient adopter. Dans la mesure où les participants sont pleinement conscients des objectifs de la recherche, de ce qui est attendu et espéré d'eux, le rendement obtenu peut être fonction autant des exigences implicites de l'expérience que des effets de l'intervention elle-même. Cependant, cette technique présente certaines limites. En premier lieu, l'entrevue peut aussi engendrer ses propres exigences implicites qui peuvent faire en sorte que les participants ne disent pas entièrement la vérité quant à leur connaissance des exigences de l'étude ou quant aux motivations qui les animaient et les guidaient dans les réponses qu'ils ont données. En deuxième lieu, l'absence d'une connaissance explicite des objectifs de l'étude et des réponses attendues ne garantit pas automatiquement que les exigences implicites n'ont pas affecté le rendement des participants. Ces exigences peuvent en effet avoir altéré le comportement des participants à leur insu. Enfin, bien que cette technique permette de soupçonner l'influence possible des attentes des participants, elle ne permet pas de la prévenir ni de la contrôler avant le début de l'expérience.

L'enquête préexpérimentale

L'enquête préexpérimentale consiste à présenter aux participants l'ensemble de la situation expérimentale (p. ex., consignes, tâches, appareils utilisés) sans qu'ils participent directement à l'expérience. Après la présentation des procédures et des conditions de la recherche, les participants sont soumis aux instruments de mesure comme s'ils avaient effectivement participé à la recherche. Ce procédé aide le chercheur à évaluer dans quelle mesure les exigences implicites peuvent amener les participants à orienter leurs réponses dans le sens des résultats attendus. De plus, la comparaison des résultats obtenus lors de l'entrevue préexpérimentale avec ceux obtenus lors de l'expérience réelle permet d'évaluer empiriquement l'influence des exigences implicites. Si les résultats obtenus sont différents, alors le chercheur peut penser que les résultats obtenus lors de l'expérience ne découlent pas des indices fournis par la situation expérimentale. Si les résultats sont similaires, alors la possibilité que les exigences implicites soient responsables des résultats obtenus demeure bien réelle.

La simulation

Cette technique s'apparente un peu à la précédente dans le sens où des individus sont soumis aux instruments d'évaluation après la présentation des conditions et des procédures utilisées, mais sans subir réellement l'intervention. À la différence de la technique précédente, cependant, le chercheur demande à des participants de tenter de simuler comment ceux qui ont reçu l'intervention vont répondre aux instruments de mesure. De plus, ces participants passent les épreuves en même temps que les participants réels et ce, sans que l'expérimentateur connaisse leur statut. Si les simulateurs réussissent à reproduire les réponses des participants, on peut concevoir que les exigences implicites sont responsables des résultats obtenus. L'obtention de résultats différents signifie que les indices fournis par la situation expérimentale ne peuvent influencer les résultats.

La tromperie

La tromperie consiste essentiellement à fournir un exposé factice concernant l'objectif de l'expérience. Comme la curiosité normale des participants sera satisfaite, ils ne tenteront pas eux-mêmes d'élaborer leurs propres hypothèses quant au but de l'expérience, assurant ainsi une constance dans la perception des objectifs de l'expérience. De plus, cet exposé factice attirera l'attention des participants sur des aspects de leurs comportements qui ne sont pas liés aux comportements mesurés. L'expérience de Milgram (1963) représente l'exemple classique de l'utilisation de ce procédé. On invitait alors les gens à participer à une expérience portant sur les effets de la punition sur l'apprentissage. En réalité, l'expérience portait sur l'obéissance à l'autorité. Le chercheur demandait au participant de donner un choc chaque fois que se trompait un présumé participant qui était en réalité un complice de l'expérimentateur. De plus, à chaque erreur, le chercheur demandait au participant d'augmenter l'intensité des chocs. Le participant avait en effet devant lui différents leviers allant de « 15 volts » à « 450 volts » en passant par « choc moyen » et « danger de choc violent ». Évidemment, le complice ne recevait aucun choc, mais manifestait certaines réactions standardisées, comme demander de ne plus recevoir de chocs, supplier, pleurer, etc. Milgram a observé que 26 des 40 participants avaient administré les chocs jusqu'au niveau extrême. Il est inutile d'ajouter que les résultats auraient probablement été fort différents si les participants avaient connu l'objectif réel de l'étude.

En dehors des considérations morales que peut susciter l'expérience de Milgram, il reste que, même lorsque la tromperie est anodine, l'utilisation de cette technique est discutable sur le plan éthique (voir chapitre 11). Malgré cette difficulté majeure, la tromperie demeure la technique la plus communément employée pour éliminer le problème de la perception des participants, notamment dans le domaine de la psychologie sociale. Cependant, il ne faut l'utiliser qu'avec circonspection et lorsqu'il n'existe aucune autre méthode pour produire des résultats valides.

L'expérience déguisée

Dans l'expérience déguisée, l'individu ne sait même pas qu'il participe à une expérience. Dans le contexte de son fonctionnement quotidien, il va être soumis à certaines manipulations dont on note les effets sur son comportement. Par exemple, Langer (1978) a utilisé ce genre d'expérience pour appuyer son modèle de la présence ou de l'absence cognitive consciente. Une des expériences utilisait les files d'attente aux photocopieurs. L'expérimentateur allait voir la première personne de la file et lui demandait s'il pouvait faire immédiatement ses copies. Trois conditions étaient utilisées : dans la première l'expérimentateur ne donnait aucune justification, dans la seconde la justification était absurde (« parce que j'ai des copies à faire »), alors que dans la troisième condition l'expérimentateur présentait un motif raisonnable. Les résultats indiquent que les participants sont plus enclins à laisser passer quelqu'un devant eux dans la mesure où la personne justifie sa demande, peu importe la valeur de la justification. Cette technique comporte deux limites importantes. Sur le plan éthique, ce genre de recherche ne respecte pas le principe selon lequel les participants doivent donner leur consentement éclairé. Sur le plan méthodologique, le peu de contrôle qu'il est possible d'exercer dans ce genre d'expériences ouvre la porte toute grande aux variables nuisibles.

2.1.2.6. Défection de participants

Plus le nombre de sessions expérimentales est élevé, plus la possibilité que l'étude souffre de la perte de participants est grande. Pour contrer ou évaluer l'impact de ce phénomène trois techniques peuvent être utilisées. Une première technique permet d'évaluer les effets de la perte de participants sur les résultats obtenus, mais elle ne permet pas de contrer cette perte. Elle consiste dans l'utilisation de certaines techniques statistiques qui permettent d'estimer si l'abandon des participants entraîne un biais dans les résultats obtenus (Tabachnick & Fidell, 1989).

Pour contrer la perte possible de participants deux techniques peuvent être utilisées. Une première technique implique l'utilisation d'une mesure incitative monétaire pour maintenir la participation. Il est tout à fait approprié d'indemniser les participants de leurs frais de transport ou de la perte de temps qu'occasionne la participation à l'expérience. Cependant, il faut veiller à ce que cette indemnité n'exerce pas une force coercitive chez les participants. Comme il en sera question au chapitre 11, un autre principe déontologique important réside dans le droit des participants de mettre fin à leur participation en tout temps. On peut facilement comprendre qu'une somme de 100 $ offerte à des individus économiquement désavantagés pourrait interférer avec ce principe.

Enfin, Kazdin (1992) propose d'identifier les variables qui sont corrélées avec l'abandon et d'utiliser cette information pour décider de la composition d'une prochaine étude. Par exemple, dans une étude qui porte sur les enfants ayant des comportements antisociaux, Kazdin (1992) indique que certaines variables, comme le nombre de symptômes présentés par l'enfant, le stress de la mère et le niveau socioéconomique, permettent de prédire l'abandon. Ces informations peuvent être utilisées dans une recherche ultérieure pour déterminer le profil des individus qui seront considérés pour participer à l'étude.

En somme, il existe une panoplie de stratégies et de méthodes pour contrôler l'influence des variables nuisibles sur les résultats des recherches empiriques (voir tableau 2.1). Néanmoins, il faut préciser que ces différentes techniques, dans la majorité des cas, n'éliminent pas complètement la possibilité que des variables nuisibles soient responsables des effets observés ; elles ne font que minimiser la possibilité que les résultats découlent de l'action de ces variables. Dans certaines disciplines, comme en médecine ou

TABLEAU 2.1 **Résumé de quelques techniques pouvant minimiser les différentes sources d'invalidité**

Source d'invalidité*	Protocole de recherche	Affectation aléatoire	Appariement	Contrebalancement	Automatisation	Expérimentations à l'insu	Plusieurs expérimentateurs	Double insu	Enquête post-expérimentale	Enquête pré-expérimentale	Simulation	Tromperie	Expérience déguisée	Fidélité à l'égard du protocole**
Facteurs historiques	+	+	–	–	–	–	–	–	–	–	+	–	–	–
Maturation	+	+	+	–	–	–	–	–	–	–	+	–	–	–
Sélection	+	+	+	–	–	–	–	–	–	–	–	–	–	–
Fluctuation de l'instrument	+	+	–	+	–	–	–	–	–	–		–	–	–
Réactivité de la mesure	+	–	–	+	–	–	–	–	–	–	–	–	–	–
Régression	+	+	+	–	–	–	–	–	–	–	–	–	–	–
Défection	+	+	–	–	–	–	–	–	–	–	–	–	–	+
Effets de l'expérimentateur	–	–	–	–	+	+	+	+	–	–	+	–	–	+
Attentes des participants	–	–	–	–	–	–	–	+	+	+	+	+	+	–
Diffusion du traitement	–	–	–	–	–	–	–	–	–	–	–	–		

* Technique adéquate (+) ou inadéquate (–) pour le facteur d'invalidité ; ** Voir chapitre 6.

en épidémiologie, les chercheurs comparent l'état de personnes souffrant d'un trouble quelconque à celui de personnes qui n'en sont pas atteintes, afin de déterminer les causes ou les corrélats d'une maladie. L'absence de manipulation expérimentale affaiblit énormément les conclusions que l'on peut tirer. Par contre, cette méthode peut s'avérer une façon pratique et éthiquement acceptable d'obtenir de l'information sur les origines d'un problème (p. ex., sida, schizophrénie, délinquance). Un nombre impressionnant de biais méthodologiques guettent l'utilisation de cette méthode (voir Sacket, 1979), par exemple : le biais de rappel (les participants de la condition cible peuvent être interrogés beaucoup plus en profondeur que ceux de la condition témoin, afin d'identifier les facteurs associés avec le début de leur problème) ; le biais de référence (les personnes les plus sévèrement atteintes ou réfractaires aux interventions peuvent être dirigées plus fréquemment ou plus rapidement vers les centres spécialisés où se déroulent les recherches) ; ou le biais des supercontrôles (en essayant de trouver des participants qui ne souffrent d'aucun problème pour constituer la condition témoin, le chercheur risque de recruter des participants qui bénéficient d'une pléthore de facteurs protecteurs à l'égard du problème à l'étude et qui sont peu représentatifs de la population générale). Peu importe la nature de la méthode utilisée, seule l'accumulation d'expériences où l'on s'appuie sur des méthodologies différentes permet d'accroître graduellement notre confiance dans les relations existant entre la variable indépendante et la variable dépendante.

2.2. LA VALIDITÉ EXTERNE

Outre la mise en évidence non ambiguë de l'influence d'un traitement ou d'une condition expérimentale, les chercheurs en psychologie veulent également que les relations observées s'appliquent à la « vraie vie ». Les résultats d'une recherche ont été obtenus à partir d'un échantillon particulier de participants, en utilisant un matériel expérimental donné dans le contexte spécifique d'un moment précis. La question de la validité externe concerne la possibilité de transcender les caractéristiques particulières dans lesquelles les résultats ont été obtenus, afin de pouvoir les généraliser à d'autres individus que ceux qui ont participé à l'expérience, avec d'autres matériels, dans d'autres situations et à d'autres moments. Dans la mesure où la validité externe est jugée adéquate, il est possible de pouvoir, de façon justifiée, appliquer les conclusions à d'autres personnes que celles qui ont participé à l'expérience ainsi qu'à d'autres situations que celles qui ont été effectivement utilisées au cours de l'expérience. Les caractéristiques susceptibles de limiter la généralité des résultats sont qualifiées de menaces à la validité externe. Il est possible de les considérer comme des questions qui peuvent être soulevées quant à la portée des résultats ou des limites des résultats.

Les facteurs de nature à limiter la généralité d'une expérience demeurent habituellement inconnus jusqu'à ce qu'une recherche subséquente modifie les conditions dans lesquelles la relation a été initialement examinée. La démonstration de la validité externe d'une étude est donc un processus qui n'est jamais entièrement terminé. Le type de consignes données aux participants, l'appartenance ethnique, le sexe des participants, la nature des expérimentateurs (étudiants d'université, membres de la communauté), le contexte dans lequel on conduit l'expérience représentent tous des facteurs pouvant contribuer à l'observation d'une relation donnée. Bref, n'importe quelle caractéristique de l'expérience peut être responsable des résultats obtenus. Cependant, certaines de ces caractéristiques, ou menaces à la validité externe, peuvent être identifiées à l'avance dans une recherche.

2.2.1. La validité échantillonnale

La validité échantillonnale correspond à la possibilité de généraliser à l'ensemble de la population d'intérêt les résultats observés à partir de l'échantillon utilisé dans la recherche. Il s'agit, en fait, d'être en mesure d'affirmer que l'échantillon est représentatif de l'ensemble des individus auxquels on veut étendre les résultats. Un échantillon est représentatif lorsqu'il possède les mêmes caractéristiques que celles retrouvées au sein de la population. Le terme population peut avoir une signification très large : on peut, par exemple, vouloir généraliser à l'ensemble des Nord-Américains. Ce terme peut également référer à un ensemble beaucoup plus modeste : les bénéficiaires d'une institution donnée, par exemple.

Théoriquement, la question de la validité échantillonnale ne se pose pas si l'échantillon est large et constitué au hasard à partir de la population cible. En effet, si l'échantillon est de taille raisonnable, il devrait constituer une réplique en miniature de la population de laquelle il a été tiré ; autrement dit, il devrait posséder les mêmes caractéristiques que la population, et ce dans une même proportion. En somme, quand on utilise ce type d'échantillonnage, dit probabiliste, les résultats obtenus avec l'échantillon peuvent aisément se généraliser à la population de laquelle il a été tiré. Par exemple, si la population cible est l'ensemble des 200 bénéficiaires d'une institution, il y a fort à parier qu'un échantillon de 50 individus tirés au hasard présentera les mêmes caractéristiques que celles qui sont présentes dans la population.

En pratique, cependant, il est très rare qu'une étude soit menée à partir d'un échantillon probabiliste. Premièrement, outre les ressources énormes exigées par un échantillonnage aléatoire à l'échelle du pays, un tel échantillon, si général fût-il, pourrait souffrir d'une trop grande hétérogénéité ou inclure des personnes pour lesquelles l'expérimentation serait contre-indiquée. Deuxièmement, sur le plan déontologique, on ne peut obliger les individus à participer à une expérience. Ils doivent être pleinement consentants à faire partie de la recherche. À ce moment, les échantillons sont toujours constitués de participants volontaires qui ne présentent pas nécessairement toutes les caractéristiques de la population. On sait, par exemple, que les participants volontaires sont notamment plus intelligents, plus sociables, plus instruits, moins conventionnels et moins autoritaires que les individus qui refusent de participer à une recherche (Rosenthal, 1965 ; Rosnow & Rosenthal, 1976). En troisième lieu, le chercheur a rarement accès à l'ensemble de la population cible. En effet, si votre étude porte sur l'évaluation du traitement de l'agoraphobie, vous voulez sûrement pouvoir généraliser à l'ensemble des agoraphobes du monde. Cependant, autant pour des raisons économiques que pratiques, il vous est impossible de former votre échantillon à partir des agoraphobes du monde entier. Par conséquent, vous allez constituer votre échantillon probablement à partir des agoraphobes qui habitent votre région. Ces individus représentent ce qu'on appelle la population accessible sur le plan expérimental. Or, la population accessible sur le plan expérimental est rarement représentative de la population cible. De sorte que, même si l'échantillon était choisi au hasard à partir de la population accessible sur le plan expérimental, cet échantillon serait représentatif de cette dernière population, mais on ne pourrait généraliser en toute confiance à la population cible.

Considérant les éléments précédents, doit-on conclure que les résultats de toutes les recherches ne sont pas généralisables à d'autres individus qui n'ont pas participé à la recherche ? Pas nécessairement. Il est en effet possible que les caractéristiques particulières de l'échantillon n'interagissent pas avec l'intervention pour produire les effets observés. Cependant, ces considérations nous invitent à la plus grande prudence quant à la généralité des résultats observés. Seule l'accumulation des études montrant des effets similaires à partir d'échantillons différents nous permet d'avoir une confiance de plus en plus grande dans la possibilité d'étendre les résultats à une population plus vaste.

2.2.2. La validité écologique

Les résultats d'une recherche sont obtenus dans des conditions précises, avec un matériel particulier et un expérimentateur donné. La validité écologique réfère à la possibilité de généraliser les résultats à d'autres situations que celle dans laquelle s'est faite la collecte des données. Si une telle généralisation est possible, alors la recherche présente une certaine validité écologique. En somme, une recherche comporte une bonne validité écologique quand l'effet du traitement ou de la condition expérimentale est indépendant des conditions particulières dans lesquelles on a pu l'observer. Il existe plusieurs menaces à la validité écologique d'une recherche. Ces menaces peuvent être regroupées à l'intérieur de trois grandes catégories générales: les caractéristiques du stimulus, les caractéristiques contextuelles et les caractéristiques de la mesure.

2.2.2.1. Les caractéristiques du stimulus

Les caractéristiques du stimulus correspondent aux caractéristiques de l'étude avec lesquelles les interventions ou les conditions peuvent être associées. Elles incluent la nature du milieu expérimental (p. ex., expérience en laboratoire, expérience sur le terrain), les expérimentateurs, ou tout autre aspect relié au matériel utilisé dans l'expérience qui peut être responsable des effets observés. Par rapport à la validité écologique, la question que soulèvent les stimuli utilisés dans l'expérience consiste à se demander dans quelle mesure les résultats observés s'appliquent à des situations mettant en scène par exemple des milieux différents, des expérimentateurs différents et des tâches expérimentales différentes.

Le milieu de la recherche

Le milieu dans lequel est menée l'étude constitue une dimension susceptible de restreindre la généralité des résultats obtenus. Par exemple, on peut facilement se demander dans quelle mesure les effets d'une psychothérapie observés dans des cliniques universitaires pourraient se retrouver dans des cliniques qui ne font pas partie du milieu universitaire. Certaines caractéristiques propres au milieu universitaire peuvent interagir avec les composantes de la thérapie pour produire les effets observés. Comme illustration concrète de l'influence du milieu sur l'efficacité de l'intervention, prenons l'exemple utilisé par Bernstein, Bohrnstedt et Bogatta (1975) portant sur un programme de réhabilitation pour les personnes souffrant d'une dépendance aux drogues dures. Dans sa forme originale, le traitement était donné dans un centre situé à la campagne. Comme la majorité des individus souffrant de cette dépendance vivent à la ville, on a voulu utiliser la même approche dans un centre situé cette fois en milieu urbain. Apparemment, le programme de traitement, pourtant tout à fait identique, n'était pas aussi efficace à la ville qu'à la campagne. Une des raisons pouvant expliquer ce résultat réside peut-être dans le fait que les drogues sont plus facilement disponibles en ville qu'à la campagne. De toute façon, peu importe la raison pouvant expliquer cette différence, il ressort clairement de cet exemple réel que des caractéristiques subtiles de l'environnement dans lequel l'expérience se déroule peuvent interagir avec le traitement pour provoquer les effets observés. Par ailleurs, il faut noter que la différence observée dans les effets du traitement selon le milieu ne remet pas en cause l'efficacité du traitement, mais il en limite la généralité : le programme s'avère efficace dans la mesure où il est appliqué en milieu rural.

La question du milieu nous amène inévitablement à nous pencher sur le débat qui entoure les études en laboratoire par rapport aux expériences se faisant dans le milieu naturel. Le laboratoire comme lieu de recherche a souvent été critiqué à cause de son caractère artificiel qui entraîne par le fait même des comportements bizarres ou atypiques chez les participants (Bronfenbrenner, 1979) et donc une faible validité externe. Certains chercheurs ont ainsi demandé aux psychologues de sortir du laboratoire et de mener leurs recherches dans le milieu naturel, par exemple directement dans les classes, les cliniques de santé mentale ou l'industrie. Il est vrai que la question de la validité écologique se pose davantage pour les études expérimentales en laboratoire que pour les études sur le terrain ou les études d'observation. Cependant, cette attitude manichéenne est quelque peu simpliste. En effet, une étude en laboratoire n'est pas nécessairement dépourvue de validité écologique. Bien que les situations puissent sembler plus artificielles, dans la mesure où elles produisent chez les participants des comportements analogues à leurs réactions normales, cette étude possède une bonne validité écologique. Par exemple, une tâche qui demande à des participants d'appuyer sur des boutons le plus rapidement possible semble bien loin de l'attention nécessaire pour piloter un avion. Cependant, de nombreuses études montrent la validité de ce comportement comme indicateur de l'attention en situation de pilotage. Cet exemple nous montre que des situations artificielles peuvent néanmoins présenter une bonne validité écologique. Inversement, le fait de conduire une étude en milieu naturel ne garantit en rien la validité externe de l'étude. Bien que les participants évoluent dans un milieu naturel, d'autres facteurs, par exemple la sélection des participants, peut limiter la validité externe de l'étude. Dipboye et Flanagan (1979, cités dans Christensen, 1997) ont montré que les études en psychologie industrielle qui ont été menées au sein des entreprises ont généralement utilisé des participants masculins occupant des positions techniques, professionnelles ou administratives au sein d'organisations productives. Cet exemple nous indique qu'au moins dans un domaine de la psychologie l'hypothèse que les études faites dans le milieu ont une plus grande validité externe ne trouve pas le support escompté, puisque ces études ont utilisé un échantillon limité d'individus, dans des milieux bien particuliers.

La tendance à évaluer la validité écologique d'une étude uniquement en fonction du caractère plus ou moins artificiel des situations utilisées semble témoigner d'une certaine confusion entre les concepts de validité écologique et de validité manifeste. La validité manifeste réfère à l'impression qu'une situation, à première vue, est adéquate pour mesurer le concept qu'elle est censée évaluer. Par exemple, l'observation des comportements des enfants dans la cour de l'école possède une bonne validité manifeste pour un chercheur qui s'intéresse aux comportements affiliatifs et agonistiques des enfants. Inversement, la tâche de peser sur des boutons pour mesurer l'attention des pilotes d'avion en possède peu. Cependant la présence ou non d'une validité manifeste n'a aucune relation avec la validité écologique de ces situations. Comme on l'a vu précédemment, le rendement à la tâche consistant à enfoncer des boutons peut être relié au comportement réel des pilotes.

Au lieu d'opposer systématiquement les études en laboratoire aux études en milieu naturel, il vaut mieux les considérer comme étant complémentaires (Robert, 1988). Les études en milieu naturel sont essentielles lorsqu'il s'agit de décrire un phénomène tel qu'il se produit spontanément. D'un autre côté, les études en laboratoire sont souvent les seules capables de mettre en évidence une relation causale entre une variable indépendante et une variable dépendante en raison du contrôle strict qu'elles permettent sur les variables qui ne sont pas pertinentes pour l'étude.

L'effet de l'expérimentateur

Dans la section précédente portant sur la validité interne, nous avons vu que les caractéristiques et les attentes du chercheur peuvent être constituées des sources d'atteinte à la validité interne d'une recherche. Dans la mesure où des effets ne peuvent être obtenus qu'avec un certain type d'expérimentateurs, l'effet de l'expérimentateur peut constituer également une menace à la validité externe d'une recherche. Les résultats ne sont alors généralisables qu'à des situations où le chercheur ou l'intervenant possèdent des caractéristiques analogues à celles de l'expérimentateur participant à l'expérience.

L'effet du matériel

Le mode d'introduction de l'intervention expérimentale peut également avoir une influence sur le niveau de généralisation possible à partir des données obtenues. Par exemple, le fait d'induire des états émotifs par l'intermédiaire de films, afin de pouvoir en mesurer l'influence sur la pensée logique des individus, peut plus ou moins correspondre à l'influence sur la pensée logique d'émotions vécues directement par ces personnes. Par ailleurs, par souci légitime de contrôle, la quantité ou le niveau de l'intervention administrée aux individus sont habituellement bien circonscrits, de sorte que les conclusions tirées d'une recherche ne peuvent être généralisées en toute confiance à des situations où un niveau différent d'intervention serait administré.

2.2.2.2. Les caractéristiques contextuelles

Indépendamment du fait que l'étude s'effectue en laboratoire ou en milieu naturel, il y a toujours un contexte qui entoure l'intervention ou l'expérience. Par conséquent, il est possible que quelques aménagements spéciaux puissent contribuer à la relation entre l'intervention et le comportement, restreignant ainsi la généralité des résultats. Parmi les caractéristiques contextuelles qui peuvent affecter la validité écologique, on peut relever les aspects suivants : la réactivité au contexte expérimental, l'interférence d'interventions multiples, l'effet de nouveauté.

La réactivité au contexte expérimental

En tant que menace à la validité externe, la réactivité au contexte expérimental réfère à l'influence que peut avoir le fait de prendre conscience qu'on participe à une expérience. Plus spécifiquement, ce n'est pas vraiment le fait d'être conscient de l'administration d'une intervention qui semble important puisque, dans le domaine clinique, l'individu sera toujours conscient de la présence d'une intervention. Les comportements du participant peuvent être influencés par le fait que celui-ci sait qu'il est étudié. La participation à une expérience peut provoquer chez les individus des réactions comme celle de tenter de plaire à l'expérimentateur, d'éviter les réponses qui pourraient les amener à être jugés négativement par l'expérimentateur, de faire montre d'une diligence plus grande dans l'exécution de la tâche qu'ils ne le feraient normalement ou d'être plus assidus aux devoirs demandés par un thérapeute, etc. À ce moment, on peut se demander si le traitement serait aussi efficace en dehors d'un contexte de recherche. Pour se convaincre de cette influence possible, qu'on pense aux changements évidents de comportements que l'on peut observer chez les individus lorsqu'ils deviennent soudainement conscients que la caméra de la télévision est fixée sur eux. Plus près de la recherche, qu'on songe à toutes les choses bizarres que les individus acceptent de faire ou de subir dans une expérience : on peut leur demander de mémoriser des syllabes dépourvues de sens, de subir de légers chocs électriques, de se faire réveiller en plein sommeil, etc. En dehors du contexte de la recherche, il y a fort à parier que ces mêmes personnes n'accepteraient pas de tels traitements. On désigne parfois ce phénomène sous le nom de *l'effet Hawthorne.* Maintenant, l'influence qu'a sur le comportement la conscience de participer à une évaluation scientifique n'est pas l'apanage des individus faisant partie de la condition expérimentale. Le comportement des participants de la condition qui n'est pas soumise à l'intervention et qui sert de comparaison peut aussi être influencé par le fait qu'ils savent qu'ils participent à une recherche scientifique. On appelle *effet John Henry* la tendance possible des individus de la condition contrôle à manifester un rendement supérieur à celui qu'ils auraient produit s'ils ne participaient pas à une recherche scientifique. Apparemment, le désir de montrer une image positive d'eux-mêmes serait sous-jacent à ce phénomène. Cet effet n'est pas négligeable, puisque la comparaison du rendement des participants de la condition expérimentale et des participants de la condition contrôle peut ne pas différer au cours de l'expérience. Cependant, la même intervention appliquée à l'extérieur d'un contexte expérimental pourrait s'avérer supérieur à l'absence de traitement. Par conséquent, l'effet John Henry peut contribuer à masquer les effets possibles de manipulations expérimentales. Bien qu'il s'applique spécifiquement aux participants de la condition contrôle, l'effet John Henry s'inscrit dans un concept plus large qu'est le rôle associé au fait d'être participant dans une recherche (Weber & Cook, 1972). Kazdin (1992) insiste sur quatre rôles : (a) celui du bon participant, qui tente volontairement d'agir de façon à confirmer les hypothèses de la recherche ; (b) celui du participant réactionnaire, qui tente volontairement d'agir de façon à infirmer les hypothèses de la recherche ; (c) celui du participant méticuleux, qui tente de suivre chaque consigne à la lettre ; et (d) celui du participant appréhensif, qui est sensible à la désirabilité sociale et tente de se présenter de façon favorable.

L'interférence d'interventions multiples

Dans certains protocoles de recherche, les participants peuvent être exposés à plus d'une condition expérimentale. Les participants peuvent être soumis à deux ou plusieurs interventions différentes ou alterner entre les conditions expérimentale et contrôle. L'interférence d'interventions multiples réfère à la possibilité que l'efficacité démontrée d'un traitement se limite à des situations où ce traitement est précédé d'une autre intervention ou alterne avec celle-ci. L'interférence des interventions multiples correspond à l'effet de séquence dont il a été question lors de la présentation des menaces à la validité interne d'une recherche. Cependant, en plus de menacer la validité interne, l'interférence menace également la validité externe dans la mesure où il devient problématique de généraliser les résultats de la recherche à des individus qui n'auraient pas été soumis à la même séquence de traitements. Par exemple, supposons que les clients d'une clinique d'anxiété sont soumis pendant quatre semaines à une nouvelle forme de thérapie de groupe basée sur l'entraide mutuelle. Préalablement, à des fins de comparaison, tous les participants étaient soumis à une forme traditionnelle de thérapie. Les résultats indiquent que la thérapie de groupe entraîne une plus grande réduction des symptômes accompagnant l'anxiété que la thérapie traditionnelle. Est-ce que l'on doit conclure que la thérapie de groupe est plus efficace que la thérapie classique ? À partir de cette étude, on peut seulement inférer que la thérapie de groupe, lorsqu'elle est précédée de la thérapie traditionnelle, peut produire des changements significatifs dans le niveau d'anxiété des clients. En effet, la validité externe de la thérapie de groupe peut se limiter aux individus qui reçoivent d'abord une thérapie traditionnelle. En d'autres mots, l'utilisation préalable de la thérapie traditionnelle peut se révéler un ingrédient essentiel à l'efficacité de la thérapie de groupe basée sur le soutien mutuel.

Il faut remarquer, de plus, que l'interférence d'interventions multiples peut se produire non seulement à l'intérieur d'une même expérience, mais aussi entre les expériences. À ce moment, le comportement ou le rendement des participants dans la recherche actuelle peuvent être affectés par la participation antérieure de ceux-ci à une autre recherche. Bien que ce danger puisse apparaître fort théorique à plusieurs, la réalité de cette menace s'impose davantage quand on prend en considération la surutilisation des étudiants de psychologie dans certains domaines de recherche. Dans une recension de trois périodiques consacrés aux études en psychologie sociale, 86 % des études portaient sur des étudiants de baccalauréat (Sears, 1986). Il devient alors plus que plausible que plusieurs des étudiants qui participent à la condition expérimentale aient été soumis antérieurement à d'autres conditions expérimentales. Les résultats obtenus ne reflètent donc pas seulement les effets de l'expérimentation actuelle, mais une interaction avec les expérimentations auxquelles ils ont été soumis dans des études antérieures. La généralisation à des individus qui n'ont pas subi cette combinaison d'interventions devient tout aussi problématique que dans les expériences où les participants sont soumis à plusieurs conditions expérimentales.

L'effet de nouveauté

L'effet de nouveauté, appelé également effet d'interruption, signifie que l'effet observé d'une condition expérimentale peut venir tout simplement du changement qu'il amène dans la routine habituelle des individus. Une fois l'effet de nouveauté dissipé, les changements initialement observés dans les comportements des individus peuvent également disparaître. L'étude de Brownell (1966 ; cité dans Christensen, 1997) fournit un excellent exemple de l'influence de la nouveauté sur les résultats observés. Brownell voulait mesurer les effets d'un nouveau programme en éducation. Pour ce faire, il a expérimenté ce programme dans deux systèmes scolaires différents, soit en Angleterre et en Écosse. Les résultats observés dans les deux pays n'allaient pas dans le même sens. Ce programme produisait des résultats favorables en Écosse, mais pas en Angleterre. L'auteur a interprété l'effet observé en Écosse comme un effet de nouveauté. En effet, les professeurs et les élèves en Angleterre étaient habitués à l'essai de nouvelles techniques pédagogiques, ce qui n'était pas le cas des professeurs et des élèves écossais. Par conséquent, les effets positifs observés en Écosse relevaient davantage de l'enthousiasme généré par ce changement plutôt que des caractéristiques du programme lui-même.

2.2.2.3. Les caractéristiques de la mesure

Plusieurs aspects de la façon dont se fait l'évaluation d'une intervention peuvent affecter la généralisation possible des résultats d'une expérience. Parmi les dimensions les plus courantes, on relève la réactivité de la mesure et la sensibilisation au test.

La réactivité de la mesure

Afin de mesurer les effets d'une intervention, le chercheur va utiliser un instrument de mesure comme un test ou un questionnaire. Si cet instrument est transparent quant aux aspects qui sont évalués, c'est-à-dire que les dimensions mesurées sont évidentes pour le participant, il est possible que les participants qui ont bénéficié d'une intervention répondent de façon différente qu'ils ne l'auraient fait en d'autres circonstances. Dans la section sur les sources d'invalidité nous avons qualifié une telle mesure de réactive, c'est-à-dire que la connaissance de la dimension évaluée affecte le comportement des répondants. Il faut remarquer que ce problème se manifeste plus souvent en recherche clinique que dans d'autres domaines de recherche. Cela est dû au fait que la mesure ne porte pas sur des habiletés qui échappent au contrôle volontaire des individus, mais s'intéresse plus souvent à leur évaluation d'un aspect quelconque de leur fonctionnement affectif. Par exemple, bien que les tests de quotient intellectuel présentent une certaine transparence, il est impossible à l'individu de modifier sciemment ses réponses de façon à paraître plus intelligent à la suite d'une intervention expérimentale. Par ailleurs, si l'on évalue le niveau d'anxiété des individus après une intervention visant à abaisser leur niveau de stress, les individus peuvent, par complaisance ou pour bien paraître, modifier leurs réponses consciemment ou non. À ce moment, on peut se demander si la baisse observée dans le niveau d'anxiété des individus après l'intervention peut se généraliser à l'expérience quotidienne du client. En somme, la question de la réactivité de la mesure consiste à savoir si les changements observés à partir de nos instruments de mesure se transposent dans le cadre de la vie quotidienne des individus.

La sensibilisation produite par l'utilisation d'un prétest

Dans plusieurs recherches, notamment dans les études portant sur les changements dans les attitudes et les opinions des individus ou dans l'efficacité des interventions cliniques, un prétest est souvent utilisé. Il s'agit en fait de la mesure de la variable dépendante d'intérêt avant que le participant soit exposé à l'intervention ou à la condition expérimentale. Cette procédure permet d'évaluer le niveau initial du participant, afin de pouvoir conclure quant à la capacité de l'intervention à produire des changements. Bien qu'un tel procédé soit parfaitement légitime, il n'est pas sans poser de problème sur le plan de la validité externe. Advenant que l'intervention s'avère efficace en contexte expérimental, il ne faut pas oublier que son utilisation ultérieure se fera avec des individus qui n'auront pas subi de prétest. Or, il est possible que l'intervention tire son efficacité de la sensibilisation que le prétest produit à l'égard de certaines de ses dimensions. Pour concrétiser l'influence potentielle de l'utilisation d'un prétest sur les résultats obtenus, supposons qu'un chercheur veut mesurer l'effet que produit le fait d'être dans une salle surpeuplée sur le niveau de stress vécu par les individus. Avant l'entrée des individus dans une petite salle d'attente, le chercheur demande aux individus de répondre à un questionnaire portant sur leur évaluation de leur niveau des différents indicateurs de stress. Après quinze minutes d'attente, le chercheur demande aux participants de répondre à nouveau au questionnaire. Dans cette étude, il est possible que l'administration du questionnaire avant la situation expérimentale augmente la sensibilité des gens aux différents indicateurs de stress. Ils peuvent, par exemple, être davantage à l'affût de la manifestation de différents indicateurs physiologiques du stress (battements cardiaques accélérés ou plus marqués, sudation, etc.). La performance au post-test, soit après la période de 15 minutes d'attente, peut être la résultante, non seulement de la situation, mais aussi de la sensibilisation amenée par le prétest. Par conséquent, la menace à la validité externe vient du fait que les résultats de la recherche ne sont pas nécessairement généralisables à des individus qui n'auraient pas subi de prétest.

Il faut remarquer que l'effet de sensibilisation amené par l'utilisation d'un instrument de mesure peut également se produire même sans l'utilisation d'un prétest. La seule évaluation après l'intervention peut être suffisante pour cristalliser une réaction particulière chez les participants. Cet effet s'appelle la sensibilisation due à l'utilisation d'un post-test (Bracht & Glass, 1968). Essentiellement, les effets de l'intervention peuvent être latents ou incomplets et n'apparaître qu'avec l'utilisation d'une mesure réactive. En ce qui concerne la validité externe, la sensibilisation venant de l'utilisation d'une mesure soulève la question concernant l'obtention de résultats similaires avec des mesures que le participant pourrait moins facilement associer à l'intervention. L'effet de la sensibilisation du post-test est plus difficile à évaluer que l'effet de la sensibilisation associée à l'utilisation d'un prétest, parce que l'élimination de cette menace requiert l'utilisation de mesures non réactives ou, du moins, la comparaison des effets observés à partir de mesures qui varient sur le plan de la réactivité.

2.2.3. La validité temporelle

La *validité temporelle* correspond au degré auquel les résultats peuvent être généralisés à d'autres moments du continuum temporel. On sait que la majorité des expériences sont souvent menées à un moment précis et que les résultats sont basés sur une seule évaluation de la variable dépendante. On semble supposer qu'à la fois le moment de la mesure de la variable dépendante et le moment du déroulement de l'expérience n'affectent pas les résultats de l'expérience. Or, ces deux éléments peuvent influencer les résultats obtenus.

2.2.3.1. Le moment de la mesure des effets de l'intervention

Les résultats d'une expérience peuvent dépendre du moment où s'effectue la mesure des effets de l'intervention ou des différentes conditions expérimentales. Il arrive que cette mesure s'effectue immédiatement au terme du traitement ou de la manipulation expérimentale. Sur le plan de la validité externe, on peut se demander si les mêmes résultats auraient été obtenus dans un cas où la mesure se serait opérée à un autre moment, disons quelque temps après l'intervention. Supposons que l'on compare deux méthodes pour traiter les attaques de panique. Immédiatement après le traitement, il est possible que la pharmacothérapie s'avère plus efficace que la thérapie congnitivo-comportementale. Peut-on, en toute confiance, généraliser ces résultats à d'autres moments du continuum temporel? Pas nécessairement, parce qu'une évaluation à un autre moment pourrait nous donner une image complètement différente de l'efficacité relative des traitements qui ont été comparés. Par exemple, la pharmacothérapie peut présenter des effets transitoires qui ne persistent pas dans le temps et qui sont associés à des rechutes à la fin de la prise de médication. À ce moment, la comparaison des deux traitements, par exemple 12 mois après sa conclusion, pourrait nous amener à penser que le traitement cognitivo-comportemental est supérieur à la pharmacothérapie. Par ailleurs, la thérapie cognitivo-comportementale peut présenter des effets différés qui continuent d'opérer quelque temps après le traitement. Il se pourrait donc que, quelques mois après le traitement la méthode cognitivo-comportementale se révèle encore plus efficace.

2.2.3.2. Le moment du déroulement de l'expérience

En ce qui concerne les effets du moment de déroulement de l'expérience, trois phénomènes peuvent se produire : les variations saisonnières, les variations cycliques et les variations personnelles.

Les variations saisonnières

Une *variation saisonnière* est une variation qui apparaît de façon récurrente auprès d'au moins une partie de la population. Si, par exemple, on faisait un tracé du chiffre d'affaires des commerces au détail, il ne serait pas surprenant de constater une augmentation générale de ce chiffre d'affaires dans les premières semaines de décembre, augmentation qui est due à l'approche de Noël. Un exemple curieux, mais bien démontré est la sur-représentation d'individus nés durant les mois d'hiver parmi la population de schizophrènes (Bradburry & Miller, 1985 ; Torrey & Bowler, 1990).

Les variations saisonnières peuvent être de deux types : fixe ou variable. Une *variation temporelle fixe* correspond à des changements qui se produisent de façon prédictible à certains moments. Par exemple, le nombre de voyageurs vers la Floride ou les Antilles augmente de façon marquée durant la période des Fêtes ou durant la semaine de relâche scolaire. Une *variation temporelle variable* ne peut être prédite aussi facilement, puisque ce type de variation dépend de l'apparition d'événements particuliers qui ne suivent pas un modèle régulier. Par exemple, un cataclysme naturel va, bien sûr, entraîner des conséquences psychologiques chez les gens qui en sont victimes.

Les variations cycliques

Les variations cycliques représentent des changements qui se produisent à l'intérieur des individus ou des autres organismes. Lorsque nous avons présenté les menaces à la validité interne, nous avons vu que certaines fonctions biologiques, comme le rythme cardiaque ou la température corporelle, varient selon un rythme circadien et que ces variations peuvent interagir avec l'intervention pour provoquer les résultats observés. Dans la mesure où une telle interaction limite la possibilité de généraliser les résultats à d'autres moments du cycle, ces facteurs deviennent également des menaces à la validité externe.

Les variations personnelles

Les variations personnelles correspondent aux changements qui peuvent se produire chez les individus avec le passage du temps. Bien qu'on postule souvent une certaine stabilité au niveau des caractéristiques des individus, cela n'est pas nécessairement le cas pour tous les traits. Par exemple, l'évaluation que l'individu fait de lui-même ou des autres ainsi que ses préférences politiques sont en grande partie dépendantes des stimuli environnementaux auxquels il est exposé (Christensen, 1997). Si les variables à l'étude sont sujettes au changement, les résultats de l'étude peuvent n'être valables que pour la période durant laquelle l'étude a été faite et ne pas être généralisables dans le temps.

TABLEAU 2.2 **Liste de facteurs pouvant limiter la validité externe d'une recherche**

- représentativité de l'échantillon
- caractéristiques du milieu où la recherche s'effectue
- l'effet de l'expérimentateur
- l'effet du matériel et de la mesure
- le fait de se retrouver dans un contexte expérimental
- l'interférence d'interventions multiples
- l'effet de nouveauté
- la réactivité de la mesure
- la sensibilisation suite au prétest
- moment de la prise de mesure
- variations saisonnières
- variations cycliques
- variations personnelles

2.2.4. Considérations générales sur la validité externe

Les facteurs qui viennent d'être présentés (voir tableau 2.2) ne sont que quelques exemples des conditions qui peuvent, selon les cas, limiter la généralisation des résultats. En fait, toutes les conditions dans lesquelles a été menée l'expérience peuvent influer sur le niveau de généralisation permis. La plus grande circonspection est donc généralement de mise dans la généralisation des résultats. Seule la reproduction des résultats en utilisant des échantillons différents et des méthodes différentes permet d'augmenter le degré de confiance que nous pouvons avoir dans la généralisation des résultats. En terminant, deux aspects méritent certaines précisions supplémentaires. Le premier porte sur la relation entre la validité externe et la valeur de la recherche. Le second concerne la relation entre la validité interne et la validité externe.

2.2.4.1. LA VALIDITÉ EXTERNE ET LA VALEUR DE LA RECHERCHE

À ce point du chapitre le lecteur peut avoir l'impression que toutes les recherches possèdent une faible valeur scientifique, puisque toutes les études sont vulnérables à l'une ou à plusieurs des sources de menace de la validité externe. En fait, l'existence d'un doute quant à la généralisation des résultats ne signifie pas que les données sont obligatoirement propres aux participants de l'étude, aux mesures utilisées ou au moment de la conduite de la recherche. La présence de ces limites potentielles ne remet pas en question la valeur des résultats. Elle nous invite simplement à la prudence dans la généralisation et nous signale la nécessité de conduire de nouvelles recherches de façon à éprouver la robustesse des résultats obtenus.

Par ailleurs, la possibilité de pouvoir généraliser à d'autres individus, environnements ou moments ne constitue pas toujours l'objectif visé par une recherche. Certaines recherches peuvent être menées pour résoudre des problèmes spécifiques à l'intérieur d'une entreprise donnée ou d'un groupe d'individus en particulier. Par exemple, une recherche peut vouloir évaluer l'efficacité d'un mode d'intervention dans la réduction d'un problème de violence à l'intérieur d'un quartier bien défini de la ville. Cette intervention peut s'appuyer sur une analyse des caractéristiques démographiques du quartier, des caractéristiques de la population et du type de violence manifestée dans ce quartier. En somme, l'intervention sera taillée sur mesure selon les caractéristiques des individus et de l'environnement visé, en vue de trouver une solution à un problème. Si cette intervention s'avère efficace, l'objectif de la recherche sera atteint. Il ne viendrait pas à l'esprit des chercheurs de généraliser les résultats à d'autres quartiers ou populations. D'autres recherches peuvent avoir des visées purement théoriques de sorte qu'il est peu important pour ces études que les conclusions s'appliquent au fonctionnement quotidien des individus dans leur environnement naturel. Ces études visent à démontrer qu'un effet pourrait se produire et non qu'il se produit vraiment dans l'environnement naturel. En somme, l'importance ou le caractère désirable de la validité externe est directement fonction du problème spécifique de la recherche.

2.2.4.2. LA RELATION ENTRE LA VALIDITÉ EXTERNE ET LA VALIDITÉ INTERNE

Si l'on tient compte des trois grandes classes de variables susceptibles d'affecter la validité externe (validité échantillonnale, validité écologique, validité temporelle), il semblerait logique de conclure qu'il faut planifier des expériences de façon à utiliser différents échantillons d'individus qui évolueraient à l'intérieur de différents environnements expérimentaux à différents moments. Bien que cette stratégie semble sensée, le problème dans une telle approche est que la validité interne et la validité externe tendent à varier inversement. Ainsi, l'augmentation de la validité interne tend à se faire aux dépens de la validité externe, alors que l'augmentation de la validité externe tend à affecter la validité interne de l'étude.

Pour comprendre ce phénomène, considérons les ingrédients indispensables d'une étude bien planifiée pour contrôler l'influence des variables nuisibles sur les résultats obtenus. Afin de contrôler les variations dans l'échantillon ou pour créer un échantillon plus homogène, le chercheur peut n'utiliser que des femmes ou que des enfants de 4e année. Les participants sélectionnés sont soumis à une tâche déterminée dans un laboratoire en respectant des consignes bien standardisées. Ce choix repose sur le désir de s'assurer que les individus sont soumis exactement aux mêmes variables dans des conditions le plus semblables possible en matière, par exemple, de niveau de bruit et de luminosité. Il est facile de concevoir que les mêmes caractéristiques qui maximisent la validité interne de l'étude minimisent la validité externe en excluant des individus qui présentent des caractéristiques différentes, d'autres types d'environnement et de situation ou d'autres points du continuum temporel. Par ailleurs, si le chercheur tente d'augmenter la validité externe en incluant divers groupes d'individus, différents milieux et en menant l'expérience à différents moments, la validité interne s'amenuisera. Plus les variations dans les conditions de l'expérience augmentent, moins on exerce un contrôle serré des variables nuisibles pouvant servir d'hypothèses rivales.

Cette relation inverse entraîne nécessairement l'obligation de privilégier un type de validité au détriment de l'autre. En termes de priorité, la validité interne d'une expérience doit être considérée comme plus importante, ou considérée en premier lieu. En effet, il serait illogique de s'interroger sur la généralité des résultats d'une expérience qui ne permet pas d'établir une image claire quant à la relation entre la variable indépendante et la variable dépendante. Du moment que la validité interne d'une recherche est satisfaisante, alors la considération de la validité externe devient pertinente.

L'énumération des problèmes liés à la validité interne et à la validité externe qui a été faite dans ce chapitre pourrait décourager plusieurs à s'engager dans une activité de recherche. Pourquoi, en effet, se livrer à une activité qui semble engendrer plus de questions et d'incertitudes que de réponses claires ? Il devrait être clair à ce niveau-ci de la présentation que la validité interne et la validité externe représentent des idéaux vers lesquels tend une recherche, sans jamais les atteindre pleinement. L'expérience parfaite n'existe pas ; une variable nuisible peut toujours être en partie responsable des résultats obtenus et certains facteurs peuvent toujours être considérés comme des candidats potentiels limitant la possibilité de généraliser les résultats. C'est seulement par l'accumulation des données que nous pouvons avoir de plus en plus confiance dans les résultats obtenus et dans la possibilité de généraliser à l'extérieur du contexte expérimental. Il ne faut jamais oublier que l'activité scientifique se fonde sur un processus cumulatif. Chaque expérience permet de préciser davantage la connaissance des phénomènes tout en soulevant les limites possibles de ces connaissances. S'il y a une leçon à tirer des différents écueils qui ont été mis en évidence, c'est bien que le chercheur doit toujours faire preuve d'humilité. On ne peut circonscrire entièrement un phénomène par l'intermédiaire d'une seule étude.

2.3. LA VALIDITÉ DE CONCEPT

Pour résumer la matière abordée dans ce chapitre, rappelons que l'atteinte de conclusions valides repose sur la confiance que nous avons que l'intervention administrée est véritablement responsable des résultats obtenus (validité interne). Par ailleurs, les conclusions sont valides si elles ne représentent pas des généralisations indues, compte tenu des conditions de l'expérience quant aux caractéristiques des individus, des situations utilisées et des moments où s'est déroulée l'étude (validité externe).

Doit-on considérer comme nécessairement valides les conclusions d'une étude qui comporte une bonne validité interne et une bonne validité externe ? Dans une telle étude, le chercheur est relativement confiant que la variable indépendante est responsable des effets observés et que les résultats peuvent être généralisés à l'extérieur de l'étude. Cependant, un aspect demeure inconnu, à savoir si la recherche a véritablement porté sur ce qu'elle était censée mesurer. Ce genre de questionnement porte sur la validité de concept de l'étude.

La *validité de concept* peut se définir comme étant le degré auquel l'étude manipule et mesure les *concepts* qu'elle prétend mesurer ou manipuler. Elle réfère donc à la correspondance entre le concept théorique qui intéresse le chercheur et la traduction opérationnelle qui en est faite pour le manipuler ou le mesurer. La validité de concept est importante, parce que la majorité des recherches portent sur des concepts, c'est-à-dire des entités hypothétiques qui sont en soi non observables. En psychologie, par exemple, on peut s'intéresser à l'intelligence, au concept de soi, à l'estime de soi, à l'adaptation, à l'apprentissage. Tous ces aspects ne peuvent être observés ou mesurés directement. Pour les étudier, il faut s'en remettre à des définitions opérationnelles de ces concepts, c'est-à-dire qu'il faut traduire ces concepts en termes de comportements directement observables qui représentent ces concepts. La question de la validité de concept revient alors à se demander si le concept peut être raisonnablement inféré des comportements qui sont pris pour le représenter.

Supposons qu'un chercheur veut évaluer l'influence du stress sur la mémoire. Il affecte alors aléatoirement les participants soit à la condition expérimentale, soit à la condition contrôle. Pour tenter de manipuler et, dans le cas présent, d'induire un certain niveau de stress chez les participants de la condition expérimentale, le chercheur les informe qu'ils devront subir un électrocardiogramme après avoir terminé la tâche de mémorisation. L'analyse des résultats n'indique aucune différence entre les participants des conditions expérimentale et contrôle. Par conséquent, le chercheur conclut que le stress n'exerce aucun effet sur les capacités de mémorisation des individus. Sur le plan de la validité interne, cette étude semble satisfaisante. En effet, l'utilisation de l'affectation aléatoire des participants élimine plusieurs contre-hypothèses[1]. Cependant, on peut s'interroger sur la manipulation du stress chez les individus. Il est en effet possible que la manipulation opérationnelle choisie par le chercheur soit inadéquate par rapport à ce qu'elle est censée induire. En interrogeant les participants après l'expérience, on pourrait constater que la perspective de subir un électrocardiogramme n'est pas perçue comme un événement stressant. En somme, la conclusion de cette étude n'est pas valide, parce que le chercheur n'a pas manipulé le facteur qu'il voulait faire varier. Il ne peut donc pas se prononcer quant aux effets du stress sur la capacité de mémorisation, puisque les participants des conditions expérimentale et de contrôle n'étaient pas, dans les faits, soumis à des conditions différentes de stress.

Voici un autre exemple encore plus explicite. Il y a longtemps, les chercheurs dans le domaine de l'anxiété ont proposé des théories basées sur le conditionnement pour expliquer le développement et le traitement des phobies (Marks, 1987). Dans les années 1970, on croyait qu'il était nécessaire d'induire un état émotif incompatible avec l'anxiété pour traiter les phobies. Cette forme d'intervention se nomme la désensibilisation systématique et se résume à faire en sorte que le client se détende grâce à la relaxation pendant qu'il affronte progressivement la chose ou la situation qui lui fait peur. Le concept théorique considéré comme valide à cette époque correspond donc à l'inhibition réciproque. Plusieurs études possédant une bonne validité interne autant qu'externe démontrent l'efficacité de cette technique (Barlow, 1988 ; Marks, 1987). Par contre, des recherches subséquentes ont révélé que la relaxation n'était pas nécessaire pour obtenir du succès avec cette méthode. Il est donc apparu nécessaire de remettre en question la validité de concept des études précédentes, et non pas leur validité interne ou externe. Maintenant, on sait que l'ingrédient thérapeutique sous-jacent à cette méthode

1. On utilise souvent l'anglicisme « hypothèse alternative » plutôt que contre-hypothèse.

est en fait l'exposition aux stimuli phobiques (Barlow, 1988; Marks, 1987). Par contre, la validité de concept des études sur l'exposition demeure une question de recherche d'actualité (Bouchard, Gauthier, Laberge, French, Pelletier, & Godbout, 1996).

De la même façon, les mesures utilisées pour évaluer les effets d'une manipulation doivent correspondre au concept qui est censé être mesuré. Si l'on veut mesurer les effets d'une manipulation sur le degré de nervosité des participants, la mesure de la pression sanguine ou celle de l'activité électrodermale représentent des indices valides, puisqu'on sait que les variations dans ces réponses sont associées à ce concept. L'opérationnalisation de la nervosité par le nombre de fois où les participants se grattent le front serait plus problématique. En somme, il est important que la mesure soit reliée au concept que l'on désire mesurer.

2.4. CONCLUSION

En résumé, la possibilité de tirer des conclusions valides à partir d'une expérience dépend à la fois de la validité interne, de la validité externe et de la validité de concept de la recherche. Les sources d'invalidité et les biais peuvent être ignorés, contrôlés, ou même exploités favorablement. En effet, au lieu de réduire certains biais il peut s'avérer utile de les manipuler ou de les maximiser. Par exemple, dans l'étude de Bouchard et al., (1996) des thérapeutes devaient administrer deux formes différentes de thérapie portant sur les attaques de panique. Puisque les thérapeutes ont tendance à être plus efficaces lorsqu'ils appliquent une thérapie qu'ils jugent crédible, il convient d'affecter à chaque thérapeute un nombre équivalent de participants provenant de chaque condition expérimentale. D'autres privilégient plutôt une affectation aléatoire. Ces solutions tendent cependant à rendre les interventions moins efficaces dans chacune des conditions et réduisent la validité externe des études. Bouchard et ses collègues ont plutôt misé sur ce biais et utilisé des thérapeutes avec un parti pris qui croyaient fermement dans la stratégie qu'ils appliquaient et qui étaient très sceptiques quant à l'efficacité de la stratégie appliquée dans l'autre condition expérimentale. Ces thérapeutes ont donc appliqué uniquement la thérapie en laquelle ils croyaient. Le prochain chapitre examinera plus en détail l'élaboration d'un protocole de recherche permettant d'augmenter la validité interne des recherches.

2.5. QUESTIONS

1. Nommez cinq sources d'invalidité menaçant la validité interne d'une recherche.

2. Un groupe de chercheurs dans un centre de recherche à Québec a publié une étude très rigoureuse sur une nouvelle méthode pour réduire le taux d'abandon pendant que les sujets attendent de recevoir un traitement dans leur centre de réadaptation pour personnes violentes. Lorsque l'équipe du Dr Sheridan a tenté de refaire cette étude au centre B-5 d'Ottawa les résultats n'ont pas été aussi prometteurs. En fait, ils n'ont observé aucune réduction significative du taux d'abandon, et ce, bien qu'ils eussent respecté intégralement le protocole de recherche de l'équipe de Québec et effectué leur étude avec plus de 200 sujets. Cette situation soulève un problème concernant un type de validité, indiquez lequel:
   a) interne,
   b) externe,
   c) de concept.

3. Après avoir démontré que l'effet d'une intervention ne peut être expliqué que par la manipulation expérimentale effectuée par les chercheurs, on peut se demander: «Au fond, pourquoi cette manipulation a-t-elle fonctionné?» Cette question fait référence à quel type de validité?

4. J.T. Kirk (1976) a effectué une étude afin d'évaluer si deux formes d'intervention permettent de réduire le niveau d'anxiété ressenti par des femmes enceintes. L'une des interventions consiste à enseigner la technique de Lamaze, soit la pratique de certains exercices physiques préparant à l'accouchement. L'autre consiste simplement à donner de l'information sur l'accouchement. De façon générale, les résultats indiquent une diminution comparable du niveau d'anxiété chez les deux groupes de mères. De plus, les chercheurs rapportent que deux enfants de mères ayant participé à l'étude sont décédés quelques jours après leur naissance. Cette étude souffre d'au moins un problème de validité interne. Lequel parmi les suivants décrit le mieux le problème de validité interne qui se pose dans l'étude de McCoy.
   a) la réaction des sujets témoins,
   b) la défection,
   c) la maturation,
   d) la régression vers la moyenne.

5. Comment un chercheur peut-il tenter de contrôler les effets des attentes des participants?

2.6. RÉFÉRENCES

Barlow, D.H. (1988). *Anxiety and its disorders.* New York: Guilford Press.

Barlow, D.H., & Hersen, M. (1984). *Single case experimental designs. Strategies for studying behavior change* (2e éd.). New York: Pergamon Press Inc.

Bernstein, I.N., Bohrnstedt, G.W., & Borgatta, E.F. (1975). External validity and evaluation research: A codification of a problem. *Sociological Methods and Research, 4*, 101-128.

Bracht, G.H., & Glass, G.V. (1968). The external validity of experiments. *American Educational Research Journal, 5*, 437-474.

Bronfenbrenner, U. (1979). *The ecology of human development: Experiments by nature and design.* Cambridge, MA: Harvard University Press,

Bouchard, S., Gauthier, J., Laberge, B., Plamondon, J., French, D., Pelletier, M.H., & Godbout, C. (1996). Exposure versus cognitive restructuring in the treatment of panic disorder with agoraphobia. *Behaviour Research and Therapy, 34*(3), 213-224.

Campbell, D.T., & Stanley, J.C. (1966). *Experimental and Quasi-experimental designs for Research.* Chicago: Rand McNally.

Christensen, L.B. (1997). *Experimental Methodology* (7e éd.). Boston: Allyn and Bacon.

Cook, T.D., & Campbell, D.T. (1979). Quasi-Experimentation: Design & analysis issues for field settings. Boston MA: Houghton Mifflin.

Ditto, P.H., & Lopez, D.E. (1992). Motivated skepticism: Use of differential decision criteria for preferred and nonpreferred conclusions. *Journal of Personality and Social Psychology, 41*, 51-56.

Fiske, S.T., & Taylor, S.E. (1991). *Social cognition* (2e éd.). New York: McGraw-Hill.

Halpern, D.F. (1992). *Sex differences in cognitive abilities* (2e éd.). Hillsdale, NJ: Erlbaum.

Harter, S. (1988). Developmental processes in the construction of the self. Dans T.D. Yawkey & J.E. Johnson (Éds.), *Integrative processes and socialization: Early to middle childhood.* Hillsdale, NJ: Erlbaum.

Kazdin, A.E. (1992). *Research design in clinical psychology.* New York: Macmillan.

Kazdin, A.E. (1992). *Research design in clinical psychology* (2e éd.). New York: Macmillan.

Langer, E.J. (1978). Rethinking the role of thought in social interaction. Dans J.H. Harvey, W.J. Ickes & R.F. Kiddo (Éds.), *New directions in attributional research* (Vol. 2). Hillsdale, NJ: Lawrence Erlbaum.

Larzelere, R.E., B.R. Kuhn & B. Johnson (2004). The intervention selection bias: An underrecognized confound in intervention research. *Psychological Bulletin, 130* (2), 289-303.

Marks, I.M. (1987). *Fears, phobias, and rituals.* Oxford: Oxford University Press.

Milgram, S. (1963). Behavioral study of obedience. *Journal of Abnormal and Social Psychology, 90,* 227-234.

McGuigan, F.J. (1963). The experimenter: a neglected stimulus object. *Psychological Bulletin, 60,* 421-428

Norris, F.H., & Murrell, S.A. (1990). Social support, life events, and stress as modifiers to bereavement by older adults. *Psychology and Aging, 5,* 429-436.

Reinberg, A., & Ghata, J. (1982). *Les rythmes biologiques* (4e éd.). Paris: P.U.F.

Robert, M. (1988). Validité, variables et contrôle. Dans M. Robert (Éd.), *Fondements de la recherche scientifique en psychologie.* St-Hyacinthe: Edisem.

Rosenthal, R. (1965). The volunteer subject. *Human Relations, 18,* 389-440

Rosenthal, R. (1976). *Experimenter effect in behavioral research.* New York: Halsted Press.

Rosenthal, R., & Fode, K.L. (1963a). The effect of experimenter bias on the performance of the albino rat. *Behavioral Sience, 8,* 183-189.

Rosenthal, R., & Fode, K.L. (1963b). Psychology of the scientist: V. Three experiments in experimenter bias. *Psychological Reports, 12*, 491-511.

Rosenthal, R., & Jacobson, L. (1968). *Pygmalion in the classroom.* New York: Holt, Rinehart et Winston.

Rosnow, R.L., & Rosenthal, R. (1976). The volunteer subject revisited. *Australian Journal of Psychology, 28*, 97-108.

Sacket, D.L. (1979). Bias in analytic research. *Journal of Chronic Diseases, 32*, 51-63.

Sears, D.O. (1986). College sophomores in the laboratory: Influences of a narrow data base on social psychology's view of human nature. *Journal of Personality and Social Psychology, 51*, 515-530.

Serbin, L.A., Powlishta, K.K., & Gulko, J. (1993), The development of sex typing in middle childhood. *Monographs of the Society for Research in Child Development, 58* (Serial No. 232).

Tabachnick, B.G., & Fidell, L.S. (1989). *Using multivariate statistics* (2e éd.). New York: Harper & Row.

Torrey, E.F., & Bowler, A. (1990). Geographical distribution of insanity in America: Evidence for an urban factor. *Schizophe-renia Bulletin, 16*, 591-604.

Weber, S.J., & Cook, T.D. (1972). Subjects effects in laboratory research: An examination of subjects roles, demand characteristics, and valid inference. *Psychological Bulletin, 77*, 273-295.

CHAPITRE

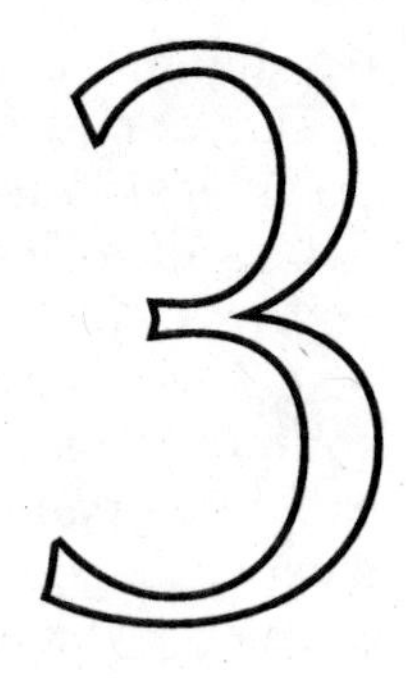

LES PROTOCOLES DE RECHERCHE PRÉ, QUASI ET EXPÉRIMENTAUX

Ce qui différencie chercheurs[1] et recherchistes

PIERRE MERCIER, MICHÈLE GAGNON
ET MÉLANIE CLÉMENT

Ce chapitre décrit plusieurs protocoles de recherche classiques utilisés par les chercheurs pour obtenir des connaissances nouvelles et aussi fiables que possible. La création de nouvelles connaissances distingue les chercheurs des recherchistes. Les deux font des recherches, mais la nature des méthodes utilisées diffère grandement. Les recherchistes, par exemple ceux et celles qui

1. Dans ce chapitre, le masculin et le féminin sont utilisés parfois conjointement et parfois alternativement pour désigner l'ensemble des personnes des deux sexes.

travaillent pour des stations de radio ou de télévision, obtiennent des informations en s'adressant à des personnes pertinentes ou à des sources documentaires. Ces informations doivent être fiables et exactes, d'où l'importance de se documenter aux bons endroits. Mais les informations obtenues existaient déjà, il a suffi de trouver où elles étaient. Les chercheurs, eux, sont à l'affût de connaissances nouvelles, que personne ne possède déjà. Il ne leur est donc pas possible de se fier à la réputation d'intégrité ou d'expertise de la personne ou de la source documentaire pour évaluer le bien-fondé de ses connaissances. Ils ou elles doivent découvrir les connaissances nouvelles en les cherchant là où personne n'a encore pensé à regarder et, surtout, en utilisant des méthodes dont la qualité est démontrable. Dans les paragraphes qui suivent, plusieurs protocoles de recherche seront présentés et analysés logiquement pour tenter d'en déterminer la validité interne et externe. Plus un protocole de recherche est valide, plus grande est la certitude des conclusions tirées de son usage.

Le chapitre se divise en trois grandes sections, soit les protocoles préexpérimentaux, les protocoles quasi expérimentaux et les protocoles expérimentaux. Comme leur nom l'indique, les protocoles préexpérimentaux ne comportent pas suffisamment de précautions et de contrôles pour permettre une inférence sûre. Il leur manque généralement soit un point de référence solide, telle une condition témoin équivalente ou, au moins, non équivalente, soit une mesure effectuée avant la mise en application de l'intervention à l'étude, soit les deux. Quant aux protocoles quasi expérimentaux et expérimentaux proprement dits, la différence principale entre ces deux types de protocoles repose sur l'affectation des personnes aux conditions expérimentales. Dans les protocoles expérimentaux, elle s'effectue sous le contrôle du chercheur, généralement par un processus aléatoire, alors que, dans les protocoles quasi expérimentaux, les conditions sont déjà constituées de manière naturelle.

La majorité des protocoles de recherche cités dans ce chapitre impliquent la comparaison de conditions expérimentales constituées de groupes de personnes. Cela est rattaché au fait que nos exemples proviennent majoritairement des écrits scientifiques dans les domaines de la psychologie, de la psychiatrie, de l'éducation et des sciences humaines et sociales. Toutefois, il importe de comprendre que l'unité d'observation ou de constitution des conditions n'est pas toujours la personne. Par exemple, nous citerons au passage des travaux de recherche en psychologie de l'apprentissage et en psychologie cognitive où les unités d'observation peuvent être des animaux non humains ou des stimuli tels que les mots de la langue. Dans certains cas, un projet de recherche pourrait exiger la comparaison de deux groupes de données qui ne seraient ni des personnes ni des animaux, mais bien des objets soit concrets soit conceptuels. Par exemple, dans une recherche portant sur le stress et les stratégies d'adaptation durant l'éveil et dans les rêves, Delorme (1997) compare les contenus de rêves d'étudiantes universitaires durant la période d'examens avec les contenus de rêves des mêmes étudiantes à une autre période de l'année universitaire. L'objectif de la recherche vise à déterminer si le contenu des rêves est de nature plus stressante durant la période d'examen qu'à d'autres moments. Un second objectif est de savoir si le fait de rêver que l'on s'adapte bien au stress en situation d'examen se répercute par la suite dans un mieux-être à l'éveil. L'atteinte du premier objectif de l'étude exige spécifiquement un examen de contenus de rêves. En même temps, il va de soi que toute personne a plusieurs contenus mentaux conscients durant une journée quelconque ainsi que plusieurs contenus oniriques durant la nuit. Il semblerait donc insuffisant d'échantillonner un seul rêve par personne par nuit. C'est pour cette raison qu'ils ont choisi de comparer des groupes de rêves plutôt que des groupes de personnes dans cette étude.

Nous ne prétendons pas passer en revue tous les protocoles de recherche expérimentaux et quasi expérimentaux de manière exhaustive. De toute façon, il ne serait pas vraiment possible de le faire, car il existe à vrai dire une quasi-infinité de variations de protocoles de recherche selon les exigences du domaine et des hypothèses à vérifier. Nous avons plutôt choisi d'examiner les protocoles les plus courants, en procédant par l'exemple et selon une analyse qui renvoie systématiquement aux éléments de validité interne déjà exposés dans le chapitre précédent. Pour les protocoles préexpérimentaux et quasi expérimentaux, l'analyse porte sur les éléments de validité interne plutôt qu'externe, parce que la généralité d'un résultat de recherche ne devient vraiment intéressante et utile que lorsque le résultat lui-même est établi hors de tout doute. Comme les protocoles expérimentaux jouissent d'une excellente validité interne, c'est-à-dire qu'ils produisent des résultats fiables, leur analyse s'étendra également à la validité externe des résultats, c'est-à-dire à leur généralisation.

Il existe plusieurs parallèles entre les protocoles de type expérimental et ceux de type quasi expérimental. Toutefois, comme le degré de certitude de l'inférence permise par les deuxièmes est généralement moins élevé que celui des premiers, nous avons préféré débuter par l'exposition et l'analyse des protocoles les plus faibles pour ensuite mieux montrer la force véritable des protocoles expérimentaux. Cela dit, les protocoles expérimentaux ne peuvent pas toujours être utilisés, souvent pour des raisons d'ordre purement pratique. Par exemple, pour une recherche visant à comparer la psychologie des jeunes adultes avec celle d'adultes plus âgés, on ne peut pas créer de toutes pièces un groupe de jeunes adultes et un groupe d'adultes plus âgés. Il faut alors se contenter de sélectionner les gens en fonction de leur âge naturel et tenter de rendre les groupes comparables par d'autres moyens. Il existe ainsi de nombreuses situations où seuls les protocoles quasi expérimentaux sont réalisables. Il importe de savoir reconnaître ces cas non seulement pour éviter d'exiger l'impossible en termes de protocole de recherche, mais aussi pour garder présentes à l'esprit les forces et les faiblesses du dispositif de recherche.

La description et l'analyse des protocoles de recherche ci-dessous se déroulent selon une séquence fixe. Nous présentons d'abord la structure formelle du protocole sous forme de tableau qui indique les conditions présentes dans le protocole ainsi que les moments d'observation ou de mesure et d'intervention. Ces tableaux sont construits de la manière suivante :

TABLEAU 3.X **Nom du protocole**

	Prétest	Intervention	Post-test
Condition cible	(exemple)	(exemple)	(exemple)
Condition témoin			
Autres conditions			

Le titre du tableau indique le nom du protocole. Les étiquettes des rangées indiquent quelles conditions peuvent faire partie de la recherche. Tous les tableaux comportent la mention d'au moins deux conditions fondamentales : la condition cible et la condition témoin. Toutefois, comme plusieurs protocoles ne comportent pas nécessairement l'inclusion minimale de ces deux conditions, il peut arriver que toute la rangée de cellules correspondant à la condition témoin soit vide. Les colonnes intitulées « prétest » et « post-test » correspondent à la mesure ou à l'observation du phénomène à l'étude avant et après le début de l'intervention. Là encore, tous les protocoles ne contiennent pas nécessairement les deux moments de mesure, alors que dans d'autres scénarios il peut y avoir des mesures multiples tant au prétest qu'au post-test. La colonne intitulée « intervention » doit être comprise au sens large. Le cas le plus fréquent est celui d'études où les chercheurs pratiquent une intervention contrôlée. Par exemple, une psychothérapeute entreprend un programme de thérapie, un médecin administre un médicament, une professeur utilise une méthode d'enseignement particulière, un travailleur social effectue une visite à domicile, etc. Dans d'autres exemples, le phénomène étudié se trouve déjà en place naturellement. Par exemple, pour évaluer les effets du vieillissement, on compare des personnes âgées avec des personnes plus jeunes ; pour évaluer les effets du sexe des personnes sur une variable quelconque, on compare des hommes et des femmes. Dans de tels cas, l'âge ou le sexe des personnes ne constituent pas à proprement parler une « intervention ». C'est dans ces cas qu'il faudra se rappeler que le mot intervention doit être entendu au sens large. Comme on le verra à la lecture du chapitre, le mot intervention sera toujours exact au sens strict dans les protocoles expérimentaux, d'où est tirée la terminologie, mais pas nécessairement dans les protocoles préexpérimentaux et quasi expérimentaux. Pour chaque protocole, les cellules du tableau contiennent un exemple concret de ce qui constitue une mesure ou une intervention. Chaque protocole est décrit et analysé en fonction d'un exemple réel, tiré des écrits scientifiques. Notons que ces tableaux représentent une illustration plus détaillée d'une notation souvent utilisée par les chercheurs et développée par Campbell et Stanley (1966) où une observation est représentée par un « O » et le fait d'être exposé à une intervention par un « X ». Ainsi, Campbell et Stanley (1966) décriraient un protocole avec des mesures prétest et post-test et une seule intervention par un protocole « O X O ». Nous reprendrons partiellement cette notation à quelques reprises dans ce chapitre compte tenu de l'intérêt pédagogique qu'elle revêt pour plusieurs enseignants.

3.1. PROTOCOLES PRÉEXPÉRIMENTAUX

Les recherches de type préexpérimental portent parfois sur une condition pour laquelle on ne dispose pas d'une mesure prétest du phénomène à étudier. Ce sont les *études de cas*. D'autres fois, la recherche porte sur des conditions mesurées avant et après l'instauration du phénomène à étudier, mais on ne dispose d'aucune condition de comparaison. C'est le protocole *prétest post-test sans condition témoin*. Enfin, le troisième exemple de protocole préexpérimental est celui où l'on compare une condition d'intervention avec une condition non équivalente au moment du post-test seulement. C'est le protocole du *post-test seul avec condition témoin statique*.

Nous analysons ci-dessous un exemple de chaque type de protocole préexpérimental. Les trois premiers exemples sont tirés de la littérature scientifique psychiatrique et neuropsychologique. Cela n'est pas étranger à nos expertises personnelles. C'est aussi le résultat de l'abondance de ces protocoles dans ces domaines. Car il faut bien comprendre que ce ne sont pas tous les domaines de recherche qui se prêtent également bien à l'emploi de tous les protocoles, en particulier à celui des protocoles expérimentaux. De nombreuses contraintes pratiques influent sur les choix des chercheurs en matière de méthodologie. L'utilisation d'un protocole moins puissant n'est pas toujours un signe du même degré de faiblesse ou de recherche de qualité inférieure. Malgré tout, il faut demeurer conscient des forces et des faiblesses des divers protocoles de recherche pour bien évaluer la portée réelle des résultats obtenus. C'est là l'exercice critique auquel nous nous livrons avec chaque exemple, prenant soin de décortiquer chacun de manière à faire ressortir les éléments clés et à amoindrir l'importance des aspects plus périphériques du protocole. À travers une analyse critique exigeante, nous essayons quand même de garder une attitude positive à l'égard des auteurs des recherches et de leurs travaux. Nous sommes d'avis que l'exécution de travaux de recherche de qualité met rudement à l'épreuve la créativité des chercheurs, qui doivent composer avec les circonstances de leur domaine tout en essayant de fournir les réponses les plus claires et les plus solides possible. La correspondance entre les conclusions des chercheurs et la capacité de leurs protocoles à supporter de telles conclusions importe autant que le niveau de puissance et de sophistication absolues du protocole.

3.1.1. L'étude de cas
Amélioration de la démence associée au sida
(Herzlich & Schiano, 1993)

La structure de l'étude de cas est simple. Une intervention est appliquée à une ou plusieurs personnes dans des circonstances soigneusement définies et on mesure avec beaucoup d'attention au détail les effets escomptés. Aucune mesure n'est prise avant l'intervention proprement dite et il n'y a pas de comparaison avec une condition témoin. En général, on détaille minutieusement l'état de la situation au moment où l'étude de cas débute. Cependant on ne dispose pas d'une mesure formelle prise avant l'intervention. Le tableau 3.1 schématise la structure formelle de ce protocole, ce qui correspond à un protocole de type « X O » selon la notation de Campbell et Stanley (1966).

TABLEAU 3.1 **L'étude de cas**
Amélioration de la démence associée au sida
(Herzlich & Schiano, 1993)

	Prétest	Intervention	Post-test
Condition cible		Vitamine B_{12}	Mesure de la démence
Condition témoin			

Prenons par exemple la recherche de Herzlich et Schiano (1993). Ce rapport relate le cas d'un homme de 33 ans atteint du syndrome d'immunodéficience acquise (sida) associé à une démence grave. Au moment de l'étude de cas, les tests sanguins confirment la présence du virus de l'immunodéficience, ce qui établit sans l'ombre d'un doute qu'il s'agit bel et bien d'un cas de sida. De plus, l'imagerie par résonance magnétique (IRM, voir chapitre 13) révèle la présence d'hyperdensités cohérentes avec une démyélinisation de la matière blanche dans les régions paraventriculaires, ce qui entraîne des désordres dans la conduction électrique des cellules nerveuses. Il est possible que cette démyélinisation soit la source de la démence observée. Toutefois, des tests supplémentaires montrent la présence d'anémie pernicieuse. Déficit de la vitamine B_{12}, l'anémie pernicieuse peut elle aussi produire de la démence, heureusement réversible si des suppléments de B_{12} sont administrés tôt. L'homme reçoit alors un traitement de zidovudine, un agent antiviral, et des injections répétées de vitamine B_{12}. Le traitement antiviral est arrêté après deux semaines par suite d'une aggravation de l'anémie. Trois semaines après le début du traitement vitaminique, et une semaine après la suspension du traitement antiviral, son état mental s'améliore et il revient à un niveau presque normal après deux mois. Après une évaluation de son état mental à l'aide du *Mini-Mental State Exam* (Folstein, Folstein, & McHugh, 1975), il reçoit son congé de l'hôpital. Trois mois plus tard, alors qu'il est réadmis pour un trouble pulmonaire, on constate que son état mental s'est de nouveau détérioré. Il décède 2 mois plus tard.

Comme on peut le constater, l'état de cet homme est décrit en détail. Les résultats de plusieurs tests associés au sida sont rapportés. Cependant, il n'y a pas de mesure prétest formelle de la démence. Le questionnaire n'est utilisé qu'au post-test. Cet état de chose affecte grandement la force des conclusions que l'on peut tirer de cette étude.

Une première conclusion tirée par les auteurs de cette étude est que l'identification de l'anémie pernicieuse et son traitement pourraient amener une amélioration temporaire des symptômes de démence chez les patients atteints du sida. Herzlich et Schiano suggèrent que les faibles niveaux de vitamine B_{12} observés chez 20% des patients atteints du sida accroîtraient les déficits cognitifs provoqués par la démence du sida, c'est-à-dire que la démence apparaîtrait plus tôt ou plus fortement sous les effets conjugués de la démyélinisation et de l'anémie.

Quel degré de confiance ou de certitude accordons-nous à la première conclusion ? Cette recherche démontre-t-elle hors de tout doute l'efficacité de l'administration de la vitamine B_{12} pour réduire la démence associée au sida ? De nombreux facteurs demeurent incontrôlés dans une telle étude de cas. L'état démentiel rapporté avant le traitement par vitamine B_{12} n'a pas été mesuré avec l'instrument utilisé au post-test. Il est donc possible que la gravité de l'état initial ait été surévaluée et que la diminution apparente provienne en fait d'une exagération initiale plutôt que d'une amélioration réelle. Cette menace à la validité interne s'apparente à la catégorie générale des fluctuations de l'instrument de mesure, l'évaluation initiale étant approximative et l'évaluation finale étant plus formelle. Même si l'état démentiel s'est vraiment amélioré, comment savoir si cette amélioration ne se serait pas produite spontanément, même sans traitement vitaminique ? Cette seconde source de menace à la validité interne de l'étude se range dans la catégorie des facteurs historiques.

Quant à la seconde conclusion de l'étude, selon laquelle une carence vitaminique accroîtrait la démence associée au sida, son niveau d'inférence va beaucoup plus en profondeur que les données ne le permettent et ne saurait être retenue, comme les auteurs l'ont fait, qu'à titre de suggestion. Il nous faudrait beaucoup plus d'information pour transformer cette suggestion en conclusion ferme. D'une part, il faudrait connaître mieux la nature même de la démence associée au sida ainsi que son lien apparent avec la démyélinisation intracérébrale. Il faudrait aussi pouvoir préciser le mécanisme par lequel l'anémie exacerberait la démence. La carence vitaminique accélère-t-elle la démyélinisation? Le traitement B_{12} renverse-t-il ce processus ou ne fait-il que le ralentir? La vitamine peut elle avoir d'autres effets adaptatifs directs? Autant de questions qui restent sans réponse à partir de cette seule étude de cas, mais qui peuvent cependant servir de piste à l'élaboration de recherches ultérieures. Ce type d'inspiration demeure le rôle le plus utile des études de cas et la motivation principale pour leur publication dans des revues scientifiques.

3.1.2. Le prétest post-test sans condition témoin

Attitudes envers le vieillissement (Eddy, 1986)

Eddy (1986) étudie les attitudes envers les personnes âgées. Elle examine les attitudes de 56 étudiantes de premier cycle en sciences infirmières. Les attitudes sont mesurées au moyen de l'Échelle Tuckman-Lorge avant et après un programme de cinq visites planifiées auprès de personnes âgées en bonne santé.

Seules les mesures prétest et post-test sont disponibles et aucun groupe témoin n'a été évalué. Campbell et Stanley schématiseraient ce protocole en « O_1 X O_2 » pour faire ressortir qu'il y a une observation avant et après une seule intervention. Cette situation rend le protocole vulnérable aux fluctuations de l'instrument de mesure. Les scores d'attitude tels que mesurés par l'échelle Tuckman-Lorge, ou n'importe quelle autre échelle, changent peut-être simplement en fonction de l'administration répétée du questionnaire, indépendamment de tout changement réel sur le plan des attitudes. L'inclusion d'une condition témoin où d'autres étudiantes de la même discipline auraient été évaluées de la même façon, mais sans effectuer les cinq visites à des personnes âgées, nous permettrait d'évaluer directement cette possibilité.

De la même façon, comment savoir si les attitudes des étudiantes n'ont pas évolué durant le semestre à cause de changements normaux mais indépendants des visites. Il est possible que le progrès dans l'éducation générale des étudiantes, un contenu spécifique dans un cours donné, un événement public très médiatisé ou toute autre source d'information ait changé leur point de vue par rapport au vieillissement. Ces causes rivales ne peuvent être éliminées avec certitude.

Le protocole prétest post-test sans condition témoin est extrêmement vulnérable. Aucune inférence sûre ne peut en découler. Malgré l'effort accru nécessité par la mesure systématique, l'information obtenue n'est pas plus utile que celle d'une étude de cas.

Ironie du sort, les résultats obtenus par Eddy montrent que l'échelle d'attitude utilisée ne fluctue pas avec la répétition de son utilisation. De même, dans cette étude particulière, aucun facteur historique ni de maturation n'a influencé les résultats, puisque aucun changement d'attitude n'a été enregistré !

TABLEAU 3.2 **Le prétest post-test sans condition témoin**
Attitudes envers le vieillissement (Eddy 1986)

	Prétest	Intervention	Post-test
Condition cible	Échelle d'attitude Tuckman-Lorge	Cinq visites planifiées chez des personnes âgées en bonne santé	Échelle d'attitude Tuckman-Lorge
Condition témoin			

L'auteur spécule que le nombre de visites a peut-être été insuffisant. Il s'agit d'une explication possible. Mais il est aussi tout aussi possible de supposer que les visites, si nombreuses soient-elles, ne suffiront jamais à changer des attitudes qui, elles, ont été acquises à la suite de plusieurs années d'apprentissage et de contact social. Il est probable que, au cours de leur vie, la majorité des 56 participantes avaient déjà été exposées à des personnes âgées pour une période de temps totalisant facilement plus d'heures, de jours ou de semaines que celle des cinq visites planifiées. Dans ce contexte, comment s'étonner de l'absence de différence prétest post-test ? L'intervention est foncièrement incapable de produire l'effet escompté.

Les résultats de cette étude soulèvent un problème qui n'est pas propre au protocole prétest post-test sans condition témoin. Ce problème est celui des résultats nuls. En quoi l'absence d'effet nous renseigne-t-elle ? Le fait de décrire, dans un rapport de recherche, que cinq visites planifiées ne suffisent pas à changer les attitudes envers le vieillissement n'est pas plus informateur que si l'auteur avait rapporté l'impossibilité de changer les mêmes attitudes en demandant aux étudiantes de porter un chapeau de paille pendant cinq jours. Cela découle en partie du fait que dans un cas comme dans l'autre on ne s'attendait intuitivement pas vraiment à observer des changements. Pourtant la science devrait nous fournir des informations plus fermes que celles de l'intuition (ce qui ne veut pas dire que l'intuition soit tout à fait inutile par ailleurs). Mais la raison fondamentale du manque d'intérêt des scientifiques pour les résultats nuls est qu'il existe certainement une infinité de façons de *ne pas* réussir à changer les attitudes des gens alors qu'il n'existe probablement que quelques façons d'y arriver. Donc, simplement en termes de probabilité, le second résultat est désirable à cause de sa rareté. C'est sa rareté couplée à son efficacité qui le rend désirable. C'est pour cette raison que des résultats comme ceux de Eddy sont rarement publiés par les revues scientifiques. À l'occasion, toutefois, de tels résultats peuvent être rapportés si d'autres résultats secondaires de l'étude le justifient.

3.1.3. Le post-test seul avec condition témoin statique

Syndrome de fatigue chronique et métabolisme cérébral (Schwartz et al., 1994)

Ce protocole de recherche compare deux conditions non équivalentes au moment du post-test seulement. Les conditions sont non équivalentes parce qu'elles n'ont pas été créées de toutes pièces par la personne qui effectue la recherche. Elles ont plutôt été sélectionnées pour leur similitude générale en même temps que pour une différence potentielle marquée quant au phénomène à étudier. Voyons comment Schwartz et ses collaborateurs s'appuient sur ce protocole dans le but de clarifier l'origine du syndrome de fatigue chronique (SFC) et d'en améliorer le diagnostic.

Le SFC est une condition caractérisée par divers degrés de fatigue chronique ainsi que par une récurrence ou une persistance de fièvre, pharyngite, myalgie (douleur musculaire), maux de tête, arthralgie (douleur articulaire), paresthésie (trouble de la sensibilité), dépression ainsi que difficultés de concentration et de mémoire. L'origine du SFC est inconnue et controversée. Certains croient que la maladie est purement physique, probablement due à une infection par le virus Epstein-Barr. D'autres croient que les symptômes du SFC reflètent un trouble sous-jacent et non encore identifié de type psychiatrique. Cette controverse est difficile à résoudre car le SFC est jusqu'à maintenant diagnostiqué par un examen clinique, c'est-à-dire par des questions que le clinicien ou la clinicienne pose à la personne au sujet des symptômes. Cette méthode entraîne une forte possibilité d'erreur de diagnostic. Le but de l'étude de Schwartz et collaborateurs est double : (a) chercher à identifier des signes organiques associés au SFC en vue de clarifier l'origine de la maladie ; (b) aider au diagnostic.

À l'aide de la tomographie par émission de photons simples (TEPS, voir chapitre 13), cette étude a examiné l'incorporation d'un traceur radioactif, injecté via la carotide, dans le cerveau de participants témoins ou de personnes présentant : (a) un syndrome de fatigue chronique, (b) une démence consécutive au sida ou (c) une dépression. Lorsque les cellules cérébrales sont endommagées, elles absorbent moins vite et moins complètement le traceur radioactif. Une diminution dans l'incorporation du traceur indique un dommage intracérébral. Les images obtenues ont été examinées par trois neurologues qui devaient évaluer par consensus le nombre et la localisation des diminutions de l'incorporation du traceur dans huit régions du cerveau, en utilisant les images obtenues chez les participants témoins comme base de comparaison. Les diminutions d'incorporation de traceur étaient cinq fois plus nombreuses chez les patients atteints de démence du Sida comparativement aux participants de la condition témoin. Les participants souffrant du syndrome de fatigue chronique et de dépression présentaient quatre fois plus de diminutions que les témoins. Selon les auteurs, cette étude suggère que le syndrome de fatigue chronique est associé à d'importantes altérations métaboliques dans plusieurs régions du cerveau, et que ces altérations pourraient être reliées à une encéphalite virale chronique.

TABLEAU 3.3 **Le post-test seul avec condition témoin statique**
Syndrome de fatigue chronique et métabolisme cérébral
(Schwartz et al., 1994)

	Prétest	Intervention	Post-test
Condition cible 1		Syndrome de fatigue chronique	TEPS
Condition cible 2		Démence consécutive au sida	TEPS
Condition cible 3		Dépression unipolaire	TEPS
Condition cible 4			TEPS

Bien que ce ne soit pas la seule, la principale faiblesse de ce protocole de recherche provient de la sélection des groupes. Ici, on a retenu la participation de personnes séropositives, de personnes déprimées, de personnes cliniquement diagnostiquées comme souffrant du SFC et de personnes sans problème de santé déclaré ou évident. On a retenu ces groupes particuliers parce qu'on soupçonne l'existence de dommages intracérébraux à divers degrés dans les trois premiers groupes mais pas dans le dernier. C'est en ce sens que le groupe de personnes en santé se qualifie comme condition témoin. La difficulté est que les trois autres groupes peuvent très bien différer à plusieurs égards, ce qui s'ajoute aux différences de diagnostic et aux différences intracérébrales. Ce sont des conditions naturelles, pas des conditions créées de façon aléatoire, de telle sorte qu'on ne peut pas affirmer avec certitude que les différences intracérébrales observées par TEPS sont effectivement dues au diagnostic différentiel. La situation se complique d'autant plus que l'un des buts de la recherche est d'aider à améliorer un diagnostic clinique faillible, celui du SFC, à l'aide d'un test plus objectif, la TEPS, mais la recherche elle-même repose sur ce diagnostic faillible pour catégoriser les patients atteint du SFC. Cette logique est circulaire. Comme les auteurs en semblent pleinement conscients, la seule affirmation que cette recherche nous permet de faire est celle de l'existence d'un lien ou d'une corrélation entre le SFC et un dommage intracérébral. L'établissement de la nature causale de ce lien devra attendre d'autres études s'appuyant sur un protocole de nature plus expérimentale.

Dans l'ensemble, les protocoles préexpérimentaux fournissent des informations dont la portée inférentielle est limitée. Leurs nombreuses sources d'invalidité ont amené des auteurs comme Campbell et Stanley (1966) à les juger sévèrement. Ces derniers ont affirmé que les limites de ces protocoles, en particulier l'étude de cas, sont telles qu'ils n'ont pas leur place dans les thèses en éducation. Au lieu d'ajouter ici qu'ils ne devraient pas non plus avoir leur place en psychiatrie, en psychologie et ailleurs, nous préférons clairement rappeler que leur limite commune réside dans leur incapacité à supporter l'inférence causale. Cette limite est cruciale et ce serait du charlatanisme que de l'ignorer. Cependant, nous n'irions pas jusqu'à dire que l'observation de liens, de covariations, de connexions – choses que les protocoles préexpérimentaux rendent possibles – est une activité complètement inutile en science.

3.2. PROTOCOLES QUASI EXPÉRIMENTAUX

Sans avoir la pleine puissance des protocoles expérimentaux véritables, les protocoles de recherche quasi expérimentaux sont plus puissants que les préexpérimentaux. Campbell et Stanley (1966) ont jugé que les protocoles quasi expérimentaux étaient acceptables là où l'expérience véritable est impossible.

En règle générale, les protocoles quasi expérimentaux contrôlent mieux que les protocoles préexpérimentaux les menaces habituelles à la validité interne que sont les facteurs historiques, la maturation, la répétition, la réactivité et la fluctuation des mesures, la régression, la sélection des participants, la défection expérimentale et les interactions entre ces facteurs. Ils doivent principalement cette capacité accrue à l'utilisation d'une ou de plusieurs mesures prétest et post-test. Rappelons toutefois que, lorsqu'il y a une condition contrôle, les participants ne sont pas affectés aléatoirement à la condition expérimentale ou contrôle.

3.2.1. Protocole prétest post-test avec condition témoin non équivalente

Amélioration de la confiance en soi
(Sanford & Hemphill, 1952)

Dans cette recherche, on désire évaluer si les cadets de l'Académie navale américaine à Annapolis peuvent bénéficier d'une amélioration de leur confiance en soi dans des situations sociales après un bref cours de psychologie. Les cadets de deuxième année sont

TABLEAU 3.4 **Validité interne et externe des plans préexpérimentaux**

	Validité interne								Externe		
	Histoire	**Maturation**	**Répétition ou réactivité de mesure**	**Fluctuation de la mesure**	**Régression**	**Sélection**	**Défection**	**Interactions**	**Interaction mesure × intervention**	**Interaction sélection × intervention**	**Réactivité du plan**
Étude de cas	–	–		–		–	–			–	
Prétest post-test sans condition témoin	–	–	–	–	?	+	+	–	–	–	?
Post-test seul avec condition témoin statique	+	?	+	+	+	–	–	–		–	

Dans ce tableau, le signe « – » signifie une source d'invalidité, le signe « + » signifie que le protocole contrôle bien cette source, le « ? » indique un problème potentiel, et une case vide signifie que l'item n'est pas pertinent à l'analyse de validité.

sélectionnés pour constituer la condition expérimentale, alors que les cadets de troisième année forment la condition témoin. Le groupe quasi expérimental affiche un gain de 43 à 51 à l'échelle de confiance en soi, alors que le groupe témoin débute avec un résultat de 57 et termine également avec 57. Le tableau 3.5 illustre la structure formelle de ce type de protocole, que Campbell et Stanley décriraient par $\frac{O\ X\ O}{O\ -\ O}$ pour illustrer que l'intervention n'est pas présente dans tous les cas.

Malgré la différence intergroupe de 14 points au prétest, les gains dans la condition quasi expérimentale sont quand même plus substantiels (8) que ceux dans la condition témoin (0). Il est donc tentant de croire que le cours de psychologie a eu l'effet escompté. Rappelons cependant qu'une caractéristique essentielle

TABLEAU 3.5 **Protocole prétest post-test avec condition témoin non équivalente**
Amélioration de la confiance en soi
(Sanford & Hemphill, 1952)

	Prétest	**Intervention**	**Post-test**
Condition quasi expérimentale	Confiance en soi	Cours de psychologie Classe de deuxième année	Confiance en soi
Condition témoin	Confiance en soi	Pas de cours de psychologie Classe de troisième année	Confiance en soi

de ce protocole prétest post-test avec condition témoin non équivalente est que les conditions sont déjà constituées, en dehors du contrôle de l'expérimentateur. Cette circonstance peut toujours, à notre insu, rendre l'une des conditions différentes quant à une variable pertinente et influente. La différence intergroupe observée ici avant l'intervention est un signe indéniable que ce risque existe. Comme le soulignent Campbell et Stanley (1966), même lorsque les conditions sont comparables au prétest, la possibilité d'interaction entre des facteurs de sélection et de maturation ne peut pas être éliminée avec certitude. Dans l'exemple d'Annapolis, cela reviendrait à supposer que les cadets de deuxième année ont pu être sélectionnés différemment de ceux de troisième à leur entrée à l'académie et que, en plus ou encore à cause même de la sélection différentielle, ils sont capables d'une maturation psychologique plus rapide que leurs collègues. Ce genre d'hypothèse rivale, un peu tordue mais plausible, constitue le talon d'Achille de ce protocole.

Le protocole à séries temporelles multiples (voir plus loin) fournirait une méthode alternative valable éliminant les hypothèses rivales que le prétest post-test avec condition témoin non équivalente ne contrôle pas bien. Une méthode intermédiaire consisterait à ajouter des groupes déjà constitués mais différents à l'intérieur de chaque condition d'intervention. C'est ce que McGinnies, Lana, & Smith (1958) ont fait. Ladouceur et Bégin (1980) citent la première d'une série d'expériences effectuées par ces chercheurs en psychologie communautaire pour illustrer la nature du protocole quasi expérimental prétest post-test avec condition témoin non équivalente. Toutefois, comme le démontre l'analyse qui suit, la recherche effectuée par McGinnies et al. (1958) comporte une variante du protocole qui la classe dans une catégorie légèrement supérieure.

McGinnies et son équipe évaluent l'hypothèse selon laquelle la présentation de films peut suffire à modifier les opinions des personnes concernant la maladie mentale. De plus, on suppose que cet effet peut s'accroître encore plus si la projection de films s'accompagne d'une discussion active sur le thème de la maladie mentale. Il faut comprendre qu'en 1958, et même encore aujourd'hui, la maladie mentale tend à être très stigmatisante. Par ailleurs, les hypothèses formulées peuvent paraître tellement attirantes sur le plan purement intuitif qu'on serait facilement tenté de se passer de leur vérification. Toutefois, l'exercice de vérification peut s'avérer extrêmement fructueux, considérant que ce genre d'intervention est fréquemment proposé pour tenter de façonner l'opinion publique. Les auteurs rencontrent six groupes de discussion communautaires formés à partir de groupes *préétablis* d'associations parents-enseignants, ils en profitent pour exposer plusieurs de ces groupes à des manipulations diverses réparties comme l'indique le tableau suivant.

TABLEAU 3.6 **Variante du protocole prétest post-test avec condition témoin non équivalente**
Opinions concernant la maladie mentale (McGinnies et al., 1958)

	Prétest	Intervention	Post-test
Condition cible 1 (groupes 1 et 2)	Opinions	Films et discussion	Opinions
Condition cible 2 (groupes 3 et 4)	Opinions	Films	Opinions
Condition témoin (groupes 5 et 6)	Opinions		Opinions

Trois films portant sur le thème de la maladie mentale sont projetés dans chacun des quatre premiers groupes. De plus, les deux premiers groupes participent à une discussion d'une demi-heure après la projection de chaque film. Les participants des deux groupes témoins ne voient aucun film ni ne participent à aucune discussion sur le thème de la maladie mentale. Grâce à un inventaire conçu à cet effet, on mesure les opinions de toutes les personnes avant et quatre semaines après les projections. Les résultats indiquent que les opinions des gens au sujet de la maladie mentale sont modifiées d'une manière significative dans tous les groupes où il y a eu projection de films sur le thème concerné, avec ou sans discussion post-projection.

Remarquez la formulation des résultats. On y affirme que les changements d'opinions diffèrent entre les conditions avec ou sans projection de films. Si cette différence est observée, elle est indéniable. Cependant, de là à affirmer, d'une manière causale, que ce sont les projections qui ont causé ces changements d'opinions, comme le ferait la phrase « les résultats indiquent que la projection de films, avec ou sans discussion, cause des changements d'opinions significatifs par rapport au groupe témoin », il n'y a qu'un pas trop facile à franchir. Peut-être que les groupes de participants étaient constitués de personnes différentes. La maturation a aussi pu jouer un rôle différent dans un groupe ou dans l'autre.

Par contre, la force additionnelle du protocole de McGinnies et de son équipe vient de l'inclusion d'au moins deux groupes cibles dans chaque condition. En effet, s'il est légitime de supposer que des interactions impliquant, entre autres, la sélection et la maturation peuvent malencontreusement différencier une condition quasi expérimentale d'une condition témoin prédéterminée, un tel scénario devient extrêmement improbable avec des groupes multiples dans chaque condition. Bien sûr, il faut aussi que les groupes multiples soient affectés aux conditions d'une manière aléatoire, ce que McGinnies n'indique pas. Seule l'affectation aléatoire nivelle la probabilité d'effets préexistants à travers les conditions. Au contraire, si l'affectation repose sur des méthodes telles que la proximité physique ou autres, alors la multiplicité n'ajoute rien. Par exemple, si deux groupes affectés à une même condition proviennent du même centre communautaire, la probabilité est forte qu'une certaine homogénéité sociale et psychologique existe entre ces groupes, les unissant ainsi pratiquement en un seul. Notons que, étant donné les résultats obtenus par McGinnies et al., il aurait fallu que les quatre premiers groupes soient homogènes et différents des deux autres pour créer une hypothèse rivale menaçante.

3.2.2. Protocole à série temporelle simple
Le traitement rapide de la dépression sévère (Bakish et al., 1997)

Un autre protocole quasi expérimental se nomme la série temporelle. Ici le chercheur prend une série de mesures avant et après l'intervention pour suivre l'évolution d'un phénomène. En voici un premier exemple.

Selon plusieurs scientifiques, la dépression serait causée par un déséquilibre dans le mécanisme biochimique de transmission synaptique dans le cerveau. On sait que les signaux électriques du cerveau franchissent la distance physique qui sépare les cellules nerveuses au moyen de transmetteurs chimiques. La terminaison d'une cellule nerveuse relâche certains composés chimiques qui servent de signaux déclencheurs pour l'activation d'une cellule voisine. Après l'émission initiale, les transmetteurs sont recapturés et le système est prêt pour une nouvelle transmission. Dans le cas de la dépression, on soupçonne une insuffisance du transmetteur appelé sérotonine. Une façon d'augmenter l'action de la sérotonine dans le système est de ralentir sa recapture. C'est sur ce mécanisme que se fonde le traitement médicamenteux de la dépression au moyen des antidépresseurs les plus récents.

L'étude de Bakish et al. (1997) évalue si l'efficacité du traitement de la dépression avec le néfazodone, un inhibiteur spécifique de la recapture de la sérotonine, est plus grande avec l'addition du pindolol, un antagoniste ß-adrénergique et présynaptique de la sérotonine. L'action thérapeutique de cette combinaison de traitements de la dépression est mesurée par une réduction du délai entre le début du traitement et l'observation d'une diminution des symptômes dépressifs. Ordinairement, ce délai est de deux à six semaines (Boyer & Feighner, 1991). Vingt personnes, dont 13 femmes et 7 hommes, ont reçu une combinaison du néfazodone et du pindolol pendant quatre semaines. Durant ces quatre semaines, la symptomatologie dépressive était évaluée deux fois par semaine, principalement à l'aide de l'échelle de dépression de Hamilton (HAM-D), mais aussi à l'aide d'autres questionnaires. Pour les besoins de l'analyse qui suit, nous nous concentrerons sur les résultats obtenus à l'échelle de Hamilton. Les auteurs rapportent une amélioration significative de la symptomatologie après la première visite (2-4 jours de traitement). Après une semaine, on évalue que 15 des 20 participants se sont améliorés de 50% et que 40%

sont en rémission. Après quatre semaines, 90 % sont considérés comme en rémission. Les résultats suggèrent donc que l'addition du pindolol au néfazodone accentue l'efficacité des antidépresseurs inhibiteurs de la sérotonine en réduisant de façon significative le délai entre le premier traitement et la réduction des symptômes dépressifs.

TABLEAU 3.7 **Variante du protocole à série temporelle simple**
Le traitement rapide de la dépression sévère
(Bakish et al., 1997)

	Prétest$_1$	**Prétest...**	**Prétest$_n$**	**Intervention**	**Post-test$_1$**	**Post-test...**	**Post-test$_n$**
Condition cible	HAM-D			Médicaments	HAM-D	HAM-D	HAM-D
Condition témoin							

Notons que cette étude ne comporte qu'une seule mesure prétest. En ce sens, elle constitue une variante un peu plus faible de la série temporelle complète. Dans la série temporelle complète, la présence de prétests multiples permet d'évaluer la constance du phénomène à l'étude avant le début de l'intervention. Il est probable que les auteurs ont choisi de n'effectuer qu'un seul prétest pour des raisons pratiques et déontologiques.

Lorsque la série temporelle est complète, on peut évaluer la constance du phénomène à l'étude avant le début de l'intervention ainsi que la cooccurrence d'un changement de résultat avec l'application de l'intervention[2]. Comme le montre la figure 3.1, le phénomène à l'étude n'est justement pas nécessairement constant ni avant ni après l'application de l'intervention.

Si l'on imagine que l'étude de Bakish et al. (1997) ait comporté des prétests multiples et que l'on tente d'interpréter les divers patrons de résultats proposés, seuls les patrons A et B permettraient d'inférer avec force et légitimité que les médications testées causent une diminution des symptômes. Les patrons F, G

2. En ce sens, ce protocole partage plusieurs similitudes avec certains protocoles intra-sujets abordés au chapitre 5. On s'intéresse toutefois ici à l'effet qu'a l'intervention sur l'ensemble des participants.

et H ne permettraient nullement une telle inférence. Les patrons F et H indiquent que la diminution de symptômes avait clairement débuté avant l'introduction de l'intervention, suggérant fortement qu'un autre facteur est en jeu. Le patron G indique que des fluctuations dans les deux directions sont possibles à tout moment; il n'est donc pas très convaincant d'affirmer que la baisse de symptômes entre le quatrième prétest et le premier post-test est due au médicament. Les patrons C, D et E sont plus convaincants mais laissent place au doute. Le patron C indique bien une accélération de la diminution des symptômes autour de l'introduction de l'intervention, mais ce changement dans la pente est de très courte durée et semble peu important dans le contexte d'amélioration globale due à une cause inconnue. Le patron D indique un changement plus marqué et local. Pourtant, il y a un délai entre le début de l'intervention et l'effet escompté. Ce délai peut nous laisser moins sceptiques si son existence est connue par comparaison avec d'autres situations semblables, comme c'est le cas dans l'étude citée. Enfin, le patron E n'indique aucune diminution de symptômes, mais marque quand même un arrêt de la détérioration. On serait tenté d'en conclure que si le traitement n'est pas curatif il a au moins la propriété de freiner la maladie. Mais comment savoir si la maladie n'aurait pas cessé de progresser de toute façon?

Le patron A est clair. Il n'y a aucun changement ni à la hausse ni à la baisse pendant plusieurs périodes de mesure prétest et il y a une diminution claire des symptômes dès le premier post-test, amélioration qui se maintient par la suite. Le patron B est presque aussi révélateur, quoique l'effet médicamenteux semble de très courte durée. Dans les deux cas, la probabilité qu'un facteur externe autre que les médicaments (facteur historique) produise une amélioration marquée chez une majorité de participants exactement et uniquement au même moment que le début de la médication semble extrêmement faible. Toutefois, même s'il est logique de croire que la dépression sévère ne change à peu près pas à moins d'une intervention médicale, une amélioration n'est quand même pas complètement impossible. C'est pourquoi la validité interne des protocoles quasi expérimentaux indique une faiblesse dans la colonne «histoire».

FIGURE 3.1 **Patrons de résultats hypothétiques pour la diminution de l'humeur dépressive dans le protocole à série temporelle simple**

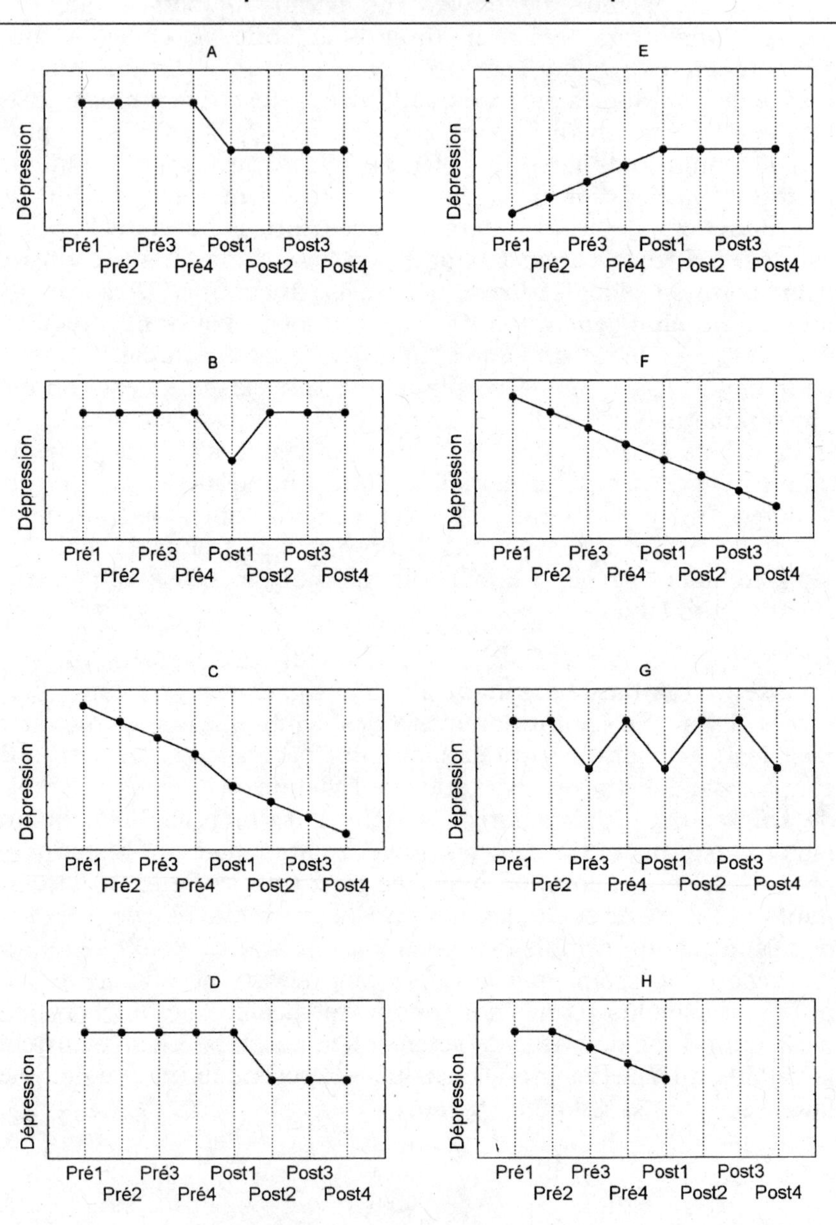

TABLEAU 3.8 **Validité interne et externe des plans quasi expérimentaux**

	Histoire	Maturation	Répétition ou réactivité de mesure	Fluctuation de la mesure	Régression	Sélection	Défection	Interactions	Interaction mesure × intervention	Interaction sélection × intervention	Réactivité du plan
	Validité interne								**Externe**		
Prétest post-test avec condition témoin non équivalente	+	+	+	+	?	+	+	−	−	−	?
Série temporelle simple	−	+	+	?	+	+	+	+	−	−	?
Série temporelle multiple	+	+	+	+	+	+	+	+	−	−	?

Dans ce tableau, le signe « − » signifie une source d'invalidité, le signe « + » signifie que le protocole contrôle bien cette source, le « ? » indique un problème potentiel, et une case vide signifie que l'item n'est pas pertinent à l'analyse de validité.

La plausibilité d'un facteur rival varie en fonction du phénomène étudié. Si, au lieu d'étudier un phénomène psychiatrique ou psychologique stable, on étudiait plutôt un ou des phénomènes plus fluides, tels que les opinions politiques par exemple, il pourrait y avoir plus de variations dans les mesures prétest et post-test suggérant l'existence de multiples causes rivales externes. Ainsi, même si vous aviez recruté un échantillon de 100 ou même 1000 personnes, effectué des mesures répétées démontrant la stabilité de la popularité du premier ministre Lucien Bouchard au Québec durant la période de septembre à décembre 1997, présenté à ces gens un film mettant en vedette les réussites antérieures de monsieur Bouchard et mesuré ensuite une hausse de la popularité de ce dernier à partir de janvier 1998 et subséquemment; vous ne seriez pas en mesure d'inférer très fortement qu'une telle hausse de popularité a été causée par l'exposition au film, sachant par ailleurs que vos participants et participantes ont mené une vie normale et que, comme beaucoup de gens, ils ont probablement admiré le comportement du premier ministre durant la tempête de verglas exceptionnelle qui a frappé le sud-ouest du Québec et l'est de l'Ontario à la même époque. Par contre, si, comme des jurés, votre échantillon de participants avait été gardé en isolation et n'avait pas été au courant de l'existence de la tempête de verglas ni, surtout, des actions du premier ministre dans ce contexte, l'inférence causale au sujet du film serait beaucoup plus plausible. Bien sûr, il n'est pas possible d'envisager l'*isolation expérimentale* de groupes de 100 ou 1000 personnes pendant des durées aussi prolongées ; par contre il est moins farfelu de le tenter avec un groupe de 12 personnes pour une durée limitée, et c'est ce que le système légal met en pratique à l'occasion.

Ce dernier exemple fait ressortir que la vulnérabilité d'un protocole de recherche à des facteurs historiques, et en particulier la vulnérabilité du protocole à série temporelle simple, est fonction de la stabilité du phénomène à étudier et de notre capacité à isoler de façon expérimentale le phénomène en question. Campbell et Stanley (1966) soulignent que le protocole à série temporelle simple était très utilisé dans les sciences physiques et biologiques au XIXe siècle. Ainsi, inférer qu'une barre de fer change de poids après avoir été trempée dans un bain d'acide nitrique repose sur l'observation du patron A décrit à la figure 3.1, soit que le poids d'une barre de fer demeure stable dans le temps. La plupart d'entre nous accepterions sans doute cette inférence sans exiger qu'un groupe de barres témoins soient plongées dans l'eau ou encore dans un autre type d'acide. Toutefois, il est aussi clair que la présence d'une telle condition témoin ne nuirait pas. On en dériverait une certitude encore plus grande, sans compter la possibilité de raffiner le processus d'inférence au point de pouvoir spécifier quel type de liquide est capable ou incapable d'influer sur le poids d'une barre de fer. Dans l'expérience de Bakish et al. (1997), outre les considérations pratiques et déontologiques déjà mentionnées, le choix d'un prétest unique a pu être considéré comme suffisant en raison du caractère sévère et stable de la dépression étudiée. Par ailleurs, les auteurs ont aussi mis en place un bon degré d'isolation expérimentale, puisque les participants n'avaient pas la « permission » de recevoir des traitements médicamenteux ou psychothérapeutiques concurrents.

La véritable faiblesse potentielle d'un protocole à série temporelle simple est liée à la fluctuation de la mesure. Dans les protocoles à série temporelle simple, on ne peut pas affirmer avec une certitude absolue si l'intervention est efficace mais on verrait clairement si elle ne l'était pas. Ainsi, en considérant ces études comme préliminaires, et en publiant les résultats positifs pour les rendre publics, on constitue une banque d'information qui permet d'identifier dans quelle voie poursuivre les recherches. On peut ainsi s'engager dans les procédures plus coûteuses avec un risque réduit de dépense inutile.

3.2.3. Protocole à séries temporelles multiples

Amélioration de la qualité de vie communautaire
(Knapp & McClure, 1978)

Knapp et McClure (1978) désirent évaluer l'efficacité d'un programme d'animation communautaire. Ce programme complexe repose sur de nombreuses composantes. Pour les jeunes, on organise la formation d'une troupe de scouts, d'une équipe de basket, d'un club de danse, etc. Pour les adultes, on organise des débats sur les problèmes reliés à l'alcool et aux drogues ainsi que la mise sur pied d'un service de consultation psychologique. Le but de l'étude n'est pas d'évaluer l'efficacité des composantes individuelles, mais plutôt celle du programme d'intervention dans son ensemble. Comme dans l'étude médicamenteuse de Bakish et collaborateurs ci-dessus, la complexité du phénomène à cerner exige l'utilisation simultanée de plusieurs instruments de mesure. Knapp et McClure ont choisi plusieurs indices de la qualité de vie communautaire, dont deux mesurant la criminalité. Le premier indicateur quantifie le vandalisme par l'entremise du coût de réparation des dommages aux bâtiments. Le second indicateur est le nombre d'arrestations reliées à l'abus de drogues. Dans les deux cas, donc, l'amélioration de la qualité de vie se refléterait dans une diminution de la valeur des indices de criminalité. Comme le nombre d'arrestations permet de savoir si les gens arrêtés sont des jeunes ou des adultes, il est possible d'examiner si le programme génère des effets différentiels en fonction de l'âge. Cette différenciation intéresse sans doute les auteurs afin de mieux cibler leurs interventions futures. Les auteurs calculent ces indices à la fin de chaque période de trois mois, de janvier 1974 à mars 1976. Le programme d'intervention communautaire débute à la fin septembre ou au début octobre 1975. Le programme est appliqué dans deux ensembles domiciliaires et pas dans un troisième. Les résultats de l'intervention dans les deux premiers ensembles domiciliaires traités sont regroupés pour analyse, de telle sorte que nous avons deux séries temporelles appliquées à des conditions constituées naturellement, l'une avec intervention, l'autre sans intervention.

TABLEAU 3.9 **Protocole à séries temporelles multiples**
Amélioration de la qualité de vie communautaire
(Knapp & McClure, 1978)

	$Prétest_1$	Prétest...	$Prétest_n$	Intervention	$Post\text{-}test_1$	Post-test...	$Post\text{-}test_n$
Condition cible		Vandalisme et arrestations		Intervention communautaire		Vandalisme et arrestations	
Conditon témoin		Vandalisme et arrestations				Vandalisme et arrestations	

Le protocole à séries temporelles multiples s'apparente au prétest post-test avec condition témoin non équivalente en ce sens qu'il inclut la comparaison entre la présence et l'absence d'une intervention dans des conditions non équivalentes. Il ne reste donc que la multiplicité des mesures prétest et post-test pour les distinguer. Rappelons que dans l'exemple de l'effet d'un cours de psychologie sur l'amélioration de la confiance en soi (Sanford & Hemphill, 1952) pour le protocole prétest post-test avec condition témoin non équivalente, il existait au moins une hypothèse rivale d'interaction entre le facteur de sélection et le facteur de maturation. Ce genre d'hypothèse rivale est rendu très peu plausible dans l'étude de Knapp et McClure, car si seule la condition cible s'améliore et ce, uniquement après l'intervention, il faudrait alors supposer au moins un effet combiné de l'intervention et d'autres facteurs pour rendre compte de la spécificité temporelle et de condition. Dans cette étude, la durée de résidence des familles dans les ensembles domiciliaires (courte durée = moins de criminalité), l'âge et les moyens financiers, l'accès à des ressources sociales dans le voisinage (âge plus avancé, revenus plus élevés et meilleur accès = moins de criminalité) sont des exemples de facteurs dont on peut imaginer la combinaison bénéfique avec l'intervention communautaire.

S'il est clair que les facteurs externes ne pourraient pas expliquer à eux seuls la spécificité temporelle et de condition d'un patron de résultat positif, ces facteurs externes peuvent quand même jouer. Ceux-ci pourraient influencer les résultats de l'intervention de manière positive, la faisant paraître meilleure qu'elle ne l'est vraiment, ou de manière négative, camouflant un bénéfice supérieur. Donc, la multiplicité des mesures compense certaines faiblesses de l'utilisation d'une condition témoin non équivalente, mais pas toutes. Seule l'utilisation d'une condition témoin expérimentale proprement dite (groupes constitués par les chercheurs) peut éliminer l'hypothèse de ces effets combinés avec l'intervention.

La figure 3.2 illustre une portion représentative des résultats obtenus par Knapp et McClure. L'indice de vandalisme montre une grande variabilité durant toutes les années étudiées et, surtout, que le patron des changements est pratiquement identique dans les deux conditions avant et après l'intervention communautaire. Il y a bien une baisse de l'indice de vandalisme entre la fin de 1975 et le début de 1976 dans la condition quasi expérimentale, mais le niveau final en 1976 ne se distingue pas de celui de la condition témoin. De plus, on peut aussi observer des changements à la baisse au moins aussi prononcés dans les deux conditions, avant l'intervention. On doit donc admettre que le programme d'intervention ne parvient pas à faire baisser le vandalisme. Et qu'en est-il des arrestations reliées à l'abus des drogues?

Le nombre d'arrestations d'adultes semble plutôt stable. Il y a peut-être une tendance à la diminution dans la condition quasi expérimentale mais, si cette tendance doit être prise au sérieux, elle ne résulte certainement pas de l'intervention communautaire des auteurs. En effet, la séparation des deux conditions débute clairement dès avril-juin 1975, c'est-à-dire bien avant la mise en place du programme. Seul le nombre d'arrestations chez les jeunes semble se distinguer de la condition témoin d'une manière soutenue et seulement à partir de l'implantation du programme d'intervention. Ce résultat prometteur demeure à préciser. Les jeunes bénéficient-ils davantage de l'intervention strictement parce qu'ils sont jeunes ou parce que les activités communautaires qui les visent sont de nature à les aider? On se souvient en effet que le programme comporte des activités de types très différents pour les jeunes et les moins jeunes. Scoutisme et danse

FIGURE 3.2 **Adapté de Knapp et McClure (1978)**

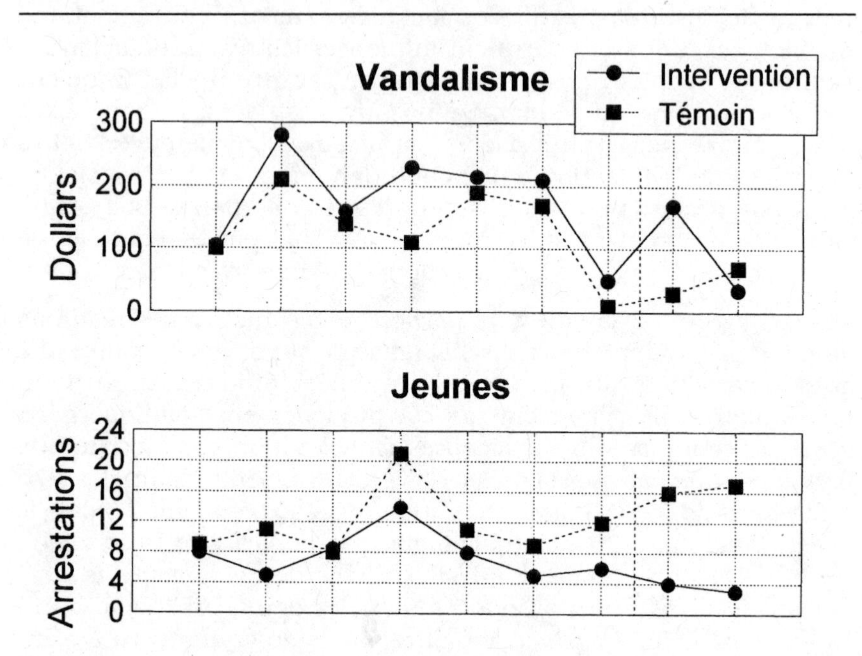

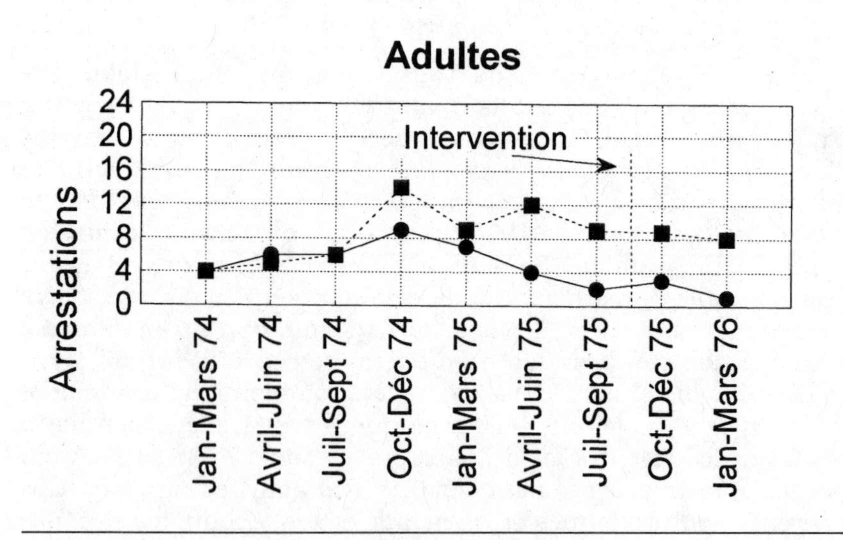

pour les uns, débats pour les autres. L'analyse séparée en fonction des groupes d'âge est utile pour situer les résultats prometteurs, mais la confusion de variable entre l'âge et le type d'intervention limite l'interprétation en termes de cause à effet.

Le tableau 3.8 indique que les séries temporelles simples et multiples contrôlent bien la source d'invalidité interne dite de la *régression vers la moyenne*. Ce contrôle leur donne une supériorité sur le premier protocole quasi expérimental présenté, le protocole prétest post-test avec condition témoin non équivalente ainsi que sur le protocole préexpérimental prétest post-test sans condition témoin. Pour bien comprendre cet avantage méthodologique, il faut comprendre le phénomène de mesure qu'est la régression statistique, ce qui n'est pas facile. Même les chercheurs chevronnés tendent souvent à l'oublier ou à le sous-estimer. Bien que ce concept ait déjà été présenté au chapitre précédent, en voici un autre exemple, dans l'espoir de renforcer, à défaut de clarifier cet item.

Imaginons que vous jouiez à un jeu de pile ou face spécial qui consiste à lancer deux pièces de monnaie simultanément et à noter les résultats possibles de la façon indiquée au tableau 3.10. Un résultat de double pile, PP, vaut un point ; un mélange de pile et face, PF ou FP, vaut 2 points ; et un double face, FF, vaut trois points. En moyenne, on s'attend à gagner deux points par lancer à n'importe quel lancer (1 + 2 + 2 + 3 = 8 et 8/4 = 2). Pourtant, supposons que vous lancez les deux pièces une première fois et que vous obtenez PP. Vous avez gagné un point. Vous vous apprêtez à lancer les pièces une deuxième fois. Quelles sont les chances pour que vous obteniez un résultat plus grand que un ? Vous avez une *majorité de chances* d'obtenir un résultat plus grand que un au deuxième lancer, car tous les résultats sont admissibles et, parmi eux, trois (PF, FP et FF) sur quatre gagnent plus d'un point. La chose importante à retenir est que si vous avez d'abord obtenu un petit résultat, vous ne pouvez ensuite obtenir qu'un résultat égal ou plus grand, jamais plus petit. Comme les proportions favorisent les nombres plus grands, le résultat au deuxième essai doit tendre à être plus près de la moyenne ou régresser vers elle, cette dernière étant, par définition, plus grande que le plus petit des résultats qui la composent. Supposons maintenant que vous avez obtenu FF au premier lancer (3 points). Un second lancer produit nécessairement un résultat égal ou plus petit. Toute autre chose étant égale, lorsque des résultats extrêmes sont mesurés à deux reprises la deuxième

TABLEAU 3.10 **Résultats du lancer de deux pièces de monnaie**

Pièce 1	Pièce 2	Pointage	Probabilité
P	P	1	1/4
P	F	2	1/4
F	P	2	1/4
F	F	3	1/4

mesure tend vers la moyenne ; c'est-à-dire que les grands résultats tendent à diminuer et que les petits résultats tendent à augmenter.

Dans les études scientifiques, on cherche souvent à détecter des changements à partir de résultats relativement extrêmes. La psychologue qui étudie les personnes souffrant de dépression majeure mesure des résultats de dépression relativement élevés par rapport à la population en général. Le simple fait de mesurer l'humeur dépressive une seconde fois risque vraisemblablement d'entraîner l'observation d'une amélioration. La régression se fait en effet vers la moyenne de la population entière, moyenne qui ne peut être que plus faible puisqu'elle comporte, entre autres, un grand nombre de gens non dépressifs. Cette amélioration bien réelle dans les nombres n'est pourtant qu'un artifice de mesure. Aucune intervention de notre part ne la cause. On voit pourquoi le protocole prétest post-test sans condition témoin est tellement vulnérable à l'illusion d'un effet causal de l'intervention étudiée lorsque, en fait, le même changement aurait été mesuré s'il n'y avait eu que deux moments d'observation sans intervention entre les deux. Le protocole prétest post-test avec condition témoin non équivalente est moins sensible à cette possibilité, mais n'y est pas invulnérable. Parce que les conditions sont non équivalentes, il demeure toujours possible qu'une des conditions soit plus ou moins « extrême » que l'autre par rapport à sa population de référence et qu'elle soit conséquemment plus ou moins affectée par la régression. Les séries temporelles éliminent cette vulnérabilité par la multiplicité des mesures. En effet, la régression ne peut pas se reproduire indéfiniment parce que, à la limite, les résultats deviennent de moins en moins extrêmes et donc de moins en moins sensibles à la régression. Ce raisonnement souligne finalement une autre faiblesse de la variante du protocole à série temporelle simple utilisée par Bakish et ses collaborateurs. Comme ce protocole né comportait qu'une seule mesure prétest, techniquement le changement observé entre le prétest et le premier post-test pourrait être un effet de régression. L'étude de Knapp et McClure résiste à la régression car, même si elle ne comporte que deux mesures post-test, il y a eu de multiples mesures prétest. Encore une fois, c'est la multiplicité des mesures qui élimine le risque d'illusion due à la régression lorsque les conditions sont non équivalentes. Lorsque les conditions sont équivalentes, comme dans les protocoles expérimentaux, la multiplicité des mesures n'est plus requise, car l'équivalence des conditions rend la régression équiprobable et incapable de créer des différences interconditions en soi.

Bien que qualifié de *quasi* expérimental, le protocole à séries temporelles multiples résiste bien à toutes les menaces typiques de la validité interne. De tous les protocoles analysés jusqu'ici, il s'avère le plus performant, atteignant le même niveau de validité interne que les protocoles expérimentaux.

3.3. PROTOCOLES EXPÉRIMENTAUX

Ainsi qu'il a été mentionné dans l'introduction, les protocoles expérimentaux se distinguent des protocoles quasi expérimentaux surtout par la méthode d'affectation des personnes aux conditions. Dans une recherche de nature expérimentale, l'affectation aux conditions s'effectue sous le contrôle du chercheur, par *processus aléatoire seul ou en combinaison avec d'autres processus, tel l'appariement,* afin de produire des conditions équivalentes. L'appariement seul ne mène pas à la création d'un protocole dit expérimental, car il apparaît impossible de rendre les participants identiques sous toutes les variables, y compris celles auxquelles le chercheur ne pense pas, mais qui peuvent induire un biais. Voici un exemple sur la façon d'affecter des participants au hasard.

Dans un projet de recherche fictif, il faut répartir six participantes aléatoirement en trois conditions, à raison de deux participantes par condition. Les volontaires recrutées participent à la recherche une à la fois, en séquence. Il faut effectuer l'affectation aux conditions de manière aléatoire tout en assurant l'équilibre de la distribution des conditions dans le temps. En effet, il ne serait pas souhaitable de recueillir d'abord toutes les données de la première condition, puis celles de la deuxième et de la troisième. Cela contreviendrait à l'exigence de simultanéité des prétests et des post-tests dans la comparaison des groupes. Pour atteindre les deux objectifs d'affectation aléatoire dans les conditions et d'équilibration de la collecte des données dans le temps, il faut créer autant de séquences aléatoires des nombres 1, 2 et 3 qu'il est nécessaire pour remplir les trois conditions expérimentales. Pour ce faire, il nous faut une liste de nombres générés au hasard. De telles listes sont déjà disponibles, comme la table de nombres aléatoires de Fisher et Yates (1963), dont une infime partie est reproduite au tableau 3.11. Il faut insister ici que pour préparer un véritable projet de recherche, il faut utiliser la table au complet. Plusieurs manuels d'analyse statistique reproduisent aussi cette table ou une semblable en appendice. La conception de cette table permet d'effectuer des vérifications de toutes sortes, sans qu'on puisse y détecter de patron d'organisation. On peut donc commencer par n'importe quelle rangée ou colonne et y lire les nombres qui font partie de l'intervalle désiré les uns à la suite des autres, dans l'ordre où ils apparaissent dans la table. Lorsqu'on atteint la fin de la rangée ou de la colonne initiale, on peut continuer à lire dans la suivante ou dans n'importe quelle autre. La table est imprimée selon une organisation de nombres allant de 00 à 99, mais on peut tout aussi bien y lire les unités. Dans ce cas, on s'attarde à chaque chiffre plutôt qu'au nombre lui-même. Aux fins de l'exemple, il faut générer deux séries de nombres entiers entre 1 et 3. Sans raison particulière on commence par la rangée 2, colonne 3. En poursuivant en rangée, on élimine 5, 0, 6, puis on retient le 1, on élimine 8, 8 ; on change de rangée pour retenir le 3, éliminer 4, et retenir le 2. Nous avons notre première séquence : 1, 3, 2. La lecture continue. On accepte 1, élimine 4, accepte 2, élimine 5, 7, 0, 2 (puisqu'il est déjà sélectionnée dans cette série), 6, 1, 8, 1, 7, 7 et 2, pour finalement accepter 3. En fait, nous aurions pu arrêter notre recherche après la sélection du deuxième chiffre dans chaque série, car le troisième chiffre est automatiquement déterminé lorsque les deux premiers sont connus. La seconde série est 1, 2, 3. Les interventions seront effectuées dans l'ordre 1, 3, 2, 1, 2 et 3 tel que prescrit par ces six affectations aléatoires.

En principe au moins, chaque participante a une chance égale d'être affectée à n'importe quelle intervention et chaque intervention a une chance égale d'être évaluée au début ou à la fin de l'expérience. Ce bref exercice permet cependant de constater que même l'affectation aléatoire n'est pas parfaite. Ici par exemple, le hasard a voulu que l'intervention 1 soit toujours administrée en premier dans les deux séries. Cela est en partie attribuable à la taille extrêmement restreinte de l'échantillon. Évidemment, une véritable recherche utiliserait un échantillon plus grand et les proportions ont tendance à s'équilibrer à mesure que la taille de l'échantillon augmente. Cependant, le fait demeure que, malgré ses vertus, l'affectation aléatoire ne donne pas de garantie absolue. Ce sujet sera abordé à nouveau dans l'exemple qui suit. Lorsque le nombre de valeurs à assigner est petit, on peut faire les affectations selon une méthode qui offre une garantie sûre : le plan d'équilibration systématique. Pour ce faire, il faut utiliser un échantillon dont la taille est un multiple du nombre de permutations possibles de valeurs à assigner. Avec trois interventions, on peut composer six permutations : 1,2,3 ; 1,3,2 ; 2,1,3 ; 2,3,1 ; 3,1,2 ; 3,2,1 (le nombre de permutations de n valeurs prises n à la fois est $n!$. Ici : $3! = 3 \times 2 \times 1 = 6$). Il faudrait donc un échantillon de 18 personnes pour assigner systématiquement chaque intervention à chaque position dans l'ordre séquentiel de collecte des données.

TABLEAU 3.11 **Portion de la table de nombres aléatoires de Fisher et Yates (1963)**

	1	2	3	4	5
1	10	27	53	96	23
2	28	41	50	61	88
3	34	21	42	57	02
4	61	81	77	23	23
5	61	15	18	13	54

3.3.1. Protocole prétest post-test avec condition témoin équivalente

Une comparaison de deux anxiolytiques
(Fontaine, Mercier, Beaudry, Annable, & Chouinard, 1986)

Campbell et Stanley (1966) schématisent ce type de protocole par

$$\begin{array}{cccc} A & O & X & O \\ \hdashline A & O & & O \end{array}$$

où l'ajout de la lettre « A » fait ressortir l'existence d'une affectation aléatoire entre deux conditions lorsque les participants d'une seule condition sont exposés à l'intervention, bien que les participants des deux conditions soient observés au prétest et au post-test. Prenons un exemple où la manipulation expérimentale suppose plus d'une forme d'intervention. L'étude de Fontaine et ses collaborateurs (1986) compare l'efficacité et les effets secondaires de deux benzodiazépines, le bromazépam et le lorazépam, chez 60 personnes (34 hommes et 26 femmes) souffrant d'un désordre d'anxiété généralisée selon le DSM-III (American Psychiatric Association, 1980). Après une semaine de traitement avec un placebo (pilule sans ingrédient actif), les participants sont affectés, au hasard et à double insu (ni les participants ni les psychiatres ne connaissent le traitement assigné), à un traitement de 4 semaines avec l'une ou l'autre des benzodiazépines ou à un traitement placebo de même durée. L'évaluation des participants se fait immédiatement après la semaine de niveau de base et 7, 14, 21 et 28 jours après le début de la phase de traitement, principalement à l'aide de l'échelle d'anxiété de Hamilton (HAM-A) (Hamilton, 1959), mais aussi en vérifiant les effets secondaires indésirables (ex. : dépression, endormissement, etc.). Le niveau d'anxiété moyen était identique dans les trois conditions à la fin de la semaine de niveau de base. Par la suite, l'anxiété diminue légèrement dans la condition placebo après la première semaine de traitement, mais elle diminue significativement plus dans les deux conditions recevant des benzodiazépines, les deux médicaments démontrant ainsi une efficacité anxiolytique égale entre eux et supérieure au placebo.

Puisqu'il y a plusieurs périodes de mesure après l'intervention, cet exemple est une variante à post-tests multiples du protocole de base qui ne comporte qu'un seul post-test. La structure simple et élégante de ce protocole de recherche permet d'inférer avec beaucoup de confiance que la diminution de l'anxiété dans les conditions recevant des benzodiazépines est réellement attribuable à leur action médicamenteuse. Ce niveau de confiance élevé est principalement dû à deux attributs combinés de la structure du protocole : (a) l'équivalence des conditions ; et (b) la présence d'une condition sans traitement médicamenteux actif (placebo).

TABLEAU 3.12 **Protocole prétest post-test avec condition témoin équivalente (Variante à post-tests multiples)**
Une comparaison de deux anxiolytiques
(Fontaine et al., 1986)

	Prétest	Intervention	Post-test$_1$	Post-test...	Post-test$_n$
Condition cible 1	HAM-A	Bromazépam	HAM-A	HAM-A	HAM-A
Condition cible 2	HAM-A	Lorazépam	HAM-A	HAM-A	HAM-A
Condition témoin	HAM-A	Placebo	HAM-A	HAM-A	HAM-A

La distribution aléatoire des participants et participantes dans les trois conditions de l'étude *maximise* les chances pour que ceux-ci soient équivalents parce que, en vertu des lois du hasard, chaque personne avait une probabilité égale d'être affectée à l'une ou l'autre des conditions. Cela fait en sorte que toutes les différences individuelles des participants, que ce soit leur niveau général d'anxiété, leur sensibilité à l'action biochimique des benzodiazépines, leur sexe, leur âge ou tout autre facteur soupçonné ou insoupçonné, sont en principe réparties de manière égale ou presque égale dans toutes les conditions. La répartition uniforme n'est pas *absolument garantie*; elle est maximisée. Bien sûr le hasard pourrait potentiellement affecter toutes les femmes dans une condition et les hommes dans l'autre, toutes les personnes les plus anxieuses ensemble et les moins anxieuses ensemble, toutes les personnes les plus réactives aux benzodiazépines ensemble et les moins réactives dans une autre condition, etc. Mais ce serait vraiment jouer de malchance et, surtout, le risque inhérent à la méthode aléatoire demeure inférieur au risque que comporterait toute autre méthode d'affectation basée sur un critère fixe jugé par les chercheurs. En effet, les autres méthodes peuvent être influencées par des facteurs cachés, auxquels on n'a pas réfléchi, mais qui ont quand même une influence sur les résultats, alors que le processus du hasard n'est ni plus ni moins affecté par quelque facteur que ce soit, connu ou *inconnu* des chercheurs. Par exemple, quelqu'un pourrait suggérer d'affecter les participants aux conditions selon le jour de leur rendez-vous en clinique externe. À première vue, il ne devrait pas exister de relation directe entre le jour de la semaine et l'anxiété des participants. Cependant rien n'est moins sûr. Il est plausible que les personnes très anxieuses aient tendance à prendre des rendez-vous tôt dans la semaine, peut-être pour se rassurer par une visite en clinique après une fin de semaine hors de contact avec un service d'aide professionnel. Dans ce scénario, si les rendez-vous du lundi étaient assignés à la condition placebo, on y trouverait une proportion plus grande de gens extrêmement anxieux que dans les autres conditions. La condition placebo aurait tendance à être pire que les autres et l'effet des médicaments, à supposer qu'il y en ait un, paraîtrait plus bénéfique qu'il ne l'est vraiment. À l'inverse, l'affectation des rendez-vous du lundi à une condition recevant un médicament, pourrait masquer l'effet réel du médicament parce que les personnes dans cette condition seraient, en moyenne, plus anxieuses dès le point de départ et, conséquemment, peut-être plus difficiles à traiter.

Dans tous les protocoles prétest post-test, une des fonctions du prétest est de nous informer, de manière rassurante espérons-nous, sur l'équivalence initiale quant au niveau du phénomène à traiter. Puisque le phénomène est mesuré au cours du prétest, on peut comparer les moyennes des conditions avant l'intervention pour vérifier si elles sont raisonnablement semblables avant le début de l'intervention. Par exemple, dans l'étude de Fontaine et de ses collaborateurs (1986), le niveau moyen d'anxiété initiale dans les conditions bromazépam, lorazépam et placebo était de 28,8, 28,3 et 28,5 respectivement. Les différences au niveau de la décimale sont négligeables sachant que les auteurs désiraient détecter des changements beaucoup plus importants sur l'échelle de Hamilton. Si rassurante soit-elle, cette vérification ne nous informe que sur un seul aspect de l'équivalence des conditions. Certains autres aspects pourraient également être vérifiés, dont l'équivalence d'âge et de sexe par exemple, mais d'autres aspects encore ne pourraient pas l'être soit parce qu'on ne dispose pas de mesure (ex. : réactivité individuelle aux benzodiazépines), soit parce que ce sont des facteurs qui n'ont même pas été identifiés. Or, il existe en principe une infinité de ces facteurs de non-équivalence initiale qui pourraient avoir échappé à notre attention. Comme l'affectation aléatoire présente un risque égal et uniforme pour tout facteur connu ou inconnu, elle demeure en définitive le meilleur choix, malgré son incapacité à donner une garantie totale.

L'action combinée de l'affectation aléatoire aux conditions et des mesures prétest et post-test confère à ce protocole une protection forte contre les invalidités causées par l'histoire, la maturation, la répétition, la réactivité ou la fluctuation de la mesure, la régression, la sélection et les interactions entre ces facteurs et la ou les interventions. Toutes ces sources ont une chance égale d'influer sur les résultats de chaque condition. On ne pourrait donc pas leur attribuer un rôle différentiel.

Le risque de défection expérimentale n'est pas contrôlé par son équiprobabilité dans les conditions. Par exemple, les personnes anxieuses qui sont affectées à la condition placebo sont plus susceptibles d'abandonner l'étude avant la fin de la période prévue. N'étant pas traitées, ces personnes risquent en effet de souffrir de leur état à un point tel qu'elles chercheront une solution ailleurs ou demanderont tout simplement à la personne responsable de leur donner un autre médicament plus efficace. À l'inverse, des personnes participant à une intervention efficace peuvent demander à quitter l'étude parce qu'elles se sentent

TABLEAU 3.13 **Résumé de la validité interne et externe des protocoles expérimentaux**

	Validité interne								Externe		
	Histoire	Maturation	Répétition ou réactivité de mesure	Fluctuation de la mesure	Régression	Sélection	Défection	Interactions	Interaction mesure × intervention	Interaction sélection × intervention	Réactivité du plan
Prétest post-test avec condition témoin équivalente	+	+	+	+	+	+	+	+	–	?	?
Protocole à quatre conditions de Solomon	+	+	+	+	+	+	+	+	+	?	?
Post-test seul avec condition témoin équivalente	+	+	+	+	+	+	+	+	+	?	?

Dans ce tableau, le signe « – » signifie une source d'invalidité, le signe « + » signifie que le protocole contrôle bien cette source, le « ? » indique un problème potentiel, et une case vide signifie que l'item n'est pas pertinent à l'analyse de validité.

complètement rétablies et qu'elles désirent diminuer l'intervention. Le protocole n'est protégé contre la défection expérimentale que dans la mesure où celle-ci peut être identifiée, quantifiée et contrôlée numériquement. Fontaine et ses collaborateurs rapportent que six des 60 personnes n'ont pas terminé l'étude. Deux de ces personnes appartenaient à la condition bromazépam, une à la condition lorazépam et trois à la condition placebo. Une seule de ces personnes (bromazépam) a cessé sa participation parce qu'elle se sentait suffisamment remise. Toutes les autres se plaignaient justement du peu d'amélioration de leur condition ou ne prenaient pas le médicament de la manière prescrite. Le taux d'abandon étant relativement uniforme à travers les conditions, leur comparaison reste légitime.

Même si la validité interne demeure préservée, les chercheurs ne devraient pas se contenter d'analyser les données des personnes qui ont mené l'étude à terme. Il est clair que les résultats surestimeraient alors l'efficacité des traitements, car on éliminerait cinq scores d'anxiété sévère contre un seul score faible. Une telle surestimation n'invaliderait pas la comparaison intergroupe, mais elle limiterait le degré de généralisation à d'autres cas d'anxiété, principalement aux cas les plus prononcés. Ce type de menace à la validité externe appartient à la catégorie de la *réactivité du protocole.*

La possibilité d'une interaction entre la mesure au prétest et l'intervention menace la validité externe et de construit du protocole prétest post-test avec condition témoin équivalente. Cette menace existe parce que toutes les conditions subissent un prétest. Logiquement, tout effet repéré dans la condition cible peut dépendre de l'action combinée de l'intervention et du prétest, et non pas de l'intervention seule. Par exemple, le fait de répondre à des questionnaires peut favoriser une introspection et une prise de conscience chez les participants qui les rendent plus réceptifs à l'intervention. Comme aucune condition ne reçoit l'intervention sans prétest, on ne peut pas évaluer l'effet de l'intervention seule, et comme il n'y a aucune condition témoin sans prétest, on ne peut pas non plus évaluer l'effet du prétest en soi. Il existe des cas où la menace d'interaction entre le prétest et l'intervention est réelle et il faut alors considérer l'utilisation d'un protocole de recherche la contrôlant. C'est ce que nous faisons grâce aux deux prochains protocoles, le protocole à quatre conditions de Solomon et le protocole post-test seulement avec condition témoin équivalente.

3.3.2. Protocole à quatre conditions de Solomon
Contenus médiatiques de violence faite aux femmes et sentiment d'impuissance (Reid & Finchilescu, 1995)

Cette étude évalue si les contenus médiatiques de violence faite aux femmes créent un sentiment de perte de contrôle, de vulnérabilité et de peur de l'intimidation, bref d'impuissance chez des jeunes femmes. Cinquante-sept étudiantes universitaires ont été réparties aléatoirement en quatre conditions selon le plan expérimental décrit au tableau 3.14.

TABLEAU 3.14 **Plan à quatre conditions de Solomon**
Sentiment d'impuissance et contenus médiatiques de violence faite aux femmes (Reid & Finchilescu, 1995)

	Prétest	**Intervention**	**Post-test**
Condition expérimentale avec prétest	Échelle d'impuissance	Film sur la violence faite aux femmes	Échelle d'impuissance
Condition témoin avec prétest	Échelle d'impuissance	Film sur la violente faite aux hommes	Échelle d'impuissance
Condition expérimentale sans prétest		Film sur la violente faite aux femmes	Échelle d'impuissance
Condition témoin sans prétest		Film sur la violente faite aux hommes	Échelle d'impuissance

L'intervention expérimentale est un vidéo-clip comportant trois scènes audiovisuelles tirées de films commerciaux montrant de la violence faite aux femmes. Dans la condition témoin, on projette un autre vidéo-clip montrant plutôt trois scènes de violence faite aux hommes. Il s'agit en quelque sorte d'un placebo audiovisuel. Dans la condition expérimentale avec prétest, les participantes répondent à l'*échelle d'impuissance*, bâtie par les auteurs, au prétest et au post-test. Les participantes de la condition témoin avec prétest font de même. La version du questionnaire utilisée au post-test est une forme modifiée de celle du prétest. Elle comporte des questions différentes mais équivalentes. Dans le contexte de cette étude, l'utilisation d'une forme alternative du questionnaire permet d'éviter que les participantes ne se sentent liées par leurs réponses au prétest, camouflant ainsi tout changement potentiel induit par le vidéo-clip. Les conditions expérimentale et témoin sans prétest sont identiques aux deux premières à l'exception de l'absence du prétest.

Reid et Finchilescu utilisent le protocole à quatre conditions de Solomon, parce qu'elles croient que le fait de mesurer les sentiments d'impuissance en posant des questions à ce sujet au cours du prétest peut sensibiliser les participantes à cet aspect de l'étude et que les résultats de l'exposition au film dépendent ensuite de cette sensibilisation immédiate. Ce souci est important pour elles, car le but de l'étude est de démontrer que l'exposition à des contenus médiatiques de violence faite aux femmes suffit pour induire en elles un sentiment d'impuissance. Une telle démonstration pourrait et devrait avoir un impact sur les pratiques médiatiques mais, comme on peut s'attendre à une résistance des médias à changer leur façon de faire, il faut que la démonstration soit d'autant plus convaincante. Que la démonstration dépende même seulement d'une possibilité de sensibilisation, et voilà que les critiques fuseraient ; les opposants médiatiques argueraient que la violence faite aux femmes dans les médias n'a généralement pas le même effet que celle obtenue dans une recherche prétest post-test avec condition témoin, étant donné qu'il n'y a pas de sensibilisation immédiate préalable lors de l'exposition normale aux contenus médiatiques.

Selon les auteurs, l'analyse des résultats principaux montre que le sentiment d'impuissance est plus fort après l'exposition au clip contenant de la violence faite aux femmes plutôt que de la violence faite aux hommes. Accessoirement, les résultats indiquent aussi que : (a) le prétest n'a pas d'effet de sensibilisation et que (b) l'impact du contenu médiatique violent est indépendant de sa mesure initiale. Quelles sont les comparaisons effectuées dans ces analyses pour étayer ces conclusions ?

Le panneau supérieur de la figure 3.3 montre le détail des résultats réels de Reid et Finchilescu. Un simple examen visuel de cette portion de la figure montre que les bâtonnets des post-tests sont, à peu de chose près, tous à la même hauteur. Cela est confirmé par l'analyse statistique des auteurs. Puisque le sentiment d'impuissance n'est pas plus prononcé dans les conditions avec prétest que dans les conditions sans prétest, concluons avec les auteurs que le prétest est sans effet. Il n'y a donc pas de sensibilisation due au prétest.

FIGURE 3.3 **Résultats réels et hypothétiques pour l'étude sur la violence faite aux femmes**

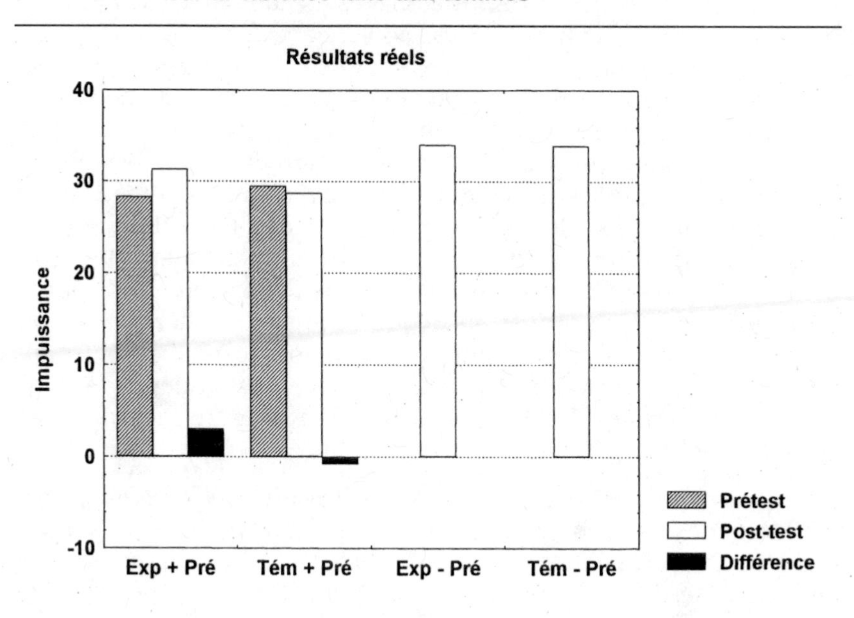

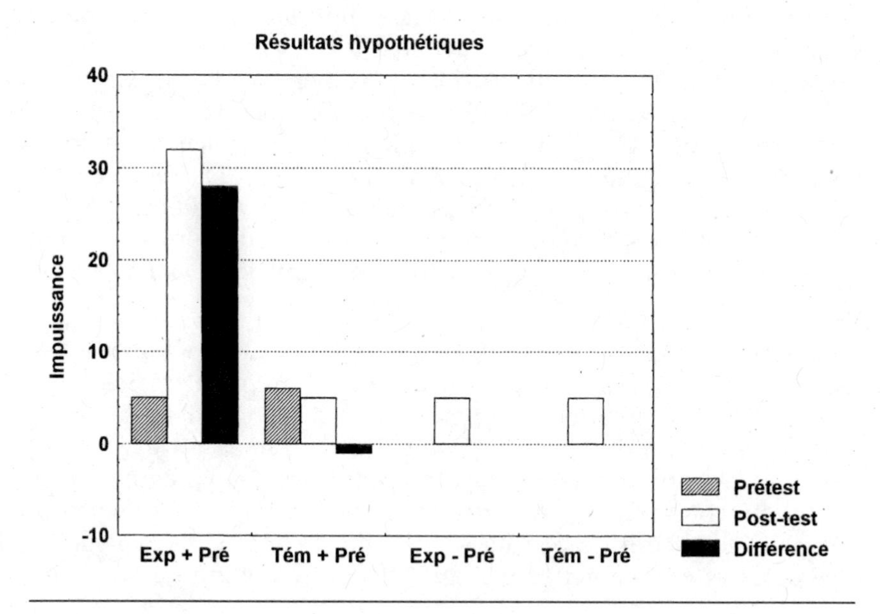

Si la mesure prétest avait un effet de sensibilisation *en interaction* avec le contenu médiatique violent on s'attendrait à observer un effet différentiel du prétest selon qu'il est appliqué dans la condition expérimentale (violence aux femmes) ou dans la condition témoin (violence aux hommes). Le panneau inférieur de la figure 3.3 présente un exemple hypothétique de ce scénario. Dans les conditions avec prétest, on y voit un plus grand sentiment d'impuissance après la projection du vidéo de violence aux femmes (condition expérimentale avec prétest) qu'après la projection du vidéo de violence aux hommes (condition témoin avec prétest). Aucune différence de ce genre n'existe dans les conditions sans prétest. Ce patron de résultats n'est qu'un parmi plusieurs possibles. Toutefois, comme aucune différence de ce genre n'existe dans les résultats réels, concluons aussi avec les auteurs que le contenu médiatique violent est indépendant de sa mesure initiale. Il n'y a pas d'interaction entre l'intervention et la mesure.

Mais comment les auteures ont-elles pu conclure à un effet médiatique si aucune différence n'existe au post-test entre les conditions expérimentale et témoin? Reid et Finchilescu remarquent que, dans les conditions avec prétest, la différence entre le prétest et le post-test pour la condition expérimentale paraît légèrement plus grande que celle de la condition témoin. Lorsqu'on calcule un score de changement (post-test – prétest), on constate qu'il semble effectivement y avoir une différence. C'est essentiellement ce que Reid et Finchilescu ont fait (bien qu'en utilisant une technique statistique plus sophistiquée appelée *analyse de covariance*). La différence de changement entre les deux conditions est petite mais néanmoins statistiquement significative, d'où la conclusion des auteures que le sentiment d'impuissance est plus fort après l'exposition au clip contenant de la violence faite aux femmes.

Cette conclusion est-elle légitime? Le fait de baser cette conclusion sur une analyse qui comporte uniquement les deux premières conditions est incohérent avec l'idée d'utiliser le protocole à *quatre* conditions. La stratégie d'analyse serait appropriée pour un plan prétest post-test avec condition témoin équivalente, mais elle contredit les objectifs et la force du plan de Solomon. De plus, le patron de résultats sur lequel s'appuie la conclusion des auteurs est ambigu, car il aurait pu être obtenu de plusieurs autres manières. Supposons que les résultats réels aient pris la forme du patron hypothétique dans la portion inférieure de la figure 3.3. Le changement moyen dans la condition expérimentale y est *plus grand* que celle des résultats réels. Pourtant dans l'image hypothétique il n'y a pas d'effet du clip en soi, il n'y a qu'une interaction entre la mesure initiale et le clip de violence faite aux femmes. Pour que le clip ait un effet, il doit être précédé d'une mesure qui sensibilise les observatrices. Le clip en soi ne suffit pas à augmenter le sentiment d'impuissance, puisque rien ne se produit dans la condition correspondante où le clip est présenté sans prétest. *Aucune* analyse fondée uniquement sur les données des deux premières conditions ne peut détecter cela. Il est toujours préférable d'utiliser complètement l'information recueillie. Ici, l'information complète porte à conclure que les contenus médiatiques de violence faite aux femmes ne créent pas plus de sentiments d'impuissance que les contenus de violence faite aux hommes. Il demeure possible que les deux types de contenu créent un sentiment d'impuissance, mais le plan de cette étude n'était pas conçu pour répondre à cette question.

L'intérêt du plan à quatre conditions de Solomon est qu'on peut évaluer et quantifier les effets de sensibilisation et d'interaction entre la mesure et l'intervention. Ce niveau d'information est important dans des études comme celle de Reid et Finchilescu, mais il coûte cher car il faut recruter deux fois plus de participantes que pour le plan prétest post-test correspondant. Lorsque les chercheurs : (a) désirent éliminer la possibilité d'interaction entre la mesure et l'intervention, (b) désirent éliminer toute sensibilisation due au prétest, ou (c) n'ont pas accès à une mesure prétest parce qu'il n'existe pas de forme alternative du questionnaire à utiliser ou pour toute autre raison légitime, un choix possible consiste à simplement éliminer le prétest comme dans le protocole suivant.

À titre informatif, Campbell et Stanley (1966) pourraient schématiser le plan à quatre conditions de Solomon de la façon suivante :

A	O	X	O
A		X	O
A	O		O
A			O

3.3.3. Protocole post-test seulement avec condition témoin équivalente
L'attrait d'un groupe en fonction de la difficulté à y appartenir[3] (Aronson & Mills, 1959)

Lorsqu'un objet ou une personne nous attire, nous sommes généralement prêts ou prêtes à faire de grands efforts pour obtenir l'objet ou nous rapprocher de la personne. Si, à l'expérience, l'objet – ou la personne – se révèle moins attrayant que nous ne l'avions d'abord supposé, nous allons nous trouver dans un état où il y a discordance entre l'effort fourni et le sentiment de satisfaction qui y est associé. La psychologie sociale nomme cet état là «dissonance cognitive» et la théorie qui entoure ce concept (Festinger, 1957, 1964) stipule que nous cherchons constamment et inconsciemment à réduire la dissonance lorsqu'elle est ressentie. Une prédiction implicite de cette théorie est que, si un individu doit subir une initiation désagréable ou difficile pour devenir membre d'un groupe quelconque, cet individu ressentira un état de dissonance lors de l'entrée dans le groupe en question. L'individu aura alors tendance à surestimer l'attrait du groupe auquel il a adhéré pour réduire la dissonance ressentie. Une façon de vérifier cette prédiction est de mesurer la valorisation à la suite de l'établissement de conditions devant entraîner divers degrés de dissonance.

Dans une expérience menée par Aronson et Mills (1959), des personnes désirent devenir membres d'une organisation bénévole. Avant de devenir membres en règle de l'organisation ces gens participent à des discussions au cours desquelles il peut être nécessaire de s'exprimer en public. Les gens sont répartis aléatoirement en trois conditions préliminaires de 21 personnes chacune. Dans la première condition, les personnes doivent lire en public un texte embarrassant portant sur la sexualité. Dans la seconde condition, les personnes n'ont qu'à lire le contenu d'un texte moins embarrassant. Aucune lecture n'est requise dans la condition témoin. Cette phase constitue une étape à franchir en vue de l'admission

3. Cette étude expérimentale en psychologie sociale, déjà citée en exemple par Ladouceur et Bégin (1980), constitue un bel exemple de la rigueur possible dans un domaine où il n'est pas facile d'aller au-delà de l'utilisation de groupes naturels. La psychologie sociale étant la spécialité du Dr Guy Bégin (1947-1987), et la rigueur méthodologique étant une caractéristique essentielle de l'excellence en recherche, qualité qu'il recherchait au plus haut point et pour laquelle il savait transmettre son enthousiasme, nous aimerions lui dédier la reprise de cet exemple.

dans l'organisation. Les participants écoutent ensuite une cassette qui est censée contenir l'enregistrement d'une discussion par les membres de l'organisation à laquelle ils s'apprêtent à adhérer. La conversation est anodine et, on s'en doute, inventée de toutes pièces par les expérimentateurs. Les participants évaluent ensuite sur un questionnaire conçu à cette fin l'attrait exercé par la discussion entendue et par les personnes y ayant pris part.

TABLEAU 3.15 **Protocole post-test seulement avec condition témoin équivalente**
L'attrait d'un groupe en fonction de la difficulté à y appartenir (Aronson & Mills, 1959)

	Prétest	Intervention	Post-test
Condition difficile		Lecture publique, texte embarrassant	Intérêt
Condition intermédiaire		Lecture publique, texte non embarrassant	Intérêt
Condition témoin			Intérêt

Les résultats obtenus sont illustrés à la figure 3.4. Aronson et Mills concluent que les sujets de discussion ainsi que les membres de l'organisation sont considérés comme plus intéressants par les personnes ayant subi une initiation difficile que par les personnes ayant subi une initiation intermédiaire ou facile. Ils concluent aussi qu'il n'y a pas de différence entre l'initiation intermédiaire et la condition témoin.

Il est intéressant de noter que ce protocole possède la même validité interne que les deux autres protocoles expérimentaux illustrés précédemment. De plus, il possède la même validité externe que le protocole à quatre conditions de Solomon, tout en étant plus économique par son exigence de deux conditions seulement. Donc, lorsque la possibilité d'interaction entre la mesure et l'intervention est le moindrement soupçonnée, mais qu'il n'est pas essentiel d'en évaluer la force ou que l'on ne désire pas mesurer des changements dans le temps, il serait préférable d'utiliser le protocole post-test seul avec condition équivalente. Mais alors, pourquoi y a-t-il tant de recherches publiées qui n'utilisent ni ce protocole ni celui de Solomon, mais bien le protocole classique prétest post-test avec condition témoin équivalente?

FIGURE 3.4 **Adapté de Aronson et Mills (1959)**

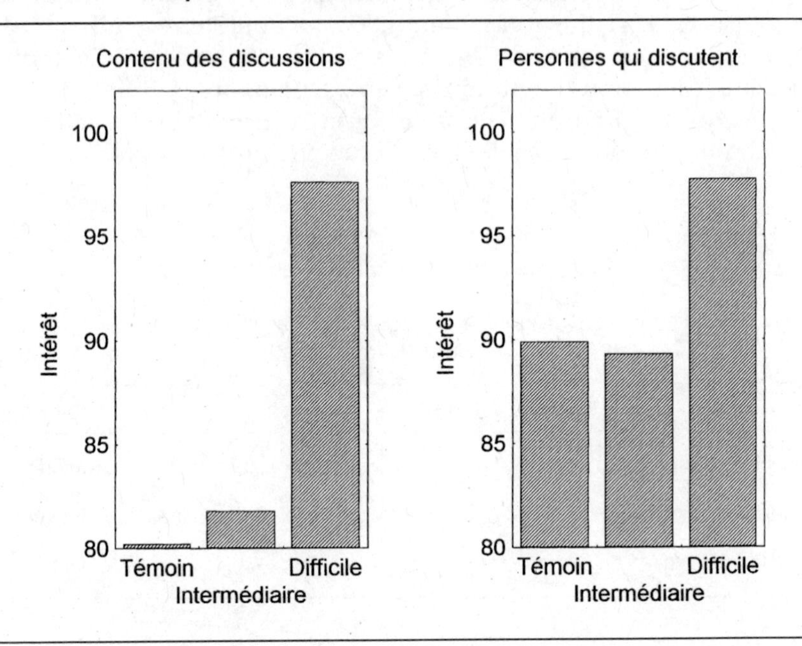

Plusieurs chercheurs estiment que le risque d'interaction entre la mesure et l'intervention est minime. Étant donné cette estimation, l'information contenue dans le prétest est jugée plus importante que l'élimination de la menace d'interaction entre l'intervention et la mesure. Lorsque ces données de prétest sont disponibles, on peut vérifier la qualité de l'équivalence des conditions produite par l'affectation aléatoire, du moins en ce qui concerne la variable dépendante à l'étude. Plusieurs chercheurs préfèrent pouvoir faire cette vérification plutôt que de s'en remettre complètement au hasard. Cette attitude peut se comprendre, car elle met l'accent sur la préservation essentielle de la validité interne des études, dans un contexte où l'on estime que le risque externe est faible, sinon inexistant. De plus, on peut mieux quantifier l'importance du changement induit par la manipulation expérimentale.

3.3.4. Protocoles factoriels : inter, intra (mesures répétées) ou mixtes

Certains auteurs classiques, notamment Campbell et Stanley (1966), Robert (1988) et Kazdin (1992), discutent des protocoles de recherche dits factoriels dans la même section que les protocoles expérimentaux ou d'une manière qui y est reliée, laissant peut-être croire qu'il s'agit d'un type de protocole de cette catégorie et de même validité. Strictement parlant, la structure factorielle d'un protocole n'a rien à voir avec son caractère préexpérimental, quasi expérimental ou expérimental.

Un protocole factoriel évalue simultanément l'influence de plusieurs interventions ou variables indépendantes d'une manière croisée. L'avantage de tout protocole factoriel provient de l'opportunité d'évaluer non seulement les effets principaux des interventions, mais aussi leurs interactions.

Les expériences de Fontaine et de ses collaborateurs ainsi que celle de Reid et Finchilescu reposent sur des protocoles expérimentaux *et* factoriels. Elles sont expérimentales à cause de l'affectation aléatoire aux conditions et factorielles à cause de variables indépendantes multiples. Fontaine et ses collaborateurs évaluent un facteur médicament à trois niveaux (bromazépam, lorazépam et placebo) croisé avec un facteur temps à cinq niveaux (une mesure prétest et quatre post-tests). Ils peuvent donc évaluer si tel ou tel médicament a un effet principal, c'est-à-dire s'il agit tout le temps, du début à la fin de l'étude. Ils peuvent évaluer si certaines périodes de temps se distinguent systématiquement des autres. Par exemple, si tous les médicaments étaient efficaces, y compris le placebo, on verrait une diminution systématique de l'anxiété de semaine en semaine pour toutes les conditions sans exception. Enfin, ils peuvent évaluer l'interaction de médicaments avec le passage du temps. Autrement dit, est-ce que la progression d'un traitement quelconque est plus rapide qu'un autre ? La figure 3.5 illustre, en général, la forme que pourraient prendre les effets principaux dans un protocole factoriel comme celui utilisé par Fontaine et ses collaborateurs. Le véritable patron de résultats obtenus dans cette étude était celui d'une interaction. À vrai dire, le patron d'interaction est inévitable dans les études avec condition témoin dont le prétest constitue un niveau de base permettant de vérifier l'équivalence des conditions au point de départ quant à la variable dépendante principale. Les effets principaux et au moins un exemple d'interaction dans l'étude de Reid et Finchilescu ont déjà été illustrés à la figure 3.3. On pourrait

FIGURE 3.5 **Patrons d'effets principaux hypothétiques**

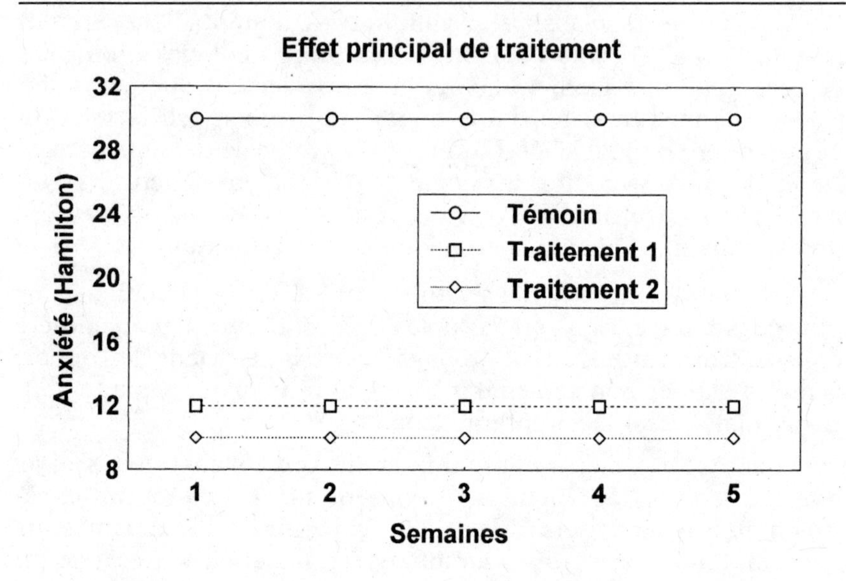

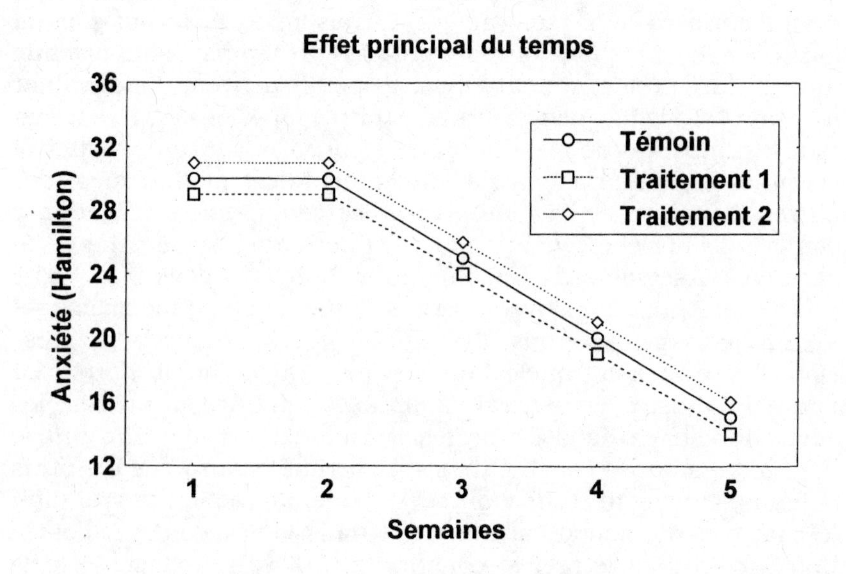

aisément rendre l'étude d'Aronson et Mills factorielle en incluant des personnes des deux sexes dans chaque condition ou en ajoutant toute autre dimension.

Une étude de Parr et Mercier (1996) illustre l'inclusion de nombreuses dimensions, en plus de faire ressortir la possibilité de mélanger des dimensions expérimentales avec une ou plusieurs dimensions quasi expérimentales. Ces auteurs étudient le mécanisme cognitif responsable du jugement de contingence. Un jugement de contingence est l'évaluation de la relation entre deux événements probabilistes. Par exemple, jusqu'à quel point la présence de nuages dans le ciel permet-elle de prédire la tombée de la pluie la même journée ? Ou encore, jusqu'à quel point la présence de fièvre indique-t-elle que votre enfant est atteint d'une otite ? L'expérience consiste à poser des jugements de contingence dans une tâche de laboratoire ressemblant à un jeu vidéo où des chars d'assaut apparaissent à l'écran et peuvent exploser ou ne pas exploser selon qu'ils sont camouflés ou non. Les participants doivent évaluer la sécurité relative du camouflage par rapport à son absence. On manipule la vitesse de présentation des essais (100, 300 ou 1000 ms entre deux apparitions consécutives du char), le nombre d'apparitions entre les jugements (8, 24 ou 40), la force de la contingence (0,27, 0,50 ou 0,80 sur une échelle de 0 à 1) et l'âge des participants (20 ans ou 65 ans). Il s'agit donc d'un protocole à quatre dimensions $3 \times 3 \times 3 \times 2$ permettant d'évaluer 54 conditions d'intervention. Vingt-cinq jeunes adultes et 25 adultes plus âgés reçoivent toutes les combinaisons de vitesse, nombre et force dans un ordre aléatoire. Il n'y a donc pas d'affectation aléatoire à la condition d'âge. Les groupes d'âge sont des groupes naturels. Cependant, les personnes de chaque catégorie d'âge reçoivent toutes les autres interventions dans un ordre aléatoire. Ces interventions ne sont pas naturelles, elles sont contrôlées par les chercheurs et administrées de façon aléatoire. Donc les manipulations de vitesse, de nombre et de force sont expérimentales, alors que la manipulation de l'âge est quasi expérimentale. Il n'y a pas de condition sans intervention. Par contre, la combinaison la plus lente, la plus longue et la plus forte dans chaque groupe d'âge peut être considérée comme condition témoin, puisque c'est dans cette condition que les jugements doivent être les plus naturels. Il n'y a pas de prétest. L'étude combine donc les caractéristiques du protocole post-test seul avec condition témoin équivalente pour les manipulations expérimentales (les participants sont leurs propres témoins) et celles du protocole post-test seul avec condition témoin non équivalente pour la manipulation de l'âge. Une étude antérieure de Mercier et Parr (1996) utilisait un protocole presque identique, à l'exception de la participation de jeunes adultes seulement.

Dans un protocole factoriel, les facteurs sont parfois intersujets (comparaisons entre des participants appartenant à des conditions expérimentales différentes), parfois intrasujets (comparaisons entre des observations recueillies plusieurs fois auprès des mêmes participants), parfois mixtes. Dans Reid et Finchilescu, les facteurs sont intersujets parce que chaque cellule du protocole contient des personnes différentes. Les évaluations des interventions impliquent donc des comparaisons entre les personnes. L'étude de Mercier et Parr est intrasujets, parce que ce sont les mêmes personnes qui reçoivent toutes les combinaisons d'interventions. Les études de Parr et Mercier ainsi que de Fontaine et collaborateurs sont mixtes, parce que certaines manipulations sont intersujets (âge ou médicaments) et d'autres intrasujets (vitesse, nombre et force, ou semaines). Le cas de la manipulation intrasujets qui coïncide avec le passage du temps, comme dans l'étude de Fontaine et collaborateurs, est tellement répandu en psychologie que l'expression « intrasujets », typique en statistique, est habituellement remplacée par l'expression « mesures répétées ».

3.3.5. Protocoles à renversement d'intervention et autres protocoles

Réduction de la fatigue associée à la sclérose en plaques (Cohen & Fisher, 1989)

La variante du protocole à renversement d'intervention que nous présentons ici est expérimentale. Par contre, rien n'exclut la possibilité d'appliquer ce protocole dans une étude de nature quasi expérimentale. L'étude de Cohen et Fisher (1989) a pour but d'évaluer les effets bénéfiques éventuels de l'amantadine sur la fatigue exagérée qui est rapportée par les personnes atteintes de la sclérose en plaques. L'effet de 200 mg d'amantadine par jour ou d'un placebo a été comparé chez des personnes à un stade léger ou modéré. Les participants étaient affectés au hasard et à double insu à deux conditions, un placebo ou de l'amantadine, pour une durée de quatre semaines. Après deux semaines d'arrêt de traitement, chaque participant recevait quatre autres semaines de l'autre traitement. Les évaluations neuropsychologiques étaient effectuées immédiatement avant et après le premier traitement. Ces tests étaient répétés à la fin de la deuxième période de traitement.

TABLEAU 3.16 **Protocole à renversement d'intervention**
Réduction de la fatigue associée à la sclérose en plaques (Cohen & Fisher, 1989)

	Prétest	Intervention 1	Post-test 1	Intervention 2	Post-test 2
Ordre 1	Neuropsycho + Subjectif	Amantadine	Neuropsycho + Subjectif	Placebo	Neuropsycho + Subjectif
Ordre 2	Neuropsycho + Subjectif	Placebo	Neuropsycho + Subjectif	Amantadine	Neuropsycho + Subjectif

Des 29 participants atteints de sclérose en plaques, 7 se sont retirés de l'étude (4 durant la phase placebo et 3 durant la phase amantadine). D'un point de vue subjectif, l'amantadine a amélioré quatre critères de fatigue chez les personnes atteintes de sclérose en plaques : le niveau d'énergie, le bien-être, les niveaux perçus d'attention et de mémoire et la capacité à résoudre les problèmes. D'un point de vue objectif, l'amantadine n'a amélioré la performance des participants que sur deux des tests neuropsychologiques : l'attention et le contrôle exécutif (capacité à organiser et à planifier ses actions). Ces résultats suggèrent une efficacité limitée de l'amantadine dans le traitement de la fatigue associée à la sclérose en plaques.

On peut appliquer cette stratégie de renversement à toute situation où l'intervention à évaluer a des effets réversibles à court terme. Il est aussi facile d'imaginer des élaborations plus ou moins complexes du principe de base en incluant un plus grand nombre d'interventions et en utilisant toutes les variations d'ordres possibles. Dans la mesure où les effets sont bel et bien réversibles, la validité de ces protocoles sera fonction de l'affectation aléatoire des participants dans les ordres d'intervention. Lorsque l'affectation n'est pas aléatoire, on a affaire à des conditions non équivalentes, ce qui correspond au protocole quasi expérimental équilibré (Ladouceur & Bégin, 1980, protocole « contre-balancé » ; Campbell & Stanley, 1966).

3.4. VARIABLES INDÉPENDANTES ET DÉPENDANTES MULTIPLES

Comme nous l'avons mentionné dans la section portant sur les protocoles factoriels, les projets de recherche évaluent souvent plusieurs interventions ou combinaisons d'interventions, soit plusieurs variables indépendantes. Lorsque cela s'avère possible, la stratégie est avantageuse car une certaine quantité de l'effort de recherche demeurera relativement constante (ex. : achat d'équipement de mesure spécialisé) et paiera davantage en retour. Pourtant, il faut aussi se méfier de la tentation de vouloir trop en faire d'un seul coup. Ainsi, dans les études de Mercier et Parr et Parr et Mercier, le nombre de combinaisons d'interventions est tellement élevé qu'il a parfois été difficile d'interpréter certaines interactions complexes. Il est souvent préférable de vouloir répondre à quelques questions fermement plutôt qu'à une multitude de questions vaguement.

Plusieurs des exemples cités comportent aussi de nombreuses mesures du phénomène à l'étude, soit plusieurs variables dépendantes. Cohen et Fisher utilisent un rapport subjectif de fatigue ainsi que des tests neuropsychologiques. Knapp et McClure utilisent deux mesures de criminalité : les dommages matériels causés par le vandalisme et le nombre d'arrestations. La décision d'utiliser une ou plusieurs variables dépendantes n'est pas liée au type de protocole et n'affecte pas sa validité interne. On pourrait argumenter que les variables dépendantes multiples augmentent la validité externe en ce sens qu'elles donnent plus de généralité aux résultats. Toutefois, la collecte de mesures multiples n'est pas non plus sans écueil. Un problème fréquemment rencontré est celui de la contradiction au moins apparente entre plusieurs mesures d'un même phénomène. Une intervention paraît efficace sur une mesure mais pas sur l'autre. Quelle conclusion en tirer ? Y a-t-il un effet ou pas ? Pourquoi ? Un autre problème, d'ordre statistique, est que si l'on multiplie les mesures redondantes et qu'on effectue des tests de signification statistique sur chaque variable, on multiplie aussi le risque de faussement identifier des interventions comme efficaces, alors que le hasard est responsable du résultat statistique, ce que l'on nomme l'erreur de type I (voir chapitre 9). Lorsque les variables dépendantes multiples évaluent des facettes différentes mais combinées d'un phénomène, il existe des techniques statistiques *multivariées* qui permettent d'éviter ce piège. Par ailleurs, on peut souvent exercer son jugement et choisir un nombre restreint mais justifié de variables dépendantes, souvent une seule, ce qui laisse ensuite plus de liberté pour des analyses séparées (comme ce fut le cas dans certains des exemples cités).

3.5. CONCLUSION

Cela complète l'exposé des principaux protocoles de recherche. L'analyse des forces et des faiblesses de chaque protocole a été effectuée à l'aide du support concret d'une recherche bien réelle, publiée dans une revue avec évaluation par les pairs. L'objectif était de permettre une saisie plus facile et plus détaillée des enjeux au moment de l'analyse, avec l'espoir que les leçons tirées des exemples se généraliseront et atteindront un niveau d'abstraction suffisant pour les rendre applicables à la planification de toute recherche nouvelle.

Selon leurs propriétés, les divers protocoles résistent plus ou moins bien aux menaces à la validité interne de l'inférence causale mise à l'épreuve. Ils varient également quant à la valeur générale que l'on peut accorder aux conclusions tirées de leur interprétation. Une ordonnance décroissante de tous ces protocoles en fonction de la qualité et de la quantité d'information qu'ils fournissent, considérant la validité interne en premier lieu, suivie de la validité externe, sans égard à la catégorie ni à l'économie de moyens, produit la liste suivante (notez la présence de deux ex-aequo) :

Catégorie I : Protocoles expérimentaux
- 8. Protocole à quatre conditions de Solomon
- 7. Protocole post-test seulement avec condition témoin équivalente
- 7. Protocole prétest post-test avec condition témoin équivalente

Catégorie II : Protocoles quasi expérimentaux
- 6. Protocole à séries temporelles multiples
- 5. Protocole à série temporelle simple
- 4. Protocole prétest post-test avec condition témoin non équivalente

Catégorie III : Protocoles préexpérimentaux
- 3. Le post-test seul avec condition témoin statique
- 2. Le prétest post-test sans condition témoin
- 1. L'étude de cas

Il ressort clairement de cette liste que les deux caractéristiques les plus fondamentales de la recherche scientifique de qualité sont l'équivalence des conditions et l'équivalence de déroulement dans le temps. L'équivalence des conditions à son meilleur s'obtient par la répartition aléatoire additionnée d'appariement sur une ou plusieurs variables considérées comme cruciales, dont la variable dépendante, ou, à défaut, par la répartition aléatoire simple. L'équivalence de déroulement temporel s'obtient par la simultanéité stricte ou par la comparabilité du déroulement temporel dans les diverses conditions expérimentales. La comparabilité existe quand la collecte des données s'effectue de manière séquentielle sur plusieurs personnes ou unités d'observation, mais qu'on s'assure d'une distribution équiprobable des conditions expérimentales dans le temps. La présence combinée d'un prétest et d'un post-test n'assure pas en soi un haut rang de validité, bien que leur combinaison judicieuse avec l'utilisation d'une condition témoin peut rehausser le niveau d'un protocole dans sa catégorie. Ainsi, à validité interne et validité externe égales, le protocole à quatre conditions de Solomon informe plus que le protocole post-test seul avec condition témoin équivalente. De même, dans la catégorie quasi expérimentale, le protocole à séries temporelles multiples a une validité supérieure à la série temporelle simple.

La classification du protocole post-test seulement avec condition témoin équivalente comme étant supérieur au protocole prétest post-test avec condition témoin équivalente exige des nuances. Cette classification repose sur la validité externe accrue du premier protocole par rapport au second. Par contre, comme il a été dit lors des analyses des deux types de protocoles, il y a un jeu d'équilibre entre des circonstances et des objectifs conflictuels qui préside au choix de l'un des deux. Ainsi, dans les études médicales, où le risque d'interaction entre la mesure et l'intervention est minime, sinon nul, et où le besoin de mesurer l'amélioration dans le temps est un objectif important des projets de recherche en plus de la comparaison intergroupe fondamentale, le choix du protocole prétest post-test avec condition témoin équivalente est justifié. Par contre, dans le domaine de l'intervention psychologique et sociale, ce protocole jouit peut-être d'une popularité qu'on pourrait qualifier d'indue étant donné le risque important d'interaction entre la mesure et l'intervention.

Il ressort également des analyses des protocoles que leur application purement mécanique ne suffit pas à assurer la qualité de la recherche. Par exemple, lorsque les études s'appuient sur des mesures au moyen de questionnaires, il faut que ces derniers possèdent de bonnes propriétés psychométriques. Plusieurs des chapitres qui suivent abordent cette nécessité. Lorsque les attentes des expérimentatrices ou des participants peuvent influer sur les résultats, il faut prendre la précaution d'effectuer les mesures à leur insu, c'est-à-dire sans que ces personnes connaissent la condition expérimentale précise qu'elles évaluent ou à laquelle elles sont soumises. Enfin, il ressort aussi que l'interprétation des résultats obtenus va au-delà de la structure fondamentale du protocole, comme en font foi les divers patrons de progression temporelle, de résultats principaux et d'interactions présentés en exemple. Enfin, l'application des outils statistiques aux données recueillies à l'aide des protocoles comporte sa logique propre dont il faut absolument tenir compte.

Dans l'introduction à leur livre sur les protocoles de recherche, Campbell et Stanley (1966, p. 2) expriment leur désillusion face à la recherche dans le domaine de l'éducation comme source de motivation pour l'écriture de leur ouvrage. Pour y faire contrepoids, voici un dernier exemple concret de recherche publiée, en éducation, utilisant un protocole expérimental sophistiqué et y ajoutant plusieurs précautions supplémentaires. Cet exemple a pour but de renchérir sur la nécessité de bien réfléchir à la planification de chaque étude individuellement, en allant au-delà de l'application mécanique de protocoles tout faits d'avance.

L'étude de Morrow (1984) est à la fois simple et complexe. Globalement, elle repose sur un protocole prétest post-test avec condition témoin équivalente. Cette étude vise à déterminer si une activité de lecture dirigée, constituée de périodes de questions et de discussions avant et après une histoire, peut améliorer la compréhension qu'ont des enfants d'âge préscolaire de ces histoires.

À l'aide d'un prétest de lecture, 15 classes de maternelle d'écoles diverses, totalisant 254 enfants, dont 130 garçons et 124 filles, étaient appariées et affectées aléatoirement à l'une ou l'autre des quatre conditions. Les classes sont des groupes naturels. À première vue, on pourrait donc penser qu'il s'agit d'une étude avec condition témoin non équivalente. Pourtant, les conditions sont bel et bien constituées par l'expérimentateur. Le niveau de compréhension individuel d'histoires lues, en groupe, à chaque enfant est évalué par dix questions, cinq portant sur la structure

TABLEAU 3.17 **Protocole prétest post-test avec condition témoin équivalente**
Compréhension d'histoires par des enfants de la maternelle (Morrow, 1984)

	Prétest	Intervention	Post-test$_1$	Post-test$_2$
Condition combinée	Compréhension d'histoires	Lecture dirigée Contenu et structure	Compréhension d'histoires	Compréhension d'histoires
Condition traditionnelle	Compréhension d'histoires	Lecture dirigée Questions sur le contenu	Compréhension d'histoires	Compréhension d'histoires
Condition structurée	Compréhension d'histoires	Lecture dirigée Questions sur la structure	Compréhension d'histoires	Compréhension d'histoires
Condition témoin	Compréhension d'histoires	Lecture	Compréhension d'histoires	Compréhension d'histoires

de l'histoire et cinq portant sur le contenu. La moyenne de compréhension est calculée pour chaque classe. Les classes sont ensuite mises en rang décroissant. Les quatre premières classes sont affectées aléatoirement aux quatre conditions expérimentales, et ainsi de suite jusqu'à épuisement des classes. Il n'y a que trois classes dans la condition combinée (description ci-dessous). Il s'agit d'une répartition aléatoire avec appariement sur la variable dépendante. De cette manière, les classes ou les écoles qui auraient pu différer naturellement selon des dimensions inconnues ont une probabilité égale d'appartenir à chaque condition expérimentale. L'ajout de l'appariement à la répartition aléatoire des 15 classes a pour but de minimiser le risque de conditions hétérogènes étant donné les aléas des petits échantillons.

Dans une première condition, pendant la phase d'intervention, la lecture de huit histoires, faite par une personne adulte, était accompagnée de questions et de discussions avant et après la lecture. Le contenu des questions et discussions incluait des informations factuelles et des questions traditionnelles pour ce type d'histoires. Les questions portaient aussi sur la structure du récit en tant que construction littéraire. Pour une deuxième condition, la lecture n'était accompagnée que de questions traditionnelles portant sur des informations factuelles. Pour une troisième condition, la lecture n'était accompagnée que de questions portant sur la structure du récit. Enfin, pour une dernière condition, seule la lecture du récit était faite. Un premier post-test de compréhension a été effectué durant la semaine suivant l'activité de lecture et un second, un mois plus tard. Les histoires utilisées aux post-tests étaient différentes des histoires précédentes. Pour le premier post-test, deux histoires sont utilisées, chacune répartie aléatoirement dans les classes. Deux autres histoires sont utilisées de la même façon pour le second post-test. Il y a utilisation d'un nombre restreint d'histoires pour les post-tests, en partie parce que l'étude utilise déjà beaucoup d'histoires et qu'il a dû être difficile de trouver autant d'histoires différentes mais comparables. L'affectation aléatoire des histoires dans les classes montre une fois de plus combien le hasard est un outil versatile en recherche. La précaution des histoires multiples permet de s'assurer que l'on mesure bien la capacité de compréhension d'histoires nouvelles et pas seulement le degré de rétention d'histoires déjà connues. De plus, la multiplicité des histoires durant la phase d'intervention maximise la probabilité d'un effet d'intervention, effet d'un niveau cognitif suffisamment complexe pour douter qu'on puisse le susciter à la lecture d'une seule histoire. Ce doute indique aussi que le risque d'interaction entre prétest et intervention est jugé très faible, justifiant en partie l'utilisation de ce protocole plutôt que de celui de Solomon ou du post-test expérimental seul.

Pour évaluer la compréhension, il faut corriger les réponses aux questions. Précaution essentielle, cette correction a été effectuée à simple insu. Le double insu est impossible dans cette étude, car on pouvait cacher la condition aux correcteurs mais pas aux enfants. De plus, la correction des réponses nécessitant un jugement de la part de la personne qui corrige, il a fallu démontrer que les résultats ne dépendent pas du jugement d'un correcteur particulier. Pour ce faire, les réponses pour chaque type de questions ont été évaluées par six juges et les six jugements ont été mis en relation entre eux. Les corrélations moyennes pour les questions de structure, de contenu, et les résultats combinés ont été de 0,98, 0,94 et 0,96 respectivement, ce qui est presque la perfection, considérant que le résultat maximal est de 1.

Les analyses ont porté sur les réponses aux questions de structure, les réponses aux questions de contenu et les résultats combinés, à chaque post-test, en utilisant le résultat au prétest comme covariant. Ces analyses montrent que l'utilisation de la méthode d'activités de lecture dirigées produit des résultats de compréhension plus élevés dans les conditions traditionnelle et structurée que dans la condition témoin, et des résultats maximaux dans la condition combinée.

Malgré la force intrinsèque du protocole expérimental, cette étude ne serait pas d'aussi bonne qualité sans l'ajout des nombreuses précautions supplémentaires prises par l'auteur. C'est grâce à de telles précautions que la recherche en éducation et dans les autres disciplines peut atteindre le niveau de l'excellence. On peut avoir une grande confiance dans les résultats de Morrow et conclure avec l'auteur que la lecture dirigée structurale est bénéfique pour la compréhension future des enfants lorsqu'ils ou elles liront de nouvelles histoires.

En conclusion, l'exécution d'une recherche scientifique de haut calibre ne se limite pas à l'application irréfléchie d'un certain type de protocole. En plus des prescriptions méthodologiques classiques, les chercheurs doivent aussi faire des choix pratiques, déontologiques et logiques d'une manière éclairée et souvent créatrice pour obtenir une information dont la fiabilité s'élève au-dessus de celle du sens commun ou de l'opinion d'experts. Les multiples précautions qu'il faut prendre au-delà du choix initial d'un protocole expérimental peuvent laisser l'impression de difficultés insurmontables, laissant éternellement la porte ouverte à la critique. La travail de recherche consiste définitivement à travailler d'arrache-pied pour faire taire la critique, tout en s'y soumettant d'emblée. Le risque de se faire déchirer est grand. De plus, certains des problèmes qu'il faut résoudre au moment de mettre la recherche sur pied peuvent exiger une expertise qu'on ne possède pas entièrement soi-même. Ce ne sont pas tous les chercheurs qui savent ce qu'est la TEPS ou encore qui comprennent à fond tous les tenants et aboutissants des statistiques inférentielles. Pour se prémunir contre les erreurs, garder une vision positive, et maximiser la qualité du produit, il existe une stratégie évidente dans le monde scientifique : le travail en équipe. Les exemples cités dans ce chapitre sont éloquents. La majorité des rapports de recherches analysés sont le fruit du travail de deux ou plusieurs personnes, sans compter les contributions plus mineures mais non moins essentielles qui sont parfois reconnues dans des notes en bas de page de manuscrits. De plus, les chercheurs de carrière ont tendance, lorsque c'est possible, à se regrouper autour de centres et d'instituts. Ce regroupement permet le partage d'équipement mais aussi le partage d'idées. Le partage d'idées, lui, se continue au niveau des congrès scientifiques nationaux et internationaux au cours desquels les chercheurs se rencontrent habituellement une fois par année. En se critiquant mutuellement et amicalement non seulement à la fin d'une recherche mais aussi en phase de planification, les chercheurs comme le grand public gagnent sur toute la ligne.

3.6. QUESTIONS

1. Quelle est la différence principale, au point de vue méthodologique, entre les protocoles quasi expérimentaux et expérimentaux ?
2. Les protocoles préexpérimentaux sont appelés ainsi parce qu'ils ne comportent pas assez de précautions et de contrôles pour permettre une inférence sûre. Quels sont les trois types de protocoles préexpérimentaux et que leur manque-t-il au plan méthodologique ?
3. En utilisant des groupes préétablis (protocole quasi expérimental), on court le risque d'obtenir une différence qui est liée à la nature des groupes eux-mêmes et non à l'effet d'un traitement. De quelle façon McGinnies et son équipe de chercheurs en psychologie communautaire (1958) ont-ils tenté de contrer ce problème pour étudier si la présentation de films suffisait à modifier l'opinion des gens concernant la maladie mentale ?
4. Les séries temporelles simples et multiples sont utiles du fait qu'elles contrôlent bien la source d'invalidité interne de la régression vers la moyenne. Qu'entend-on par régression vers la moyenne ?
5. Quelle est la principale fonction d'un prétest ? Quel problème potentiel est lié à son utilisation et que peut-on faire pour tenter de contrer ce problème ?

3.7. RÉFÉRENCES

American Psychiatric Association (1980). *Diagnostic and statistical manual of mental disorders* (3e éd.). Washington, DC : Auteur.

Aronson, E., & Mills, J. (1959). The effect of severity of initiation on liking for a group. *Journal of Abnormal and Social Psychology, 59*, 177-181.

Bakish, D., Hooper, C.L., Thornton, M.D., Wiens, A., Miller, C.A., & Thibodeau, C.A. (1997). Fast onset : An open study of the treatment of major depressive disorder with nefazodone and pindolol combination therapy. *International Clinical Psychopharmacology, 12*, 91-97.

Boyer, W.F., & Feighner, J.P. (1991). The efficacy of selective serotonin re-uptake inhibitors in depression. Dans J.P. Feighner & W.F. Boyer (Éds.), *Selective serotonin re-uptake inhibitors*. (pp. 89-108). Chichester : John Wiley & Sons Ltd.

Campbell, D.T., & Stanley, J.C. (1966). *Experimental and quasi-experimental designs for research.* Chicago : Rand McNally.

Cohen, R.A., & Fisher, M. (1989). Amantadine treatment of fatigue associated with multiple sclerosis. *Archives of Neurology, 46*, 676-680.

Delorme, M.-A. (1997). Stress et stratégies d'adaptation à l'éveil et dans les rêves : Une étude quasi expérimentale. Thèse de doctorat inédite, Université d'Ottawa, Ottawa, Canada.

Eddy, D. (1986). Before and after attitudes toward aging in a BSN program. *Journal of Gerontological Nursing, 12*(5), 30-34.

Festinger, L. (1957). *A theory of cognitive dissonance.* Stanford : Stanford University Press.

Festinger, L. (1964). *Conflict, decision and dissonance.* Stanford : Stanford University Press.

Fisher, R.A., & Yates, F. (1963). *Statistical tables for biological, agricultural and medical research.* Edinburgh : Oliver & Boyd Ltd.

Folstein, M.D., Folstein, S., & McHugh, P.R. (1975). Mini-mental state. A practical method for grading the cognitive state of patients for the clinician. *Journal of Psychiatric Research, 12*, 189-198.

Fontaine, R., Mercier, P., Beaudry, P., Annable, L., & Chouinard, G. (1986). Bromazepam and lorazepam in generalized anxiety: A placebo-controlled study with measurement of drug plasma concentrations. *Acta Psychiatria Scandinavica, 74*, 451-458.

Hamilton, M. (1959). The assessment of anxiety states by rating. *British Journal of Medical Psychology, 32*, 50-55.

Herzlich, B.C., & Schiano, T.D. (1993). Reversal of apparent AIDS dementia complex following treatment with vitamin B12. *Journal of Internal Medecine, 233*, 495-497.

Kazdin, A.E. (1992). *Research design in clinical psychology.* New York: Macmillan.

Knapp, F., & McClure, L.F. (1978). Quasi-experimental evaluations of a quality of life intervention. *Journal of Community Psychology, 6*, 280-290.

Ladouceur, R., & Bégin, G. (1980). *Protocoles de recherche en sciences appliquées et fondamentales.* Saint-Hyacinthe, Québec: Edisem.

McGinnies, E., Lana, R., & Smith, C. (1958). The effects of sound film on opinions about mental illness in community discussion group. *Journal of Applied Psychology, 42*, 40-46.

Mercier, P., & Parr, W.V. (1996). Intertrial interval, stimulus duration, and number of trials as memory factors in contingency judgments. *The British Journal of Psychology, 87*, 1-18.

Morrow, L.A. (1984). Reading stories to young children: Effects of story structure and traditional questioning strategies on comprehension. *Journal of Reading Behavior, 16*, 273-288.

Parr, W.V., & Mercier, P. (1996). Adult age differences in on-line contingency judgments. *Affiche présentée au XXVIth International Congress of Psychology, Montréal* .

Reid, P., & Finchilescu, G. (1995). The disempowering effects of media violence against women on college women. *Psychology of Women Quarterly, 19*, 397-411.

Robert, M. (1988). *Fondements et étapes de la recheche scientifique en psychologie.* Saint-Hyacinthe, Québec: Edisem.

Sanford, F.H., & Hemphill, J.K. (1952). An evaluation of a brief course in psychology at the U.S. Naval Academy. *Educational Psychology Measurement, 12*, 194-216.

Schwartz, R.B., Komaroff, A.L., Garada, B.M., Gleit, M., Doolittle, T.H., Bates, D.W., Vasile, R.G., & Holman, B.L. (1994). SPECT imaging of the brain : Comparison of findings in patients with chronic fatigue syndrome, aids dementia complex, and major unipolar depression. *American Journal of Radiology, 162*, 943-961.

CHAPITRE 

LES CONDITIONS TÉMOINS

DÉFINITIONS ET EXEMPLES PRATIQUES

Éviter de comparer des pommes et des oranges

PIERRE MERCIER, ISABELLE GONTHIER, CHANTAL DESMARAIS ET MÉLANIE CLÉMENT

L'analyse des principaux types de protocoles de recherche effectuée au chapitre précédent montre que les protocoles avec condition témoin sont les plus puissants, surtout lorsque l'affectation à la condition témoin est le fruit d'un processus aléatoire. Une bonne condition témoin doit se dérouler simultanément avec la ou les conditions expérimentales et son contenu doit être aussi identique que possible à celui des conditions expérimentales, sauf en ce qui concerne l'intervention ou le phénomène étudié. Intuitivement, la condition témoin typique est constituée de l'absence de l'intervention étudiée. Plusieurs études sont construites ainsi. Cependant, comme le montrent certains des exemples résumés au tableau 4.1, l'absence d'intervention dans la ou les conditions témoin ne représente qu'un scénario parmi tant d'autres. Ainsi, les recherches de Fontaine et de ses collaborateurs (1986) et de Cohen et Fisher (1989) utilisent un placebo dans la condition témoin, alors que Reid et Finchilescu utilisent une intervention non spécifique.

TABLEAU 4.1 **Résumé des types de conditions témoins citées en exemple au chapitre 3**

Protocole	Exemple	Type de condition témoin
Étude de cas	Amélioration de la démence associée au sida (Herzlich & Schiano, 1993)	Aucune
Prétest post-test sans condition témoin	Attitudes envers le vieillissement (Eddy, 1986)	Aucune
Post-test seul avec condition témoin statique	Syndrome de fatigue chronique (Schwartz et al., 1994)	Sans intervention
Prétest post-test avec condition témoin non équivalente	Amélioration de la confiance en soi (Sanford & Hemphill, 1952)	Sans intervention
Série temporelle simple	Opinions concernant la maladie mentale (McGinnies et al., 1958)	Aucune
Série temporelle multiple	Amélioration de la qualité de vie communautaire (Knapp & McClure, 1978)	Sans intervention
Prétest post-test avec condition témoin équivalente	Une comparaison de deux anxiolytiques (Fontaine et al., 1986)	Placebo
Protocole à quatre conditions de Solomon	Contenus médiatiques de violence faite aux femmes (Reid & Finchilescu, 1995)	Non spécifique
Post-test seul avec condition témoin équivalente	Attrait d'un groupe et difficulté d'appartenance (Aronson & Mills, 1959)	Sans intervention
Protocole à renversement d'intervention	Fatigue associée à la sclérose en plaques (Cohen & Fisher, 1989)	Placebo

Dans les pages qui suivent, nous aborderons plusieurs types de conditions témoins, mettant en relief les usages les plus répandus (voir tableau 4.2). La majorité des exemples seront des applications dans le contexte de protocoles expérimentaux, bien que plusieurs de ces exemples soient aussi applicables dans un contexte quasi expérimental. Nous aborderons également quelques exemples quasi expérimentaux explicitement. Quelques exemples serviront d'abord à illustrer notre propos.

Intuitivement, l'évaluation des effets d'un facteur, d'un traitement ou d'une intervention quelconque doit se faire en comparant ces effets avec ceux obtenus en l'absence du facteur en question. Par exemple, on pourrait évaluer les effets présumés[1] de la peine capitale sur la criminalité violente en comparant cette criminalité dans des pays qui appliquent la sentence de mort avec la criminalité dans d'autres pays qui ne l'appliquent pas. Pour savoir si la consommation d'alcool risque d'être dommageable pour le développement fœtal, on pourrait suivre le développement fœtal par échographie pour des mères consommant des boissons alcoolisées durant la grossesse et des mères n'en consommant aucune. L'étude des effets potentiellement négatifs du divorce ou de la séparation sur le développement émotionnel et social des enfants appelle la comparaison de familles ayant vécu la séparation des parents avec des familles intactes. Si la psychothérapie constitue un traitement valable des troubles d'anxiété, les bénéfices escomptés devraient être visibles en comparant l'évolution d'un groupe de personnes anxieuses au cours d'une période de psychothérapie avec l'évolution d'un groupe de personnes semblables au cours d'une période de même durée mais sans

1. Les exemples cités dans ce chapitre sont souvent préfacés par des expressions soulignant la nature hypothétique de l'énoncé à vérifier. Nous considérons la formulation du problème importante pour deux raisons. Premièrement, cette formulation constitue un élément crucial de l'approche scientifique. Elle lui confère un esprit d'ouverture et d'analyse critique. Deuxièmement, le fonctionnement cognitif humain étant ce qu'il est, nous avons malheureusement plus tendance à accepter comme vraies les conclusions crédibles («Certains excellents patineurs ne sont pas des joueurs de hockey professionnel») que les conclusions peu crédibles *a priori* («Certains joueurs de hockey professionnels ne sont pas de bons patineurs») (Henle, 1962), indépendamment de la validité logique des raisonnements sur lesquels ces conclusions s'appuient (Evans et al., 1983; Bourne et al., 1986). Ainsi, nous craignons que, sans la formulation nettement hypothétique du problème, les résultats d'une recherche suggérant un effet dissuasif de la peine capitale soient trop facilement acceptés par les personnes qui croient en ce pouvoir dissuasif *a priori*, indépendamment de la valeur scientifique de l'étude, et vice versa.

TABLEAU 4.2 **Types de conditions témoins les plus répandues**

Conditions témoins équivalentes
- Condition sans intervention
- Condition sans contact
- Liste d'attente
- Placebo
- Intervention non spécifique
- Conditions témoins multiples
- Intervention standard
- Intervention de remplacement
- Condition couplée
- Intervention nulle
- Intervention fausse

Conditions témoins naturelles ou non équivalentes
- Participants formant la condition naturelle
- Stimuli formant la condition naturelle

intervention psychothérapeutique. On peut évaluer les effets de médicaments de la même manière. Enfin, si l'on pense être victime d'une allergie alimentaire quelconque, en supposant que la réaction allergique soit bénigne, prenant par exemple la forme de rougeurs cutanées, on peut observer l'état de sa peau selon que son repas contient ou ne contient pas l'aliment suspect.

Les exemples ci-dessus simplifient à outrance. En les lisant, vous avez peut-être songé à plusieurs précisions, restrictions ou modifications visant à augmenter ou à limiter la portée de ces exemples. Poursuivant notre analyse intuitive, imaginons que les pays qui n'appliquent pas la peine capitale soient des pays où la violence est naturellement plus faible. Il devient alors possible que ce soit la faible criminalité violente qui ait causé l'absence de recours à la peine capitale plutôt que l'inverse dans ces pays. Par ailleurs, dans le même scénario où les pays ayant recours à la peine capitale sont d'ores et déjà des endroits plus violents, la violence accrue ne risque-t-elle pas de masquer tout effet positif de cette sentence même s'il en existe vraiment un? Si la peine capitale peut vraiment se révéler dissuasive, est-il nécessaire de l'appliquer fréquemment ou bien suffit-il d'en brandir la menace dans le cas de crimes considérés comme particulièrement exécrables, tels les meurtres d'enfants ou de membres du corps policier? L'observation de déficits du développement biologique chez les fœtus de mères consommant de l'alcool en cours de grossesse par rapport aux fœtus de mères témoins nous garantirait l'existence d'un effet de déficit, mais nous aurions moins d'assurance que l'alcool en est la cause véritable. Ne serait-il pas possible que les mères qui consomment de l'alcool en quantité significative aient aussi tendance à consommer d'autres drogues, légales ou pas, qui constituent la véritable source du déficit fœtal ? Si l'alcool est la cause véritable, existe-t-il une quantité suffisamment modérée pour l'accepter sans risque ? Le risque associé à l'alcool est-il surtout fonction de la quantité ingérée en un épisode, de l'ingestion répétée ou des deux ? Dans ces études, l'outil envisagé pour la mesure du développement fœtal, l'échographie, comporte-t-il lui-même un facteur de risque pouvant masquer celui de l'alcool ? Par exemple, on sait que l'exposition répétée aux rayons X représente un danger en raison de l'accumulation de radiations. Si l'utilisation fréquente des ultrasons avait des effets sur le développement cellulaire, alors l'échographie répétée pourrait causer des dommages navrants à tous les fœtus, masquant de surcroît ceux de l'alcool. La comparaison de familles séparées et de familles intactes souffre également de difficultés potentielles. Si l'union familiale avantage les enfants sur le plan émotif et social, est-ce en raison de l'union soutenue des parents comme telle ou bien les familles unies le demeurent-elles parce que les parents étaient déjà plus responsables, plus mûrs et plus stables sur le plan émotif[2] ? Si le divorce semble nuire, est-ce dû à la séparation elle-même ou aux conditions dans lesquelles la séparation s'effectue ? On peut supposer qu'une séparation au cours de laquelle les enfants ne sont exposés qu'à une quantité minimale d'acrimonie ne laisse que peu d'effets à long terme. En évaluant les effets de la psychothérapie sur les troubles d'anxiété, on peut remettre en question la valeur d'une forme de traitement unique et identique pour tous les troubles d'anxiété, la nécessité de tous les ingrédients thérapeutiques utilisés, la durée minimale requise, l'importance de la compétence personnelle de la thérapeute dans l'efficacité thérapeutique, et ainsi de suite. Lors des essais cliniques précédant la mise en marché d'un nouveau médicament contre la dépression, une compagnie pharmaceutique voudrait non seulement savoir si le médicament est plus efficace que l'absence d'intervention, mais aussi si le nouveau médicament procure un soulagement supérieur ou plus rapide ou plus

2. Ce scénario est évoqué sans poser de jugement de valeur sur la qualité des personnes ayant pu vivre une séparation ou un divorce. Il est simplement possible et plausible en présence d'effets négatifs associés au divorce.

prolongé que tout autre médicament déjà sur le marché et souvent prescrit pour le même problème. Dans le cas de l'allergie alimentaire, vous vous y prendrez différemment selon que vous soupçonnez une allergie à un type d'aliment particulier – les fruits de mer par exemple – ou à un ingrédient entrant dans la fabrication de plusieurs aliments. Dans cet exemple, il n'y a que la comparaison entre deux ou plusieurs formes d'intervention (plusieurs aliments) auprès d'une seule personne et à travers le temps ; on compare donc *diverses conditions entre elles.*

Clairement, la description sommaire de la comparaison entre présence et absence du facteur à l'étude ne suffit pas à cerner toutes les subtilités nécessaires. Pour y arriver, nous devons tenir compte d'une série de considérations scientifiques ayant trait à la forme du protocole de recherche et à la validité des conclusions qu'on peut en tirer. Plusieurs mais pas toutes ces considérations ont été abordées dans les chapitres antérieurs. D'autres considérations non moins importantes, liées aux instruments et à la répétition de la mesure, seront abordées en profondeur dans les chapitres qui suivent. Dans le présent chapitre, l'accent porte sur les comparaisons entre conditions et, plus précisément, sur quelles conditions comparer. Les caractéristiques essentielles de ces conditions sont examinées en fonction du degré de certitude de l'inférence causale permise ainsi qu'en fonction du type de questions auxquelles on cherche à répondre.

Dans tous les exemples mentionnés ci-dessus, il est question de comparer la différence d'effet (criminalité violente, développement biologique, anxiété, réaction cutanée) entre la présence et l'absence du facteur causal étudié (peine capitale, consommation d'alcool durant la grossesse, psychothérapie ou médicament, allergie alimentaire). Le mot causal joue un rôle crucial. Plusieurs de ces exemples ont été choisis pour leur ambiguïté. Nombre d'entre eux reposent sur une comparaison de conditions naturelles. Tel qu'explicité au chapitre précédent, ce type de comparaison quasi expérimentale laisse souvent la porte ouverte à plusieurs interprétations rivales, d'où leur valeur de certitude limitée. Les exemples qui suivent sont, pour la plupart, expérimentaux. Ils possèdent donc une forte valeur intrinsèque d'inférence. Toutefois, comme l'analyse des exemples le démontrera, rien n'est facile ou gratuit en recherche. La solidité du protocole expérimental ne garantit pas en elle-même que toutes les questions recevront des réponses. Pour produire une recherche de haute qualité qui fournisse des résultats clairement et uniquement interprétables, il faut un grand souci du détail à tous les niveaux. Ce chapitre démontre ce souci du détail dans le choix de la condition de comparaison, tout en examinant au passage quelques problèmes connexes pouvant surgir même dans les projets de recherche les mieux ficelés.

4.1. TYPES DE CONDITIONS TÉMOINS ÉQUIVALENTES

Le protocole de recherche le plus répandu et le plus facile à saisir intuitivement est sans doute le protocole prétest post-test avec condition témoin équivalente, tel que décrit au chapitre précédent. Ce protocole nous assure que l'intervention étudiée est la cause la plus probable de l'effet observé, parce que son application dans une condition constitue la seule différence possible avec sa non application dans une autre condition. Dans sa forme de base, ce protocole comporte deux conditions créées par affectation aléatoire, dont une reçoit une intervention et l'autre pas. D'autres études utilisent une variante du protocole de base dans laquelle plusieurs interventions sont comparées à une condition témoin. Mais que fait-on exactement dans la condition témoin ?

Intuitivement, le fait de ne pas appliquer l'intervention étudiée implique la prise de mesure en l'absence de l'intervention cible. C'est le scénario le plus répandu, celui qui est examiné sous la rubrique *condition sans intervention.* Dans certains cas, l'opération de mesure peut avoir un effet réactif en soi. Si l'on souhaite éliminer même la réactivité de la mesure dans la condition témoin, l'absence d'intervention ne suffit pas comme méthode. Il faut plutôt *éviter tout contact* avec les participants et participantes et effectuer des mesures à leur insu. À l'inverse, si l'on désire évaluer les effets d'une intervention tels qu'ils s'ajoutent aux attentes initiales créées par l'anticipation de résultats désirables de la part des participants, une situation fréquente en psychothérapie par exemple, la condition témoin de *liste d'attente* devient utile. En fait, il existe de nombreuses variantes de conditions témoins conçues pour isoler un aspect spécifique de l'intervention expérimentale. Chaque variante met l'accent sur un aspect particulier de la comparaison mais toutes partagent l'objectif de maintenir les conditions d'évaluation aussi uniformes que possible en dehors du facteur spécifique à l'étude. Les interventions *placebo, non spécifique, standard, de remplacement* et *couplée* comptent parmi les variantes examinées ci-dessous. Chaque section débute par un résumé des éléments essentiels sous forme de tableau. Des exemples élaborés permettent d'illustrer chaque condition témoin et d'amorcer une réflexion sur la méthodologie.

4.1.1. Condition sans intervention

Wiener et Harris (1997) ont tenté de mettre en place un protocole prétest post-test avec condition témoin équivalente (voir tableau 4.3) dans lequel les participants de la condition témoin ne reçoivent aucune intervention. On verra plus loin comment leur protocole a été affaibli par des tentatives de réponse à des questions secondaires. Pour l'instant, examinons la nature de la comparaison intervention *versus* absence d'intervention.

TABLEAU 4.3 **La condition témoin de type sans intervention**

Description	– Les participants de la condition témoin ne reçoivent *aucune* intervention entre le prétest et le post-test.
Force	– Cette condition offre un contrôle des menaces à la validité interne.
Limites	– Il est parfois difficile de justifier auprès du participant pourquoi il ne reçoit pas d'intervention. – On note un taux de défection parfois élevé et associé à la durée de l'intervention et une baisse potentielle de motivation. – Contraintes éthiques si les participants ont besoin d'aide. – Cette condition n'aide pas à clarifier la validité de construit.

En plus d'éprouver des difficultés scolaires, les enfants en difficulté d'apprentissage risquent aussi d'être négligés ou rejetés par leurs pairs. Il serait donc utile d'élaborer un programme efficace d'entraînement aux habiletés sociales afin de remédier à cet aspect qui accompagne la problématique des troubles d'apprentissage. L'étude de Wiener et Harris évalue l'efficacité d'un tel programme d'entraînement ainsi que sa généralisation à des situations autres que celles où l'entraînement est effectué. Le programme se présente sous la forme d'un jeu de table au cours duquel l'enfant lance un dé pour franchir un parcours de carrés colorés. Lorsque l'enfant arrive sur un carré d'une certaine couleur, il ou elle doit résoudre un problème de nature sociale tel que décrit sur une carte pigée à même une pile de même couleur que le carré. C'est le professeur ou l'entraîneur qui lit le problème décrit sur la carte. Un exemple de problème se lit comme suit:

« Vous avez accepté de partager une pizza avec des amis. Un de ceux-ci prend votre morceau. Montrez ce que vous devriez faire. » Les enfants doivent résoudre divers problèmes sociaux de ce genre et ils reçoivent un renforcement sous forme d'« argent de Monopoly » en fonction de l'exactitude de leur réponse ou de leur comportement.

Initialement, deux conditions sont constituées afin de vérifier l'impact de ce type de programme. Les conditions sont créées en répartissant au hasard sept classes d'enfants présentant des difficultés d'apprentissage en une condition de trois classes (20 enfants en tout) recevant le programme et une condition témoin de quatre classes (25 enfants) ne recevant pas le programme. Cette dernière condition se nomme condition témoin sans intervention. L'efficacité du programme est évaluée par trois types de mesures de comportement social : une auto-évaluation, une évaluation par les enseignants et une évaluation sociométrique. L'évaluation sociométrique constitue la mesure principale, car elle reflète directement le degré de préférence sociale, c'est-à-dire jusqu'à quel point un enfant est accepté par ses pairs[3]. Ces mesures sont effectuées avant et après l'intervention. La mesure post-test est effectuée 20 semaines après le prétest.

Jusqu'ici, le plan de l'étude paraît conforme au protocole prétest post-test avec condition témoin équivalente. Cependant, la situation se complique car les auteurs subdivisent la condition recevant le programme en deux sous-groupes. Parmi les trois classes initialement attribuées à cette condition, deux sont choisies au hasard pour former une condition appelée « Intervention 1 » alors que la troisième classe est affectée à l'« Intervention 2 ». L'intervention 1 expose les enfants au programme d'entraînement aux habiletés sociales pendant 3 semaines. L'intervention 2 les y expose pendant 12 semaines. À ce stade, nous semblons toujours être en présence d'un protocole prétest–post-test avec condition témoin équivalente, mais avec deux interventions à comparer avec la condition témoin plutôt qu'une seule. Étant donné que les interventions 1 et 2 ne se distinguent, *en principe*, que par la durée de l'entraînement fourni, on peut concevoir que l'étude cherche non seulement à évaluer l'efficacité du programme

3. Cette mesure sociométrique consiste essentiellement à demander à chaque enfant dans la classe de déclarer, en ordre de préférence, avec quels autres enfants il ou elle préfère jouer, et à totaliser les scores de préférence pour chaque enfant.

d'entraînement, mais aussi à en mesurer grossièrement la dose essentielle (3 semaines *versus* 12 semaines[4]). L'inclusion de la condition sans intervention permet de déterminer quel changement peut se produire par le simple passage du temps. C'est ainsi que les auteurs analysent et rapportent leurs résultats.

En général, l'étude montre une certaine augmentation des habiletés sociales ainsi qu'une diminution des problèmes de comportement chez les enfants exposés à l'intervention 1 comparativement à la condition sans intervention. Les résultats concernant la mesure cruciale de l'acceptation par les pairs sont illustrés à la figure 4.1. Cette figure présente les résultats au prétest et au post-test ainsi que le changement entre les deux. Le changement dans la condition soumise à l'intervention 1 se distingue statistiquement de celui des deux autres conditions. Ces deux dernières ne diffèrent pas entre elles. Essentiellement, l'acceptation sociale demeure stable après l'entraînement d'une durée de trois semaines, mais elle diminue après l'entraînement de 12 semaines tout comme dans la condition sans intervention.

Les auteurs espéraient sans doute démontrer une amélioration de l'acceptation sociale et pas seulement une absence de détérioration. En ce sens, l'effet significatif obtenu dans cette étude reste d'une portée limitée. De plus, que dire de l'inefficacité apparente du traitement prolongé? Ce résultat pour le moins surprenant sinon illogique serait dû, selon les auteurs, à certaines caractéristiques spécifiques des enfants de l'intervention 2. Cette condition différerait intrinsèquement des autres. La figure 4.1 contient une donnée révélatrice à ce sujet, car le prétest montre que l'intervention 2 contenait déjà des enfants en moyenne moins

4. Pour la moitié des enfants de la condition Intervention 1, les trois dernières semaines du programme ne comportent plus d'entraînement social mais seulement une activité semblable avec des questions à contenu scolaire (épellation, arithmétique). Pour la seconde moitié des participants de cette condition, les questions à contenu scolaire sont utilisées pendant les trois premières semaines, suivies de l'entraînement aux habiletés sociales. Il y a donc une mini-expérience selon un protocole à renversement de traitement à l'intérieur de cette condition. Cette mini-expérience est incorporée dans le protocole global pour déterminer si le fait de donner une attention individuelle aux enfants (phase scolaire) suffit à améliorer leur comportement social. Techniquement donc, l'entraînement aux habiletés sociales dans cette condition ne dure que trois semaines et non pas six. Dans la seconde condition, l'entraînement aux habiletés sociales dure vraiment 12 semaines sans aucune phase scolaire.

FIGURE 4.1 **Résultats principaux de Wiener et Harris (1997)**

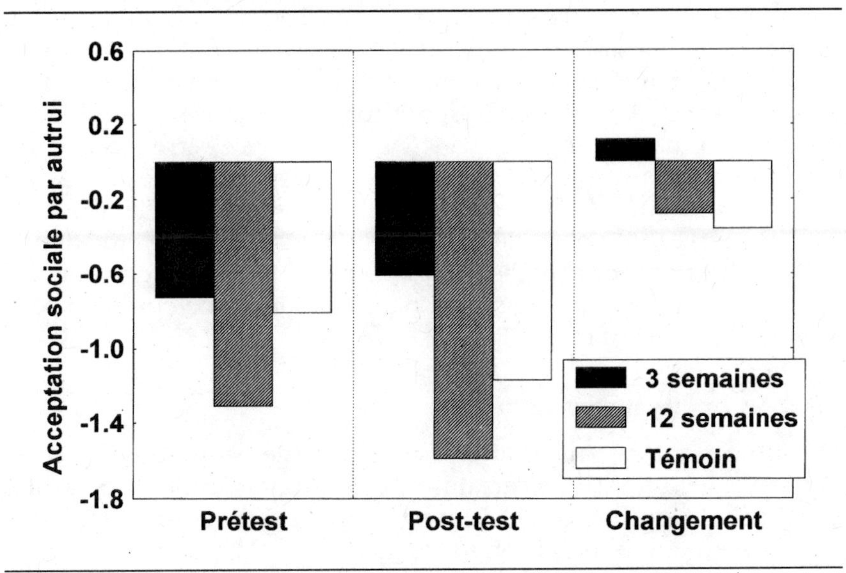

acceptés que les autres dès le départ. Ainsi qu'il a été expliqué au chapitre précédent, ce genre de différence au prétest peut parfois se produire malgré une affectation aléatoire des participants aux conditions, surtout quand la taille de l'échantillon est petite. Le risque d'obtenir des conditions non équivalentes quant à la variable dépendante devient alors très élevé. Rappelons qu'ici ce ne sont pas les enfants qui sont répartis aléatoirement mais bien les classes. On ne dispose que de sept classes en tout, ce qui n'est déjà pas beaucoup, et les auteurs subdivisent ensuite un premier lot de trois classes en deux sous-groupes de deux et une classe respectivement. Malheureusement, comme si les aléas de l'affectation aléatoire ne suffisaient pas, la subdivision extrême effectuée par les auteurs est telle que leur protocole de recherche a perdu une partie de sa nature expérimentale. En effet, puisqu'une seule classe reçoit le traitement de 12 semaines, l'intervention 2 est donc appliquée à une condition naturelle. Les enfants avaient été regroupés dans cette classe par le jeu de facteurs naturels tels que l'organisation de la commission scolaire, facteurs hors du contrôle des chercheurs. Toute comparaison impliquant cette condition n'est que quasi expérimentale et ne fournit pas du tout le degré de certitude inférentielle initialement désiré et fourni par le protocole. Pour maintenir l'excellence de la recherche, il ne suffit donc pas d'inclure une condition de comparaison sans intervention ; il faut aussi s'assurer de préserver toutes les caractéristiques méthodologiques essentielles. S'il leur était impossible d'ajouter des classes, les auteurs auraient mieux fait de n'étudier que l'efficacité du programme d'entraînement social et de reporter à une autre étude le soin d'évaluer la question du dosage. Avec le bénéfice de l'analyse rétrospective, on constate d'ailleurs que les auteurs n'avaient pas noté de justification empirique substantielle dans les travaux antérieurs en ce qui concerne le nombre de semaines de traitement. Étant donné le coût énorme de la réalisation de projets de recherche scientifique, cet exemple montre que la planification d'une étude ne peut tolérer aucune improvisation.

4.1.2. Condition sans contact

Quelquefois, il ne suffit pas de comparer des conditions avec et sans intervention. Dans certains cas, il est aussi utile de contrôler et d'évaluer l'influence de la participation à la recherche. Ainsi qu'il a été mentionné au chapitre précédent, la réactivité du protocole constitue l'une des menaces à la validité externe d'un protocole de recherche. En sciences humaines et sociales, ainsi qu'en sciences biomédicales, il existe une forme subtile de réactivité du protocole de recherche liée à la prise de conscience qu'on participe à une recherche et aux attentes que cette prise de conscience peut susciter. En psychiatrie par exemple, on sait depuis un certain temps déjà que la mesure répétée des symptômes à court et à long terme suffit pour capter une diminution de ces symptômes (Frank et al., 1963). Lorsqu'on n'effectue que deux mesures, la diminution apparente peut être attribuable à l'artefact de la régression vers la moyenne. Cependant, lors de mesures répétées, l'artefact de la régression ne peut pas rendre compte d'un changement soutenu. Il faut alors trouver une autre explication causale. Les êtres humains étant ce qu'ils sont, ils ont souvent tendance à se comporter « comme on devrait s'y attendre » plutôt que comme ils ou elles se sentent vraiment dans une situation donnée. Les personnes qui participent à une étude sur le traitement de l'anxiété s'attendent à ce que leur anxiété diminue. Conséquence psychologique et comportementale de cette attente, elles tendent à rapporter des résultats d'anxiété moins élevés à mesure que leur participation à l'étude avance, qu'elles aient reçu un traitement actif ou non. Des personnes participant à une recherche où elles doivent auto-enregistrer la fréquence de certains comportements, tels que le fumage, l'alimentation ou le

TABLEAU 4.4 **La condition témoin de type sans contact**

Description	– Les participants de cette condition ne savent même pas qu'ils participent à la recherche.
Forces	– Offre un contrôle des menaces à la validité interne. – Offre un contrôle des impacts associés à la participation d'une recherche. – Offre un contrôle de l'effet positif associé à l'espoir de recevoir de l'aide dans les études sur l'efficacité d'interventions thérapeutiques.
Limites	– Des contraintes éthiques sont associées au consentement éclairé (voir chapitre 2) et à l'éventualité où les participants nécessitent de l'aide. – Présente une faisabilité douteuse dans bien des cas.

temps d'étude (Kazlo, 1976 ; Komaki & Dore-Boyce, 1978 ; Mahoney, 1977 ; McFall, 1977), seront parfois amenées à augmenter ou à diminuer les comportements en question selon leur caractère désirable ou non. Dans ces cas, la fréquence du comportement change purement en fonction de sa mesure. Il ne s'agit pas d'une illusion, mais d'un changement réel causé par nulle autre intervention que la mesure elle-même.

Pour obtenir une mesure pure lorsque celle-ci est réactive, il faut l'effectuer soit à l'insu complet des participants, soit sans que les participants puissent connaître les buts de l'étude ou même qu'ils participent à une étude quelconque. Ce procédé est impossible dans le cas de l'auto-enregistrement mais réalisable lorsque l'étude s'imbrique dans un contexte d'évaluation élargi, non relié à l'étude elle-même ni à ses objectifs. Kazdin (1992) cite un exemple d'étude où les personnes de la condition témoin ne sont jamais sollicitées dans le but de les faire participer à une étude quelconque. Les gens ne savent même pas qu'ils sont évalués pour le phénomène étudié (voir tableau 4.4). Il s'agit d'une étude menée par Paul (1966) dans laquelle des étudiants universitaires reçoivent un traitement pour diminuer la peur de parler en public. Les personnes de la condition témoin sont des étudiants identifiés aléatoirement, à qui on n'a pas demandé de participer à l'expérience, mais qui doivent parler en public dans le cadre normal de leurs exigences de cours. On évalue leur niveau d'anxiété à cette occasion. Un autre exemple serait celui d'une expérience comme celle de Mercier et Ladouceur (1983) où l'on évalue l'efficacité d'un traitement visant à améliorer la performance scolaire[5]. La mesure la plus directe de la performance scolaire étant la moyenne pondérée cumulative, on pourrait théoriquement ajouter à cette étude une condition sans contact, choisie au hasard, dont on aurait obtenu le rendement scolaire directement du bureau du registraire.

Bien que réalisable en théorie, il n'y avait pas de telle condition témoin sans contact dans l'étude de Mercier et Ladouceur par respect déontologique. Le fait de recueillir des informations individuelles, même anonymes, sans le consentement éclairé des personnes touchées par cette collecte n'est généralement pas acceptable sur le plan déontologique. Pour qu'un tel geste puisse exceptionnellement devenir acceptable, il faudrait que les bénéfices attendus de la recherche soient d'une ampleur sans précédent, et encore... Les données d'une condition sans contact sont plus faciles à obtenir et plus souvent recueillies dans le cadre d'études quasi expérimentales où l'on compare la moyenne d'une condition cible avec la moyenne d'une condition naturelle *comparable*, mais sans jamais obtenir les résultats individuels. Par exemple, on peut comparer des statistiques de criminalité de deux ou plusieurs villes de même taille à divers moments dans le temps. Dans ce cas, les chercheurs ne connaissent que les moyennes et n'ont accès à aucun résultat individuel. La vie privée des individus est ainsi respectée sans empêcher l'étude de suivre son cours. De nombreuses statistiques sont ainsi disponibles auprès d'agences telles que Statistique Canada ou autres. Notons que ce scénario à conditions naturelles implique que les personnes des conditions cibles ne soient pas plus contactées que celles de la condition témoin.

4.1.3. Liste d'attente

Pour l'étude de certains phénomènes psychologiques, il est nécessaire de recruter des gens motivés pour participer aux recherches, car les interventions psychologiques sont généralement impuissantes envers les gens qui ne désirent pas changer. Pour s'assurer de recruter des participantes et des participants motivés, il faut leur offrir quelque chose qui les intéresse. Une fois cette offre faite, on peut affecter aléatoirement les gens intéressés par les conditions, mais on ne peut pas complètement omettre le programme

5. Cette recherche sera reprise en détail plus loin à la section sur la stratégie de démantèlement.

TABLEAU 4.5 **La condition témoin de type liste d'attente**

Description	– Les participants de la condition témoin se retrouvent sur une liste d'attente avant de bénéficier de l'intervention.
Forces	– Offre un contrôle des menaces à la validité durant l'expérimentation. – Réduit le taux de défection. – Facilite le recrutement. – Réduit (sans éliminer) les contraintes éthiques si les participants nécessitent de l'aide.
Limites	– Comporte des contraintes éthiques si les participants nécessitent une aide immédiate au prétest ou dans l'éventualité où leur état se détériore durant la période d'attente. – Il est impossible d'effectuer une relance à long terme, ce qui laisse place aux menaces à la validité interne lors de l'examen du maintien des effets de l'intervention. – N'aide pas à clarifier la validité de construit.

d'intervention pour une de ces conditions. La frustration et la colère de ces personnes seraient entièrement justifiées si on ne finissait pas par leur « livrer la marchandise ». D'autant plus qu'il serait discutable sur le plan éthique de ne pas offrir d'aide à des gens dans le besoin. Pour régler ce problème, les personnes affectées à la condition témoin sont placées sur une liste d'attente (voir tableau 4.5). Ainsi, bien qu'elles soient soumises aux évaluations prétest et post-test au même moment que les personnes de la condition recevant l'intervention, elles ne reçoivent pas l'intervention en même temps, mais la reçoivent après la période d'évaluation post-test. Il faut noter qu'il devient alors impossible d'effectuer une relance pour voir les effets à long terme de la condition ne recevant pas l'intervention. De plus, afin de refléter encore mieux la réalité, on peut informer les participants de cette condition qu'ils ne recevront l'intervention que si elle s'avère efficace. En plus de témoigner d'une volonté d'honnêteté et d'éthique (on n'offrirait pas une intervention inefficace ou néfaste), cette précaution méthodologique n'induit pas artificiellement un espoir associé à l'attente d'un traitement. Voici un exemple concret.

Un groupe de chercheurs (Bornstein, Bornstein, & Alters, 1988) s'intéresse à l'efficacité d'un programme de psychothérapie de groupe pour venir en aide aux enfants vivant le traumatisme du divorce parental. L'échantillon comprend 31 enfants de neuf ans affectés aléatoirement soit à une condition expérimentale (n = 15) recevant le traitement, soit à une condition témoin (n = 16) figurant sur une liste d'attente et destinée à recevoir le traitement un peu plus tard. Les participants des deux conditions sont appariés selon l'âge, le sexe et le degré de conflit interparental, basé sur l'auto-évaluation des parents (échelle allant de 1 à 7 où 1 indique l'absence de conflit et 7 indique une relation extrêmement conflictuelle). Le traitement s'échelonne sur six séances hebdomadaires de 90 minutes chacune. Les principaux volets de la thérapie comprennent l'identification des émotions ressenties, la communication et la gestion de la colère au cours des mois (0-12) suivant le divorce.

Plusieurs mesures sont recueillies auprès des enfants, des parents et des enseignants. L'évaluation de l'enfant comporte quatre mesures : a) une échelle d'anxiété (Bornstein et al., 1988), b) un inventaire concernant l'attitude de l'enfant à l'égard du divorce (Berg, 1979), c) une échelle du concept de soi (Piers & Harris, 1963), et d) une évaluation maison du degré de conflit parent-parent et enfant-parent. L'évaluation des parents comporte trois mesures : a) un instrument visant à identifier une série de problèmes comportementaux manifestés par l'enfant (Achenbach & Edelbrock 1979), b) l'évaluation du degré de conflit parent-parent et enfant-parent, et c) une version modifiée d'un questionnaire portant sur le niveau de satisfaction par rapport au comportement de l'enfant et à la qualité de l'interaction parent-enfant (Robin, 1981). L'évaluation des enseignants et enseignantes comprend deux mesures : a) un inventaire de 55 items documentant des difficultés comportementales dans les domaines de la conduite, de la personnalité, de la délinquance et de l'immaturité (Quay & Peterson, 1967), et b) un questionnaire identifiant les problèmes de comportement de type extériorisé[6] (Walker, 1970). Les données de chacun de ces instruments sont analysées au moyen de l'analyse de variance, en examinant les effets des conditions (expérimentale *vs* témoin) et de la période d'évaluation (avant *vs* après la thérapie). L'effet du traitement n'a atteint le seuil de signification statistique que dans le cas du questionnaire sur les problèmes d'extériorisation, rempli par l'enseignante. Les chercheurs concluent que le programme de psychothérapie en question permet de pallier les symptômes manifestés par les enfants du divorce.

---

6. Expression ouverte et socialement inacceptable de difficultés émotives ou autres.

Cette recherche constitue un bel exemple d'utilisation du protocole de recherche prétest post-test avec condition témoin équivalente où la condition témoin est de type liste d'attente. Cette recherche est impeccable quant au protocole expérimental. Intuitivement pourtant, la conclusion paraît surfaite. Pourquoi ? Parce que les auteurs ont mesuré les effets du divorce de neuf manières différentes et qu'une seule de ces mesures montre une amélioration. Dans un domaine très différent, supposons qu'avant d'acheter une automobile neuve une personne évalue les divers modèles selon neuf caractéristiques importantes, telles que l'esthétisme, la sécurité, le confort, la consommation d'essence, la fiabilité, la durabilité, le coût des réparations, le coût des assurances et l'économie à l'achat. Cette personne n'achèterait ni ne recommanderait aucun modèle qui ne soit évalué positivement que sur une seule de ces caractéristiques. Les enfants du divorce ne sont pas des objets de consommation. Raison de plus pour ne pas faire de recommandation injustifiée au sujet d'une intervention psychologique les concernant.

Dans l'exemple de Wiener et Harris, les chercheurs avaient initialement bien planifié leur recherche, mais l'avait affaiblie en cours de route par l'ajout piètrement justifié de questions secondaires auxquelles on ne pouvait répondre qu'en réduisant à l'extrême la taille de groupes. L'exemple de Bornstein et de ses collaborateurs démontre que malgré une planification et une collecte de données méticuleuses, on ne peut toujours pas relâcher sa vigilance scientifique avant la fin des analyses et de l'interprétation. Le piège tendu à Bornstein et à ses collaborateurs était celui des multiples mesures dont seulement quelques-unes ou même, dans ce cas précis, une seule montrent l'effet recherché[7]. C'est justement lorsqu'on espère trouver un certain effet prédéterminé qu'il faut se prémunir contre la tentation et évaluer les résultats le plus objectivement possible. Ces chercheurs auraient pu commencer à se prémunir au niveau des analyses. Au lieu d'analyser chaque mesure séparément, multipliant ainsi le risque de faire face à la situation piégée, ils auraient dû reconnaître le caractère distinct et indépendant de trois domaines de mesure :

7. Ce piège tire son origine du fonctionnement des statistiques inférentielles. Ainsi qu'il est dit au chapitre 9, les tests statistiques sont des instruments imparfaits. Chaque test d'hypothèse statistique comporte un certain risque d'erreur, habituellement fixé à 0,05 (soit 5 %). Ce risque est celui de déclarer un effet significatif alors qu'il ne l'est pas. Lorsqu'on effectue neuf tests, comme Bornstein et son équipe, ce risque augmente à environ $1 - (1 - 0{,}05)^9 = 37\,\%$ pour l'ensemble des neuf tests. C'est un risque énorme et inacceptable.

(a) l'évaluation des enfants, (b) celle des parents et (c) celle des enseignants et enseignantes. Même si un seul des domaines révélait globalement une amélioration, on pourrait s'y fier car cette amélioration serait détectable sur l'ensemble des facettes du domaine. De plus, on pourrait spécifier si ce sont surtout les enfants, les parents ou les enseignants qui sont globalement susceptibles de bénéficier des effets positifs de l'intervention.

Turner, Clancy, McQuade et Cardenas (1990) utilisent avec succès cette stratégie analytique pour évaluer l'efficacité d'une thérapie béhaviorale dans le traitement de la douleur lombaire chronique. Les variables à l'étude comprennent des ensembles de mesures : (a) rapportées par le client, (b) rapportées par le conjoint, (c) d'observation directe pour évaluer la santé physique, et (d) de l'efficacité du traitement, telle que perçue par la personne. Leur étude, menée auprès d'un échantillon de 50 participants et 46 participantes, compare les effets de trois types de thérapies à ceux d'une condition témoin sur liste d'attente. Les critères de sélection des participants sont l'âge (entre 20 et 65 ans), l'état civil (mariés ou conjoints de fait), la durée du problème (plus de six mois) et l'absence de problèmes liés à l'exercice physique. Les trois conditions expérimentales comprennent soit la thérapie béhaviorale, soit l'exercice aérobique ou une combinaison des deux. Le traitement comporte une série de huit séances hebdomadaires d'une durée de deux heures chacune et effectuées en petits groupes de 5 à 10 personnes. L'analyse des données met en jeu une série d'analyses multivariées pour ces quatre catégories de variables dépendantes et les deux variables indépendantes, soit les quatre conditions (la thérapie béhaviorale, l'aérobie, la thérapie combinée ou la liste d'attente) et les quatre périodes de temps consacrées à l'évaluation (prétest, post-test, suivis à 6 et 12 mois). Le résultat principal indique que la seule condition se démarquant de la condition témoin est celle du traitement combiné où les participants rapportent une diminution significative de la perception de la douleur.

Après la phase initiale de comparaison prétest post-test, les chercheurs ont l'obligation morale d'offrir un traitement efficace aux participants de la liste d'attente pour que ces personnes puissent enfin recevoir l'aide attendue. Une manière élégante de satisfaire cette contrainte éthique, tout en ajoutant à l'effort de recherche, consiste à intégrer les participants de la liste d'attente à ceux et celles de la condition qui reçoit l'intervention, comme dans un protocole prétest post-test sans condition témoin. Cette intégration permet d'effectuer une comparaison longitudinale sur une échantillon de plus grande taille. Par exemple, grâce à cette méthode, Freeston et ses collaborateurs (1997) ont pu étudier l'efficacité d'un traitement cognitivo-comportemental auprès de personnes souffrant d'obsessions sans comportements compulsifs manifestes. Dans un premier temps, la comparaison post-traitement entre les participants recevant un traitement et ceux de la condition liste d'attente a permis de démontrer l'efficacité de cette forme d'intervention. Dans un deuxième temps, l'intégration des participants de la liste d'attente à la condition traitement a permis d'observer la progression clinique à plus long terme dans un échantillon de taille supérieure. La taille des groupes était déjà suffisante pour détecter une différence significative au moment du post-test. Toutefois, lors de relances, comme celle effectuée après six mois par Freeston et ses collaborateurs (1997), la défection est souvent grande et l'augmentation de la taille de l'échantillon à ce stade aide à se prémunir contre la perte de données. Naturellement, dans cette façon de procéder il faut analyser les données des deux étapes séparément et, surtout, garder bien présentes à l'esprit les limites de validité interne de la deuxième phase, celle qui correspond à un protocole prétest post-test seulement (voir chapitre 3).

4.1.4. Placebo

Les recherches en psychiatrie et autres sciences biomédicales visent souvent l'évaluation de l'efficacité d'un médicament donné (voir chapitre 13). Même si le mécanisme d'action d'un médicament donné demeure identifiable sur le plan physico-chimique, les impressions, les émotions, les sentiments et les comportements des gens sont contrôlés par des facteurs complexes, parfois physico-chimiques, parfois psychologiques. De là le problème auquel font face les chercheurs en psychiatrie. Si, par exemple, des personnes acceptent de participer à une étude sur l'efficacité d'un nouvel anxiolytique, il est possible que le fait de se joindre à une étude expérimentale et de recevoir une attention plus particulière de la part de la psychiatre en charge du traitement soient des facteurs valorisants et sécurisants qui pourraient contribuer à la réduction de l'anxiété. Il est aussi possible que le simple fait de savoir qu'on prend un médicament pouvant réduire l'anxiété cause une réduction réelle de cette dernière. Ce genre d'effet dû aux attentes est possible non seulement dans le cas de l'anxiété, mais aussi pour plusieurs sinon tous les phénomènes psychologiques, de la dépression à la schizophrénie en passant par l'estime

TABLEAU 4.6 **La condition témoin de type placebo**

Description	– Les participants de cette condition reçoivent une intervention d'apparence crédible, mais que l'on sait inefficace en soi.
Forces	– Offre un contrôle des menaces à la validité interne durant l'expérimentation. – Offre un contrôle de l'effet positif associé au fait de recevoir de l'aide dans les études sur l'efficacité d'interventions thérapeutiques. – Offre plus de puissance statistique que la condition témoin avec intervention standard. – Reflète une réalité clinique.
Limites	– Comporte des contraintes éthiques associées à la duperie et présentes dans l'éventualité où les participants nécessitent une aide immédiate au prétest ou que leur état se détériore. – Le taux de défection est parfois élevé et peut aussi affecter la condition expérimentale si la technique du double insu est utilisée. – Condition difficile à justifier auprès des participants. – Nuit au recrutement. – Il est parfois difficile de maintenir la stratégie du double insu. – Il faut savoir *a priori* ce qui constitue réellement un placebo. – Il faut savoir rendre le placebo crédible aux yeux des participants.

de soi, la réaction aux pressions sociales, etc. Dans le cas des essais cliniques de nouveaux médicaments, les effets spécifiques du médicament peuvent être séparés des effets non spécifiques associés à la participation à l'expérience par l'utilisation d'un *placebo* (voir tableau 4.6). Déjà mentionné brièvement au chapitre précédent et rediscuté au chapitre 11, le *placebo* est une pilule en apparence identique à un véritable médicament mais qui ne contient aucune molécule active.

Grâce au placebo, les chercheurs peuvent demander à des personnes de participer à une recherche en camouflant complètement la nature exacte du traitement qui est reçu par une personne donnée. Bien sûr, afin que les personnes qui se portent volontaires pour participer à l'expérience puissent fournir un consentement éclairé, elles sont informées de la possibilité qu'elles soient affectées à la condition placebo. Cependant, lors de l'exécution de la phase expérimentale, ces personnes ne savent pas si elles reçoivent un médicament traditionnel, un médicament expérimental ou un placebo.

Par exemple, l'étude de Fontaine et de ses collaborateurs (1986) mentionnée au chapitre précédent utilise le placebo dans la condition témoin. Pour comparer l'efficacité de deux benzodiazépines, le bromazépam et le lorazépam, 34 participants et 26 participantes souffrant d'anxiété généralisée sont affectés, au hasard et à l'aveugle, à un traitement de quatre semaines avec l'une ou l'autre des benzodiazépines ou à un traitement placebo de même durée. L'évaluation des participants faite à l'aide de l'échelle d'anxiété de Hamilton (Hamilton, 1959), 7, 14, 21 et 28 jours après le début du traitement, montre que l'anxiété diminue légèrement dans la condition placebo après la première semaine de traitement, mais qu'elle diminue significativement plus dans les deux conditions traitées aux benzodiazépines. Globalement, les deux médicaments ont une efficacité anxiolytique égale entre eux et supérieure au placebo.

Grâce au placebo, les personnes de la condition témoin ont pu participer pleinement à la recherche et se retrouver dans une condition presque identique à celle des personnes recevant les autres interventions. Elles ont rencontré le psychiatre traitant sur une base hebdomadaire, ont reçu la même attention que les autres participants et ont même posé les mêmes gestes détaillés que les autres jusqu'à l'action d'ingérer une capsule avec un verre d'eau à heures fixes quotidiennement. Clairement, l'équivalence entre ce type de condition témoin et les conditions expérimentales est beaucoup plus complète que ce qu'on obtient au moyen d'une liste d'attente ou de l'absence totale d'intervention. Le placebo permet aussi de mettre en place la stratégie à double insu. Étant donné que tous les participants reçoivent des comprimés et que même le psychiatre traitant ne connaît pas le contenu véritable des comprimés, celui-ci peut faire son évaluation du progrès des clients sans savoir avec certitude quel traitement il évalue. De cette manière, les résultats ne sont biaisés ni par les attentes du médecin ni par celles des participants.

En toute honnêteté, ce jeu de cache-cache n'est que partiellement réussi. Par exemple, une psychiatre expérimentée peut généralement deviner avec assez d'exactitude quelles personnes appartiennent à la condition placebo, car elles auront généralement la plus forte combinaison de maintien des symptômes et d'absence d'effets secondaires associés à la médication. Malgré tout, un test dans ces conditions vaut beaucoup mieux qu'un test complètement ouvert.

Le placebo peut aussi être utile pour évaluer l'efficacité d'agents autres que les médicaments traditionnels, en l'occurrence les produits homéopathiques. Inaugurée en 1796 par le médecin allemand Hahnemann (1755-1843), la méthode homéopathique consiste à soigner les malades au moyen de remèdes à doses *infinitésimales* obtenues par dilution. À des doses élevées, ces substances sont capables de produire sur la personne saine des symptômes semblables à ceux de la maladie à combattre. Pour identifier les produits ayant un potentiel homéopathique, Hahnemann (1982) effectua d'abord des tests à forte dose puis à des doses de plus en plus diluées, tout en notant les symptômes manifestés. Selon lui, la dilution du produit en étapes successives fait ressortir son *pouvoir dynamique*, permettant ainsi une action curative. Il s'agit d'une conception vitaliste[8] qui se rapproche un peu du principe de la vaccination, sans y être identique. Le remède est censé amener la force vitale du corps à éliminer la maladie.

Il existe relativement peu d'études scientifiques de l'efficacité des médicaments homéopathiques. Toutefois, selon Walach (1993), il semble que 81 des 101 essais cliniques contrôlés, rapportés et évalués par Kleijnen, Knipschild et ter Riet (1991) aient produit des résultats positifs. Walach, lui, propose une étude différente. Il désire tester le postulat de base de l'homéopathie en vérifiant si l'on peut détecter des effets de la préparation diluée chez la personne en santé. Pour ce faire, il utilise une préparation de Belladona C30 qu'il compare à un placebo. La Belladona est réputée capable de réduire la fièvre et l'inflammation des oreilles ou de la gorge. La Belladona C30 est diluée 30 fois par un facteur de 100 à chaque fois. Il s'agit d'un degré de dilution extrême, sachant que déjà à une dilution C12 on aurait peine à trouver une seule molécule de Belladona dans un litre d'eau. Clairement, l'approche homéopathique diffère de la médecine traditionnelle qui considère plutôt qu'il faut une quantité suffisante mais pas trop forte de la molécule active.

Vingt-sept participants et 29 participantes volontaires et en santé sont recrutés dans le cadre de cours sur l'homéopathie et la psychologie donnés à Fribourg, en Allemagne, et à Bâle et Zurich, en Suisse. Quarante-cinq personnes vont au bout du projet. Ces volontaires consentent à éliminer de leur routine habituelle la présence de toute drogue de nature illégale ou médicale et à réduire la quantité de stimulants (ex. : caféine, alcool) ou de

8. Le vitalisme est une doctrine d'après laquelle il existe en tout individu un « principe vital » distinct de l'âme pensante et de la matière.

stresseurs (ex. : voyages). Ils sont affectés de façon aléatoire à l'une de deux conditions expérimentales selon un protocole à renversement d'intervention à double insu. Dans la première condition, les participants prennent trois doses de Belladona les mardi, mercredi et jeudi soir de chaque semaine pendant quatre semaines, suivies du même régime de placebo pendant quatre autres semaines. Dans la seconde condition, c'est le placebo qui est consommé pendant les quatre premières semaines suivi de la Belladona. Le remède homéopathique ainsi que le placebo sont obtenus d'une entreprise manufacturière spécialisée dans cette production. Les substances sont placées dans des contenants et envoyées par la compagnie directement chez un notaire qui les distribue selon un plan d'affectation aléatoire établi par une université autre que celle de l'auteur. Les participants utilisent un journal de bord pour enregistrer des informations relatives aux événements dans leur vie quotidienne, leur bien-être, ainsi que les changements d'ordre psychologique ou physique observés. Une liste de catégories prédéterminées a servi à classifier le genre de changement observés (ex. : partie du corps affectée, temps de la journée, durée, intensité, réponse détaillée au choix). Pour chaque changements rapporté (ex. : front, nez, oreille gauche, oreille droite, etc.), la fréquence du changement a été comparée entre les conditions Belladona et placebo. Des vingt-huit changements physiques rapportés, seul le changement au dos est statistiquement significatif. Autant dire que rien n'a pu être détecté.

L'auteur conclut effectivement qu'il n'y a pas d'effet homéopathique dans l'ensemble du groupe. Toutefois, ayant noté que certains individus semblent répondre plus positivement que d'autres, il recommande que l'on poursuive la recherche en ce sens. Que penser de cette étude et de la recommandation finale ? L'argument selon lequel quelques individus répondraient mieux que d'autres est faible, car rien dans l'introduction de l'étude n'indique que les effets escomptés soient limités à une population particulière. Il semble plus probable que les différences individuelles observées résultent simplement de variations individuelles aléatoires. L'étude est minutieusement contrôlée. L'auteur a pris des précautions extraordinaires en faisant intervenir une autre université et un notaire pour l'affectation aléatoire. Habituellement, on laisse à un proche collaborateur le soin de la distribution aléatoire et de l'organisation du double insu. Cependant, les précautions extrêmes prises par Walach ne sont peut-être pas superflues, sachant que la validité de la médecine homéopathique a été longtemps contestée par la médecine traditionnelle dans des débats houleux qui n'avaient parfois plus un caractère très scientifique. Cela n'est pas si étonnant car, après tout, l'effet homéopathique n'est pas explicable par les mécanismes connus de la médecine actuelle et elle défie même la compréhension. Comment un produit dilué au point d'être pratiquement inexistant peut-il encore agir de manière curative? Pourtant, devant les résultats rapportés par Kleijnen, Knipschild et ter Riet, force nous est d'admettre que l'effet existe. Cette existence n'entre pas en contradiction avec les résultats de Walach. Celui-ci n'a pas évalué les effets curatifs de la Belladona; ses participants n'étaient pas malades. Il a cherché à détecter tout effet perceptible, par des personnes saines, du remède dans son état dilué. Il n'y en a pas. Alors, comment Hahnemann a-t-il réussi autrefois à éprouver les pouvoirs guérisseurs de quelque substance que ce soit? Le secret se trouve peut-être dans la manière exacte. Tel que mentionné ci-dessus et rapporté par Walach et par Hahnemann, l'identification des substances passe d'abord par des tests à forte dose puis à des doses de plus en plus diluées. Cette description suggère que la validité externe de l'étude de Walach est limitée et qu'il y aurait lieu de la reprendre en utilisant le processus d'identification utilisé par Hahnemann. Chose certaine, il y a un besoin criant d'un énoncé de mécanisme acceptable à la lumière des connaissances physico-chimiques actuelles. Voilà un problème scientifique intriguant à résoudre. Le défi est lancé.

Dans certaines études, surtout psychologiques, la condition placebo n'est pas la condition témoin, elle est la condition expérimentale. Desharnais et al. (1993) sont d'avis que si les améliorations mineures obtenues dans la condition placebo d'une évaluation de médicament sont causées par les attentes des participants, alors on devrait pouvoir utiliser ce « pouvoir de suggestion » d'une manière proactive. Ils utilisent une condition placebo purement psychologique dans une étude portant sur le lien entre l'activité physique et le sentiment de bien-être ou de santé. Un échantillon de 48 jeunes adultes (24 hommes et 24 femmes) est affecté aléatoirement à l'une de deux conditions d'entraînement supervisé, d'une durée de 10 semaines. Dans la condition expérimentale, les attentes des participants ont été manipulées en soulignant que le programme d'exercice a été conçu spécialement pour améliorer le sentiment de bien-être en plus de la santé physique. On tente donc de créer l'effet placebo en suggérant une attente spécifique. Dans la condition contrôle, l'entraîneur n'insiste que sur les bénéfices d'ordre physique. L'effet est dit placebo parce que l'exercice n'est que physique et qu'aucune intervention spécifique ne cible le bien-être psychologique. Trois mesures, dont deux psychologiques, sont recueillies selon un protocole prétest post-test avec condition témoin équivalente. La première mesure est l'estime de soi, tenant lieu du sentiment de bien-être. La seconde est un indice de santé physique, le VO_{2max}, reflétant l'efficacité du système de transport d'oxygène. La troisième est la perception des participants quant à l'efficacité de leur programme d'entraînement respectif. Les résultats montrent que la santé physique ainsi que la perception d'efficacité du programme se sont améliorées au cours des sessions en quantité égale dans les deux conditions. Par contre, l'estime de soi est significativement plus élevée au post-test dans la condition placebo expérimentale. L'adage de l'esprit sain dans un corps sain se vérifie donc d'autant plus qu'on le rappelle au début de la période d'exercice.

4.1.5. Intervention non spécifique

Pour contrôler certains phénomènes, il faut plus qu'une condition sans intervention dans les situations où le concept de liste d'attente n'est pas applicable, et où il n'existe pas de placebo. En voici un exemple (voir tableau 4.7). Shoenfelt (1996) entraîne des joueuses de ballon-panier dans une ligue inter-universitaire. Ces joueuses font déjà partie de la ligue et ont déjà acquis les habiletés essentielles au jeu. Shoenfelt désire évaluer si une stratégie

TABLEAU 4.7 **La condition témoin de type non spécifique**

Description	– Les participants de cette condition reçoivent l'intervention, mais sans savoir comment elle s'applique spécifiquement au phénomène cible.
Forces	– Offre un contrôle des menaces à la validité interne. – Aide à clarifier la validité de construit. – Réduit le taux de défection. – Facilite le recrutement. – Réduit, sans les éliminer, les contraintes éthiques si les participants nécessitent de l'aide.
Limites	– Des contraintes éthiques sont associées à la duperie (si applicable) et à l'éventualité où les participants ont besoin d'une aide immédiate au prétest ou que leur état se détériore. – Il faut s'assurer que les participants n'apprennent pas par eux-mêmes comment appliquer l'intervention au phénomène cible. – Présente un caractère de faisabilité.

d'entraînement spécifique est susceptible d'améliorer l'habileté des joueuses à effectuer des lancers libres. Cette stratégie d'entraînement comporte trois composantes. La première est l'établissement de buts spécifiques relativement à la performance individuelle, soit la fixation d'un objectif concret concernant le nombre de lancers libres à réussir. La seconde est un système de rétroaction comportementale immédiate qui consiste à examiner sur vidéo la performance lors d'une partie en fonction des objectifs individuels établis. Enfin, la troisième est une rétroaction globale prenant la forme d'une évaluation cumulative depuis le début du programme d'intervention. Dans la condition témoin, les joueuses font partie d'un programme d'entraînement semblable mais dont la cible est le comptage de buts ordinaires et non pas les lancers libres. L'hypothèse principale est que, au moment d'une partie de la ligue, les joueuses exposées à la stratégie d'entraînement des lancers libres seront plus compétentes dans cette catégorie de performance que des joueuses exposées à un entraînement semblable mais qui n'est pas propre au lancer libre.

Douze joueuses sont appariées quant à leur niveau de performance à la mi-saison et réparties aléatoirement dans les deux conditions expérimentales. Le nombre de lancers libres réussis est recueilli pendant 27 parties, dont 19 avant et 8 après l'intervention. À cause des mesures prétest et post-test répétées, le protocole de l'étude ressemble à s'y méprendre au protocole quasi expérimental à séries temporelles multiples. Toutefois, il s'agit réellement d'un protocole expérimental prétest post-test avec condition témoin équivalente, puisque les conditions proviennent d'une affectation aléatoire.

Les résultats indiquent qu'avant l'établissement de la stratégie d'entraînement les conditions sont équivalentes en ce qui regarde les lancers libres avec une performance de 66 % (172/260) pour la condition avec intervention et de 69 % (157/228) pour la condition témoin. Après le début de l'intervention, la performance atteint 73 % (93/127) dans la condition traitée, alors qu'elle est de 64 % (63/99) pour la condition témoin. L'écart de performance entre les deux conditions en fonction de l'établissement de la stratégie d'entraînement est significatif, ce qui corrobore l'hypothèse émise par Shoenfelt.

L'avantage principal de la condition témoin avec intervention non spécifique est qu'elle permet de rendre les conditions très équivalentes à tout point de vue, sauf en ce qui concerne le phénomène cible. L'intervention non spécifique montre toute son utilité dans des études comportementales où l'attention accordée aux participants et aux participantes ou des facteurs plus subtils encore, tels que le fait même de participer à une étude en groupe, peuvent jouer un rôle important. Shoenfelt motive l'inclusion de l'intervention non spécifique pour, écrit-elle, contrôler l'*effet de Hawthorne*. Cette appellation réfère à une série d'expériences (Homans, 1965 ; Roethlisberger & Dickson, 1939) en milieu industriel au cours des années 1920-1930. Les dirigeants de l'usine Hawthorne de la compagnie Western Electric, située près de Chicago, tentèrent d'évaluer les effets de diverses modifications à l'environnement de travail sur la productivité des travailleurs et travailleuses. À leur grande surprise, les résultats obtenus semblèrent souvent paradoxaux. Par exemple, la productivité augmentait, que les conditions de travail soient améliorées (ex. : accroissement du nombre et de la longueur des pauses) ou détériorées (élimination des pauses). Sur la base d'entrevues effectuées auprès des employés, on estime (Lindgren, 1969) que la cause de cette indépendance entre la productivité et les variations dans les conditions de travail était due au fait que la participation à l'étude en soi constituait un élément plaisant dans un environnement de travail plutôt monotone par ailleurs. De plus, l'ensemble des expériences s'étendait sur une période très longue, quatre ans et demi, au cours de laquelle les superviseurs consultaient les employés avant de mettre à l'épreuve divers changements. Les employés se sentaient ainsi plus libres de discuter du travail entre eux, etc. Pour pouvoir mesurer des variations de productivité, le système de paye à la pièce avait été remplacé par un salaire fixe pendant la durée de l'étude. Ainsi, toute une série de facteurs insoupçonnés mais plus puissants que ceux étudiés par les chercheurs affectaient la performance globalement.

4.1.6. Conditions témoins multiples

Parfois les chercheurs désirent isoler plusieurs aspects du phénomène qui les intéressent. Dans ce cas, on peut avoir recours à plusieurs conditions témoins simultanément. Le projet de Toseland et de ses collaborateurs (1997) en fournit un exemple. Ce projet incorpore une condition témoin avec intervention non spécifique ainsi qu'une condition témoin sans intervention.

L'étude concerne les résidentes (66) et résidents (22) de quatre maisons d'hébergement pour personnes atteintes de démence. On cherche à vérifier l'impact de la thérapie de validation à plusieurs égards dont la fréquence des problèmes comportementaux telle que mesurée par l'Inventaire d'agitation de Cohen-Mansfield (Cohen-Mansfiel, 1986). Le déroulement de la thérapie de validation met en jeu diverses techniques de communication verbales et non verbales spécifiquement conçues afin de favoriser la communication des personnes âgées démentes par l'utilisation de fragments de mémoire ou d'autres aspects de leur fonctionnement cognitif, affectif et moteur encore intacts. Afin d'évaluer la possibilité que l'amélioration observée chez les résidentes bénéficiant de la thérapie de validation soit strictement due à l'attention qu'elles reçoivent durant la thérapie, une condition avec contact social est aussi mise en place. Dans cette condition, les participantes peuvent effectuer plusieurs activités reliées notamment à la musique, à l'art, à la littérature, à la danse, à l'exercice. Cette condition reçoit donc un traitement non spécifique. Enfin, dans une troisième condition, les personnes ne reçoivent aucune attention particulière au-delà des soins habituels, contacts sociaux réguliers et activités récréatives offerts par l'équipe de travail de l'établissement. Les séances de thérapie de validation ainsi que les contacts sociaux non spécifiques sont effectués par des personnes spécialement entraînées ne faisant pas partie du personnel infirmier régulier. Le personnel infirmier est responsable d'évaluer l'état des résidents, mais ne connaît pas la nature du traitement reçu par ces derniers. Il s'agit donc d'une étude à simple insu.

Les résidentes n'ayant pas la capacité mentale nécessaire pour donner un consentement éclairé, on obtient d'abord le consentement des tuteurs légaux. Par la suite, les résidentes sont réparties aléatoirement dans les conditions pour chaque maison d'hébergement. L'évaluation est effectuée à trois reprises, soit tout au début du traitement, après trois mois et après un an. Comme l'intervention dure un an, les principaux résultats sont ceux du changement au moment de la mesure finale. Ces résultats sont illustrés au moyen de rangs à la figure 4.2. Un rang moyen faible signifie que cette condition se comporte mieux qu'une autre condition au rang moyen plus élevé. Dans le texte de l'article ainsi que dans le résumé, les conclusions des auteurs sont les suivantes :

> Le personnel infirmier a rapporté que les participants à la thérapie de validation ont manifesté moins d'agressivité physique et verbale et étaient moins dépressifs que les résidents du groupe de contact social et du groupe ne recevant aucune attention particulière au-delà de la routine habituelle. La thérapie de validation... était moins efficace que le contact

social ou l'absence de traitement pour réduire les comportements problématiques non agressifs. (Notre traduction)

Les trois conclusions concernant les problèmes de comportement sont-elles justifiées par la présentation des résultats ? La première affirmation semble fondée car, comme l'indique la portion gauche de la figure 4.2, le rang moyen dans la condition de thérapie de validation est nettement inférieur à celui des deux autres. Par la forme de leur phrase, les auteurs suggèrent implicitement que ceci est aussi vrai concernant l'agressivité verbale. Or, si le rang moyen d'agressivité verbale est faible dans la condition de thérapie de validation, il l'est autant dans la condition

Figure 4.2 Résultats de Toseland et al. (1997) à l'Inventaire d'Agitation de Cohen-Mansfield

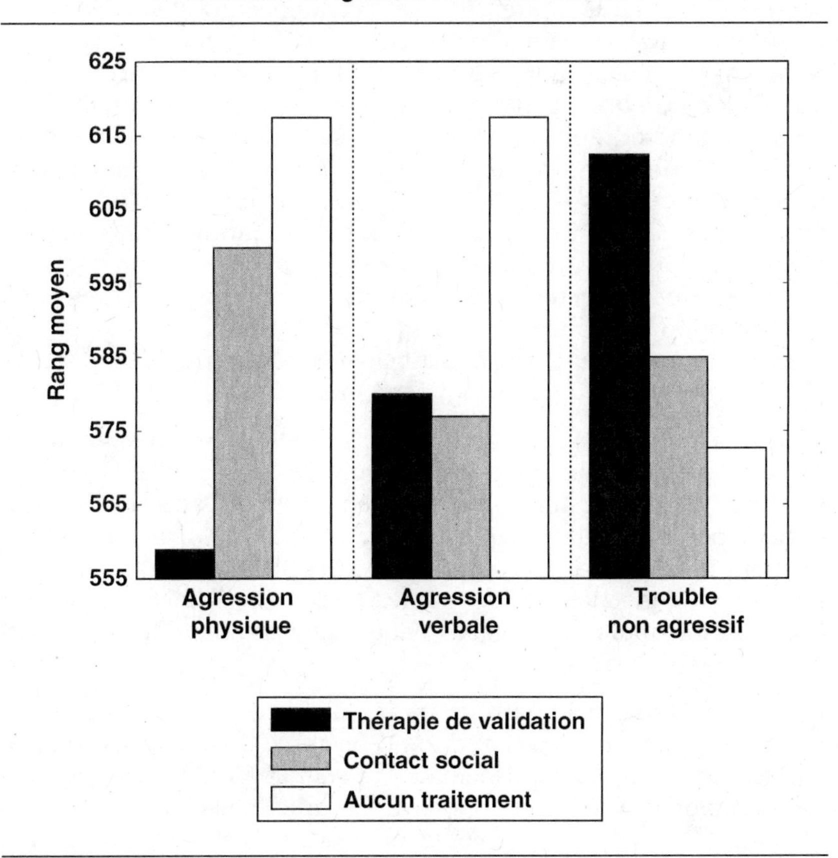

de contact social. Cela implique donc que la diminution de l'agressivité verbale est un effet non spécifique et non pas un effet de la validation. Le texte du résumé induit en erreur et surprend, puisque les auteurs ont montré, par le protocole expérimental choisi, leur conscience des effets non spécifiques possibles dans ce domaine de recherche et ont même reconnu l'effet du contact social dans leur discussion générale (p. 47). La pire formulation du résumé, aucunement redressée même dans le texte principal, est la troisième conclusion. Selon Toseland et ses collègues, le contact social et l'absence d'intervention spécifique auraient tous deux *réduit* la fréquence des comportements problèmes non agressifs, alors que la thérapie de validation n'y serait pas parvenue. L'utilisation du terme « réduction » dans cette phrase comme dans le texte constitue au minimum une source d'ambiguïté sinon une fausse interprétation du protocole de la recherche et des résultats. Notons d'abord que la présentation en rangs empêche les lecteurs de décider s'il y a vraiment *réduction* de la fréquence des comportements problèmes non agressifs. Un rang faible pourrait tout aussi bien être obtenu par une *détérioration moindre* que par une amélioration véritable. La différence est importante, car dans un cas on peut annoncer aux résidents, à leurs tuteurs et au personnel des centres d'hébergement que l'on dispose d'une intervention permettant d'éliminer une certaine quantité de problèmes, alors que dans l'autre cas on ne peut leur offrir qu'un moindre mal. Pour que les lecteurs puissent déterminer auquel de ces deux scénarios on a affaire, il faut que les auteurs du rapport de recherche rapportent leurs données de façon que les lecteurs puissent exercer leur propre jugement.

Même en accordant aux auteurs qu'il y a une baisse réelle de la fréquence des comportements problèmes derrière les rangs, la phrase, telle que formulée, sous-entend que l'absence de traitement pourrait causer cette baisse. Comment l'absence d'intervention peut-elle causer quoi que ce soit? Lorsqu'un effet se produit en l'absence de toute intervention expérimentale, il faut le rapporter, mais en se gardant de qualifier la condition témoin sans intervention d'*efficace*.

En examinant le patron des résultats de la figure 4.2 d'une manière globale, c'est-à-dire dans l'ensemble des trois portions de la figure, la conclusion principale qui semble s'en dégager est que la thérapie de validation déplace les problèmes au lieu de les éliminer. En effet, les résidents et résidentes de cette condition présentent un minimum de comportements agressifs, une quantité intermédiaire d'agressivité verbale et une prépondérance de comportements problématiques non agressifs, un patron qui est exactement l'inverse de la progression chez les résidents sans intervention. Jusqu'à un certain point, le patron de résultats dans la condition de contact social paraît intermédiaire, suggérant qu'au moins une partie de l'effet de la thérapie de validation est non spécifique.

La principale difficulté d'interprétation de ce rapport de recherche est liée à l'accent que les auteurs placent sur la *réduction* des problèmes dans le temps, alors que la force du protocole utilisé réside dans la comparaison du changement intercondition ou, au pis aller, de la comparaison intercondition simple au moment du post-test. Cette constatation est fondamentale et générale à tous les protocoles expérimentaux.

4.1.7. Intervention standard

Même pour les soldats de carrière, le fait d'aller au combat représente un événement extrêmement stressant qui peut laisser des séquelles psychologiques. Lorsque ces séquelles sont graves, nombreuses, et qu'elles correspondent à certains critères identifiables, elles forment ce que l'on appelle un trouble de stress post-traumatique. Ce type de problème se traite généralement par des médicaments, une psychothérapie cognitivo-comportementale ou leur combinaison. Ces méthodes constituent maintenant les interventions standards (Nathan & Gorman, 1998). Dans les années 1980, cependant, les traitements considérés comme standards n'étaient pas bien établis. En 1989, Cooper et Clum proposent un moyen d'améliorer le traitement standard de l'époque. Ils cherchent à vérifier l'efficacité d'un traitement par immersion en imagination lorsque cette technique est ajoutée au standard d'ordre pharmacologique et psychothérapeutique (voir tableau 4.8). Les auteurs font cette comparaison par ajout au traitement standard de l'époque pour plusieurs raisons. D'abord et avant tout, le trouble de stress post-traumatique est trop sévère pour qu'on puisse envisager la comparaison avec une condition sans intervention, placebo ou de liste d'attente. Ensuite, le traitement standard était, malheureusement, d'une efficacité suffisamment limitée pour laisser beaucoup de place à l'amélioration. De plus, cela représente une solution alternative de plus en plus valorisée éthiquement. Enfin, les chercheurs n'anticipent aucune interaction négative entre leur nouvelle technique et l'intervention standard.

TABLEAU 4.8 **La condition témoin de type intervention standard**

Description	– Les participants de cette condition reçoivent l'intervention qui est considérée par la communauté scientifique, comme le standard de qualité.
Forces	– Offre un contrôle des menaces à la validité interne. – Élimine les contraintes éthiques associées à l'utilisation d'une condition témoin. – Réduit le taux de défection. – Facilite le recrutement. – Peut aider à clarifier la validité de construit.
Limites	– Il faut connaître à l'avance en quoi consiste l'intervention standard. – Il faut s'assurer que l'intervention standard est appliquée de la bonne façon. – La marge de manœuvre pour démontrer la supériorité de la nouvelle intervention est d'autant plus limitée que l'intervention standard est efficace.

En quoi consiste la nouvelle technique ? L'immersion en imagination consiste à replacer la personne dans la situation traumatisante, mais en imagination seulement, et à l'y maintenir en pleine exposition jusqu'à ce que l'anxiété diminue. Naturellement, l'utilisation de cette technique exige l'aide d'un professionnel expérimenté ainsi que le consentement éclairé des clients. Durant une séance d'immersion en imagination, le thérapeute décrit des scènes se rapportant aux événements traumatisants avec autant de clarté et d'impact que possible, faisant appel à toutes les modalités sensorielles. Le but de cette thérapie est d'amener l'individu à centrer son attention sur ces événements, afin de faire diminuer l'anxiété par une exposition répétée et ainsi mieux intégrer ses émotions. La séance dure au maximum une heure et demie. Si le client n'a pu rapporter de diminution d'anxiété même légère avant la fin de la séance, le thérapeute effectue alors une transition vers l'imagerie positive et la relaxation afin d'assurer une réduction d'anxiété renforçante avant que la séance prenne fin. Cette réduction d'anxiété, même minime, en présence des stimuli traumatisants ou de leur rappel constitue l'ingrédient crucial de cette forme de thérapie.

Dans l'étude de Cooper et Clum (1989), des vétérans du Viêt-nam sont soumis au traitement standard de l'époque, soit l'administration de médicaments antidépresseurs et anxiolytiques, ainsi que des séances de thérapie individuelle et de groupe permettant la mise en relief des problèmes associés à leurs traumatismes ainsi que l'apprentissage de stratégies de résolution de problème. Les participants de la condition témoin n'ont été exposés qu'au traitement standard, tandis que ceux de la condition avec traitement « expérimental » ont été exposés à la fois au traitement standard et à la thérapie d'immersion en imagination. Les mesures d'anxiété étaient recueillies à l'aide du rythme cardiaque et de rapports effectués par les individus eux-mêmes. Les résultats ont montré que la thérapie par l'imagerie d'événements directement reliés à un stress post-traumatique est efficace lorsqu'elle est combinée avec le traitement standard de l'époque. En effet, les rapports individuels d'anxiété révèlent une diminution de l'anxiété lors de l'évocation de scènes reliées au traumatisme, une diminution générale de l'anxiété ainsi qu'une diminution des problèmes de sommeil tels que les cauchemars. Ces changements n'ont pas été observés de façon systématique chez les individus strictement exposés au traitement standard. On reconnaît maintenant que cette étude a contribué à l'établissement de nouveaux standards de traitement du trouble de stress post-traumatique (Nathan & Gorman, 1998).

4.1.8. Intervention de remplacement

Parfois, le but d'une étude n'est pas de comparer une intervention avec l'absence d'intervention ou avec un placebo, ni de comparer l'ajout d'une intervention nouvelle à l'amalgame d'interventions standards. Dans certains cas, l'évaluation porte sur l'efficacité relative de deux modes d'intervention qui peuvent servir de remplacement l'un pour l'autre. Cette variante de la comparaison entre interventions peut s'accompagner ou non d'une comparaison avec une condition témoin où l'on n'attend aucun changement. L'étude de Fontaine et al. (1986), déjà citée en exemple pour la comparaison avec un placebo, comporte aussi une comparaison qui tient à la fois de l'intervention standard et de l'intervention de remplacement selon le point de vue adopté. Dans cette recherche, la comparaison s'effectuait entre trois conditions : le médicament bromazépam, le lorazépam et un placebo. Les deux médicaments sont des benzodiazépines qui permettent de réduire l'anxiété. À efficacité égale, une intervention peut tout aussi bien remplacer l'autre. Ici c'est le lorazépam, médicament plus récent, qui constitue le candidat remplaçant. Le bromazépam étant sur le marché depuis plus longtemps et d'usage assez répandu, on peut à la rigueur le considérer comme le traitement standard. Cependant, à la différence du protocole de Cooper et Clum (1989) présenté précédemment, l'étude de Fontaine n'ajoute pas le lorazépam au bromazépam mais fait plutôt une substitution. Dans le même ordre d'idées, de nombreuses études portant sur le traitement du cancer comparent l'efficacité relative de la chimiothérapie et de la cryochirurgie. En psychologie, Paul (1966) compare la technique béhaviorale appelée désensibilisation systématique avec la psychothérapie classique, ainsi qu'avec une condition placebo, comme moyen de traiter l'anxiété. Comme son nom l'indique, la désensibilisation systématique est une technique de modification du comportement qui consiste à réduire graduellement la réaction d'anxiété en exposant la personne, par étapes croissantes, aux sources de stimulation qui causent cette anxiété. La psychothérapie classique n'expose pas le client ou la cliente aux stimuli sources. Elle s'en tient plutôt à un examen psychologique introspectif guidé par la psychologue et tentant de produire une prise de conscience des racines profondes du problème vécu. En général, les manuels d'application et d'intervention psychologiques (O'Leary & Wilson, 1987) contiennent de nombreux exemples d'études de ce type.

4.1.9. Condition couplée

Dans certaines études, la nature même de l'intervention étudiée peut entraîner des changements pendant la durée de l'intervention. Lorsque ces changements peuvent être inégaux selon la condition, il importe de pouvoir les contrôler. La technique du *couplage* (voir tableau 4.9) est parfois suggérée à cette fin (Kazdin, 1992). Voici trois exemples qui illustrent la nature ainsi que l'utilité et les limites de la technique.

Plusieurs travaux de recherche en psychologie visent l'évaluation de l'efficacité de méthodes thérapeutiques. Notons l'exemple de la désensibilisation systématique mentionné précédemment (Paul, 1966). Le processus de désensibilisation suppose une *exposition graduelle* aux stimuli anxiogènes en commençant par des stimuli dont le pouvoir anxiogène est tellement faible qu'on peut le considérer comme nul et en progressant vers les stimuli spécifiques les plus anxiogènes possible. Ainsi, une personne souffrant d'une peur maladive d'animaux domestiques tels que les chiens peut entreprendre un traitement basé sur l'exposition graduelle, soit sous forme de désensibilisation ou d'autres techniques (Nathan & Gorman, 1998). Le traitement par exposition graduelle pourrait débuter, par exemple, par le fait de marcher sur le trottoir devant une maison (appartenant à des amis ou à des voisins

TABLEAU 4.9 **La condition témoin de type couplée**

Description	– Après l'affectation, les participants de cette condition sont jumelés avec un participant appartenant à une autre condition en fonction d'un élément potentiellement important de l'intervention.
Forces	– Favorise un contrôle de la majorité des menaces. – Réduit le taux de défection. – Facilite le recrutement. – Peut aider à clarifier la validité de construit.
Limites	– L'adaptation de la variable indépendante aux caractéristiques individuelles des participants peut induire des biais méthodologiques importants. – Il faut connaître à l'avance les éléments à considérer pour coupler les participants. – En recherche clinique les participants de la condition témoin participent tous à l'expérimentation après ceux de la condition recevant l'intervention, ce qui empêche de contrôler l'impact des facteurs historiques.

par exemple) à l'intérieur de laquelle se trouve un chien. Une étape subséquente pourrait consister à circuler sur le parterre autour de cette maison; puis de sonner à la porte d'entrée; d'entrer dans le portique mais sachant que le chien a d'abord été isolé dans une pièce fermée; d'entrer dans une grande pièce comme le salon; de laisser entrer le chien, en laisse, à l'autre extrémité de cette grande pièce; de laisser le chien, toujours en laisse, s'approcher à mi-chemin, puis toujours de plus en plus près, jusqu'à pouvoir le toucher, le flatter, et finalement le laisser libre dans la même pièce. Ces étapes sont franchies une à une au cours de séances multiples. Lorsqu'on applique l'exposition graduelle, il est important de décomposer l'approche en étapes suffisamment petites pour qu'elles puissent être franchies.

La décomposition en étapes très graduelles devient encore plus importante dans une recherche où le traitement doit être appliqué à plusieurs personnes dont le niveau d'anxiété et la capacité à surmonter cette anxiété, même graduellement, peuvent différer énormément. Il faut alors viser le plus petit dénominateur commun. Toutefois, il est souhaitable d'ajuster la progression du traitement en fonction des individus. Cela peut demander d'adapter le nombre de séances consacrées à franchir chaque étape. Une personne qui progresse lentement peut avoir besoin de plusieurs séances par étapes, alors qu'une autre qui progresse plus rapidement peut franchir plus d'une étape dans la même séance. Cet ajustement de la progression en fonction du rythme individuel fait en sorte que la durée totale de traitement varie d'un participant à l'autre. Si l'étude comporte aussi une condition témoin impliquant une intervention non spécifique, il faudrait que la durée totale du traitement non spécifique soit maintenue au même niveau que celle de la désensibilisation, en dépit du fait que la durée totale de traitement est variable d'une personne à l'autre. Pour parvenir à cet équilibre, les personnes qui participent à la condition d'intervention non spécifique peuvent être couplées avec les personnes de la condition comportant de l'exposition. La sélection en vue du couplage peut se faire de manière aléatoire ou par appariement selon le niveau d'anxiété au prétest. Une personne donnée de la condition d'intervention non spécifique reçoit ce traitement selon le même rythme de progression et la même durée totale que la personne à laquelle elle a été couplée dans la condition recevant de l'exposition. On procède de la même manière avec autant de couples qu'il y a de participants ou de participantes dans la condition expérimentale.

Si l'étude comporte une condition sans intervention, on peut aussi y appliquer le couplage bien que d'une manière partielle. Comme il n'y a pas d'intervention dans cette condition témoin, on ne peut pas contrôler la progression, mais on peut quand même équilibrer la durée totale de la période entre le prétest et le post-test.

En théorie, on pourrait utiliser le couplage dans des études sur les médicaments où la dose doit être ajustée à chaque personne. En général, l'ajustement des doses se fait en fonction du poids de la personne car l'absorption du médicament varie selon la masse corporelle. Dans ce cas, la personne couplée de la condition placebo devrait être appariée quant au poids. Le couplage serait en principe possible même dans une condition recevant un médicament alternatif, mais seulement si la courbe de dosage en fonction de la masse corporelle est semblable pour la molécule active du médicament alternatif et celle du médicament expérimental.

L'applicabilité de la technique de couplage ne se limite pas à des études d'ordre thérapeutique. Elle s'étend à toute étude où le déroulement de l'intervention relève en partie des participants. En psychologie et en éducation, les chercheurs intéressés à l'apprentissage par conditionnement ont depuis longtemps identifié deux types de conditionnement : le conditionnement classique et le conditionnement instrumental. Dans le conditionnement classique, une relation contingente existe entre deux stimuli reliés l'un à l'autre mais *indépendants du comportement.* Le premier stimulus est dit conditionnel et le second inconditionnel ou renforçateur. Dans le conditionnement instrumental, une relation contingente existe entre le *comportement* de l'individu et *l'apparition ou la non-apparition du stimulus renforçateur.* Dans certaines situations, il est extrêmement difficile de déterminer à quel type d'apprentissage par conditionnement on a affaire. Un exemple tiré de la psychologie expérimentale illustre cet état de choses. Logan (1951) et Kimble, Mann et Dufort (1955) étudient le conditionnement palpébral chez l'être humain. Dans ce conditionnement, on présente, à plusieurs reprises, un son bref suivi d'une légère bouffée d'air dans l'œil. Le stimulus renforçateur est la bouffée d'air. Ce stimulus déclenche la fermeture de la paupière de manière réflexive (réflexe palpébral), sans qu'il soit nécessaire d'apprendre à le faire. Ce réflexe existe pour protéger l'œil. Après plusieurs essais au cours desquels le son précurseur est apparié à la bouffée d'air, on constate que le participant ou la participante se met à fermer la paupière dès l'apparition du son, sans attendre l'arrivée de la bouffée d'air. Une telle réponse au son n'existait pas au début des essais. La personne apprend à répondre au son. Elle y devient conditionnée. Qu'est-ce qui maintient ce conditionnement? La personne réagit-elle au son par réaction directe à ce dernier parce que ce stimulus a acquis la capacité de provoquer cette réaction à travers les appariements répétés avec la bouffée d'air? Ce serait un cas de conditionnement classique. La personne réagit-elle plutôt par anticipation de la bouffée d'air à venir et, se servant du son comme signal, ferme-t-elle la paupière pour éviter de recevoir la bouffée d'air dans l'œil? Ce serait un cas de conditionnement instrumental. Si le conditionnement est classique, le développement de la réponse de fermeture de la paupière *dépend strictement du nombre d'appariements* entre le son et la bouffée d'air. Plus la bouffée d'air est présente à la fin du son, plus le conditionnement augmente. Si le conditionnement est instrumental, le développement de la réponse de fermeture de la paupière *dépend la capacité du participant à éviter* la bouffée d'air. Plus la bouffée d'air devient absente de l'œil dans l'intervalle de temps qui suit immédiatement le son – ce qui est techniquement le cas si la paupière est fermée avant son arrivée – plus le conditionnement est fort. Moore et Gormezano (1961) mettent ces deux conceptions à l'épreuve en comparant le taux de réponse maintenu par une contingence explicitement instrumentale avec une contingence classique couplée. Dans la contingence explicitement instrumentale, le son est présenté mais il n'est suivi de la bouffée d'air que si la paupière est ouverte. Ainsi, le participant reçoit la bouffée d'air au cours des premiers essais, mais il la reçoit de moins en moins à mesure que la paupière commence à se fermer dès l'apparition du son. C'est pourquoi cette condition est parfois qualifiée de condition d'omission. Les premiers essais servent à apprendre que le son peut servir de signal. Les essais subséquents maintiennent le conditionnement en empêchant totalement l'arrivée de la bouffée d'air car, dans cette condition, ce n'est pas seulement l'œil qui ne reçoit pas d'air, la paupière non plus. Dans la condition classique, le son est, en principe, apparié à l'air à tous les essais, peu importe le degré de fermeture de la paupière. Pour s'assurer de l'équivalence des deux conditions en ce qui a trait au nombre total de bouffées d'air reçues, chaque personne de la condition classique est couplée à une personne de la condition instrumentale et reçoit une bouffée d'air seulement lorsque la personne de la condition instrumentale en reçoit ; donc, indépendamment de ce que fait sa propre paupière. Le résultat est que la condition d'omission soutient un taux de réponse légèrement plus élevé que la condition classique, ce qui peut s'interpréter comme une preuve que le conditionnement palpébral résulte d'une contingence instrumentale.

Doit-on accepter cette interprétation ? Church (1964) et Gormezano (1965) soutiennent que non. Il soulignent que même si la condition d'omission produit un taux de réponse plus élevé que la condition classique, ce résultat peut être un artefact de la procédure de couplage. Supposons que le conditionnement palpébral constitue vraiment un processus classique. De plus, supposons aussi que les individus diffèrent quant à leur sensibilité à ce conditionnement. Certaines personnes, très sensibles, auraient besoin de peu de renforçateurs pour devenir conditionnées, alors que d'autres, moins sensibles, en demanderaient beaucoup. Lorsque ces diverses personnes sont soumises à une condition d'omission, elles reçoivent exactement le nombre de renforçateurs *adapté à leur sensibilité*. Il en va *autrement* des personnes dans la condition classique couplée. Dans cette condition, le nombre de renforçateurs se trouve déterminé par le comportement de la personne dans la condition d'omission dont la sensibilité n'est pas nécessairement identique. Si la personne de la condition d'omission est très sensible, alors que la personne de la condition classique ne l'est pas, la personne en condition d'omission apprendra rapidement à fermer la paupière au son, réduisant ainsi le nombre de renforçateurs, ce qui défavorise l'apprentissage de la personne dans la condition classique. Si l'on divise simplement les participants en deux catégories de sensibilité, la procédure de couplage désavantage automatiquement la moitié d'entre eux. Pas étonnant que le conditionnement soit moins fort dans cette condition – peu importe le type véritable du conditionnement palpébral.

Cette longue présentation du couplage peut paraître quelque peu futile lorsqu'on la considère dans le cas isolé du conditionnement palpébral. Pourtant, en y réfléchissant bien, le biais inhérent à la procédure de couplage est tout aussi réel et menaçant dans les études de thérapie. Il est fort probable, sinon certain, que les gens varient dans leur sensibilité aux effets des diverses formes d'interventions psychologiques. Le raisonnement de Church et de Gormezano est parfaitement généralisable à l'exemple de l'exposition graduelle. Il suffit de remplacer les conditions instrumentale et classique par les conditions exposition et intervention non spécifique, et le nombre de renforçateurs par la progression des séances. Dès lors, le couplage désavantage la condition couplée et la comparaison devient déséquilibrée. Le nombre de séances serait bel et bien équilibré mais, pour toute différence observée entre l'exposition graduelle et le traitement non spécifique, on ne saurait dire si elle résulte des divergences dans la nature des interventions ou dans l'adéquation du rythme de progression. Kazdin (1992) affirme que le couplage est utilisé relativement peu souvent. La discussion ci-dessus permet de comprendre pourquoi.

4.1.10. Intervention nulle

Les leçons méthodologiques à tirer de l'étude de l'apprentissage par conditionnement ne se limitent pas à l'analyse des forces et des faiblesses de la procédure de couplage. Les chercheurs dans ce domaine ont depuis longtemps fait preuve d'une ingéniosité presque insurpassable pour tenter d'isoler des phénomènes psychologiques difficiles d'accès (voir tableau 4.10). Prenons par exemple la question : Qu'est-ce qui constitue la meilleure condition témoin possible pour l'étude de l'apprentissage par conditionnement ?

Tel qu'expliqué à la section précédente, l'apprentissage par conditionnement se produit lorsque deux événements cruciaux, soit un stimulus conditionnel et un renforçateur, soit un comportement et un renforçateur, sont appariés d'une manière répétitive. Par appariement, on entend la proximité temporelle des événements. Avant 1967, les études en apprentissage par

TABLEAU 4.10 **La condition témoin de type intervention nulle**

Description	– La relation de contingence présentée aux participants est nulle (procédure utilisable avec toute intervention comportementale comportant des contingences de renforcement).
Forces	– Offre un contrôle des menaces à la validité interne. – Offre un meilleur contrôle de la validité de construit.
Limites	– Est d'application complexe dans certains cas. – Il faut bien connaître les processus associés aux relations de contingences.

conditionnement comportaient une ou plusieurs conditions expérimentales. Dans la condition avec intervention cible, les stimuli tels que le son et la bouffée d'air du conditionnement palpébral étaient appariés. Dans la condition témoin, les mêmes stimuli étaient explicitement non appariés. Comme le montre le tableau 4.11, le non-appariement signifie la présentation des stimuli en cause de manière séparée dans le temps. Par exemple, lorsque le son est présent, la bouffée d'air ne l'est pas avant qu'il ne s'écoule un intervalle temporel assez long et vice versa. On espérait ainsi que les participants dans la condition appariée apprendraient la relation positive entre le signal et le renforçateur, alors que les

TABLEAU 4.11 **Apprentissage par conditionnement**

Avec appariement

	T1	T2	T3	T4	T5	T6	T7	T8	T9	T10
Son	X		X		X		X		X	
Air	X		X		X		X		X	

Sans appariement

	T1	T2	T3	T4	T5	T6	T7	T8	T9	T10
Son	X		X		X		X		X	
Air		X		X		X		X		X

«T» indique la période de temps ; «X» indique la présence de l'événement.

participants dans la condition explicitement non appariée ne l'apprendraient pas.

Rescorla (1967; 1968) a montré que ce qui se produit réellement dans la condition non appariée explicite, c'est que les participants apprennent que le signal prédit l'absence du renforçateur, alors que dans la condition appariée le signal prédit la présence du renforçateur. Il y a donc apprentissage dans les deux cas: on apprend une relation et sa direction, parfois positive parfois négative. Pour obtenir une condition vraiment neutre, il faut une condition dans laquelle la relation n'est ni positive ni négative mais nulle. C'est ce type de condition témoin qui a été adopté depuis cette époque. De plus, l'influence du raisonnement de Rescorla s'est étendue au-delà de l'apprentissage par conditionnement, comme le montre une étude de Shanks (1985) portant sur le jugement des contingences.

Shanks s'intéresse au processus cognitif par lequel nous sommes sensibles à la texture causale de notre environnement. Pour étudier ce processus en laboratoire, il élabore une tâche expérimentale qui ressemble à un jeu vidéo. Placés devant l'écran d'un ordinateur, des participants ou participantes voient apparaître le dessin animé d'un char d'assaut qui traverse l'écran de droite à gauche (voir figure 4.3). À l'extrême gauche de l'écran se trouve une zone marquée par une ligne pointillée qui constitue un champ de mines. Lorsque le char d'assaut passe à travers le champ de mines, il peut exploser ou ne pas exploser selon qu'il frappe une mine ou non.

Pendant le passage à l'écran, et avant l'entrée dans le champ de mines, les participants peuvent lancer des obus vers le char d'assaut. Si un obus atteint le char, ce dernier peut exploser dans la mesure où l'obus fonctionne correctement. Cependant, même lorsqu'un obus atteint le char et fonctionne correctement, l'explosion n'est pas immédiate car ce sont des obus à retardement. Cela fait en sorte que, lorsqu'une explosion est causée par un obus, elle ne se produit qu'une fois que le char a pénétré dans la zone du champ de mines. Il est donc difficile d'évaluer l'efficacité relative des obus par rapport aux mines, car le moment de l'explosion rend l'identification de sa cause, obus ou mine, ambiguë. C'est dans ce contexte d'ambiguïté et d'incertitude que la tâche des participants consiste à juger la contingence entre le fait d'atteindre le char avec un obus et l'obtention d'une explosion causée par cet obus.

FIGURE 4.3 **Exemple de stimulus pour le jugement de contingences**

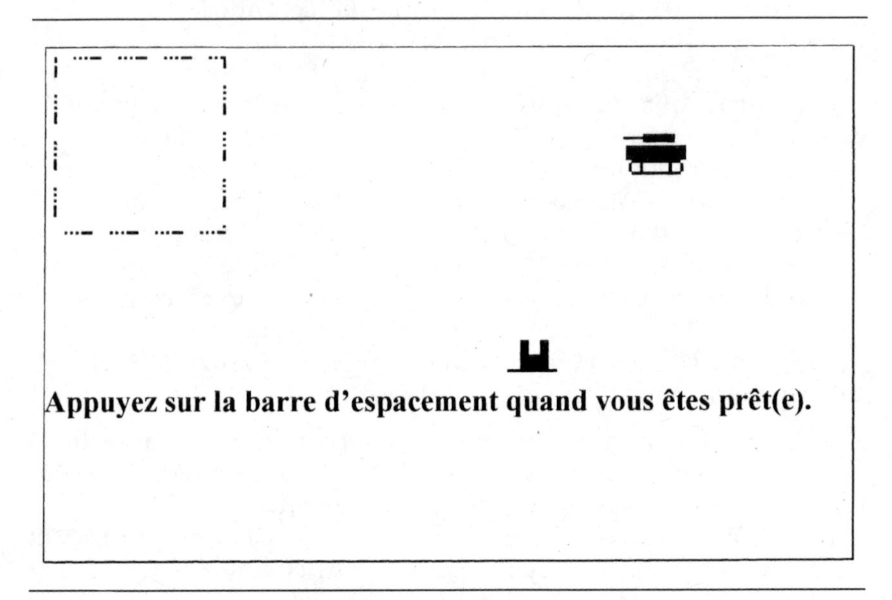

Les participants observent jusqu'à 40 passages de chars d'assaut et doivent évaluer l'efficacité relative des obus sur une échelle de +100 à −100 où +100 signifie que le risque d'explosion lorsqu'un obus a atteint le char est extrêmement plus élevé que si aucun obus n'a été lancé ou si l'obus a raté sa cible – dans ce cas le risque résiduel d'explosion est purement attribuable aux mines ; −100 signifie que le risque d'explosion dû aux obus est extrêmement moins élevé que celui dû aux mines – les obus semblent mystérieusement protéger le char, peut-être parce qu'ils alertent le conducteur qui parvient ensuite mieux à éviter les mines ; et zéro signifie que le risque d'explosion associé aux obus est le même que celui associé aux mines. Notons que zéro ne signifie pas sécurité mais plutôt égalité de risque. Les points extrêmes de l'échelle de jugement sont analogues à l'appariement et au non-appariement explicite en conditionnement. Le point central est un cas de relation nulle. Shanks demande aux participants d'évaluer plusieurs relations, toutes construites en manipulant systématiquement la probabilité d'explosion en présence des obus ayant atteint leur cible et la probabilité d'explosion lorsque les obus ratent la cible ou ne sont pas lancés. Ces probabilités sont calculées selon un tableau de contingence 2 × 2 comme le tableau 4.12.

TABLEAU 4.12 **Exemple de tableau de contingence 2 × 2**

	Explosion	Non-explosion	
Obus	15	5	15/20 = 0,75
Pas d'obus (mine)	5	15	5/20 = 0,25
			ΔP = 0,75 – 0,25 = 0,50

Quatre conditions sont créées dans lesquelles ces deux probabilités conditionnelles sont, respectivement, 0,75 :0,25, 0,25 :0,25, 0,75 :0,75 et 0,25 :0,75 (voir tableau 4.13). Pour chaque condition, si les participants détectent bien le degré de covariation des deux relations causales comparées, obus → explosion et mines → explosion, leurs évaluations devraient coïncider avec la différence entre les deux probabilités conditionnelles, soit : +0,50, 0,0, 0,0 et –0,50. Notons que deux des quatre conditions devraient produire des évaluations nulles, même si dans l'une d'entre elles le nombre total d'explosions est faible (0,25:0,25) alors que ce nombre est élevé dans l'autre (0,75:0,75). De plus, ces conditions ne constituent pas l'absence totale d'information ou de jugement mais bien une évaluation de neutralité, d'équilibre entre les deux relations causales ; un point de référence tel que Rescorla l'envisageait. Les participants sont libres de lancer ou de ne pas lancer un obus à chaque essai dans une série de 40 essais. Tous les participants subissent les quatre conditions dans un ordre de présentation aléatoire. Les résultats finaux indiquent que la perception subjective des participants correspond très bien à l'évaluation objective attendue quant aux différences de probabilités conditionnelles.

En plus du concept d'intervention nulle, l'ingéniosité de Shanks fournit l'occasion d'illustrer le fait qu'il n'est pas toujours nécessaire de comparer des groupes de personnes. Dans l'expérience ci-dessus, toutes les personnes sont soumises à toutes les conditions expérimentales. L'affectation aléatoire est assurée non pas sur le plan de la répartition des personnes dans des conditions

TABLEAU 4.13 **Plan de l'expérience de Shanks (1985)**

Probabilité d'explosion étant donné un obus	Probabilité d'explosion sans obus (mine)	Contingence ΔP	Jugement attendu
0,75	0,25	+0,50	Positif
0,75	0,75	0,0	Nul
0,25	0,25	0,0	Nul
0,25	0,75	−0,50	Négatif

mais plutôt sur le plan de l'ordre de présentation des conditions aux mêmes personnes. De cette façon on s'assure que les effets perturbateurs potentiels de facteurs tels que la fatigue ou l'ennui sont équiprobables pour chaque condition. Les personnes agissent donc comme leur propre contrôle. Le vocable « intrasujets » est souvent utilisé pour désigner ce type de comparaison.

4.1.11. Intervention fausse[9]

L'intervention fausse constitue une forme particulière d'intervention fréquemment utilisée dans la recherche en psychophysiologie (voir tableau 4.14). Un sujet de recherche central dans ce domaine est l'identification des structures cérébrales responsables de la perception, de l'apprentissage, du langage, bref de la cognition en général. L'identification du rôle joué par diverses structures cérébrales dans l'exercice des fonctions intellectuelles est extrêmement importante pour l'avancement des connaissances mais pas facile à accomplir. De prime abord, il semble qu'on puisse y

TABLEAU 4.14 **Condition témoin de type fausse intervention**

Description	– Les participants de cette condition reçoivent une intervention chirurgicale incomplète (situation spécifique de la psychophysiologie).
Forces	– Offre un contrôle des menaces à la validité interne.
Limites	– Comporte des contraintes éthiques reliées à la recherche avec des sujets non humains (voir chapitre 13).

9. En anglais « sham ».

parvenir en comparant l'exécution de certaines fonctions cognitives par des sujets[10] intacts et par des sujets dont certaines structures cérébrales sont endommagées. Plusieurs fonctions cognitives peuvent ainsi être évaluées en effectuant des lésions au cerveau d'un groupe d'animaux mais pas dans un groupe témoin. Les lésions peuvent être causées par différents moyens, dont la chirurgie. Toutefois, une intervention chirurgicale au cerveau est un événement extrêmement stressant qui peut, en lui-même, sans dommage à une structure cérébrale particulière, perturber le fonctionnement cognitif postopératoire dans son ensemble. Pour contrôler une telle possibilité, les chercheurs ont souvent recours à l'intervention fausse qui consiste à effectuer toutes les opérations pré et postopératoires, incluant l'anesthésie, les incisions cutanées et musculaires, l'ouverture de la boîte crânienne, la suture et les soins afférents, à l'exception de la lésion intracérébrale proprement dite. L'étude de Gage (1985) constitue un bel exemple.

Gage désire vérifier le rôle de l'hippocampe dans le fonctionnement de la mémoire de travail. L'hippocampe, une structure anatomique située approximativement au centre du cerveau, est traversée par de nombreuses fibres nerveuses connectées au reste des structures cérébrales. On soupçonne qu'il joue un rôle fonctionnel à peu près aussi central que sa position anatomique peut l'être. La mémoire de travail est un concept psychologique désignant un ensemble de pensées ou d'idées plutôt qu'un lieu anatomique précis. La mémoire de travail serait constituée de l'ensemble des représentations mentales actives à un moment donné pour effectuer une opération cognitive. Elle se distingue donc de la mémoire à long terme qui est plutôt vue comme un lieu de stockage assez passif des représentations mentales.

Le type d'opération mentale qui intéresse particulièrement Gage est la mémoire spatiale. Ainsi, elle entraîne des rats à parcourir un labyrinthe radial à la recherche de nourriture déposée dans trois des huit couloirs. La figure 4.4 montre la forme typique d'un labyrinthe radial. Les animaux sont placés sur la plate-forme centrale et laissés libres d'explorer les couloirs du labyrinthe. Pour chaque couloir exploré, l'animal doit revenir au centre avant de

---

10. Nous utilisons ici le terme « sujets » car les animaux des études de psychophysiologie ne sont pas des participants actifs et volontaires, ils subissent la manipulation. Pour leur part, les sujets humains participent activement et volontairement à une recherche, même lorsqu'ils n'ont qu'à remplir un questionnaire.

FIGURE 4.4 **Labyrinthe radial**

pouvoir en explorer un autre. Une performance excellente consisterait à explorer tous les couloirs une seule fois. Le fait de retourner dans un couloir déjà exploré constitue une erreur, un signe d'imperfection ou de dégradation cognitive en mémoire de travail. Gage compare la performance de trois groupes d'animaux. Un premier groupe se familiarise avec la tâche et apprend à parcourir le labyrinthe avant l'opération chirurgicale de lésion de l'hippocampe. Un second groupe subit d'abord la chirurgie, puis apprend à maîtriser la tâche. Un dernier groupe doit aussi apprendre la tâche après la chirurgie mais sans lésion à l'hippocampe. C'est le groupe qui reçoit l'intervention fausse. Les résultats indiquent que les animaux qui ont appris la tâche avant la lésion chirurgicale manifestent un bon niveau de performance après la chirurgie, niveau comparable à celui du groupe d'intervention fausse. Par contre, les animaux dont l'hippocampe a été lésé commettent de nombreuses erreurs. L'auteur en conclut que l'état intact de l'hippocampe est essentiel au fonctionnement normal de la mémoire de travail dans une tâche d'orientation spatiale. La méthodologie utilisée lui permet donc d'exclure la contre-hypothèse de l'effet stressant d'une opération chirurgicale.

4.2. CONDITIONS TÉMOINS NATURELLES OU NON ÉQUIVALENTES

4.2.1. Condition où les participants forment des conditions témoins naturelles

On peut tenter de répondre à des questions de type psychophysiologique en comparant des personnes qui ont subi des traumatismes crâniens avec d'autres qui sont intactes. La réalité veut malheureusement que plusieurs personnes aient subi des dommages au cerveau lors d'accidents vasculaires (ex. : embolie) ou d'accidents de la route. Le fonctionnement cognitif de ces personnes peut être comparé à celui de personnes normales. C'est une forme de comparaison qui est très utilisée en neuropsychologie (voir tableau 4.15). Ces comparaisons n'impliquent ni intervention fausse ni affectation aléatoire. Elles contrastent deux conditions naturelles. Pour tenter de rendre ces conditions aussi équivalentes que possible, on apparie généralement les personnes en fonction des variables les plus pertinentes, telles que l'âge, le sexe, l'éducation.

Un autre exemple de condition naturelle appariée a déjà été présenté au chapitre précédent. Dans l'étude en psychologie cognitive de Parr et Mercier (1996), les auteurs comparent la capacité de jugement de contingence de jeunes adultes et d'adultes plus âgés. Les jeunes et les moins jeunes forment deux conditions naturelles. Comme la tâche est de nature cognitive, les personnes des deux conditions ont été appariées selon le niveau d'éducation et le quotient intellectuel.

TABLEAU 4.15 **Condition témoin naturelle ou non équivalente**

Description	– Cette condition témoin s'applique aux protocoles quasi expérimentaux. Les participants sont recrutés en raison de caractéristiques naturelles jugées pertinentes.
Forces	– Offre un certain contrôle méthodologique.
Limites	– Toutes les limites inhérentes aux protocoles quasi expérimentaux s'appliquent ici.

L'appariement n'est pas une caractéristique des conditions naturelles. Nous avons vu plusieurs exemples de conditions aléatoires appariées. L'appariement constitue simplement une technique pour assurer l'équivalence des conditions non de façon générale mais seulement quant à certaines variables bien définies. L'utilité de la technique s'étend aussi à l'équivalence des conditions lorsque les interventions elles-mêmes sont naturelles. On parle alors de conditions naturelles, appariées ou non.

4.2.2. Conditions où les stimuli forment les conditions témoins naturelles

Desrochers et Brabant (1995) s'intéressent aux interactions entre la classe sémantique des mots (personne *versus* objet inanimé), le type de phonème initial (consonne *versus* voyelle) et la catégorisation en fonction du genre grammatical (masculin *versus* féminin). La compréhension de ces interactions peut améliorer nos connaissances et aider au perfectionnement des théories du langage. Dans une tâche de catégorisation lexicale, les participants et participantes doivent rapidement décider du genre masculin ou féminin d'un mot présenté à l'écran d'un ordinateur. Le participant appuie sur l'un de deux boutons pour donner sa réponse. Dans une condition, le genre grammatical est identifié à l'écran par les étiquettes catégorielles « un / une » et dans une autre condition par les étiquettes « masculin / féminin ». La justesse et la latence des réponses sont enregistrées. Les résultats indiquent que les réponses sont : (a) plus rapides et plus justes lorsque les stimuli débutent par une consonne plutôt que par une voyelle, (b) plus rapides et plus justes lorsque les stimuli désignent une personne plutôt qu'un objet inanimé, et (c) plus rapides sans être plus justes lorsque les participants utilisent les étiquettes « un / une » plutôt que « masculin / féminin ». Selon les auteurs, l'identification plus rapide et plus juste du genre lorsque les stimuli désignent des personnes donne à penser que la signification du stimulus est traitée pendant ou en parallèle avec le processus d'identification du genre et que le contraste homme-femme évoqué par les mots animés facilite le choix d'une classe de genre.

Dans ce type d'expérience, les mêmes personnes sont soumises à toutes les conditions d'expérimentation. Ce sont les stimuli manipulés qui forment des catégories naturelles, telles que le genre grammatical, le phonème initial, la classe sémantique. On ne peut pas assigner des mots aléatoirement à ces catégories d'appartenance. La nature des comparaisons se trouve donc quasi expérimentale. Les auteurs qui effectuent des manipulations de ce type prennent de multiples précautions pour maximiser l'équivalence des stimuli utilisés en fonction d'autres variables pouvant simultanément influencer la vitesse de décision. Par exemple, les mots seront typiquement appariés selon leur longueur et leur fréquence d'occurrence dans la langue.

Dans ce type d'étude, on ne peut pas vraiment désigner une condition témoin. Toutes les conditions servent à la fois d'intervention cible et de point de référence et toutes les conditions exercent leur effet propre. Il s'agit peut-être de l'exemple ultime soulignant comment le travail des chercheurs scientifiques consiste en grande partie à déterminer quelle dimension de comparaison est la plus appropriée et à prendre ensuite les mesures nécessaires pour effectuer cette comparaison en éliminant le mieux possible toutes les sources d'influence rivales, mais en reconnaissant aussi qu'il est souvent impossible de les éliminer absolument toutes. Encore une fois, l'exercice de la recherche scientifique ne consiste pas à appliquer des recettes de comparaison toutes faites, mais plutôt à s'ingénier à développer les meilleures comparaisons possible dans un contexte donné.

4.3. STRATÉGIES DE COMPARAISON

La liste des types de groupes et conditions témoins examinés jusqu'à maintenant fait ressortir combien les comparaisons à effectuer dépendent des questions spécifiques auxquelles on désire répondre. Les questions elles-mêmes varient en fonction du domaine de recherche dans une discipline ou entre des disciplines différentes. Les exemples cités jusqu'ici sont éloquents à ce sujet.

Dans les disciplines de la psychologie et de la psychiatrie en particulier, mais pas exclusivement, on peut identifier un certain nombre de stratégies de comparaison, surtout lorsqu'il s'agit d'évaluer l'efficacité thérapeutique. Avant de dresser une liste des stratégies les plus répandues, examinons un exemple en détail.

Mercier et Ladouceur (1983) désirent évaluer l'efficacité d'une forme d'autocontrôle à composantes multiples pour l'amélioration du temps d'étude. Ils désirent élaborer une méthode d'intervention utile pour les étudiants dont les difficultés scolaires proviennent uniquement d'un manque d'étude. De plus, ils cherchent à créer un traitement que les étudiants pourront appliquer facilement d'eux-mêmes.

Dans le domaine psychologique appelé *modification du comportement*, il existe une forme d'intervention qui place la personne visée par l'intervention au centre des opérations. Si nos comportements sont principalement influencés par la nature positive ou négative de leurs conséquences, une personne donnée devrait pouvoir arranger elle-même les contingences de manière à promouvoir certains comportements cibles. On parle alors d'autocontrôle.

Mercier et Ladouceur évaluent un ensemble de traitements à base d'autocontrôle mais comportant plusieurs éléments distincts. Le traitement complet comporte tous les éléments énumérés ci-dessous. La première composante est l'auto-enregistrement de la fréquence du comportement cible, le temps d'étude. En raison de la réactivité de la mesure, les auteurs supposent que l'auto-enregistrement peut suffire à faire augmenter le temps d'étude. La deuxième composante repose sur l'établissement d'objectifs spécifiques à atteindre pendant la période d'auto-enregistrement. Ainsi l'individu cherche non seulement à prendre conscience de la fréquence du comportement cible mais aussi explicitement à l'augmenter. L'objectif s'exprime selon le nombre de minutes consacrées à l'étude chaque jour. La troisième composante utilise une contingence monétaire. La contingence monétaire consiste, pour les participants, à déposer un montant de 20 $ qu'ils récupèrent à raison de 1 $ à chaque jour où l'objectif de temps d'étude est atteint. La composante finale est la participation à des rencontres de groupe hebdomadaires au cours desquelles le sujet de discussion porte sur les habitudes d'étude, les difficultés de concentration et la présentation publique du temps d'étude de la semaine antérieure. L'ensemble de toutes ces composantes forme le traitement complet. La performance dans cette condition, selon le nombre de minutes d'étude par jour, est comparée à celle des participants placés sur liste d'attente pendant les quatre semaines d'expérimentation.

En matière de stratégies de comparaison, Mercier et Ladouceur (1983) ne se limitent pas à l'évaluation de l'efficacité de l'ensemble de leur traitement. Ils procèdent aussi à son démantèlement. Dans une condition supplémentaire, les participants reçoivent toutes les composantes sauf les rencontres hebdomadaires. Dans une autre condition encore, les participants reçoivent toutes les composantes moins les rencontres et moins la contingence monétaire. Dans une autre condition, les participants n'effectuent que l'auto-enregistrement et la fixation d'objectifs.

Les résultats de recherches antérieures suggèrent que l'accessibilité des objectifs peut jouer un rôle important. Ainsi, l'établissement d'objectifs intérimaires très accessibles, mais augmentant progressivement pour finalement atteindre le niveau final recherché, pourrait s'avérer plus efficace que l'établissement immédiat d'un objectif global et final. Mercier et Ladouceur évaluent donc séparément les deux formules. Les conditions à plusieurs composantes avaient toutes des objectifs globaux. Enfin, dans une dernière condition les participants ne complètent que l'auto-enregistrement.

Les résultats à la quatrième et dernière semaine d'intervention indiquent que le traitement complet, le traitement sans les rencontres de groupe mais avec contingence monétaire et le traitement avec objectifs progressifs produisent tous un temps d'étude supérieur à la condition d'auto-enregistrement seule et à la condition de liste d'attente, sans que ces dernières se distinguent entre elles. L'établissement d'objectifs globaux produit un résultat intermédiaire qui n'est pas significativement supérieur à l'auto-enregistrement seul, mais qui n'est pas non plus significativement inférieur aux trois traitements les plus efficaces. Quant à l'auto-enregistrement seul, il produit un temps d'étude comparable à celui des personnes placées sur la liste d'attente. Contrairement à d'autres comportements sensibles à la réactivité de la mesure, le temps d'étude ne réagit pas à l'auto-enregistrement seul.

Cette étude incorpore deux des sept stratégies de comparaison mentionnées par Kazdin (1992) dans le cadre de la recherche en psychologie clinique. Les autres stratégies sont des variantes de ce thème. Certaines variantes ont déjà été analysées à même les exemples précédents. Les diverses stratégies sont résumées au tableau 4.16.

4.4. CONCLUSION

La principale leçon à tirer de ce chapitre est essentiellement la même que celle du chapitre précédent. En recherche scientifique, il n'existe pas de recette prédéterminée. Il faut étudier chaque problème minutieusement et évaluer chaque méthode en fonction de son mérite propre dans le contexte spécifique où l'on se propose de l'utiliser.

Les exemples analysés dans ce chapitre montrent que le choix de la condition témoin appropriée dépend de toute une série

TABLEAU 4.16 **Stratégies de comparaison en recherche clinique**

Stratégie	Question posée	Exigences de base
Évaluation d'un ensemble d'interventions	L'intervention est-elle efficace ?	Intervention *versus* absence d'intervention ou liste d'attente.
Évaluation par démantèlement	Quelles composantes sont essentielles ?	Deux conditions ou plus en éliminant les composantes une à une.
Évaluation par addition	Quelle composante ajouterait à l'efficacité ?	Deux conditions ou plus en ajoutant les composantes une à une.
Évaluation paramétrique	Comment l'intervention peut-elle être ajustée ?	Ajustement d'une facette de l'intervention (ex. : dose de médicament).
Évaluation comparative	Parmi plusieurs interventions complètes, laquelle est la meilleure ?	Deux ou plusieurs interventions applicables au même problème clinique.
Évaluation de processus	Quelle est la nature du processus qui se déroule pendant une séance d'intervention efficace ?	Évaluation des interactions entre client et thérapeute pendant les séances.
Évaluation de clients et thérapeutes	Quelles caractéristiques des clients et des thérapeutes sont associées à une meilleure efficacité ?	Application à diverses populations.

Adapté de Kazdin (1992).

de facteurs qui varient selon le problème étudié. Ce n'est vraiment que dans le cas le plus simple qu'on se contente de comparer les effets d'une intervention avec ceux de son absence.

Certains des exemples montrent aussi que même si l'on compare le plus souvent des groupes de personnes, ce n'est pas toujours le cas. Pour certaines questions de recherche il peut s'avérer nécessaire de comparer des conditions d'expérience fondées sur des stimuli plutôt que sur des personnes.

Un type de comparaison qui n'a pas été abordé explicitement dans ce chapitre ni dans le précédent est celui des comparaisons longitudinales. Bien que plusieurs des exemples analysés comportent des mesures répétées, la comparaison essentielle a toujours été transversale. Nous avons comparé des conditions différentes à un moment fixe dans le temps, même s'il s'agit de la comparaison d'un changement à ce moment depuis le début de l'intervention. Les études longitudinales suivent l'évolution à plus ou moins long terme d'un phénomène et s'intéressent principalement aux changements ou aux transformations dans le temps. Les études longitudinales sont plus fréquemment utilisées lorsqu'il est question de développement. Par exemple, il existe une longue tradition de recherche en psychologie du développement qui vise d'abord et avant tout à documenter l'ordre d'apparition des étapes cruciales du développement biologique, moteur, cognitif, émotif, social et moral de l'enfant ou de personnes de tout âge.

Une dernière conclusion importante à tirer de ce chapitre lié au précédent est qu'il faut éviter de mettre l'accent sur le choix d'une condition témoin en l'absence de toute autre considération méthodologique. Le choix d'une condition témoin appropriée est essentiel pour savoir à quelle question on peut répondre. Cette condition témoin doit toutefois être intégrée au protocole expérimental qui contrôle le mieux possible les sources de menaces à la validité car, autrement, on n'aura toujours qu'une réponse ambiguë à une question claire. Mieux vaut une réponse solide à une question précise.

4.5. QUESTIONS

1. En quoi consistent des conditions témoins équivalentes ? Quelle est leur force ?
2. Nommez une raison majeure de l'utilisation de la condition témoin de type sans contact ?
3. Qu'est-ce qu'un placebo ? Pourquoi l'utilise-t-on ?
4. Vous êtes un psychologue qui tente d'aider des gens suicidaires. Vous utilisez habituellement l'intervention A, qui s'est révélée efficace par le passé. Une de vos collègues propose cependant l'utilisation d'une nouvelle intervention B qui pourrait se révéler meilleure que l'intervention A, mais qui pourrait également être inefficace. Quel type de groupe témoin devriez-vous utiliser dans ce cas ?
5. Qu'est-ce qu'une étude longitudinale ?

4.6. RÉFÉRENCES

Achenbach, T.M., & Edelbrock, C.S. (1979). The child behavior profile: II. Boys aged 12-16 and girls aged 6-11 and 12-16. *Journal of Consulting and Clinical Psychology, 47*, 223-233.

Berg, B. (1979). *Children's attitudes toward parental separation inventory*. Dayton, Ohio: University of Dayton Press.

Bornstein, M.T., Bornstein, P.H., & Alters, H.A. (1988). Children of divorce: Empirical evaluation of a group treatment program. *Journal of Clinical Child Psychology, 17*, 248-254.

Bourne, L.E., Dominowski, R.L., Loftus, E.F., & Healy, A.F. (1986). *Cognitive Processes* (2e éd.). Englewood Cliffs, New Jersey: Prentice-Hall.

Church, R.M. (1964). Systematic effect of random error in the yoked control design. *Psychological Bulletin, 62*, 122-131.

Cohen-Mansfiel, J. (1986). Agitated behaviors in the elderly: II. Preliminary results in the cognitively deteriorated. *Journal of the American Geriatrics Society, 34*, 722-727.

Cohen, R.A., & Fisher, M. (1989). Amantadine treatment of fatigue associated with multiple sclerosis. *Archives of Neurology, 46*, 676-680.

Cooper, N.A., & Clum, G.A. (1989). Imaginal flooding as a supplementary treatment for PTSD in combat veterans: A controlled study. *Behavior Therapy, 20*, 381-391.

Desharnais, R., Jobin, J., Côté, C., Lévesque, L., & Godin, G. (1993). Aerobic exercise and the placebo effect: A controlled study. *Psychosomatic Medicine, 55*, 149-154.

Desrochers, A., & Brabant, M. (1995). Interaction entre facteurs phonologiques et sémantiques dans une épreuve de catégorisation lexicale. *Revue Canadienne de Psychologie Expérimentale, 49*(2), 240-263.

Evans, J.St.B.T., Barston, J.L., & Pollard, P. (1983). On the conflict between logic and belief in syllogistic reasoning. *Memory and Cognition, 11*, 295-306.

Fontaine, R., Mercier, P., Beaudry, P., Annable, L., & Chouinard, G. (1986). Bromazepam and lorazepam in generalized anxiety: A placebo-controlled study with measurement of drug plasma concentrations. *Acta Psychiatria Scandinavica, 74*, 451-458.

Frank, J.D., Nash, E.H., Stone, A.R., & Imber, S.D. (1963). Immediate and long-term symptomatic course of psychiatric outpatients. *American Journal of Psychiatry, 120,* 429-439.

Freeston, M.H., Ladouceur, R., Gagnon, F., Thibodeau, N., Rhéaume, J. Letarte, H., & Bujold, A. (1997). Cognitive-behavioral treatment of obsessive thoughts : A controlled study. *Journal of Consulting and Clinical Psychology, 65,* 405-413.

Gage, P.D. (1985). Performance of hippocampectomized rats in a reference/working-memory task : Effects of preoperative *versus* postoperative training. *Physiological Psychology, 13,* 235-242.

Gormezano, I. (1965). Yoked comparisons of classical and instrumental conditioning of the eye lid response ; And an addendum on « voluntary responders ». Dans W.F. Prokasy (Éd.), *Classical conditioning : A symposium* (pp. 48-70). New York : Appleton-century-Crofts.

Hahnemann, S. (1982). *Organon of medicine – 1st integral English translation of the definitive 6th ed. of the original work on homoeopathic medicine, a new translation.* Los Angeles, Boston : Tarcher, distributed by Houghton Mifflin.

Hamilton, M. (1959). The assessment of anxiety states by rating. *British Journal of Medical Psychology, 32,* 50-55.

Henle, M. (1962). On the relation between logic and thinking. *Psychological Review, 69,* 366-378.

Herzlich, B.C., & Schiano, T.D. (1993). Reversal of apparent AIDS dementia complex following treatment with vitamin B12. *Journal of Internal Medecine, 233,* 495-497.

Homans, G.C. (1965). Group factors in worker productivity. Dans H.M. Proshansky & B. Seidenberg (Éds.), *Basic studies in social psychology.* New York : Holt, Rinehart & Winston.

Kazdin, A.E. (1992). *Research design in clinical psychology.* New York : Macmillan.

Kazlo, M.P. (1976). *The effects of self-monitoring on the frequency of aspects of study behavior.* Dissertation Abstracts International, New York.

Kimble, G.A., Mann, L., & Dufort, R.H. (1955). Classical and instrumental eyelid conditioning. *Journal of Experimental Psychology, 49,* 407-417.

Kleijnen, J., Knipschild, P., & ter Riet, G. (1991). Clinical trials of homeopathy. *British Medical Journal, 302*, 316-323.

Komaki, J., & Dore-Boyce, K. (1978). Self-recording: Its effects on individuals high and low in motivation. *Behavior Therapy, 9*, 65-72.

Lindgren, H.C. (1969). *An introduction to social psychology.* New York: John Wiley and Sons.

Logan, F.A. (1951). A comparison of avoidance and non-avoidance eyelid conditioning. *Journal of Experimental Psychology, 42*, 390-393.

Mahoney, M.J. (1977). Some applied issues in self-monitoring. Dans J.D. Cone & R.P. Hawkins (Éds.). *Behavioral assessment: New directions in clinical psychology.* New York: Brunner-Mazel.

McFall, R.M. (1977). Parameters of self-monitoring. Dans R.B. Stuart (Éd.), *Behavioral self-management.* New York: Brunner-Mazel.

Mercier, P., & Ladouceur, R. (1983). Modification of study time and grades through self-control procedures. *Canadian Journal of Behavioural Science, 15*, 70-81.

Moore, J.W., & Gormezano, I. (1961). Yoked comparisons of instrumental and classical eyelid conditioning. *Journal of Experimental Psychology, 62*, 552-559.

Nathan, P.E., & Gorman, J.M. (1998). *A guide to treatments that work.* New York: Oxford University Press.

O'Leary, K.D., & Wilson, G.T. (1987). *Behavior therapy: Application and outcome.* Englewood Cliffs, NJ: Prentice-Hall.

Parr, W.V., & Mercier, P. (1996, août). Adult age differences in on-line contingency judgments. *Affiche présentée au XXVIth International Congress of Psychology*, Montréal.

Paul, G.L. (1966). *Insight versus desensitization in psychotherapy: An experiment in anxiety reduction.* Stanford, California: Stanford University Press.

Piers, E.V., & Harris, D.B. (1963). *The Piers-Harris self-concept scale.* Document inédit.

Quay, H.C., & Peterson, D.R. (1967). *Manual for the behavior problem checklist.* Document inédit.

Rescorla, R.A. (1967). Pavlovian conditioning and its proper control procedures. *Psychological Review, 74*, 71-80.

Rescorla, R.A. (1968). Probability of shock in the presence or absence of CS in fear conditioning. *Journal of Comparative and Physiological Psychology, 66*, 1-5.

Robin, A.L. (1981). A controlled evaluation of problem-solving communication training with parent-adolescent conflict. *Behavior Therapy, 12*, 593-609.

Roethlisberger, F.J., & Dickson, W.J. (1939). *Management and the worker.* Cambridge, Massachusetts : Harvard University Press.

Shanks, D.R. (1985). Continuous monitoring of human contingency judgment across trials. *Memory and Cognition, 13*, 158-167.

Shoenfelt, E. (1996). Goal setting and feedback as a posttraining strategy to increase the transfer of training. *Perceptual and Motor Skills, 83*, 176-178.

Siegel, S. (1956). *Nonparametric statistics for the behavioral sciences.* New York : McGraw-Hill.

Toseland, R., Diehl, M., Freeman, K., Manzanares, T., Naleppa, M., & McCallion, P. (1997). The impact of validation group therapy on nursing home residents with dementia. *The Journal of Applied Gerontology, 16*, 31-50.

Turner, J.A., Clancy, S., McQuade, K.J., & Cardenas, D.D. (1990). Effectiveness of behavioral therapy for chronic low back pain : A component analysis. *Journal of Consulting and Clinical Psychology, 58*, 573-579.

Walach, H. (1993). Does a highly diluted homeopathic drug act as a placebo in healthy volunteers ? Experimental study of belladonna 30C in double-blind crossover design – A pilot study. *Journal of Psychosomatic Research, 37*, 851-860.

Walker, H.M. (1970). *The Walker problem behavior identification checklist.* Los Angeles : Psychological Services.

Wiener, J., & Harris, P.J. (1997). Evaluation of an individualized, context-based social skills training program for children with learning disabilities. *Learning Disabilities Research and Practice, 12*, 40-53.

CHAPITRE 

LES PROTOCOLES À CAS UNIQUE

Une façon tout aussi intéressante de faire de la recherche !

VICKY RIVARD ET STÉPHANE BOUCHARD

Les professionnels sont de plus en plus appelés à mesurer les effets à court, moyen ou long terme de leurs interventions. Les protocoles expérimentaux dits de groupe, tels que ceux présentés au chapitre 3, occupent depuis toujours une place prépondérante dans la recherche empirique. Mis à part ce type de protocole, il en existe d'autres qui permettent l'évaluation de manipulations expérimentales et de traitements. Grâce à ces protocoles on peut étudier chaque « cas » individuellement, ce qui se révèle particulièrement utile pour mener une étude pilote, réaliser des recherches avec peu de ressources, s'attarder aux différences individuelles, ou simplement pour démontrer que des interventions peuvent être à l'origine des améliorations observées chez des clients. Ces protocoles se regroupent sous les termes « intra-sujets », « protocole N = 1 », « séries temporelles », « protocole ABA » ou « études de cas ». Aucun de ces termes n'est parfait pour couvrir l'ensemble des protocoles possibles (Hilliard, 1993 ; Kazdin, 1992). C'est le terme populaire « cas unique » qui fait plutôt l'unanimité dans la littérature. Ce mot traduit l'essence même de cette approche méthodologique, qui consiste à tenter d'émettre des inférences valides à partir d'un examen détaillé de la performance de chaque individu participant à l'étude. La performance de plusieurs individus peut donc être examinée puis comparée pour consolider la validité de la démarche inférentielle, mais toujours après un examen détaillé des résultats de chacun. Cette famille de protocole a été utilisée dans plusieurs domaines de recherche, dont la psychologie, la psychoéducation, la psychiatrie, l'éducation, la réhabilitation, le travail social et le counseling. Les protocoles à cas unique offrent la possibilité d'observer et de mesurer les comportements d'une personne dans un contexte spécifique, à l'intérieur d'une période de temps précise.

Les protocoles à cas unique reposent sur la distinction entre la recherche de nature nomothétique et celle de nature idiographique. Au chapitre 3, nous avons examiné des protocoles qui demandent qu'on recrute plusieurs participants, qu'on mesure auprès de chacun les variables dépendantes et qu'on considère les participants comme un groupe faisant partie d'une condition expérimentale et soumis à une manipulation. Le chercheur s'attarde à la moyenne des résultats observés dans chaque condition expérimentale. Les comparaisons effectuées reposent sur des moyennes de groupe et les conclusions portent sur l'ensemble des participants, sans qu'on se préoccupe de chaque cas individuel. L'étude de groupes d'unités d'observation ou de participants a été décrite par Allport (1961) comme une approche de nature nomothétique. On s'intéresse ici moins à l'unicité de chaque participant qu'à la généralisation des résultats à une large population, afin de valider ou d'invalider des hypothèses s'appliquant à une majorité. Par contre, plusieurs chercheurs ont insisté sur l'importance d'étudier les cas individuels plutôt que les groupes de participants (Allport, 1961 ; Barlow, Hayes, & Nelson, 1984 ; Kazdin & Tuma, 1982 ; Skinner, 1957). L'étude intensive de cas individuels décrit une approche idiographique. Cette approche occupe une place importante dans l'acquisition des connaissances scientifiques valides. Elle est souvent négligée, car on l'associe trop fréquemment à l'histoire de cas, protocole le moins rigoureux des protocoles à cas unique.

5.1. CAS UNIQUE PRÉEXPÉRIMENTAL

5.1.1. Histoire de cas

L'histoire de cas constitue une méthode d'évaluation individuelle répandue et qui existe depuis longtemps dans la pratique clinique. Les intervenants en psychologie, en psychoéducation, en travail social ou en médecine élaborent souvent un plan d'intervention après avoir effectué une étude de cas auprès de leur client. Ils recueillent rétrospectivement les informations jugées pertinentes pour la compréhension de la problématique et la planification de l'intervention. Cette méthode d'évaluation se limite à un ensemble d'observations recueillies auprès d'un individu à l'intérieur d'un cadre spécifique. Aucune manipulation contrôlée d'une variable indépendante n'a lieu au cours de ce procédé. L'attention de l'observateur se porte sur la description d'informations concernant l'individu à l'étude. On peut penser ici facilement aux cas classiques rapportés en psychopathologie. Il y a bien sûr le « petit Albert » (Watson & Reiner, 1920), ce bébé de 11 mois qui a développé une phobie des rats de laboratoire et autres animaux blancs après avoir été soumis à un bruit intense chaque fois qu'un rat de laboratoire blanc lui était présenté. On pense aussi au cas du « petit Hans » (Freud, 1909), où on trouve la description d'un enfant qui aurait développé une phobie des chevaux à la suite de difficultés éprouvées lors de son complexe d'Œdipe. Il y a aussi les exemples quotidiens de gens dans notre environnement qui tentent d'expliquer *a posteriori* pourquoi ils ont vécu certaines difficultés et comment ils les ont vaincues.

La valeur de ce protocole de recherche rétrospectif et dépourvu de contrôles méthodologiques se révèle clairement limitée en raison du manque de mesures objectives et de rigueur scientifique. Comme toute autre méthode d'évaluation, l'histoire de cas affiche des limites, mais aussi des forces. Son utilisation en milieu naturel constitue une source d'information qui vient bien souvent compléter et nuancer la recherche scientifique. Voici quelques-uns des avantages attribués à ce protocole :

1. L'histoire de cas permet de générer des idées et hypothèses nouvelles quant à la performance et au développement

humains. En psychologie, différentes études de cas rapportées à travers le temps ont grandement influencé le développement des théories du comportement humain. C'est en effet grâce aux histoires de cas du «petit Albert» et du «petit Hans» qu'ont progressé les théories sur l'anxiété.

2. L'histoire de cas constitue bien souvent la première façon de faire connaître et d'encourager le développement de techniques d'intervention. Par exemple, citons le cas de Anna O. (Breuer, 1937) qui, à la mort de son père, a développé un trouble d'hystérie de conversion. Elle manifestait plusieurs symptômes physiques reliés au syndrome de conversion (symptômes physiques d'ordre neurologique dont la cause est psychologique), des symptômes de dissociation, de psychose et de dépression. Breuer aurait traité Anna par l'hypnose et cette intervention aurait été temporairement bénéfique.
3. L'histoire de cas permet l'étude de phénomènes et de problèmes inhabituels. Il semble peu probable que les individus qui souffrent d'un problème rare se présentent en grand nombre pour participer à une étude expérimentale de nature nomothétique. Or, par l'entremise de l'histoire de cas, un individu présentant un problème exceptionnel peut être observé et évalué afin de découvrir des éléments qui peuvent expliquer son état et son traitement. Citons ici, comme exemple, la description d'une thérapie cognitivo-comportementale d'une personne amnésique qui a pu se défaire de son évitement agoraphobique (Bouchard, 1997) ou la thérapie d'Ève (Thigpen & Cleckley, 1954), une personne souffrant de personnalité multiple dont on a tiré le film *Les trois faces d'Ève*.
4. L'histoire de cas peut apporter des données qui contredisent les croyances populaires et, ainsi, susciter de nouvelles questions de recherche. Les exemples les plus classiques, bien que ne relevant pas de la psychologie, sont les récits d'explorateurs comme Leif Erickson et Christophe Colomb, qui ont semé le doute sur la possibilité que la Terre soit une surface plate, et les premières observations de Galilée suggérant que la Terre n'était pas le centre de l'univers. Il faut rappeler que la faiblesse méthodologique de ce protocole ne permet pas d'invalider une hypothèse. Par contre, l'accumulation d'observations incompatibles avec une hypothèse peut mener à des remises en question importantes et à la recherche d'explications plus exhaustives.
5. L'histoire de cas permet de persuader et de motiver cliniciens et chercheurs. D'un point de vue méthodologique, elle offre

peu quand vient l'établissement de relations causales, mais elle permet d'illustrer avec persuasion et concrètement ce qui peut paraître abstrait autrement. Ainsi, plusieurs étudiants universitaires sont plus souvent convaincus après un témoignage personnel ou l'exemple d'un cas présenté en classe qu'à la suite de la lecture d'une dizaine d'articles scientifiques rigoureux...

Malgré l'utilité de l'histoire de cas, il faut tenir compte de certaines limites importantes :

1. L'absence de contrôles méthodologiques et la vulnérabilité à toutes les sources d'invalidité ne permettent pas d'éliminer les contre-hypothèses. Le chercheur reconstruit les événements, souvent rétrospectivement, à partir de sa perception et de son interprétation de la situation actuelle. Certains événements antérieurs peuvent donc avoir contribué à la problématique et être ignorés. De plus, il est impossible de savoir si les événements passés se sont déroulés tels que rapportés par le client. Cette méthode d'évaluation n'offre bien souvent aucune mesure objective des variables.
2. L'histoire de cas se base surtout sur des anecdotes. Cette méthode de collecte de données demeure sujette à des biais comme l'oubli des faits moins saillants, la désirabilité sociale, les attentes du chercheur, l'effet de l'explication perçue (la personne peut chercher une explication à son problème et, une fois qu'elle l'a identifiée, ne retenir que les faits qui confirment cette perception ; Sacket, 1979), etc. En l'absence de mesures objectives, les conclusions tirées de l'étude de cas n'ont pas reçu un réel appui scientifique.
3. L'information recueillie par l'entremise de l'étude de cas ne se généralise pas nécessairement à d'autres individus ou à d'autres situations. En contrepartie, le rassemblement de plusieurs cas qui convergent vers une même conclusion a plus de poids qu'une étude d'un unique cas et l'information rapportée paraît alors plus convaincante. Par contre, lorsqu'il y a regroupement de cas certains facteurs doivent être considérés, soit la façon dont l'information a été rapportée par les participants (anecdote *versus* mesures standardisées), le nombre de cas, la clarté des relations établies ainsi que la possibilité que les participants soient recrutés de façon sélective. Néanmoins, un consensus basé sur un ensemble d'histoires de cas demeure une démonstration bien plus faible qu'avec un protocole à cas unique expérimental.

5.2. PRÉALABLES DES PROTOCOLES À CAS UNIQUE QUASI EXPÉRIMENTAUX ET EXPÉRIMENTAUX

Les protocoles à cas unique expérimentaux, tout comme l'ensemble des protocoles expérimentaux présentés au chapitre 3, évaluent les effets de la manipulation de variables indépendantes sur la performance d'un individu. Dans le cadre d'un protocole pré-test – post-test avec condition de contrôle équivalente, les participants sont affectés aléatoirement à une condition particulière, avec ou sans intervention. Des comparaisons prétest – post-test entre les deux conditions sont effectuées à partir des données recueillies. La mesure prétraitement permet d'observer un changement après la manipulation de la variable indépendante, et la présence de la condition de contrôle vient confirmer que cette manipulation est bien la cause du changement observé sur la variable dépendante[1]. Dans un protocole à cas unique, le respect de divers préalables permet de s'assurer que le changement observé relève de la manipulation expérimentale, c'est-à-dire de l'absence puis de l'introduction contrôlée d'une intervention. Ainsi, comme dans un protocole «de groupe», l'affectation aléatoire permet de contrôler différentes menaces à la validité interne. Dans ce cas, il faut effectuer la manipulation expérimentale à plusieurs reprises auprès d'un même participant, ou de plusieurs, selon le protocole choisi. De plus, le niveau de base d'un protocole à cas unique sert de condition contrôle au même titre qu'une condition sans intervention dans un protocole de groupe (Lundervold & Belweek, 2000). Il y a trois règles de base des protocoles à cas unique (Hersen & Barlow, 1976; Kazdin, 1992; Ladouceur & Bégin, 1986): (a) mesurer le phénomène cible de façon continue, (b) utiliser un niveau de base, et (c) établir un niveau de base stable.

5.2.1. Mesure continue

La mesure répétée dans le temps du phénomène cible représente un critère essentiel à l'utilisation du protocole à cas unique, qu'il s'agisse de pensées, d'émotions, de comportements ou de réac-

1. On utilisera dans ce chapitre le terme «phénomène cible» plutôt que variable dépendante, les protocoles à niveaux de base multiple en fonction des comportements utilisant plus d'une variable dépendante pour inférer l'efficacité de la manipulation expérimentale. De même, la pratique répandue d'utiliser le terme «comportement cible» donne l'illusion que ces protocoles ne s'appliquent pas à l'étude des émotions, des attitudes, des cognitions, des paramètres physiologiques, ni même des variables propres aux sciences de la nature ou à la physique.

tions physiques. La performance ou le comportement du participant doit être observé à plusieurs occasions avant l'intervention, pendant la mise en place de l'intervention et après l'intervention. Généralement, les observations sont effectuées quotidiennement, mais d'autres unités temporelles peuvent être utilisées (minutes, heures, mois).

Différentes facettes des phénomènes cibles peuvent être mesurées, soit leur fréquence, leur durée, leur intensité moyenne ou maximale, etc. L'utilisation de mesures standardisées et objectives demeure importante dans l'évaluation du phénomène cible. Des questionnaires fidèles et validés peuvent être utilisés, mais il faut demeurer vigilant quant à leur durée d'administration. Des auto-enregistrements sont plus souvent utilisés (p. ex., unités subjectives d'inconfort utilisant une échelle de 0 à 100, nombre de cigarettes consommées durant une période prédéterminée, etc.). Dans ce cas, une attention toute particulière doit être accordée à la validité et à la fidélité des auto-enregistrements (voir chapitre 6). Certains chercheurs utilisent des mesures psychophysiologiques comme le poids ou le rythme cardiaque, ou d'autres mesures directes du phénomène comme le nombre de syllabes bégayées par minute ou les comportements agressifs. On constate donc qu'il y a place pour toutes sortes de mesures.

Il est important que la mesure du phénomène cible soit effectuée dans les mêmes conditions, à chaque période d'évaluation, et en respectant des intervalles égaux dans le temps (mêmes instruments de mesure, mêmes observateurs, mêmes consignes et mêmes milieux) (Barlow & Hersen, 1984 ; Ladouceur & Bégin, 1986). Plus les périodes d'évaluation sont fréquentes, plus le degré de précision sera élevé (Barlow & Hersen, 1984). Une mesure continue permet ainsi de dresser un portrait de la variable dépendante avant la manipulation expérimentale. Une fois l'intervention implantée, la mesure continue permet d'observer si les changements du phénomène coïncident avec l'intervention.

5.2.2. Niveau de base

Hormis l'histoire de cas, les protocoles à cas unique débutent tous par une période d'observation du phénomène cible pendant plusieurs occasions, avant que l'intervention soit appliquée. Cette période initiale d'évaluation représente le niveau de base. Elle informe sur la fréquence, l'intensité ou la durée du phénomène cible avant l'introduction de toute intervention ou manipulation. Selon Kazdin (1992), le niveau de base occupe deux fonctions. Sa première est de nature descriptive ; le niveau de base permet de quantifier la variable dépendante. Le niveau de base possède aussi une fonction prédictive (figure 5.1) ; il doit permettre de prédire à court terme ce qui arrivera à la variable dépendante si l'intervention n'est pas effectuée. Il est possible que la prédiction ne soit pas juste et que la performance du participant s'améliore en l'absence d'une intervention. La seule façon d'être assuré de la performance future en l'absence de l'intervention consisterait en une période de niveau de base prolongée ou sans fin... Si le chercheur désire réaliser un jour son étude, il doit donc définir au préalable la durée minimale acceptable du niveau de base. Par contre, il semble difficile d'établir la prédiction avec moins de trois observations, et impossible avec moins de deux.

FIGURE 5.1 **Exemple fictif d'un niveau de base mesurant la fréquence des compulsions quotidiennes (gestes répétés) effectuées par un individu.**

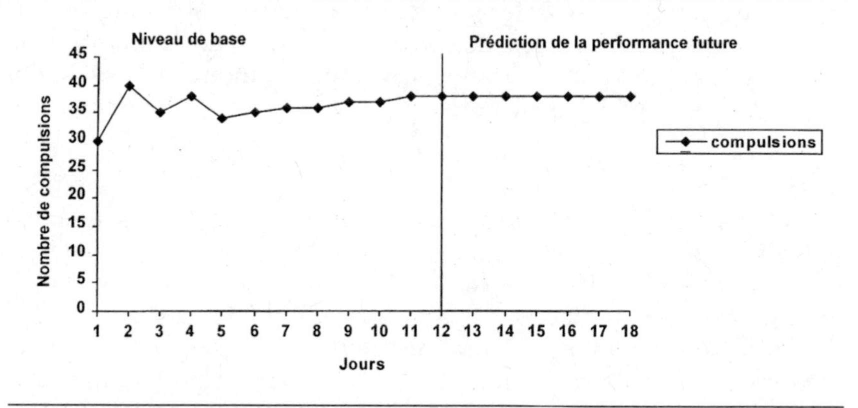

Le niveau de base sert de prédiction pour le nombre de compulsions futures.

5.2.3. Stabilité du comportement cible

Puisque la fréquence ou la durée du phénomène cible durant la période du niveau de base est utilisée pour prédire l'état futur de ce même comportement, les données recueillies doivent demeurer stables (Kazdin, 1992). Une fois que la stabilité du comportement cible est observée, le niveau de base peut être interrompu et l'intervention peut débuter.

La stabilité d'un phénomène se caractérise par le maintien d'un niveau constant et d'une faible variabilité. Cela diffère de l'absence totale de variabilité et de fluctuations dans la moyenne des données, phénomène qui se nomme stationnarité (Barlow et al., 1984). Si un phénomène cible affiche une tendance en termes de diminution ou d'augmentation constante pendant la phase du niveau de base, on peut s'attendre à ce que cette tendance se maintienne lors de l'introduction de la variable indépendante. Cette tendance pourrait présenter un problème dans l'évaluation du résultat de la manipulation expérimentale. Au moins trois scénarios sont possibles et illustrés à la figure 5.2. Au cours de la période du niveau de base, le phénomène cible pourrait afficher une tendance opposée à ce que l'intervention tend à accomplir. Une personne déprimée dont l'humeur dépressive augmente pendant le niveau de base constitue un exemple où la tendance observée est opposée à l'effet désiré par l'intervention (cas A). Dans un tel cas, la tendance favorisera l'évaluation de la relation de cause à effet, car elle permet de voir clairement l'effet de l'intervention.

Le scénario B ne pose lui non plus aucun problème. Par contre, le niveau de base peut illustrer une tendance allant dans la même direction que l'intervention, comme pour le cas C. Le niveau de base démontrerait alors déjà une amélioration du phénomène. Par exemple, l'état d'une personne dépressive pourrait s'améliorer parce qu'elle sait qu'elle va recevoir de l'aide prochainement. Pour attribuer les résultats positifs à l'intervention dans ce cas, l'effet de l'intervention aurait à démontrer une grande amélioration, surpassant clairement la tendance déjà présente dans le niveau de base (Kazdin, 1992). Par contre, si une amélioration du phénomène cible est observée durant la période de niveau de base, on peut s'interroger sur la nécessité d'introduire une intervention.

Un niveau de base stable signifie donc l'absence de tendance ou une tendance allant dans la direction opposée aux hypothèses. Cependant, une fois l'intervention introduite, une tendance vers l'amélioration du phénomène cible est attendue (Kazdin, 1992).

La stabilité du phénomène cible correspond aussi à l'absence ou à la présence d'une faible variabilité au cours de la période du niveau de base (Kazdin, 1992). Une variabilité trop évidente du comportement cible pendant le niveau de base pourrait interférer avec la possibilité de conclure à l'efficacité de l'intervention. Généralement, plus la variabilité est grande dans les observations, plus

FIGURE 5.2 **Données fictives de l'humeur dépressive d'une personne déprimée**

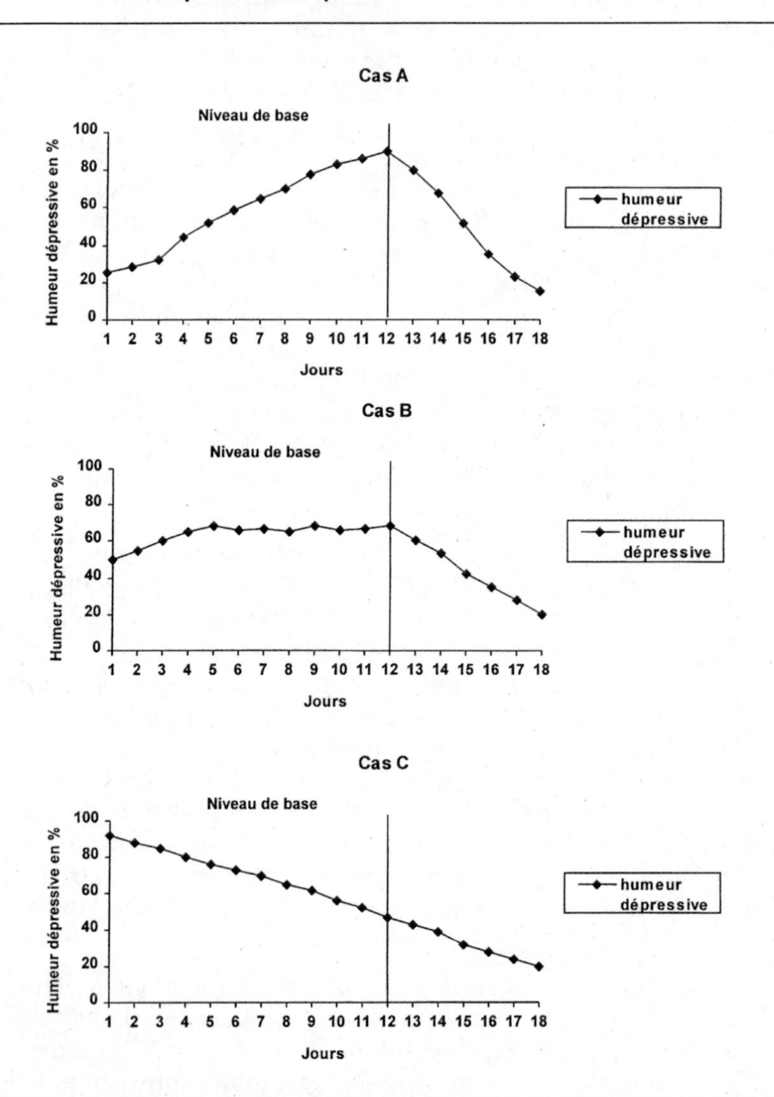

Le graphique du cas A affiche une tendance qui va en sens opposé à l'intervention. Le graphique du cas B illustre un niveau de base stable de la performance sans tendance particulière dans le temps. Le graphique du cas C représente une tendance qui démontre que le phénomène cible s'améliore avant l'intervention. Ce dernier graphique empêche de tirer une conclusion quant à l'efficacité de l'intervention.

il sera difficile de prédire les effets de l'intervention. En raison du besoin d'établir un niveau de base stable, un minimum de trois observations est nécessaire. Mais quel degré de variabilité des données peut alors être toléré? La réponse à cette question dépend des connaissances de l'intervention et de ses effets, de la connaissance du phénomène cible, de la problématique à l'étude, de la connaissance de la mesure utilisée et de sa sensibilité au changement, de la connaissance des effets possibles dus aux conditions externes et nuisibles (Barlow et al., 1984). À la figure 5.3, on retrouve la performance du niveau de base d'une personne présentant une humeur dépressive. Une grande variabilité dans l'humeur dépressive est observée quotidiennement au graphique du cas A. Une telle fluctuation rendrait difficile la prédiction du degré de changement futur. Le graphique du cas B de la figure 5.3

FIGURE 5.3 **Données fictives concernant l'humeur dépressive d'un individu pendant le niveau de base**

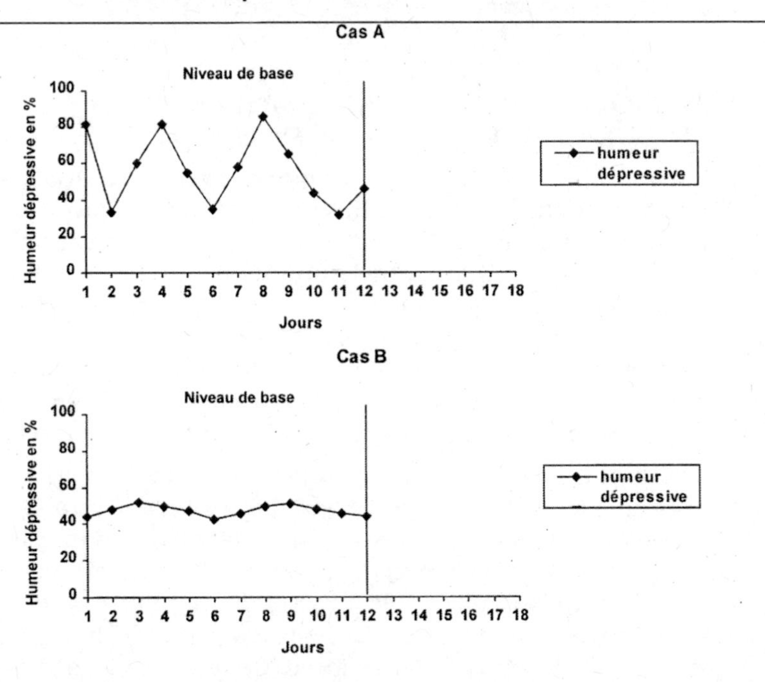

Le graphique du cas A affiche une grande variabilité dans les mesures, alors que celui du cas B illustre une faible variabilité. Il est plus facile d'évaluer les effets possibles de l'intervention lorsqu'il y a peu de variabilité dans les observations.

affiche un niveau de base où peu de variabilité apparaît dans les données. La prédiction d'une performance future, de même que la prédiction de l'efficacité de l'intervention, serait plus facile à émettre dans ce cas.

De façon générale, une fois que le niveau de base affiche une stabilité des données, la manipulation (intervention) peut débuter. Pour la rigueur méthodologique, il faut au préalable identifier et décrire opérationnellement l'intervention (Barlow et al., 1984). Cette description guidera l'intervenant dans sa démarche thérapeutique et elle facilitera la reproduction de l'étude. Il est important de noter que, dans le cas d'une intervention de nature thérapeutique, il est impossible de spécifier toutes les variables de l'intervention. L'intervenant pourrait négliger des aspects, tels la personnalité du thérapeute, celle du client, le contexte de l'intervention (espace et temps), la participation d'autres individus, et ainsi de suite (Barlow et al., 1984). Ayant établi les préalables fondamentaux, entrons maintenant dans le vif du sujet, soit les différents protocoles à cas unique.

5.3. PROTOCOLES À CAS UNIQUE BASÉS SUR LE RETRAIT OU SUR L'INVERSION D'UNE INTERVENTION

Une variété de protocoles à cas unique peuvent être utilisés dans la recherche comme dans la pratique clinique de tous les jours. Le choix du protocole repose, entre autres choses, sur les objectifs à atteindre en intervention, sur la problématique en question, sur le type d'intervention préconisé et sur la durée prévue de l'intervention. Les protocoles à cas unique expérimentaux les plus fréquents sont présentés et illustrés à la présente section. Nous commencerons par le moins rigoureux, pour progresser vers des solutions alternatives offrant une meilleure validité interne.

Les protocoles basés sur le retrait ou sur l'inversion d'une intervention forment une grande famille où divers arrangements sont possibles. Ils visent à déterminer l'existence d'une relation causale entre l'intervention et le phénomène cible en examinant le comportement de la variable dépendante (augmentation, diminution, changement de pente) lorsque la variable indépendante est introduite pour ensuite être retirée. Ce type de protocole utilise une notation particulière où «A» représente le niveau de base (phase où les effets de l'intervention ne se font pas sentir) et où «B» ainsi que les autres lettres représentent une phase d'intervention (voir figure 5.4). Chaque lettre illustre donc les niveaux de

FIGURE 5.4 **Illustration de la notation utilisée pour les protocoles basés sur le retrait ou l'inversion d'une intervention**

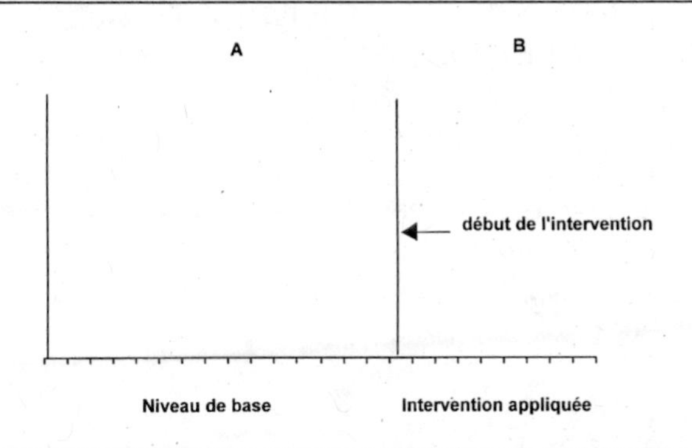

La phase « A » représente le niveau de base où aucune manipulation n'a lieu. La phase « B » illustre l'application de l'intervention.

la variable indépendante (absence/présence d'intervention), et une ligne verticale traversant le graphique indique le moment où il y a eu manipulation expérimentale (le début du traitement).

5.3.1. Protocole AB

Ce protocole débute par une période de niveau de base et se termine par l'intervention. Ce type de protocole est souvent rencontré dans des cas où l'effet de l'intervention n'est pas réversible, comme l'acquisition d'une nouvelle habileté. Par exemple, dans une étude à cas unique de type AB (Dufour, 1996), Marc, un homme âgé de 31 ans, présente un trouble obsessionnel-compulsif combiné à une schizophrénie de type paranoïde. Il reçoit un traitement à l'aide de médicaments anti-psychotiques et, un peu plus tard, on lui offre une thérapie cognitivo-comportementale pour son trouble obsessionnel-compulsif. Lorsque Marc devient angoissé, il se dit obsédé par des images et des pensées représentant des comportements agressifs qu'il aurait envers lui-même et les autres. Pour lutter contre ces images et ces pensées anxiogènes, Marc adopte des actes mentaux répétitifs. Il prie et se concentre sur ses « forces positives ». L'auto-évaluation de l'angoisse constitue, dans cette étude, la variable dépendante. La variable indépendante (intervention) est l'application d'une thérapie cognitivo-comportementale pour l'anxiété. L'intervention comprend la restructuration cognitive des pensées anxiogènes, c'est-à-dire une technique particulière visant leur modification. Marc évalue son angoisse de façon répétée, quotidiennement. L'auto-évaluation est effectuée à partir d'une échelle comportant 10 items et la phase du niveau de base dure 10 jours. L'intervention, pour sa part, s'étend sur une période d'un mois. Le graphique de la figure 5.5 illustre l'évolution de l'angoisse durant la phase A et la phase B.

FIGURE 5.5 **Illustration des auto-évaluations des angoisses pendant la période du niveau de base et pendant l'intervention**

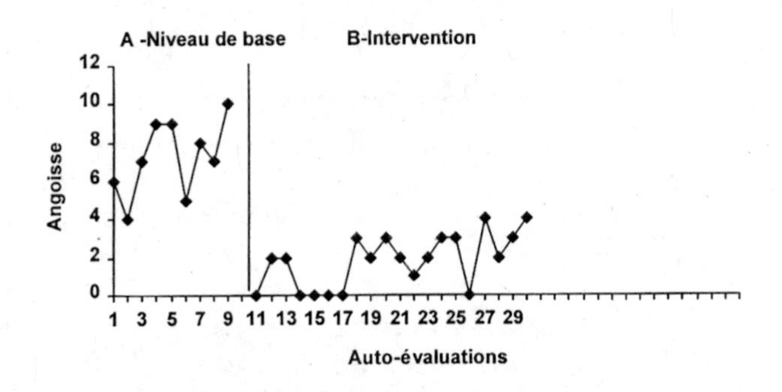

Exemple tiré de C. Dufour (1996). Thérapie cognitive et comportementale d'un trouble obsessionnel-compulsif chez un patient schizophrène, *Revue Francophone de Clinique Comportementale et Cognitive*, *1*, 25-29.

Seulement deux phases caractérisent ce protocole, ce qui rend difficile l'établissement clair d'une relation causale entre l'intervention et la modification du phénomène cible. La validité interne demeure faible et menacée par des facteurs comme l'histoire ou la maturation. Pour cette raison, il faut considérer le protocole AB comme préexpérimental. Par contre, la présence de mesures continues et prospectives de la variable dépendante donne plus de force à ce protocole qu'à l'histoire de cas.

5.3.2. Protocole ABA

Pour sa part, le protocole ABA permet d'établir une certaine relation causale entre l'intervention et le phénomène cible. Il y a d'abord la période du niveau de base (A), suivie de l'intervention (B). Afin de préciser l'effet de la manipulation expérimentale, l'intervention doit être retirée pour observer un retour à la période (A). Ce protocole permet, si la variable dépendante retourne à son niveau initial, de vérifier les effets directs de l'intervention. Toutefois, sans la réintroduction de l'intervention, le doute que cette

FIGURE 5.6 **Nombre de points accumulés et moyenne du taux de comportements émis par le participant**

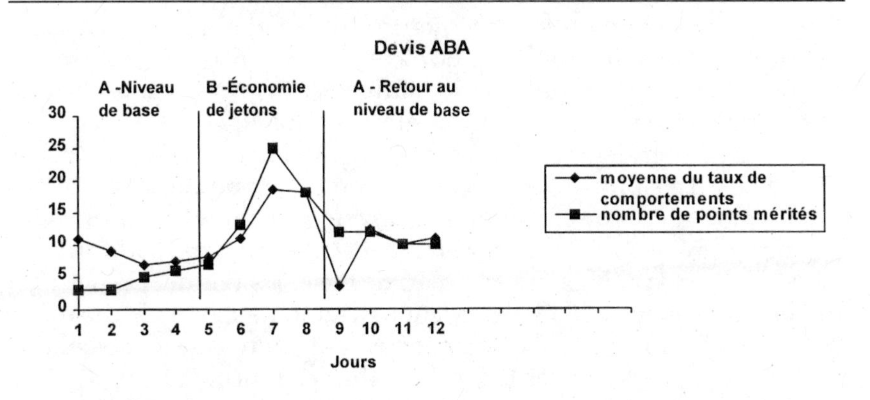

Exemple adapté de M. Hersen, R.M. Eisler, G.S. Alford, & W.S. Agras (1973). Effects of token economy on neurotic depression : An experimental analysis, *Behavior Therapy*, 4, 392-397.

dernière soit à l'origine du changement demeure (Ladouceur & Bégin, 1986). À la figure 5.6, un protocole ABA est illustré à partir d'une étude effectuée par Hersen, Eisler, Alford et Agras (1973). La figure fait état des résultats observés chez un homme âgé de 52 ans devenu déprimé à la suite de la vente de sa ferme. L'étude évalue l'effet de l'économie de jetons en échange de points accumulés en fonction de comportements permettant de réduire sa dépression. Durant la période de niveau de base (A), le participant mérite des points pour des comportements spécifiques sur le plan du travail, de l'hygiène personnelle et des responsabilités. Au cours de cette phase, les points mérités n'ont aucune valeur d'échange, alors que durant la phase d'intervention (B), soit la phase d'économie de jetons, les points accumulés sont échangeables contre des privilèges ou des biens matériels. Après la phase d'intervention, l'économie de jetons est retirée, ce qui signifie un retour à la phase A de la neuvième à la douzième journée. Ainsi que le montre la figure 5.6, une augmentation du taux de comportements et du nombre de points est observée durant la phase B (intervention) et une diminution de ces deux variables apparaît durant le retour au niveau de base (A).

5.3.3. Protocole ABAB

Le protocole ABAB évalue les effets d'une intervention en alternant les phases du niveau de base (A) et celles de l'intervention (B). Les effets de l'intervention sont démontrés si les changements correspondent à l'introduction, au retrait et au retour de l'intervention. La deuxième manipulation de l'intervention (retrait) s'effectue lorsqu'une amélioration est évidente. Une fois que l'état initial est de retour, l'intervention est réintroduite. À la figure 5.7, cette alternance entre les phases A et B est illustrée. Le graphique porte sur l'extinction des comportements physiquement et verbalement agressifs présentés par un homme âgé de 83 ans souffrant de démence. Pendant le premier niveau de base, les infirmières agissent de manière habituelle face aux comportements agressifs du participant. La fréquence de ses comportements agressifs se révèle peu élevée. Durant les phases du traitement, les infirmières appliquent l'extinction, c'est-à-dire qu'elles ignorent volontairement les comportements agressifs du participant pour recevoir de l'attention. Cette phase est interrompue après six semaines. Ensuite, un retour à la phase du niveau de base s'effectue. Le retrait de l'intervention s'étend sur une période de quatre semaines. Cette phase permet de vérifier si l'intervention influence réellement les comportements du participant. La phase d'intervention est réintroduite une dernière fois afin de confirmer l'impact de l'intervention.

FIGURE 5.7 **Fréquence des comportements physiquement et verbalement agressifs au cours des semaines**

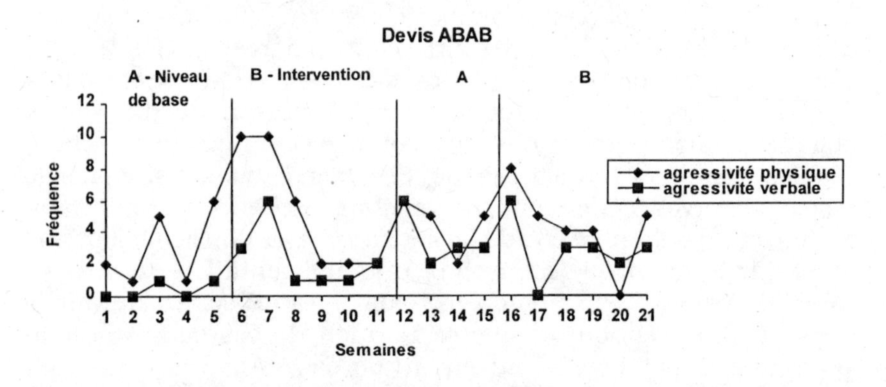

Exemple tiré de S. Bourgeois & J. Vézina (1998). L'extinction des comportements agressifs d'une personne âgée souffrant de démence. *Revue Francophone de Clinique Comportementale et Cognitive*, 4, 1-5.

Si des menaces à la validité interne, comme la maturation, les facteurs historiques ou la régression vers la moyenne, se font sentir, on devrait observer une continuité des changements observés durant la phase B, et non pas des variations liées à la manipulation expérimentale. Ce protocole nécessite certains préalables particuliers, dont une manipulation qui entraîne un changement nettement observable. De plus, un retour de la variable dépendante à son niveau initial doit être à la fois théoriquement et éthiquement possible. Premièrement, une personne qui a acquis une habileté risque peu de la perdre dès qu'on cesse de la lui enseigner... Deuxièmement, il semble difficilement justifiable de provoquer des rechutes simplement pour le bien de la science. Par conséquent, ce type de protocole reste peu utilisé pour démontrer l'efficacité d'une nouvelle forme d'intervention clinique.

5.3.4. Protocole ABABAB

Ce type de protocole, tout comme le protocole ABAB, fait alterner les phases d'observation et d'intervention. On y ajoute, cependant, une phase supplémentaire de mesure du niveau de base et d'intervention. L'ajout de ces deux phases permet de vérifier avec plus de certitude la présence d'une relation causale entre l'intervention et le phénomène cible. Afin de pouvoir mettre en pratique ce protocole, le phénomène cible doit être sensible au changement, c'est-à-dire qu'il doit réagir rapidement en fonction de l'introduction et du retrait de l'intervention, et la durée de chaque phase doit demeurer courte (Ladouceur & Bégin, 1986).

5.3.5. Protocole BAB

Bien qu'une période de niveau de base soit toujours souhaitable pour démontrer que la responsabilité des changements observés sur la variable dépendante incombe vraiment à l'intervention, certains considèrent parfois cette période comme superflue. Dans certaines circonstances la phase de niveau de base peut être inappropriée. C'est le cas, par exemple, pour l'étude du développement d'habiletés de communication chez un enfant autiste qui n'a jamais parlé. Pour des raisons théoriques, le chercheur peut croire que la probabilité est faible que le phénomène cible change de lui-même avant l'intervention. Certaines théories peuvent suggérer que le phénomène cible risque peu de changer ; mais la probabilité est habituellement différente de zéro... Par contre, l'attente de l'établissement d'un niveau de base ne se justifie pas toujours éthiquement, par exemple dans des cas de violence conjugale, d'abus sexuel ou de comportements d'automutilation.

Dans de telles situations, le protocole BAB s'avère peut-être la solution. Le chercheur commence par introduire l'intervention (B), il la retire après un certain temps (A), pour ensuite la réintroduire (B). Ce protocole est rarement utilisé car, en plus de ses faiblesses méthodologiques, les motifs qui poussent à son utilisation rendent souvent difficile ou non éthique le retour à la phase A.

Prenons l'exemple de l'étude de Ayllon et Azrin (1965) menée auprès de 44 participants schizophrènes. Cette étude évalue les effets de l'économie de jetons en fonction de la performance au travail. Au cours des 20 premiers jours, la phase B est mise en place. Durant cette phase, les participants reçoivent des jetons pour avoir entrepris un travail ou une activité à l'hôpital. Ces jetons sont échangeables contre une variété de renforçateurs (privilèges, biens, etc.). Durant les 20 prochains jours, la phase A est appliquée. Les participants reçoivent alors des jetons sans aucun lien avec une tâche ou une activité effectuée, peu importe leur performance (non-contingence renforcement/performance). Pendant les 20 derniers jours, la phase B se trouve réinstaurée. Le graphique de la figure 5.8 illustre le nombre d'heures de

FIGURE 5.8 **Nombre d'heures de la performance quotidienne au travail chez un groupe de schizophrènes**

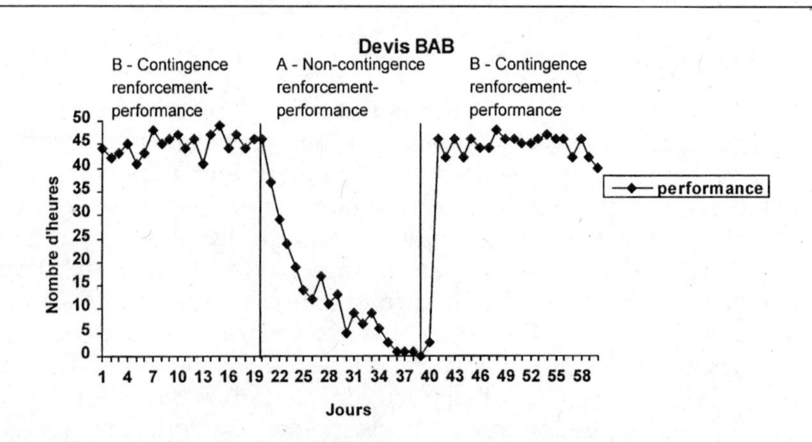

Exemple adapté de T. Ayllon & N.H. Azrin (1965). The measurement and reinforcement of behavior of psychotics. *Journal of the Experimental Analysis of Behavior, 8*, 357-383.

travail ou d'activité chez le groupe de participants selon que le renforcement est contingent ou non contingent.

5.3.6. Protocole BABA

Lorsqu'on vise uniquement à effectuer une démonstration scientifique, le protocole BABA offre un meilleur contrôle que le protocole BAB, car une deuxième phase d'évaluation est introduite après l'intervention. Cette phase permet de vérifier les effets de l'intervention, une fois cette dernière retirée. En ce qui concerne la pratique clinique, ce protocole se révèle peu recommandable éthiquement, étant donné qu'il se termine par une phase de retrait de l'intervention.

5.3.7. Protocole ABCBC et autres combinaisons possibles

Ce protocole débute par le niveau de base, suivi d'une l'intervention. Si aucune amélioration nette du phénomène cible n'est observée durant cette deuxième phase, le chercheur peut modifier ou améliorer ses stratégies d'intervention. Au lieu de retourner à un niveau de base (A), une nouvelle intervention est introduite (C) immédiatement. Une alternance entre les deux formes de traitement a lieu par la suite. La deuxième intervention (C) est comparée non pas au niveau de base (A), mais à la première intervention (B) qui avait échoué. Ce protocole a l'avantage de faire appel à deux interventions différentes et de les comparer l'une à l'autre. Il favorise aussi l'amélioration ou la modification de l'intervention dans le cas où elle se révèle inefficace, plutôt que de simplement retourner à la phase d'observation du niveau de base. Il faut toutefois considérer dans l'interprétation des résultats que l'efficacité de la deuxième intervention pourrait être influencée par l'effet de la première intervention. Celle-ci pourrait avoir sensibilisé le client aux effets positifs éventuels de l'intervention C. Avant de planifier ce protocole, le chercheur doit anticiper l'effet de plafond (ou de plancher). Cela signifie que la variable dépendante a atteint son niveau maximal (ou minimal) grâce à l'efficacité de l'intervention. L'ajout d'une nouvelle intervention ne peut donc plus rien apporter.

Comme on peut s'y attendre, une multitude de combinaisons sont possibles avec les protocoles basés sur le retrait ou l'inversion d'une intervention. Voici, par exemple, un protocole ABC utilisé dans une étude par Last, Barlow et O'Brien (1984). La figure 5.9 illustre la mesure cognitive des pensées positives et des pensées négatives d'un participant agoraphobe durant la période

FIGURE 5.9 **Mesures cognitives (pensées positives et pensées négatives) d'un participant durant les différentes phases de l'expérimentation**

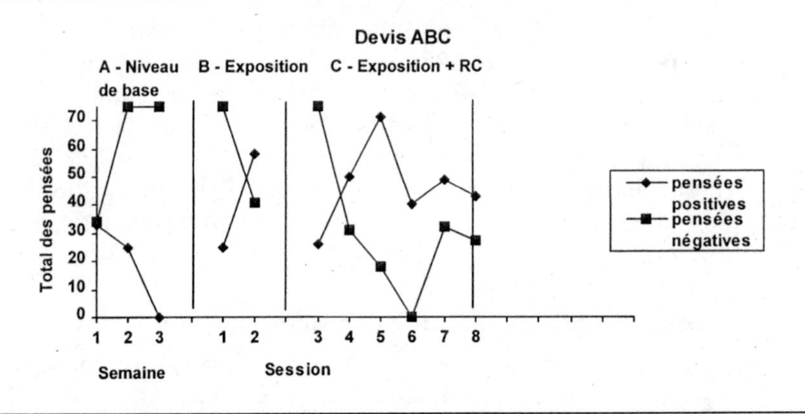

Exemple tiré de C.G. Last, D.H. Barlow, & G.T. O'Brien (1984). Cognitive change during treatment of agoraphobia. Behavioral and cognitive-behavioral approaches. *Behavior Modification, 2,* 181-210.

du niveau de base, la première intervention, soit l'exposition *in vivo* (B), et la deuxième intervention, c'est-à-dire la combinaison de l'exposition *in vivo* et de la restructuration cognitive (C).

Comme dernier cas illustrant les nombreuses possibilités de ces protocoles, nous avons choisi un protocole ABAC illustré dans l'étude de Laberge, Gauthier, Côté, Savard, Plamondon et Cormier (1992). Cette étude compare l'efficacité d'une thérapie d'information à celle d'une thérapie cognitivo-comportementale chez sept participants présentant un trouble panique. Un graphique à la figure 5.10 affiche la fréquence des attaques de panique chez un participant, au cours des différentes phases du protocole.

5.4. PROTOCOLES EXPÉRIMENTAUX À NIVEAUX DE BASE MULTIPLES

Les cas uniques à niveaux de base multiples ne requièrent ni le retrait ni l'inversion de l'intervention. Afin de maximiser la validité interne de la recherche, la même manipulation est effectuée à des moments différents. Dans un plan AB, lorsqu'on observe un changement sur la variable dépendante, on peut l'attribuer à

FIGURE 5.10 **Fréquence des attaques de panique durant le premier niveau de base (A), la transmission d'information sur la panique (B), le deuxième niveau de base (A) et la thérapie cognitivo-comportementale (C)**

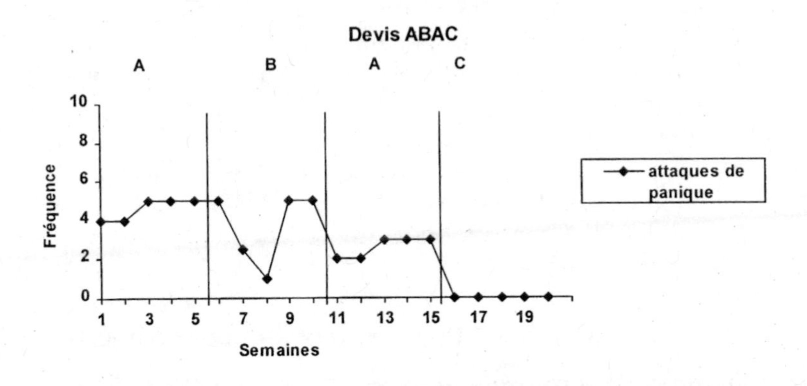

Exemple tiré de B. Laberge, B. Gauthier, J. Côté, G. Savard, J. Plamondon, & H.J. Cormier (1992). L'impact thérapeutique de l'information dans la thérapie cognitivo-comportementale du trouble panique : Une étude préliminaire. *Science et Comportement, 2,* 121-134.

la manipulation, mais aussi à l'impact de sources d'invalidité (maturation, facteur historique, etc.). Tous les protocoles à niveaux de base multiples visent à réduire ce risque. Leur force repose sur l'hypothèse que les sources d'invalidité et autres variables nuisibles devraient se manifester environ au même moment pour toutes les variables, situations ou participants. Le maintien de niveaux de base de plus en plus longs et le décalage dans l'application de l'intervention permettent donc de réduire de façon importante la contribution potentielle de variables extérieures. En ce qui a trait au nombre de niveaux de base à établir pour conclure à la présence d'une relation causale, plus de comportements sont à l'étude, plus convaincantes seront les conclusions (Ladouceur & Bégin, 1986).

Les protocoles à niveaux de base multiples débutent par la mesure de deux ou de plusieurs niveaux de base en même temps. La mesure porte simultanément sur plusieurs comportements, plusieurs situations ou plusieurs individus. Après l'établissement du niveau de base, l'intervention se déroule une première fois sur une série d'observations (premier phénomène cible ou premier participant), alors que la phase de niveau de base se poursuit dans les autres séries d'observations. Lorsque l'effet de la manipulation apparaît clairement, l'intervention peut être appliquée sur une autre série d'observations. L'intervention débute donc à des moments différents pour chacun des niveaux de base. Afin de donner un caractère plus expérimental que quasi expérimental à ces protocoles, il s'agit d'attribuer au hasard l'ordre dans lequel la variable, la situation ou le participant seront soumis à l'intervention. Trois formes de protocoles à niveaux de base multiples sont décrits dans les prochaines sections, selon que le niveau de base est établi auprès : (a) de phénomènes cibles différents observés chez un même participant, (b) de situations différentes où le même phénomène cible est observé chez un même participant, ou (c) de participants différents chez qui un même phénomène cible est observé.

5.4.1. Niveaux de base multiples en fonction des comportements

Pour ce type de protocole, plusieurs phénomènes cibles sont mesurés auprès d'un même participant. Bien que la dénomination « en fonction des comportements » soit l'expression officielle, des variables autres que des comportements peuvent être utilisées. Il faut néanmoins que la même intervention puisse être appliquée à chaque phénomène cible. On recueille ainsi une série d'observations pour chacun, comme pour un protocole AB typique. Après que la période de niveau de base a été établie pour *l'ensemble* des phénomènes cibles, l'intervention est appliquée à un phénomène cible pendant que la phase de niveau de base se poursuit pour les autres. Lorsque l'effet de l'intervention sur le premier phénomène cible se stabilise, l'intervention est introduite auprès d'un deuxième phénomène cible et la phase de niveau de base se poursuit pour les autres. Le processus se termine lorsque le dernier phénomène cible est soumis à la manipulation expérimentale.

Un programme est implanté dans une école primaire afin d'améliorer la créativité chez 32 écoliers (Campbell & Willis, 1978). Une période d'exercice est introduite dans l'horaire quotidien des élèves. Durant cette période d'exercice, les participants sont encouragés à rédiger un texte en faisant montre de créativité à partir d'un thème choisi au hasard par l'enseignante. Les cinq premières minutes servent à l'introduction du thème et les quinze minutes suivantes sont consacrées à la rédaction du texte. Afin d'évaluer la pensée créative, trois composantes sont relevées : la facilité (nombre d'idées diverses et pertinentes), la flexibilité (présentation des idées, présentation de différents points de vue) et

FIGURE 5.11 **Moyenne quotidienne des points mérités par les élèves en fonction des trois composantes de la créativité**

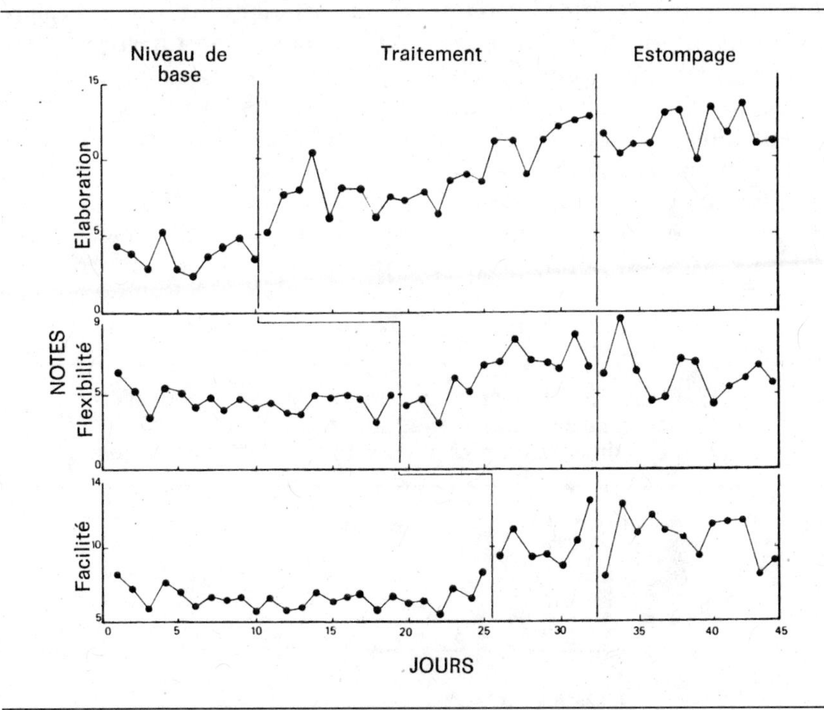

Exemple tiré de R. Ladouceur & G. Bégin (1986). *Protocoles de recherche en sciences appliquées et fondamentales*. Saint-Hyacinthe : Edisem.

l'élaboration (informations transmises dépassant la simple communication d'une idée). Le protocole débute par la phase du niveau de base. Cette période dure 10 jours. Durant la deuxième phase du protocole, l'enseignante utilise des renforcements matériels (pièces de monnaie) et sociaux (encouragements) pour la composante d'élaboration seulement. Une fois qu'un changement se manifeste sur la composante élaboration, les renforcements s'étendent à la composante flexibilité. Le même procédé est appliqué en fonction de la composante facilité (voir figure 5.11). Le protocole se termine par une phase d'estompage, c'est-à-dire qu'un retrait graduel des renforcements permet de vérifier le maintien des acquis.

5.4.2. Niveaux de base multiples en fonction des situations

Une femme de 28 ans présente plusieurs phobies, dont la peur d'être seule, la peur des menstruations, la peur de mâcher des aliments durs et la peur d'un traitement dentaire. La première phase du protocole repose sur l'établissement d'un niveau de base permettant l'évaluation de chaque phobie. Par la suite, la participante doit faire face à chacune de ses phobies lors de séances de désensibilisation en imagination ou *in vivo*. L'application de la désensibilisation débute par l'affrontement de sa peur d'être seule. Ensuite, la peur des menstruations est soumise à la désensibilisation. Le même procédé suit pour la peur de mâcher des aliments durs et, enfin, pour la peur du traitement dentaire (voir figure 5.12).

FIGURE 5.12 **Évaluation des progrès en fonction de la peur d'être seule, la peur des menstruations, la peur de mâcher des aliments durs et la peur des traitements dentaires**

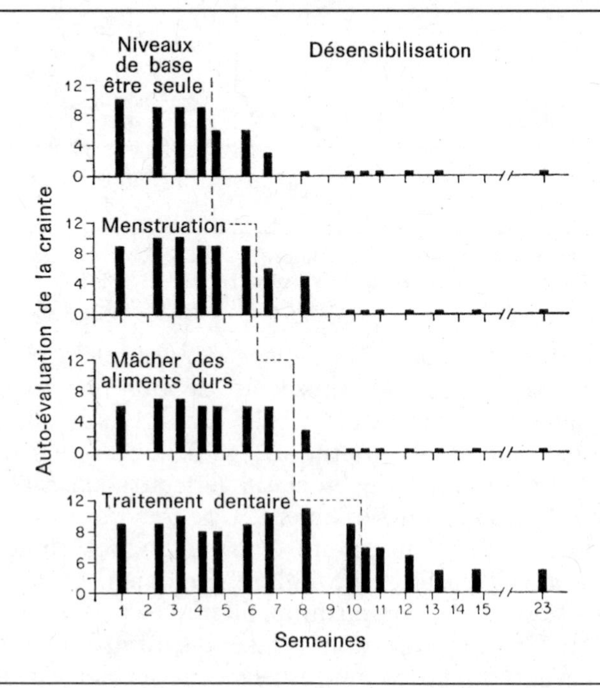

Exemple tiré de R. Ladouceur & G. Bégin (1986). *Protocoles de recherche en sciences appliquées et fondamentales*. Saint-Hyacinthe : Edisem.

L'intérêt de ce protocole de recherche tient à la manifestation d'un phénomène cible à l'intérieur de deux ou plusieurs situations spécifiques et indépendantes. Au moment où le niveau de base se stabilise pour chaque situation, l'intervention peut débuter dans la première situation pendant que les autres demeurent en observation. Dès que l'intervention laisse voir une amélioration dans la première situation, elle est introduite à la deuxième situation, et ainsi de suite. L'intervention se trouve ainsi appliquée à différents moments pour chaque situation. Idéalement, le phénomène devrait s'améliorer uniquement dans la situation où l'intervention a été appliquée. Il est possible que le phénomène cible s'améliore non seulement dans la situation donnée, mais dans d'autres situations. Cette possibilité peut nuire à l'évaluation du phénomène cible à travers les situations à l'étude et ainsi nuire à l'interprétation des données. Il semble donc important de noter que ce type de protocole est inopportun lorsqu'on s'attend à ce que l'intervention se généralise d'elle-même (Ladouceur & Bégin, 1986).

5.4.3. Niveaux de base multiples en fonction des individus

Ce protocole vise à mesurer le niveau de base d'un même phénomène manifesté chez deux ou plusieurs individus. Une fois les niveaux de base stables, les participants reçoivent l'intervention à tour de rôle. Dès que l'intervention s'avère efficace et stable auprès du premier participant, le second participant sélectionné est exposé à l'intervention, et ainsi de suite. Cette stratégie permet de contrôler l'effet de plusieurs sources d'invalidité, mais il faut demeurer attentif à la diffusion du traitement...

Pour illustrer ce protocole, utilisons les auto-enregistrements de quatre femmes qui souffrent d'attaques de panique et d'agoraphobie si sévères qu'elles peuvent à peine quitter leur domicile. La fréquence hebdomadaire des attaques de panique est illustrée à la figure 5.13. Dans le cadre de l'étude, les participantes reçoivent à domicile une thérapie cognitivo-comportementale telle qu'elle est appliquée auprès des gens dont le problème n'est pas aussi sévère. Alors que la thérapie est appliquée pour chaque participante en fonction d'un manuel de traitement, la durée de la thérapie varie de l'une à l'autre selon les besoins et la progression de chacune. Dans le scénario idéal, il faut respecter deux règles avant d'introduire l'intervention : (a) attendre que l'effet de l'intervention se manifeste clairement auprès du participant, et (b) attendre que le niveau de base se stabilise. La conséquence de

FIGURE 5.13 **Nombre d'attaques de panique vécues de façon hebdomadaire par les quatre participantes durant chacune des phases de l'expérimentation**

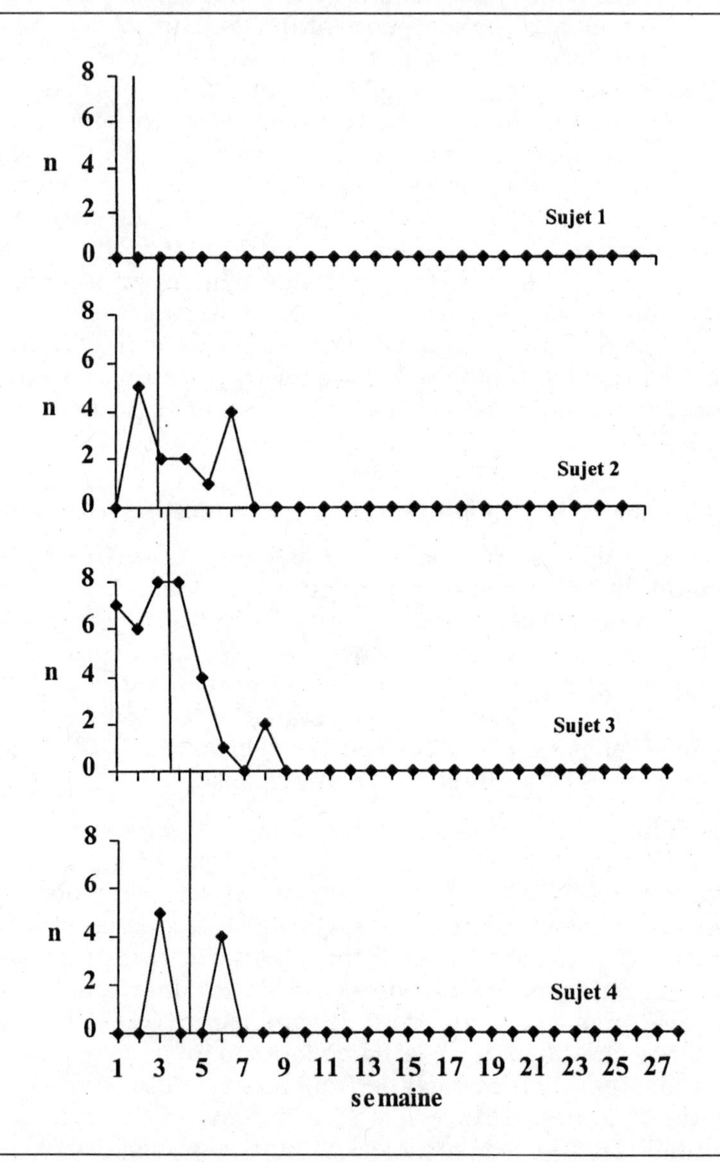

Exemple tiré de V. Rivard (1998). *Thérapie cognitivo-comportementale du trouble panique avec agoraphobie sévère.* Essai de maîtrise inédit, Université du Québec à Hull.

cette contrainte méthodologique est toutefois le risque de retarder le début de l'intervention pour plusieurs participants. Dans l'étude illustrée à la figure 5.13, il n'a pas été possible de respecter ces règles pour des raisons éthiques.

5.5. AUTRES TYPES DE PROTOCOLES

Il existe d'autres structures de protocole à cas unique (voir Barlow & Hersen, 1984). Nous retiendrons ici les protocoles avec alternance de traitements et ceux avec changement de critères. Ces protocoles n'exigent ni l'arrêt ou l'inversion d'une intervention, ni l'observation concomitante de plusieurs variables. Dans le cas du protocole avec alternance de traitements, des phénomènes cibles indépendants reçoivent chacun une intervention spécifique et différente, à des moments différents. Quant au protocole avec changement de critères, il permet de démontrer que l'ampleur des changements observés correspond aux augmentations d'intensité de l'intervention.

5.5.1. Protocole expérimental avec alternance de traitements

Ce protocole permet d'évaluer l'efficacité de deux ou plusieurs interventions pendant une période de temps donnée, chez un même participant. Tout comme les protocoles précédents, celui-ci débute par une période de niveau de base. Le phénomène cible doit être observé à divers moments de la journée ou dans différentes situations. Ce qui importe est la prise de plus d'une mesure par jour. Lorsque le phénomène cible fait preuve de stabilité, on commence à appliquer les deux interventions. Afin d'éliminer un effet de séquence possible, les deux interventions (ou plus) sont mises en place en alternance à chaque temps ou situation. Les interventions sont appliquées jusqu'à ce que le phénomène cible atteigne le niveau visé. Si une intervention s'avère plus efficace, elle peut être appliquée à long terme, mettant ainsi fin au processus d'alternance (Barlow & Herson, 1984 : Kazdin, 1992). Ce protocole peut revêtir une forme plus complexe où les interventions sont administrées à plus d'un participant ou dans divers contextes (Kazdin, 1992).

L'étude de McCullough, Cornell, McDaniel et Muller (1974) compare deux types d'interventions chez un garçon de six ans (voir figure 5.14). La première intervention comprend l'utilisation

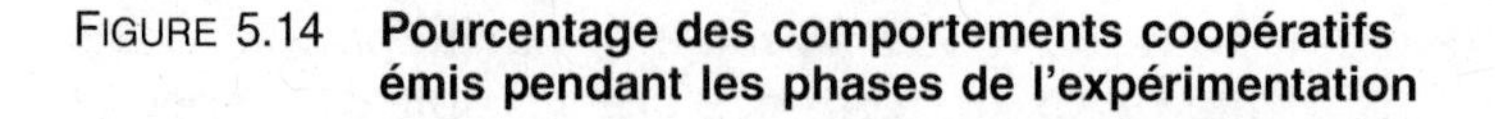

FIGURE 5.14 **Pourcentage des comportements coopératifs émis pendant les phases de l'expérimentation**

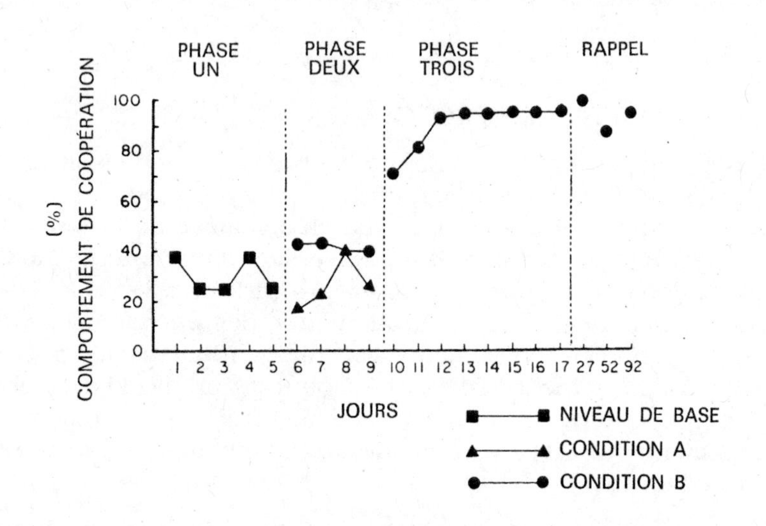

Exemple tiré de R. Ladouceur & G. Bégin (1986). *Protocoles de recherche en sciences appliquées et fondamentales*. Saint-Hyacinthe : Edisem.

de renforcements sociaux devant les comportements de coopération, et d'indifférence face aux comportements non coopératifs. La deuxième intervention utilise aussi les renforcements sociaux en appui aux comportements coopératifs. Cependant, l'isolement est appliqué (mise à l'écart dans un local vide pour une durée de deux minutes) vis-à-vis des comportements non coopératifs. En ce qui a trait à l'observation des comportements, les jours de classe sont divisés en huit périodes de quinze minutes. Les cinq premiers jours de l'expérimentation servent de niveau de base. Le premier traitement est ensuite administré par deux intervenants, le professeur et son assistant. Ils donnent les séances à tour de rôle en appliquant respectivement les interventions 1 et 2. Pendant les deux jours suivants, les rôles sont inversés : le professeur applique l'intervention 2 et son adjoint l'intervention 1. Après avoir évalué les deux formes d'interventions, l'intervention jugée la plus efficace est retenue pour la troisième et dernière étape du protocole. Des évaluations ont lieu lors de relances une semaine, un mois et deux mois suivant le traitement.

L'utilisation de cette forme de protocole comporte certains avantages, notamment l'étude simultanée de deux ou plusieurs interventions chez un même individu. Cette pratique permet d'économiser du temps, de trouver plus rapidement une intervention appropriée à la problématique (Ladouceur & Bégin, 1986).

Certains obstacles peuvent poser des limites quant à l'utilité de ce protocole (Kazdin, 1992). Premièrement, il peut devenir difficile de partager et de planifier les différentes interventions. Deuxièmement, l'évaluation de l'efficacité de plusieurs formes de traitements requiert un nombre élevé de sessions. Troisièmement, le comportement à l'étude doit pouvoir resurgir rapidement ou apparaître fréquemment, au fur et à mesure que les interventions alternent. Quatrièmement, le participant doit pouvoir différencier chaque intervention. Ce type de protocole demande que les interventions soient appliquées à divers moments au cours de la même phase. Aucune association ne doit exister entre le moment de la manipulation et une intervention spécifique. Si le participant ne semble pas en mesure de discriminer les différentes interventions, les observations offriront peu de fiabilité. Par conséquent, les résultats ne seront pas représentatifs des acquis. Cinquièmement, les interventions ne doivent entraîner aucun effet à moyen ou à long terme. Dans le cas contraire, l'établissement d'une relation causale entre une intervention quelconque et le phénomène cible devient impossible, car les effets de l'intervention précédente persistent (Ladouceur & Bégin, 1986). Sixièmement, il faut considérer la possibilité que les interventions appliquées dans ce protocole entraînent des conséquences autres que si elles étaient appliquées dans un autre type de protocole. En ce sens, les effets d'une intervention peuvent influer sur les effets d'une autre intervention (Kazdin, 1992).

5.5.2. Protocole basé sur le changement de critères

Un garçon, Jean-Luc, se trouve dans une classe spéciale à l'école élémentaire après avoir reçu le diagnostic de trouble d'hyperactivité avec déficit d'attention (exemple fictif inspiré de Hall & Fox, 1977). Il ne répond pas aux exigences du cours de mathématiques. L'expérimentation a pour but de façonner et de favoriser le maintien de comportements lui permettant de réussir les exercices de mathématiques. Durant la phase du niveau de base, le garçon répond à neuf questions de mathématiques que le professeur a choisies dans le manuel d'exercices. Le nombre de bonnes réponses sert de variable dépendante. Le critère à atteindre pour

FIGURE 5.15 **Nombre de problèmes de mathématiques réussis par Jean-Luc durant l'expérimentation**

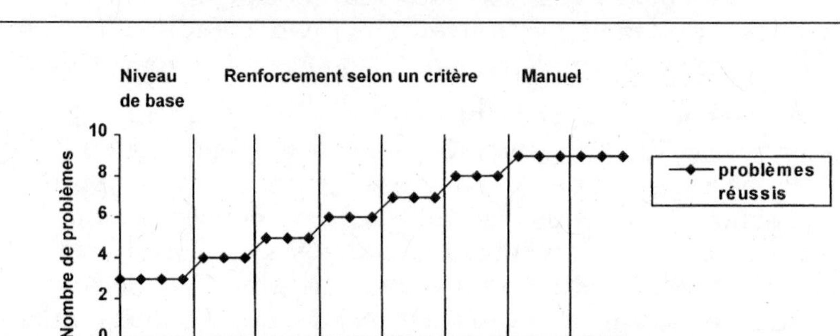

la première phase expérimentale repose sur la moyenne de problèmes réussis au niveau de base (3). Le chiffre suivant la moyenne constitue le premier critère, soit 4. Durant cette première phase, si le participant obtient 4 bonnes réponses il peut aller en récréation et jouer au hockey. S'il n'atteint pas ce critère, il doit rester en classe jusqu'à ce que les exigences soient satisfaites. Une fois le critère atteint pendant trois jours consécutifs, un problème additionnel s'ajoute à la liste. Le critère final comprend l'exécution des problèmes de mathématiques non plus à partir de la feuille préparée par le professeur, mais bien à partir du manuel de mathématiques.

Ce protocole débute donc par un niveau de base (voir figure 5.15). Par la suite, un critère de performance est fixé. L'intervention est appliquée afin d'atteindre ce critère. Une fois que le premier critère est atteint de façon stable, un autre critère plus exigeant est fixé (Barlow & Hersen, 1984). Et une fois que ce critère est atteint, le critère suivant est introduit, et ainsi de suite. Chaque phase se caractérise par un changement de critères et la modification du phénomène cible s'effectue graduellement. De plus, lors de l'atteinte d'un critère, le participant reçoit habituellement une récompense. Ce type de protocole illustre bien le phénomène de « dose-réponse » fréquemment observé en pharmacologie. L'augmentation d'une dose de calmants par paliers progressifs s'accompagne à chaque coup d'une réduction du niveau de stress. Le phénomène dose-réponse est aussi utilisé en épidémiologie et en psychologie de l'apprentissage.

5.6. L'ANALYSE DES RÉSULTATS

La principale faiblesse des protocoles à cas unique n'est pas leur capacité à démontrer que les changements observés sur la variable dépendante proviennent de la manipulation expérimentale, mais plutôt la difficulté à conclure qu'il y a de réels changements. Pour bien saisir la nature de ce problème il faut considérer plusieurs éléments.

Dans l'utilisation des protocoles dits de groupe présentés au chapitre 3, il faut recourir aux analyses statistiques pour s'assurer le plus possible que les différences entre les conditions expérimentales sont suffisamment grandes et fiables. Avec les protocoles à cas unique, on ne peut avoir recours aux analyses statistiques traditionnelles comme celles présentées au chapitre 9. Ces analyses reposent sur des préalables qui ne peuvent être obtenus par les protocoles à cas unique, notamment l'indépendance des observations. Les mathématiciens ont élaboré diverses méthodes, dont les analyses de séries chronologiques (Box & Jenkins, 1972). Il s'agit d'une technique d'analyse qui permet d'évaluer les changements en termes de : a) *niveau*, soit un changement sur le plan du comportement au moment de l'introduction de l'intervention ; b) *tendance*, c'est-à-dire, un changement de pente pendant et entre les phases d'une intervention (Gresham, 1998). Ces méthodes reposent sur l'établissement d'un modèle mathématique décrivant le plus fidèlement possible la série d'observations en tenant compte de la corrélation entre les observations (autocorrélation). Ces méthodes tardent toutefois à être utilisées en psychologie et en sciences sociales, en partie en raison de leur apparente complexité et du nombre d'observations nécessaires dans chaque phase de la manipulation expérimentale. Elles devraient toujours être utilisées, mais pour l'instant la méthode privilégiée demeure l'analyse visuelle des graphiques.

Lors de l'analyse visuelle, deux types de changements fondamentaux peuvent être observés : un changement de niveau et un changement de pente. Chacun d'eux, ou leur combinaison, suggère la présence d'un changement. De plus, le changement doit être assez grand et se produire assez rapidement après le début de l'intervention. Finalement, une intervention dont les effets perdurent pendant plusieurs mois augmente les probabilités que le changement soit durable. En l'absence d'analyses statistiques, tous ces critères subjectifs rendent parfois le jugement du chercheur difficile et ambigu (Ottenbacher, 1990, 1993). En attendant que l'usage des analyses de séries chronologiques se répande, voici quelques suggestions qui peuvent augmenter la fiabilité de l'analyse visuelle :

- faire effectuer les analyses visuelles par plusieurs juges et calculer un taux d'accord entre eux ;
- tenir compte de la variabilité des observations durant le niveau de base ;
- tenir compte de la grandeur du changement de niveau ou de pente ;
- confirmer les conclusions en s'appuyant sur plusieurs participants ;
- examiner le maintien à long terme des gains.

5.7. CONCLUSION

L'étude idiographique du comportement humain a influencé grandement les théories élaborées en psychologie et les notions appliquées en pratique clinique. L'histoire de cas constitue une des premières techniques d'évaluation à avoir été utilisées abondamment en sciences humaines et sociales. Malgré son potentiel, nous avons été sensibilisés aux limites que pose l'histoire de cas, principalement sur le plan méthodologique. Contrairement à l'étude de cas, les protocoles à cas unique accordent une importance particulière à la manipulation expérimentale, soit à l'introduction d'une intervention après une période d'absence de celle-ci. Les efforts du chercheur portent sur la mesure objective et continue de phénomènes spécifiques et sur l'évaluation d'interventions décrites. Ils permettent aussi de tirer des inférences sur l'existence de relations causales entre la variable indépendante (l'intervention) et la variable dépendante (le phénomène cible). Lorsqu'ils sont choisis et utilisés adéquatement, ces protocoles possèdent une validité interne comparable aux protocoles dits de groupe (Campbell, 1979 ; Kiesler, 1981). Par contre, leur validité externe demeure moins grande (Hilliard, 1993)[2]. Un ensemble de protocoles à cas unique expérimentaux ont ensuite été illustrés et décrits : avec retrait ou alternance de l'intervention, à niveaux de base multiples, basés sur le changement de critères et avec alternance de traitements. L'un des préalables à respecter dans l'application de ces protocoles est la mise en place adéquate d'un niveau de base. Chaque protocole présenté possède des forces mais pose aussi certaines limites. Une ordonnance décroissante de tous ces protocoles en fonction de la qualité de l'information qu'ils fournissent, considérant la validité interne en premier lieu, suivie de la validité externe, produit la liste du tableau 5.1. Le choix du type de protocole à appliquer peut ainsi se révéler difficile. Ce choix dépendra, entre autres, du participant étudié, de la problématique et du comportement cible à l'étude, de l'intervention en vue, du contexte d'intervention et du temps accordé pour effectuer la recherche.

TABLEAU 5.1 **Protocoles à cas unique en ordre décroissant de validité interne et externe**

Catégorie 1

8. Les différents protocoles à niveaux de base multiples
7. Les combinaisons complexes d'alternance ou de retrait de l'intervention (ABABA, BABAB, etc.)
6. Protocole avec changement de critères
5. Protocole avec alternance de traitements

Catégorie 2

4. Le protocole ABA
3. Le protocole BAB

Catégorie 3

2. La simple alternance ou le retrait de l'intervention (AB, BA)

Catégorie 4

1. L'histoire de cas

---

2. Chassan (1979) considère pour sa part que les protocoles à cas unique possèdent une validité externe comparable à celle des protocoles de groupes. Ces derniers sont moins précis quant aux caractéristiques permettant de généraliser les conclusions, et ce, en raison de l'hétérogénéité des échantillons et de la faible importance accordée aux variations individuelles.

Ces protocoles peuvent être utilisés non seulement en milieu clinique mais aussi en laboratoire ou en recherche fondamentale. Finalement, l'utilisation des protocoles à cas unique en milieu clinique offre la possibilité à tout intervenant de vérifier l'efficacité de ses propres interventions, d'évaluer l'efficacité de nouvelles interventions, ou d'ajuster son plan d'intervention. Ainsi, il devient possible d'évaluer la qualité de son travail en évaluant continuellement et objectivement l'évolution d'un phénomène cible, ou même de contribuer à l'avancement des connaissances scientifiques avec des moyens limités.

5.8. QUESTIONS

1. Quel type de protocole à cas unique se révèle le plus rigoureux sur le plan de la validité interne et externe ? Expliquez.
2. Quelles sont les trois formes de protocoles à niveaux de base multiples ? Décrivez chacun de ces protocoles.
3. Quelles sont les propriétés essentielles d'un bon niveau de base ?
4. Qu'est-ce qu'un protocole basé sur un changement de critères ?
5. Que peut faire un chercheur pour accroître la fiabilité de l'analyse visuelle comme méthode d'analyse des résultats ?

5.9. RÉFÉRENCES

Allport, G.W. (1961). *Pattern and growth in personality.* New York : Holt, Rinehart & Winston.

Ayllon, T., & Azrin, N.H. (1965). The measurement and reinforcement of behavior of psychotics. *Journal of the Experimental Analysis of Behavior, 8,* 357-383.

Barlow, D.H., & Hersen, M. (1984). *Single case experimental designs. Strategies for studying behavior change* (2e éd.). New York : Pergamon Press Inc.

Barlow, D.H., Hayes, S.C., & Nelson, R.O. (1984). *The Scientific Practitioner. Research and Accountability in Clinical and Educational Settings.* Boston : Allyn and Bacon.

Bouchard, S. (1997). Assessing the role of memory in the treatment mechanism of panic disorder with agoraphobia with a patient suffering from amnesia. *Canadian Psychology, 38*(2a), 165.

Bornstein, P.H., & Quevillon, R.P. (1976). The effects of self-instructional package on overactive preschool boys. *Journal of Applied Behavior Analysis, 9*, 179-188.

Bourgeois, S., & Vézina, J. (1998). L'extinction des comportements agressifs d'une personne âgée souffrant de démence. *Revue Francophone de Clinique Comportementale et Cognitive, 4*, 1-5.

Box, G.E.P., & Jenkins, G.M. (1970). *Time series analysis, forecasting and control.* San Francisco : Holden-Day.

Breuer, J. (1937). Studies in Hysteria. Traduit par A.A. Brill. Dans R.L. Spitzer, M. Gibbon, A.E. Skodol, J.B.W. Williams & M.B. First (Éds.). DSM-III-R *Diagnostic and Statistical Manual of Mental Disorders (Revised Edition). Case Book.* Washington : American Psychiatric Press Inc.

Campbell, D.T. (1979). Degrees of freedom and the case study. Dans T.D. Cook & C.S. Reichardt (Éds.). *Qualitative and quantitative methods in evaluation research* (pp. 49-47). Beverly Hills : Sage.

Campbell, J.A., & Willis, J. (1978). Modifying components of creative behavior in the natural environment. *Behavior Modification, 2*, 549-564.

Chassan, J.B. (1979). *Research design in clinical psychology and psychiatry* (3e éd.). New York : Wiley.

Dufour, C. (1996). Thérapie cognitive et comportementale d'un trouble obsessionnel-compulsif chez un patient schizophrène, *Revue Francophone de Clinique Comportementale et Cognitive, 1*, 25-29.

Freud, S. (1933). Analysis of a phobia in a five-year-old boy. Dans S. Freud, *Collected papers*, Vol. 3. London : Hogarth Press.

Gresham, F.M. (1998). Designs for evaluating behavior change. Conceptual principles of single case methodology. Dans S. Watson et F.M. Gresham (Éds.), *Handbook of child behavior therapy.* New York : Plenum Press.

Hall, R.V., & Fox, R.G. (1977). Changing-criterion design: An alternate applied behavior analysis procedure. Dans B.C. Etzel, J.M. LeBlanc & D.M. Baer (Éds.) *New Developments in behavioral research: Theory, method and application.* New Jersey: Lawrence Erlbaum.

Hersen, M., & Barlow, D.H. (1976). *Single case experimental designs: Strategies for the studying behavior change.* New York: Pergamon Press.

Hersen, M., Eisler, R.M., Alford, G.S., & Agras, W.S. (1973). Effects of token economy on neurotic depression: An experimental analysis, *Behavior Therapy, 4*, 392-397.

Hilliard, R.B. (1993). Single-case methodology in psychotherapy process and outcome research. *Journal of Consulting and Clinical Psychology, 61*, 373-380.

Kazdin, A.E. (1992). *Research design in clinical psychology.* Boston: Allyn and Bacon.

Kazdin, A.E., & Tuma, A.H. (1982). *New directions for methodology of social and behavioral sciences. Single-case research design.* San Francisco: Jossey-Bass.

Kiesler, D.J. (1981). Empirical clinical psychology: Myth or reality? *Journal of Consulting and Clinical Psychology, 49*, 212-215.

Laberge, B., Gauthier, J., Côté, G., Savard, J., Plamondon, J., & Cormier, H.J. (1992). L'impact thérapeutique de l'information dans la thérapie cognitivo-comportementale du trouble panique: une étude préliminaire. *Science et comportement. Revue internationale et multidisciplinaire, 2*, 121-134.

Ladouceur, R., & Bégin, G. (1986). *Protocoles de recherche en sciences appliquées et fondamentales.* Saint-Hyacinthe: Edisem.

Last, C.G., Barlow, D.H., & O'Brien, G.T. (1984). Cognitive change during treatment of agoraphobia. Behavioral and cognitive-behavioral approaches. *Behavior Modification, 2*, 181-210.

Liberman, R.P., & Smith, V.A. (1972). A multiple baseline study of systematic desensitization in a patient with multiple phobia. *Behavior Therapy, 3*, 597-603.

Lundervold, D.A. & Belweek, M.F. (2000). The best kept secret in counseling: Single-case (N=1) experimental designs. *Journal of Counseling & Development, 78*, 92-102.

McCullough, J.P., Cornell, J.E., McDaniel, M.H., & Muller, R.K. (1974). Utilization of the simultaneous treatment design to improve student behavior in a first grade classroom. *Journal of Consulting and Clinical Psychology, 42*, 288-292.

Ottenbacher, K.J. (1990). Visual inspection of single-subject data : An empirical analysis. *Mental Retardation, 28*, 283-290.

Ottenbacher, K.J. (1993). Inter rater agreement of visual analysis in single-subject decisions : Quantitative review and analysis. *American Journal of Mental Retardation, 98*, 135-142.

Rivard, V. (1998). *Thérapie cognitivo-comportementale du trouble panique avec agoraphobie sévère.* Essai de maîtrise inédit, Université du Québec à Hull.

Sacket, D.L. (1979). Bias in analytic research. *Journal of Chronic Diseases, 32*, 51-63.

Skinner, B.F. (1957). The experimental analysis of behavior. *American Scientist, 45*, 343-371.

Thigpen, C.H., & Cleckley, H.M. (1954). *Three faces of Eve.* New York : McGraw-Hill.

Watson, J.B., & Rayner, R. (1920). Conditioned emotional reactions. *Journal of Experimental Psychology, 3*, 1-22.

CHAPITRE 

MESURER LES VARIABLES

Quantifier ce qui nous intéresse avec le moins d'erreurs possible

STÉPHANE BOUCHARD

À quoi bon élaborer une recherche de qualité exceptionnelle sur le plan méthodologique si l'on ne mesure pas la variable dépendante correctement? L'étude de la mesure des phénomènes psychologiques, la psychométrie, constitue un domaine de recherche en soi. Certains chercheurs consacrent leur vie entière au développement et à l'amélioration d'instruments de mesure. Sans nécessairement en faire une vocation, chaque scientifique averti ou utilisateur d'instruments de mesure doit au moins posséder les rudiments de la psychométrie. On peut vouloir quantifier plusieurs phénomènes, notamment l'intelligence, les habiletés, des caractéristiques professionnelles, la température, la taille des gens, la longueur des matériaux, la vitesse d'une réaction, le degré d'interaction dans un groupe, la sévérité d'un problème, etc. En recherche, on désire souvent mesurer la variable dépendante. Mais le chercheur peut aussi évaluer la variable indépendante (p. ex., le nombre d'heures de participation à un programme d'intervention) ou même essayer de mesurer les biais potentiels (p. ex., âge, niveau de scolarité, fatigue, effet de l'expérimentateur). Pour sa part, l'intervenant moins préoccupé de générer des connaissances scientifiques s'intéresse tout de même à l'évaluation de phénomènes pour essayer de les distinguer les uns des autres, pour les quantifier et comparer les résultats de clients à des tests, ainsi que pour évaluer l'efficacité de ses interventions.

6.1. MESURER LES VARIABLES DÉPENDANTES

La multiplicité des variables dépendantes mesurables, des façons de mesurer et des outils de mesure présente des avantages indéniables. Les chercheurs savent très bien qu'une seule mesure du concept qui les intéresse se révèle bien souvent insuffisante. C'est pour cela qu'ils utilisent plusieurs mesures différentes. Prenons pour exemple l'évaluation de la colère. Ce concept complexe peut être mesuré par le rapport verbal du participant, sous la forme d'une question comme: «Jusqu'à quel point êtes-vous en colère lorsque l'assistant de recherche vous injurie?» Mais voilà que la personne peut répondre qu'elle ressent peu l'état émotif que l'on nomme la colère, alors que ses muscles sont tendus, que son cœur bat plus rapidement et que ses poings sont crispés. En plus de la composante physiologique qui concorde peu avec son auto-évaluation subjective, la personne peut avoir un discours interne caractéristique des gens en colère (p. ex., maugréer dans sa tête, se sentir persécuté, penser à contre-attaquer) ainsi qu'émettre des comportements associés à la colère (p. ex., parler fort). Aussi, les comportements violents peuvent prendre plusieurs formes, notamment la violence verbale, physique, psychologique, financière ou sexuelle. Notre chercheur sur la colère a donc avantage à utiliser plusieurs variables dépendantes au lieu d'une seule, tout en se gardant de tomber dans l'excès[1] (Cohen, 1990). Il ne

1. Rappelons-nous de la note infrapaginale numéro 7 à la section 4.1.3 où il y a une augmentation importante du risque d'observer une différence significative. Voir aussi la section 9.1.2.

faut pas se surprendre de cette discordance entre les composantes affectives, physiologiques, cognitives et comportementales. Il faut s'attendre à ce que les événements ne se déroulent pas entièrement comme c'était prévu et tenter d'expliquer les discordances entre les mesures. Toutefois, comme pour la réplication des études, la concordance répétée des résultats permet d'avoir une plus grande confiance dans les conclusions atteintes. Dans les études longitudinales ou celles portant sur l'évaluation de l'efficacité d'interventions, on observe bien souvent une asynchronie dans la modification des différentes composantes, c'est-à-dire une discordance dans le temps. Par exemple, les participants peuvent rapporter une amélioration subjective alors que leurs comportements tardent à changer, ou vice-versa.

Il existe une grande variété de phénomènes mesurables, et pour chacun une multitude d'instruments disponibles. Sans contredit, l'utilisation de questionnaires constitue la façon la plus populaire de quantifier la variable dépendante en recherche psychosociale. Les questionnaires permettent de mesurer avec une relative simplicité les aptitudes, les traits de personnalité, l'intelligence, la dépression, l'estime de soi, la peur, les attitudes des consommateurs, etc. La présentation d'éléments comme la construction, la traduction et l'administration des questionnaires nécessite un chapitre en soi et sera abordée au chapitre 7. La seconde approche fréquemment utilisée pour quantifier les comportements, les émotions ou l'environnement consiste à observer directement les phénomènes. Le chapitre 8 se consacre entièrement à cette approche. Encore bien d'autres façons permettent d'évaluer une variable dépendante.

6.1.1. Les mesures psychophysiologiques

Comme nous le rappelle le modèle biopsychosocial, la sphère biologique fait partie intégrante de l'être humain (Bandura, 1986). Les réactions émotives s'accompagnent d'une foule de changements physiologiques mesurables, de courte et de longue durée. Le polygraphe, communément appelé « détecteur de mensonges », constitue l'une des tentatives d'évaluation psychophysiologique les plus connues et illustrant bien l'importance de la psychométrie. À l'aide de différents instruments, le polygraphe mesure la respiration, la conductivité électrique de la peau et la pression sanguine ou le rythme cardiaque. À l'aide de ces mesures, le polygraphiste tente de détecter les changements physiologiques produits lorsqu'une personne ment. Le concept semble intuitivement intéressant mais, malheureusement, les études psychométriques indiquent que cette méthode entraîne énormément de « faux positifs ». Par exemple, Alpher et Blanton (1985) démontrent que l'utilisation du polygraphe peut porter à croire que des gens mentent, alors que cela se révèle faux dans plus de 50 % des cas.

Il existe par contre d'autres mesures beaucoup plus fiables. Pour mesurer le stress, l'anxiété ou la peur, plusieurs chercheurs ajoutent des mesures du rythme cardiaque (électrocardiographie), de la tension artérielle et même des hormones. Par exemple, le célèbre chercheur sur le stress Hans Selye (1976) a utilisé principalement des mesures hormonales chez des animaux pour identifier les effets négatifs et positifs du stress. Alors que la réponse cardiovasculaire peut changer rapidement après la disparition d'un stresseur, la réponse hormonale permet de quantifier le stress sur une plus longue période, par exemple dans le cas du cortisol.

Les chercheurs dans le domaine de la toxicomanie et de l'alcoolisme utilisent souvent les tests sanguins et les analyses d'urine pour évaluer l'efficacité de leurs interventions. Par exemple, dans une étude démontrant l'efficacité de l'approche cognitivo-comportementale et des approches inspirées du mouvement des Alcooliques Anonymes, Ouimette, Finney et Moos (1997) utilisent ces méthodes pour confirmer l'abstinence des participants lors de la relance de 12 mois post-intervention.

Les chercheurs sur les déviances sexuelles utilisent souvent un instrument appelé pénil-pléthysmographe. Le pléthysmographe mesure les changements de volume des muscles lors de l'augmentation du flot sanguin. Le pénil-pléthysmographe permet de quantifier le volume du pénis lorsqu'une personne s'expose à des stimuli « neutres » et à des stimuli « sexuellement stimulants » (par exemple, photos de personnes nues d'âches et de genre différent). Il existe différentes façons d'utiliser cet outil et de quantifier les résultats, mais la méthode demeure très utile pour objectiver les préférences des personnes souffrant de déviances sexuelles (Abel, Rouleau, & Cunningham-Rathner, 1986). Le suivi des mouvements oculaires (oculographie) lorsqu'une personne regarde des personnages virtuels nus semble même pouvoir bonifier cet outil classique (Renaud, Rouleau, Granger, Barsetti et Bouchard, 2002).

Il existe bien d'autres mesures psychophysiologiques, notamment l'activité neuro-électrique (p. ex., magnéto-encéphalographie), la réponse pupillaire, l'activité musculaire (électromyographie), etc. Toutes ces techniques offrent l'avantage de fournir des mesures très objectives des phénomènes. Par contre, il faut respecter certaines précautions méthodologiques. Notamment, l'appareil doit être fiable et de bonne qualité. Cela explique pourquoi certains auteurs rapportent le nom et le numéro de modèle des appareils utilisés dans leur recherche. Il faut aussi tenir compte de l'état «naturel» ou «initial» de l'individu et déduire cette valeur du résultat final avant d'interpréter la mesure. Ainsi, le rythme cardiaque d'une personne en bonne condition physique sera différent de celui d'une personne plus sédentaire, et cela avant toute présentation d'un stresseur. Finalement, il apparaît plus sage d'évaluer plusieurs composantes physiologiques plutôt qu'une seule, car tous ne réagissent pas de la même façon sur le plan physiologique (p. ex., pour certains le stress entraîne une augmentation de la température plutôt qu'une diminution).

6.1.2. Les tests projectifs

Ces instruments visent à évaluer des aspects de la personnalité qu'on ne peut mesurer avec les tests traditionnels. L'utilisation de ces outils repose sur le postulat que les gens projettent leurs caractéristiques personnelles dans leurs réponses lors de tâches non structurées, comme dessiner une maison ou raconter une histoire à partir d'une mise en situation. Cette façon indirecte de mesurer les variables dépendantes permetrait de réduire la propension du répondant à donner de fausses réponses pour bien paraître, et d'évaluer comment une personne voit la vie, la signification qu'elle accorde aux événements et sa façon d'aborder les problèmes (Frank, 1939). Selon le type de stimuli, les tâches projectives se subdivisent en cinq groupes principaux: (a) les tâches visuelles, (b) les dessins, (c) les sons, (d) les phrases à compléter, (e) les objets solides (p. ex., des formes en bois ou des jouets permettant de construire un village).

Parmi les stimuli visuels, les plus populaires sont les taches d'encre et les histoires à raconter à partir d'un dessin. De loin le plus populaire des tests projectifs utilisant les taches d'encre, le Rorschach (Exner, 1978; Klopfer, Ainsworth, Klopfer, & Holt, 1954; Rorschach, 1921/1942) est constitué de 10 images ou planches, dont cinq possèdent de la couleur. Les taches respectent une certaine symétrie, comme si l'encre avait été écrasée en pliant le dessin en deux. La tâche demandée au répondant consiste à décrire à quoi lui fait penser chaque planche. L'évaluation de chaque réponse repose sur l'analyse d'une multitude de facettes, notamment le contenu, les formes reconnues et leur emplacement dans la planche, la perception de profondeur et de mouvement, etc. La cotation et l'interprétation du Rorschach nécessitent un entraînement long et complexe, car il demeure difficile d'opérationnaliser chaque critère de cotation (Garb, Wood, Lilienfef et Neznorski, (2002). Une personne expérimentée peut toutefois très bien y parvenir. Il existe d'autres tests similaires, notamment le test des taches d'encre de Holtzman (Holtzman, Thorpe, Swartz, & Heron, 1961). Dans le Test d'aperception thématique de Murray (1938), la personne doit raconter une histoire à partir d'images en noir et blanc. Le test comprend 30 planches montrant des gens dans différents contextes ou des paysages, de même qu'une planche additionnelle complètement blanche. À partir de 10 dessins sélectionnés, le répondant tente de décrire une histoire et de verbaliser ce que les gens concernés pensent et ressentent. D'autres tests semblables, créés pour les enfants, utilisent des animaux comme personnages (chiens, cochons, oursons, etc.).

Parmi les tests projectifs il faut aussi mentionner les dessins, notamment le dessin d'une maison, d'un arbre et d'un chemin (Buck, 1970) ou d'une personne (Machover, 1949). Dans ce groupe de tâches projectives, le style du dessin, la position du dessin sur la feuille, les éléments ajoutés au dessin et leur signification symbolique feront tous l'objet d'une analyse.

L'utilisation des tests projectifs demeure toujours très populaire en psychologie clinique et en psychologie légale, bien que cela ne se fasse pas sans controverse (Lee et Hunsley, 2003; Hunsley, Bailey, 2001). En effet, les études visant à évaluer les qualités psychométriques (la validité et la fidélité) des interprétations de ces tests rencontrent des problèmes méthodologiques importants (Weiner, 1995). Par exemple, les *interprétations* peuvent varier beaucoup lorsque deux personnes évaluent les réponses à un test projectif de façon indépendante et sans obtenir de renseignements personnels sur le répondant. Contrairement aux questionnaires possédant de bonnes qualités psychométriques, les tests projectifs montrent une très faible capacité à prédire les comportements des gens ou à anticiper les résultats à un autre test. Finalement, la qualité de l'interprétation des informations dégagées de ces tests varie beaucoup selon l'expérience clinique de la personne qui utilise l'instrument (Kline, 1993) et l'information qu'ils apportent ne semble pas toujours ajouter beaucoup à ce qu'on peut obtenir avec d'autres sources d'information plus fiables (Garb, 2003). Bref, malgré l'absence de données scientifiques démontrant leur valeur, le potentiel offert par ces tests et l'habileté de certains cliniciens à en dégager des informations pertinentes justifient la poursuite de recherches psychométriques dans ce domaine.

6.1.3. Les auto-enregistrements

Un chercheur et son équipe peuvent effectuer des observations et des prises de mesure, mais le participant peut lui aussi observer ses propres comportements, difficultés, émotions ou sensations. Cette façon idiographique d'aborder la mesure se nomme auto-enregistrement et s'avère utile tant pour le chercheur que pour l'intervenant. Elle permet de mesurer les événements cibles tout en respectant les différences et caractéristiques propres à chaque personne. Du fait de leur flexibilité et de leur courte durée d'administration, ces mesures constituent le moyen privilégié des chercheurs utilisant les protocoles à cas unique. Dans une démarche de recherche d'ordre nomothétique, le chercheur peut tout de même ajouter ces mesures afin de bonifier les informations obtenues à l'aide de questionnaires. Finalement, l'intervenant peut les utiliser comme aide dans l'élaboration de son plan d'intervention.

Il existe au moins autant d'outils d'auto-enregistrement qu'il y a de problématiques. Par exemple, Fuchs et Rehm (1977) utilisent une grille d'auto-évaluation des activités quotidiennes de gens déprimés afin d'illustrer l'efficacité de leur programme d'intervention et de guider les exercices quotidiens des participants. Pour leur part, Gauthier et Carrier (1991) utilisent un carnet d'inscription des migraines pour conclure que l'efficacité du traitement des migraines par biofeedback se maintient à long terme (6 à 7 ans). Après chaque migraine, les participants notent dans ce carnet la date, la durée, l'intensité et la localisation de la douleur migraineuse (à partir de l'illustration d'une tête). Vers la fin des années 1970, l'étude de Sobel et Sobel (1978) souleva un débat très important dans le domaine de l'alcoolisme, autour de la consommation contrôlée (Marlatt, Larimer, Baer, & Quigley, 1993). Deux ans après avoir administré des programmes visant l'abstinence totale ou la consommation contrôlée, les chercheurs ont constaté à l'aide d'un auto-enregistrement (le *Time Line Drinking Behavior Interview*) que les deux programmes sont d'efficacité comparable. Avec cet instrument, le répondant doit indiquer sur un calendrier de 12 mois ses habitudes de consommation (nombre, quantité standardisée, contexte, conséquences, etc.). Les enfants peuvent aussi remplir des auto-enregistrements. Par exemple, Beidel, Neal et Lederer (1991) demandent à des enfants du primaire d'effectuer quotidiennement une évaluation de chaque activité stressante à l'école et d'indiquer la sévérité de leur inconfort à l'aide d'un pictogramme. Le pictogramme est constitué de cinq images d'un enfant de plus en plus nerveux (voir la figure 6.1). Leur étude a permis de démontrer que ce type de mesure s'utilise bien avec des enfants.

FIGURE 6.1 **Exemple d'une échelle utilisant un pictogramme pour enfants**

Comme pour l'observation systématique des comportements (voir chapitre 8), il faut définir en termes opérationnels le phénomène cible, quoi évaluer (la fréquence, la durée, l'intensité) ainsi que où et quand effectuer l'auto-enregistrement. La façon de noter les auto-observations revêt aussi une grande importance. Un journal personnel attire les faveurs des participants, souvent aux dépens d'une collecte planifiée et systématique des informations. Plusieurs chercheurs et intervenants utilisent des grilles comme celle présentée à la figure 6.2. On retrouve fréquemment dans ces grilles des évaluations subjectives d'intensité de 0 (absence d'inconfort) à 100 (inconfort maximal), popularisées en anglais sous l'acronyme SUD (*Subjective Units of Discomfort*, Wolpe, 1982). Ces évaluations n'offrent aucune information généralisable à d'autres individus, 90 % de stress chez le participant A pouvant correspondre à 60 % chez le participant B. Par contre, les données recueillies quotidiennement chez une même personne démontrent habituellement une forte consistance dans le temps et, du moins dans le cas du stress et de l'anxiété, une bonne consistance avec des mesures physiologiques comme le rythme cardiaque et la vasoconstriction (Thyer, Papsdorf, Davis, & Vallecorsa, 1984). Il

FIGURE 6.2 **Exemple d'une grille d'auto-enregistrement remplie à chaque heure par une étudiante participant à une étude sur la gestion du stress**

Participant et condition : 1701-D **Groupe et semaine :** B-5
Aujourd'hui le : 15 septembre

Heure	Principales activités	Niveau max. de stress (SUD)	Pensée associée au stress	(% de confiance)
8:00 am	Je suis demeurée au lit.	50	Je vais échouer ma session.	70 %
9:00 am	Je fais ma toilette du matin. Je vais à l'université (en retard).	20	(Rien de particulier)	
10:00 am	Mon cours.	80	C'est trop compliqué. Je ne suis pas assez forte pour bien réussir. Les autres ont du fun.	90 % 50 % 100 %
11:00 am				

existe plusieurs variations à cette forme d'échelle, l'utilisation de qualificatifs associés aux différentes valeurs possibles constituant une amélioration notable (Ellermeier, Westphal, & Heidenfelder, 1991).

L'utilisation des auto-enregistrements possède aussi ses désavantages, notamment le risque de réactivité de la mesure et l'influence de la motivation du répondant. Comme pour les autres outils de mesure, l'utilisateur doit s'assurer de la fiabilité des auto-enregistrements, de la compréhension et du respect des consignes méritant ici une attention particulière. Par exemple, les échelles utilisées pour quantifier les phénomènes ont avantage à se révéler consistantes dans le temps et compatibles avec les résultats obtenus au moyen de mesures nomothétiques.

6.2. MESURER LES VARIABLES INDÉPENDANTES ET NUISIBLES

En plus de la mesure des variables dépendantes, soulignons la mesure de la manipulation expérimentale. Lorsqu'un chercheur effectue une manipulation expérimentale, quelle garantie a-t-il que la manipulation a bien été effectuée comme prévue ? Il ne faut pas croire aveuglément que les participants se soumettent entièrement à la manipulation expérimentale. L'étude de Fontaine, Mercier, Beaudry, Annable et Chouinard (1986) décrite aux chapitres 3 et 4 représente un bel exemple de l'importance de vérifier la manipulation expérimentale. Dans cette étude, les participants devaient prendre deux sortes de médicaments ou un placebo. Avant de tirer des conclusions à partir des résultats observés, il faudrait vérifier si les participants avaient pris d'autres médicaments en plus de ce qui leur était prescrit dans l'étude, ou encore s'ils avaient bien pris les doses prescrites par les chercheurs. Par conséquent, le praticien-scientifique expérimenté tentera d'évaluer jusqu'à quel point la manipulation expérimentale a bien été appliquée (en anglais, *manipulation check*). La rubrique « fidélité au protocole » regroupe plusieurs éléments, notamment la vérification de la manipulation expérimentale. La fidélité au protocole (en anglais *treatment fidelity*) implique en fait deux grands concepts, l'intégrité de la manipulation expérimentale et la différenciation entre les conditions. Une manipulation intègre se déroule exactement de la façon prévue dans le protocole et elle respecte chaque précaution méthodologique pré-établie. Pour garantir cette intégrité il faut mesurer jusqu'à quel point les expérimentateurs et les participants observent les consignes et si la manipulation s'est déroulée comme c'était prévu. La différenciation entre les conditions se traduit par un effort délibéré de réduire, puis de mesurer le chevauchement entre les conditions expérimentales. Prenons un exemple pour illustrer ces concepts. Dans une étude visant à comparer deux stratégies de réduction du stress aux examens, un enseignant pourrait distribuer les étudiants au hasard dans deux conditions distinctes. La condition A recevrait un entraînement à la relaxation, tandis que les élèves de la condition B participeraient à un atelier sur la façon de se préparer aux examens. Le professeur utilisera au moins trois stratégies pour favoriser et évaluer l'intégrité. Premièrement, des manuels détaillés décrivant de façon opérationnelle les interventions à appliquer chaque semaine seront remis aux intervenants. Deuxièmement, ces derniers recevront des supervisions hebdomadaires pour maximiser leur habileté à bien appliquer les interventions. Troisièmement, les participants compléteront des auto-enregistrements indiquant le type et la fréquence des exercices pratiqués à la maison, ainsi que l'utilisation de toute autre méthode de gestion du stress (p. ex., cours de yoga ou prise de médicaments avant un examen). Trois autres stratégies seront aussi utilisées par l'enseignant afin de favoriser[2] et d'évaluer la différenciation entre les conditions. D'abord, les interventions à appliquer auront été élaborées de façon à être le plus pures possible (p. ex., pas de relaxation comme stratégie de préparation aux examens). Ensuite, chaque rencontre d'intervention sera enregistrée puis évaluée par des experts ne connaissant pas les objectifs de l'étude. Pour chaque cassette, les experts jugeront la qualité de toutes les interventions, y compris la relaxation et la préparation aux examens. Les évaluations « à l'aveugle » des experts devront montrer que, dans chaque condition, les intervenants effectuaient très bien la stratégie demandée et n'effectuaient pas l'autre stratégie. Enfin, l'expérimentateur posera des questions aux participants afin de s'assurer qu'ils ne possèdent pas les connaissances nécessaires pour appliquer la forme d'intervention utilisée dans l'autre condition expérimentale. Malgré l'importance des précautions associées au respect du protocole, il est surprenant de constater que très peu d'études portent sur ces éléments. Dans une recension des écrits publiés entre 1980 et 1988 dans de grandes revues scientifiques en psychologie clinique (deux revues), en psychiatrie (trois

2. Le professeur pourrait aussi utiliser un devis quasi expérimental en choisissant des étudiants provenant d'écoles différentes. Cela n'élimine toutefois pas l'intérêt de maximiser et d'évaluer la différenciation.

revues) et en thérapie familiale et conjugale (trois revues), Moncher et Prinz (1991) constatent que 55 % des 359 études cliniques identifiées n'utilisent ni manuel d'intervention, ni supervision des intervenants, ni évaluation du respect à l'égard du protocole. À cette époque, un maigre 6 % des études analysées se préoccupaient de maximiser et de mesurer la fidélité au protocole. Ce n'est pas parce que la seule étude du genre porte sur la recherche clinique qu'il faut croire que le constat ne s'applique pas aux autres champs de recherche. Néanmoins, il faut espérer que la situation se soit améliorée depuis.

6.3. INTRODUCTION À LA PSYCHOMÉTRIE

Tant dans la recherche en général qu'en psychométrie, l'identification et l'élimination des sources d'erreurs sont un souci constant. Dans cette section, on s'intéresse plus spécifiquement aux variations ou à l'inconsistance des résultats en raison de facteurs liés à l'instrument lui-même. Comme nous le verrons en détail plus loin, plus ces variations sont petites, plus nous pouvons considérer un instrument comme fidèle. Les cinq principales sources de variations rencontrées sont : (a) l'erreur associée à la construction de l'instrument de mesure (p. ex., questions mal formulées), (b) l'erreur engendrée par l'administration de la mesure (p. ex., réactivité de la mesure), (c) l'erreur causée par les conditions d'administration de la mesure (p. ex., administration non standardisée), (d) l'erreur associée à la correction et à l'interprétation des résultats et (e) l'erreur associée aux participants eux-mêmes (p. ex., instabilité des répondants). La première source d'erreur peut être réduite dès la création de l'instrument. Les deux suivantes se retrouvent souvent combinées en une seule par plusieurs auteurs car elles partagent un point en commun, l'administration de la mesure. Certaines précautions méthodologiques décrites au chapitre 2 peuvent aider à réduire les variations induites par la prise de mesure. La quatrième source d'erreurs repose sur la personne qui utilise l'instrument et, par conséquent, devrait être réduite au minimum par l'expérimentateur. La dernière source d'erreurs décrit les variations inhérentes aux participants et ne peut être contrôlée. Dans tous les cas, il faut essayer de quantifier la sensibilité d'un instrument à ces erreurs.

En plus de la fidélité d'un instrument de mesure, un second concept fondamental en psychométrie se nomme la validité.

Lorsqu'on s'intéresse à la validité d'une mesure, on veut savoir si le test mesure bien le phénomène ou la caractéristique qu'on veut qu'il mesure. La validité porte donc l'adéquation et la pertinence des instruments de mesure par rapport au phénomène visé, alors que la fidélité porte sur la précision des instruments de mesure. On a proposé et défini plusieurs types de validité ; ce chapitre abordera les principales, soit la validité de contenu, la validité par critère et la validité de concept.

Pour estimer la validité ou la fidélité, il faut très souvent recourir à la corrélation. Celle-ci permet d'établir la force de la relation entre deux variables ou, en d'autres mots, la capacité de prédire les résultats d'une mesure à partir de ceux obtenus à une autre mesure. La corrélation se traduit par un nombre variant entre 1 et –1. Plus la valeur absolue de la corrélation s'éloigne de zéro, plus la force de la relation (et donc de la prédiction) sera grande, une corrélation de 0 représentant l'absence de relation linéaire entre deux variables[3]. Le signe positif ou négatif indique une relation directement (signe +) ou inversement (signe –) proportionnelle. Par exemple, il existe une corrélation de +1 entre l'âge des gens et le nombre d'années écoulées depuis leur naissance (voir figure 6.3a). Il est possible de prédire avec perfection l'âge des gens lorsqu'ils auront 50 années écoulées depuis leur naissance, et ce selon une relation stricte et directement proportionnelle. Par contre, la corrélation entre le nombre d'années écoulées depuis la naissance et les résultats à un examen dans un cours de méthodes de recherche est si négligeable qu'il devient impossible de prédire les résultats à l'examen lorsqu'on a 50 ans (voir la figure 6.3b créée avec des données fictives, où $r = -0{,}04$). Quant à la relation entre le nombre d'heures passées à étudier ses chapitres pour se préparer à l'examen et le résultat obtenu, elle est généralement assez bonne, quoique approximative (voir la figure 6.3c créée avec des données fictives, où $r = 0{,}88$). Elle n'est pas parfaite, car d'autres facteurs contribuent aussi à la performance dans un examen. Toutefois, on risque peu de se tromper si l'on prédit, à partir de ces données fictives, que la personne aura entre 28 et 30 à l'examen si elle étudie ses chapitres durant 50 heures.

---

3. Le coefficient de corrélation classique, dénoté r, quantifie le degré de correspondance *linéaire* entre deux variables, disons X et Y. Par exemple, si Y représente la température en degrés Fahrenheit et X, en degrés Celsius, la relation stricte « $Y = 1{,}8\ X + 32$ » est une équation linéaire et correspond à un coefficient de corrélation $r = +1$. Il peut cependant exister des formes de relation, stricte ou approximative, autres que linéaires et, dans ces cas, d'autres coefficients que le r donnent une quantification plus adéquate.

FIGURE 6.3 **Représentation graphique d'une corrélation de +1 (A), d'une corrélation nulle (B) et d'une corrélation de +0,89 (C)**

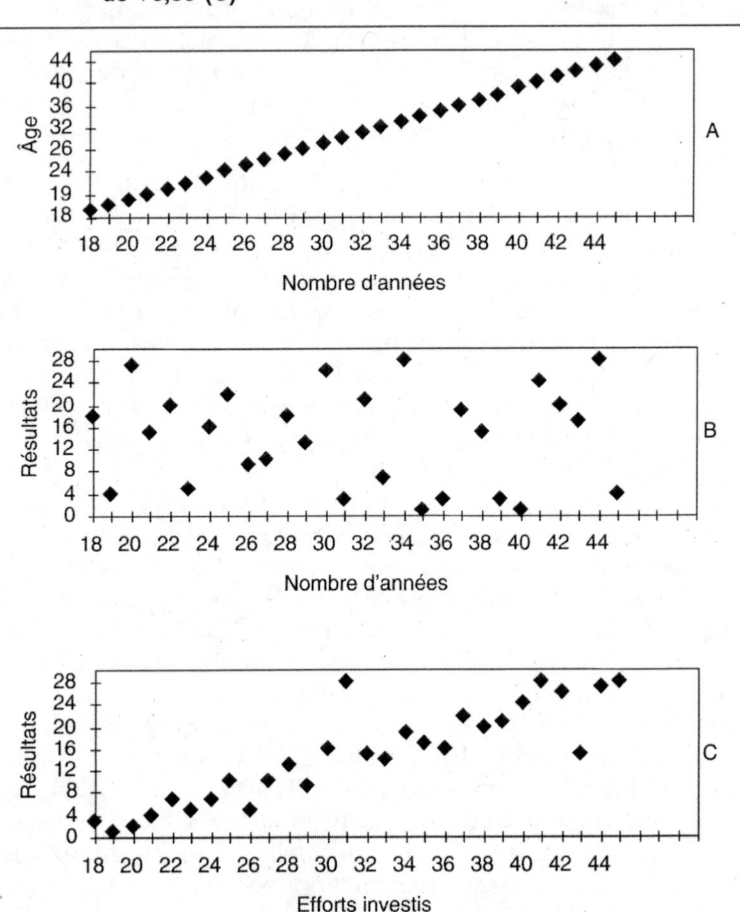

Dans ce dernier exemple, on réalise aussi que si une personne ayant étudié pendant 50 heures atteint le résultat maximal à l'examen, il sera peu utile à quiconque d'étudier plus longtemps. Dans une étude sur l'effet de la préparation aux examens, le chercheur dirait avoir atteint le niveau maximal de discrimination des apprentissages permis par l'examen et que ses résultats « plafonnent ». Ce phénomène se nomme effet de plafond et reflète l'atteinte du niveau maximal d'une mesure. L'effet de la variable indépendante ne permet alors plus de discriminer les répondants sur la variable dépendante. À l'opposé, l'effet de plancher indique l'atteinte par les répondants d'un niveau minimal à partir duquel une mesure ne discrimine plus les participants. Le protocole expérimental sélectionné peut favoriser un effet de plafond ou de plancher (p. ex., protocole à renversement d'intervention ou équilibré), mais le choix d'une mesure et du contexte où elle a été développée joue aussi un rôle important. Prenons l'exemple d'une mesure développée uniquement auprès d'étudiants universitaires toujours très calmes et dont les résultats varient de 0 à 20. Cet instrument risque de manifester un effet de plafond lorsqu'il est utilisé avant un examen avec des personnes sévèrement anxieuses, chaque répondant obtenant un résultat proche de 20/20 avec cet instrument. Ces effets soulèvent l'importance de la sensibilité dans le choix d'un instrument de mesure. La sensibilité d'un instrument, soit sa capacité à détecter les différences recherchées, varie selon la population étudiée et le contexte d'utilisation.

6.3.1. Les échelles de mesure

Avant même d'approfondir les notions de psychométrie, il faut définir quatre types d'échelles de mesure possibles (Stevens, 1951) : (a) nominal, (b) ordinal, (c) à intervalles égaux et (d) à rapports égaux. Toute échelle de mesure permet de classifier les objets ou les personnes les uns par rapport aux autres. Avec une mesure nominale (aussi nommée catégorielle), on se limite à « nommer » la catégorie de chaque chose et à regrouper celles qui possèdent la même dénomination. Par exemple, des oranges et des pommes. À l'épicerie on peut départager ces deux fruits et compter combien il y en a dans chaque catégorie. Il peut y en avoir plus ou moins dans une catégorie, mais il est impossible de dire si le fait d'être dans la condition « pomme » est préférable ou meilleur que le fait de se retrouver dans la condition « orange ». Il en va de même pour les numéros de téléphone, le genre (masculin/féminin), les numéros des joueurs de hockey, etc. Une mesure nominale ne permet donc pas d'évaluer la présence de différences quantitatives entre les catégories mesurées. Le second type d'échelle de mesure permet d'ordonner les éléments mesurés, de leur attribuer un rang. Considérons par exemple les cotes utilisées à l'université pour noter la performance des étudiants dans leurs cours. Personne ne remet en question la supériorité d'un A sur un B, ou d'un B sur un E. Par contre, ce type d'échelle ne permet pas de quantifier objectivement la différence entre deux lettres ni de combien l'une est supérieure à l'autre. Pour certains étudiants, la différence entre deux cotes se limite à 0,5 sur un examen, alors que pour d'autres elle atteint 5 points ou plus. Évaluer le niveau de stress sur une échelle variant entre « un peu », « moyennement », «beaucoup» et « énormément » constitue un autre exemple d'échelle ordinale. Si l'on remplace ces quatre qualificatifs par les chiffres « 1 », « 2 », « 3 » et « 4 », l'échelle demeure foncièrement ordinale... Malgré l'utilisation de chiffres, la distance entre les catégories ne gagne ni en précision ni en constance. Profitons-en pour noter que la majorité des mesures psychosociales utilisent des échelles de type ordinal.

Le niveau suivant d'échelle de mesure, l'échelle à intervalles égaux, offre un avantage supplémentaire. Elle permet d'établir des différences objectives et *constantes* entre les éléments mesurés. Par exemple, sur un thermomètre la différence entre 0 et 2 degrés Celsius constitue un déplacement de mercure sur une distance identique à la différence entre 0 et –2 degrés Celsius. Grâce à cette relation constante, il devient possible de faire plus que simplement disposer les résultats en rangs. Le chercheur peut effectuer des calculs mathématiques comportant l'addition et la soustraction des résultats obtenus. Ainsi, on pourra dire qu'un résultat de 50 à une échelle d'intervalle est supérieur de 20 unités à un résultat de 30, mais sans plus, car la valeur « 0 » ne représente pas une absence totale de l'élément mesuré. Ainsi, 0 degré Celsius ne signifie pas qu'il n'y a aucune température, ou qu'il s'agit d'un froid absolu. Il existe des circonstances où le zéro absolu existe vraiment, comme dans le cas de la distance, du nombre d'enfants dans une garderie, du temps écoulé, etc. Ce dernier type d'échelle, appelé à rapports égaux, permet d'établir des rapports entre les éléments mesurés, comme « la participante A a pris 2,5 fois moins de temps que le participant C ». Plus une échelle de mesure est précise, plus elle permet d'effectuer des analyses statistiques complexes et de tirer des inférences quantitatives précises. Grâce à l'existence réelle d'une valeur nulle, l'échelle à rapports égaux permet d'envisager l'application de toutes les opérations mathématiques possibles, y compris la multiplication et la division des résultats obtenus par les répondants. Ainsi, on pourra dire qu'un résultat de 50 à une échelle de rapports égaux est 1,66 fois plus grand qu'un résultat de 30.

Il existe par contre un débat dans la littérature scientifique quant à l'utilisation de calculs mathématiques complexes avec les données de nature ordinale. Le puriste dira qu'on ne peut faire que très peu de choses avec les données ordinales, alors que bien d'autres diront que l'on peut quand même effectuer des analyses statistiques utilisant des rapports de grandeur entre les données. Bien qu'il y ait une limite à ce raisonnement, les analyses statistiques traditionnelles (voir chapitre 9) donnent d'excellents résultats à partir de données ordinales (Baker, Hardyck, & Petrinovich, 1966 ; Havlicek & Peterson, 1974, 1977 ; Tabachnick & Fidell, 1989).

Afin de concrétiser les concepts techniques de la psychométrie, nous allons utiliser un exemple pratique avec un questionnaire d'anxiété, l'Inventaire d'anxiété situationnelle et de trait d'anxiété forme Y de Spielberger (IASTA-Y, Gauthier, & Bouchard, 1993). Ce questionnaire mesure deux facettes de l'anxiété, l'anxiété situationnelle (l'intensité de ce qui est ressenti au moment présent, dans la situation actuelle) et le trait d'anxiété (la tendance générale à vivre de l'anxiété). Chaque facette est évaluée par une échelle distincte comportant 20 questions. À la première échelle, la personne doit indiquer si le sentiment nommé à l'item est ressenti « beaucoup », « modérément », « un peu » ou « pas du tout ». Chaque choix de réponse correspond à un nombre entre 1 (pas du tout) et 4 (beaucoup) permettant de donner une cote à chaque réponse et de faire un total d'intensité. À l'échelle de trait d'anxiété, la personne doit indiquer si le sentiment nommé à l'item est ressenti « presque toujours » (cote de 4), « souvent » (cote de 3), « quelquefois » (cote de 2) ou « presque jamais » (cote de 1). Pour chaque échelle, l'addition des réponses permet d'obtenir un résultat chiffré variant entre 20 et 80.

6.4. VALIDITÉ

La validité d'un instrument se définit par sa capacité à bien mesurer ce qu'il doit mesurer. Elle varie donc selon la caractéristique, le phénomène ou le concept que l'utilisateur désire mesurer et selon les conditions d'utilisation. Par exemple, un test d'intelligence peut constituer une mesure valide de l'intelligence, mais une mesure invalide de la température ou de la personnalité. Un même test d'intelligence peut être valide auprès d'enfants nord-américains de cinq ans et invalide auprès d'enfants de deux ans, ou auprès d'enfants provenant d'une culture différente. La validité nous indique donc ce qui peut être inféré à partir du résultat final obtenu par le participant. Cette inférence repose sur des échantillons de participants ou de répondants, des méthodes ou des contextes précis et elle apparaît difficilement généralisable à des situations différentes. On considère traditionnellement trois grandes formes de validité : la validité de contenu, la validité par critère et la validité de concept (en anglais *construct validity*).

6.4.1. Validité de contenu

La validité de contenu porte sur la qualité des questions ou des items d'un test. Elle permet de savoir à quel point le contenu et la formulation des items portent bien sur le concept visé par le test et si les différentes facettes du concept sont bien représentées. Dans notre exemple sur l'IASTA-Y, l'examen de la validité de contenu se résume à poser les trois questions suivantes : Est-ce que les items portent vraiment sur l'anxiété ? Est-ce qu'il y a des facettes importantes de l'anxiété qui ne sont pas représentées ? Est-ce que les items ont été créés d'une façon qui permet de bien cerner l'anxiété ?

Les deux premières questions portent sur la pertinence des items et renvoient à un sous-type de validité de contenu, la validité manifeste. Celle-ci s'établit en examinant les items un à un. Par exemple, on peut croire que les deux items suivants ciblent des facettes de l'anxiété : « je suis tendu », « je suis affolé ». D'autres items sont formulés de façon à évaluer l'absence d'anxiété, notamment « je me sens calme ». Puisque, selon une évaluation subjective du contenu, tous les items évaluent l'anxiété et qu'aucun ne porte spécifiquement sur des éléments étrangers à l'anxiété, on peut conclure à une bonne validité manifeste. Il est toutefois intéressant de noter la présence d'items comme « je me sens indécis » ou « je suis préoccupé ». Leur contenu porte sur l'anxiété, mais pas exclusivement. En effet, les personnes déprimées risquent aussi d'obtenir des résultats élevés à ces items. Le débat reste ouvert quant à l'attitude à adopter à l'égard de ces items : les retrancher et perdre une partie importante du concept, ou les conserver et perdre un peu de la puissance discriminante de l'instrument avec l'humeur dépressive.

Un second sous-type de validité de contenu, la validité procédurale, permet d'évaluer de façon subjective la logique sous-jacente à la *construction* d'un outil de mesure. Par exemple, la théorie de Spielberger sur l'anxiété a inspiré l'élaboration de l'IASTA-Y. À partir de définitions opérationnelles de chaque concept (anxiété situationnelle et trait d'anxiété), des critères objectifs de fidélité ont guidé la sélection des items provenant d'un très large bassin d'items. D'autres instruments sont créés différemment. Par exemple, une mesure de l'agoraphobie a été créée à partir des croyances rapportées par une centaine de personnes souffrant de ce trouble (Chambless, Caputo, Bright, & Gallagher, 1984). Les thermomètres ont été élaborés à partir d'études sur les propriétés d'un liquide, le mercure. L'Inventaire de dépression gériatrique (Bourque, Blanchard, & Vézina, 1990) a été élaboré afin d'exclure spécifiquement les items pouvant être des indices du vieillissement plutôt que de la dépression.

6.4.2. Validité par critère

Le deuxième grand sous-groupe de validité se nomme validité par critère. Il indique jusqu'à quel point un instrument peut prédire ce qui sera observé sur un autre indice reflétant le concept que l'on désire mesurer. Cet indice, ou critère, doit représenter une manifestation indépendante et concrète du concept à l'étude, que ce soit un test déjà bien validé, la performance à une tâche ou l'appartenance à un groupe. Par exemple, on peut proposer comme critère que les personnes souffrant d'anxiété extrême lors d'examens devraient obtenir des résultats plus élevés à l'IASTA-Y que des personnes n'ayant pas ce problème. On peut aussi considérer comme critère les résultats à un autre questionnaire. Dans notre cas nous pourrions envisager l'Inventaire d'anxiété de Beck (Freeston, Ladouceur, Thibodeau, & Gagnon, 1990). Pour ces deux questionnaires, plus la corrélation sera forte entre eux, plus la validité par critère du nouvel instrument sera élevée. Il n'existe aucune valeur précise en deçà de laquelle les chercheurs s'entendent pour considérer une corrélation comme étant trop faible pour appuyer la validité par critère. Il faut nuancer chaque cas par une analyse plus poussée des concepts à l'étude et une maîtrise plus approfondie de la psychométrie et de la variance que ce qui est abordé dans cet ouvrage. Dans un but de simplicité, Kline (1993) suggère toutefois qu'une corrélation significative et supérieure à 0,75 reflète une bonne validité par critère. Les deux exemples précédents illustrent bien ce que représente la validité concomitante, où le critère est un indicateur équivalent, ou à contenu supposé équivalent par rapport au test évalué.

Parfois, la mesure du critère repose sur un phénomène ou une performance liée de façon causale au phénomène mesuré par le test (Laurencelle, 1998). On parle alors de validité prédictive. Par exemple, on pourrait prédire que les gens qui, au début de la session, obtiennent un résultat très élevé à l'échelle de trait d'anxiété de l'IASTA-Y seront très anxieux lors de l'examen de fin de session, et inversement pour les personnes qui obtiennent un résultat peu élevé. Comme pour la validité concomitante, le critère utilisé peut être un autre instrument, la différence entre des groupes, un statut particulier, etc.

6.4.3. Validité de concept

La validité de concept montre jusqu'à quel point un test mesure le concept théorique désiré. Cette définition fait de la validité de concept la forme la plus globale de validité. Plusieurs psychométriciens considèrent d'ailleurs que toutes les autres formes de validité constituent des variantes de la validité de concept (p. ex., Anastasi, 1988; Cohen, Swerdlik, & Phillips, 1996; Kline, 1993; Laurencelle, 1998; Guion, 1980; Messick, 1980; Nunnally, 1978). En confirmant la validité de contenu et de critère, on confirme par la même occasion que le test mesure le concept théorique proposé. En plus de la validité par critère et de contenu, la validité de concept englobe la validité divergente, convergente et factorielle. Un instrument acquiert progressivement un bonne validité de concept avec l'accumulation des indices, plutôt qu'avec une seule démonstration.

Établir la validité divergente d'un instrument repose sur la démonstration que le concept mesuré se distingue de concepts théoriques différents. Par exemple, jusqu'à quel point l'IASTA-Y mesure-t-il un phénomène différent de l'estime de soi? Les études sur la validité divergente de l'IASTA-Y portent surtout sur la dépression. En fait, la corrélation entre l'IASTA-Y et une mesure de dépression bien connue, l'Inventaire de dépression de Beck, révèle une corrélation avoisinant 0,70. Cette forte corrélation suggère une mauvaise validité divergente avec la dépression. Par contre, il faut savoir que l'anxiété et la dépression sont deux états émotionnels négatifs très reliés l'un à l'autre (Barlow, 1991). En fait, ces deux concepts partagent tant de similarités qu'il n'est ni surprenant ni invalidant d'obtenir une corrélation si élevée. Considérer l'IASTA-Y comme une mauvaise mesure de l'anxiété parce qu'il mesure aussi en partie la dépression signifierait qu'on rejette toutes les mesures d'anxiété (Tanaka-Matsumi & Kameoka, 1986). Ce dernier point illustre qu'il faut interpréter la validité d'un instrument à l'aide d'une bonne connaissance de la littérature scientifique...

La validité convergente ressemble beaucoup à la validité par critère. Dans ce cas-ci, la relation est établie avec un autre concept théorique apparenté plutôt qu'avec une autre mesure du même concept. Pour l'IASTA-Y, on peut penser à la corrélation avec des mesures plus spécifiques d'anxiété (p. ex., anxiété sociale), des concepts théoriquement comparables (p. ex., le stress) ou des concepts reliés (p. ex., la sensibilité à l'anxiété). La validité factorielle réfère à l'utilisation d'une technique statistique complexe nommée analyse factorielle (voir chapitre 9). Elle permet de vérifier si les items d'un test tendent à se regrouper en sous-catégories (facteurs). On cherche alors à savoir si la structure du test est constituée de facteurs analogues aux facteurs qui constituent le concept théorique. Pour l'IASTA-Y, cela se traduit par la démonstration que les résultats à chaque item tendent à être plus semblables entre eux lorsqu'ils proviennent de la même échelle. On dira alors qu'ils se regroupent en deux facteurs homogènes et différents l'un de l'autre, un facteur représentant l'anxiété situationnelle, l'autre le trait d'anxiété. Bien que ce regroupement soit prévisible sur le plan théorique, il faut le vérifier sur le plan empirique. Les différentes formes de validité sont regroupées sous la grande catégorie de la validité de concept et résumées au tableau 6.2.

TABLEAU 6.2 **Résumé hiérarchique des formes de validité**

- ✧ **Validité de concept :** mesurer le bon construit théorique.
  - ✧ **Validité de contenu :** qualité des questions elles-mêmes.
    - ✧ **Validité manifeste :** pertinence du contenu des items.
    - ✧ **Validité procédurale :** logique sous-jacente à la construction de l'instrument.
  - ✧ **Validité par critère :** relation avec un critère mesurant déjà bien le construit.
    - ✧ **Validité prédictive :** le critère est mesuré de façon prospective.
    - ✧ **Validité concomitante :** le critère est mesuré de façon concurrente.
  - ✧ **Validité divergente :** différence avec un autre construit théorique.
  - ✧ **Validité convergente :** similarité avec un autre construit théorique.
  - ✧ **Validité factorielle :** structure du construit théorique.

6.5. LA FIDÉLITÉ

Nous faisons souvent référence à la notion de fidélité dans nos discussions de tous les jours. La fidélité représente alors jusqu'à quel point on peut avoir confiance en quelqu'un, jusqu'à quel point un consommateur utilise toujours le même produit, la régularité avec laquelle une auditrice écoute une émission de télévision ou même la stabilité de l'attachement d'un chien envers son maître. En psychométrie, la fidélité reflète la consistance avec laquelle un instrument donne le même résultat. La fidélité ne s'exprime donc pas de façon dichotomique (fidèle/infidèle), mais plutôt sur un continuum. La fidélité décrit la part du résultat mesuré qui reflète la valeur réelle d'un concept. Cet indice, ou coefficient de fidélité, se traduit par une corrélation élevée. Il nous informe par la même occasion sur la part du résultat mesuré qui peut être attribuée à l'erreur.

Lorsqu'on examine les résultats de plusieurs personnes, la proportion entre la valeur réelle du concept mesuré et l'erreur de mesure peut s'illustrer comme à la figure 6.4. Dans ce cas fictif, seulement 60 % des différences observées entre les gens à un examen de fin de session peuvent être attribuées à une différence réelle de compréhension de la matière, 40 % des différences provenant de diverses sources d'erreurs. On devine clairement que des étudiants s'opposeraient fortement à ce que leur évaluation de session soit si peu fidèle...

La fidélité constitue une notion capitale en psychométrie. Sans fidélité, il devient douteux d'étudier la validité d'un instrument, et encore plus d'utiliser cet instrument (Guilford, 1956 ; Kline, 1993 ; Nunnally, 1978). À quoi bon savoir si un questionnaire mesure bien ce qu'il prétend mesurer si les résultats d'une même personne varient continuellement au gré de facteurs imprévisibles et d'erreurs de toutes sortes ? Ainsi, un instrument ne peut être valide sans être minimalement fidèle, alors que l'inverse n'est pas nécessairement vrai. Par exemple, un ruban à mesurer peut être très fidèle pour chiffrer le périmètre d'un crâne humain tout en n'étant absolument pas valide pour quantifier les capacités intellectuelles d'une personne.

Comme nous l'avons vu dans l'introduction à la psychométrie, il existe plusieurs formes d'erreurs de mesure. L'évaluation de la fidélité d'un instrument permet de *quantifier* les trois principaux types d'erreurs : (a) l'erreur se produisant durant l'administration d'une mesure, (b) l'erreur associée à la construction de l'instrument et (c) l'erreur se produisant au moment de la correction et de l'interprétation des résultats. Bien que théoriquement distinctes, ces sources ne sont pas entièrement mutuellement exclusives, car les fluctuations provenant de l'administration d'un instrument peuvent aussi provenir en partie de la façon dont l'instrument est construit. Néanmoins, il existe une forme de fidélité pour chacun des types présentés ci-dessus : la fidélité test-retest, les formes alternatives et la consistance interne, de même que la fidélité inter-juges. Notons que la fidélité inter-juges ne sera

FIGURE 6.4 **Illustration de quelques sources de variations dans la mesure d'un phénomène et des proportions de la variation (variance) des scores mesurés**

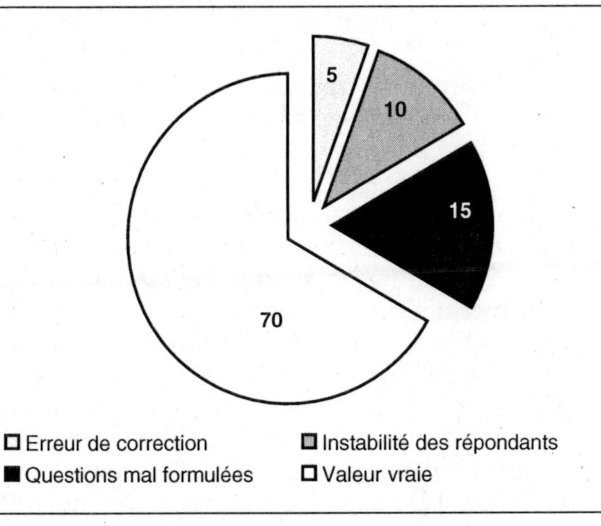

pas abordée ici car elle occupe un rôle capital dans « La fidélité des observations » abordée en détail au chapitre 8.

6.5.1. Fidélité test-retest

Les sources d'erreur associées à l'administration de l'instrument peuvent provenir de l'environnement (p. ex., des variations de température dans un local où l'on mesure la température corporelle ou un éclairage trop faible nuisant à la lecture des questions) ou de l'examinateur (p. ex., variations dans la façon de présenter les consignes ou de répondre aux questions des répondants). La fidélité test-retest vise à quantifier ce type d'erreur.

La fidélité test-retest se résume à l'administration à deux moments différents d'un même instrument et à l'évaluation de la consistance entre les résultats obtenus. L'erreur de mesure correspond aux variations aléatoires observées entre les deux temps de mesure. Plus le délai entre les deux administrations s'allonge, plus les variations risquent de refléter des changements réels du phénomène mesuré, alors que des délais trop courts risquent de permettre au répondant de se souvenir de ses réponses de l'administration précédente. Il incombe donc au chercheur de définir un délai acceptable. Il ne faut pas s'attendre à ce que les résultats soient exactement identiques d'une évaluation à l'autre. Il doivent néanmoins être consistants. Considérons trois situations fictives avec l'échelle d'anxiété situationnelle de l'IASTA-Y. La première représente la situation idéale où les résultats sont presque identiques. L'absence de variations confirme alors qu'il n'y a pas de fluctuations. Bien qu'il soit improbable qu'on obtienne une corrélation parfaite entre les deux évaluations, la corrélation doit être significative et, pour utiliser un critère arbitraire, supérieure à 0,80 (Kline, 1993). Dans la deuxième situation, supposons que les résultats de tous les sujets sont inférieurs de 5 points à la seconde évaluation. La personne qui a obtenu le résultat le plus élevé à la première évaluation obtient encore le résultat le plus élevé à la seconde évaluation, et ainsi de suite pour chaque répondant. On voit bien ici que la variation entre les deux évaluations se caractérise par une réduction systématique. Il y a donc constance dans le profil des résultats, bien que la moyenne de la seconde évaluation diffère. Cette consistance dans les données nous permet de prédire avec une bonne confiance que le résultat du meilleur répondant sera de 5 points inférieur à son évaluation précédente, et ainsi de suite pour chaque répondant. Ici encore, la corrélation sera fort probablement inférieure à 1, mais excédera le seuil de 0,80 suggéré par Kline (1993). Dans cette deuxième situation, on peut tenter d'expliquer la variation systématique des données sans nécessairement remettre en question l'instrument. Par exemple, le second temps de mesure a pu coïncider avec la mi-session et le début d'une semaine moins mouvementée pour les étudiants. Cela se distingue de la troisième situation fictive où l'erreur se manifeste par des fluctuations aléatoires (non systématiques). Ici, la personne ayant obtenu le résultat le plus élevé à la première évaluation pourrait obtenir, par exemple, un résultat très faible à la seconde évaluation, alors que la performance de celui considéré comme le deuxième plus élevé augmenterait. De la même manière, les résultats augmentent ou diminuent de façon différente pour chaque répondant. Il devient alors impossible de savoir si l'instrument mesure avec précision et consistance le concept théorique ou si les résultats sont influencés par des variations importantes et impossibles à expliquer. On pourrait par exemple invoquer la maturation, l'impact de facteurs historiques, la réactivité de la mesure, etc. Dans ce cas, la corrélation sera non significative ou de beaucoup inférieure à 0,80 (Kline, 1993).

6.5.2. Consistance interne

Comme il a été mentionné précédemment, une autre source importante d'erreurs peut provenir de la construction de l'instrument lui-même. On désire alors savoir si les items sont consistants entre eux, c'est-à-dire suffisamment apparentés pour tous atteindre avec constance la même cible, le même concept théorique. Si c'est le cas, il devient possible de prédire avec une certaine fiabilité le résultat à un item quand on connaît la réponse aux autres items. Plus cette prédiction se révèle inexacte, plus la fidélité sera faible et plus on pourra soupçonner que les variations entre les résultats découlent d'erreurs et d'inconsistances introduites lors du choix des questions. L'une des approches utilisées dans l'évaluation de la consistance interne se nomme la méthode des moitiés. Il suffit de diviser le questionnaire en deux parties égales ou à peu près équivalentes et de voir si les résultats à chaque moitié concordent. La division du questionnaire peut se faire à partir des numéros pairs et impairs. Cette procédure cause un problème si les items sont organisés en ordre croissant d'importance, si les répondants risquent de se fatiguer ou si les réponses ultérieures sont influencées par les items précédents. Dans ce cas, il est préférable de comparer des items qui sont proches les uns des autres plutôt que de procéder de façon aléatoire. Cette méthode n'est pas sans soulever de controverses. Ainsi, plus il y a d'items, plus les probabilités sont élevées qu'il se dégage une consistance entre eux. Les méthodes de calcul de corrélation de Spearman-Brown ou de Rulon décrites dans des ouvrages plus détaillés (p. ex., Anastasi, 1988 ; Laurencelle, 1998) répondent à ce problème. Par contre, une seule comparaison est effectuée. Si les items sont relativement hétérogènes, une seule division moitié-moitié risque d'être insuffisante pour bien évaluer la consistance des items. Il existe donc des méthodes pour évaluer la corrélation entre les items eux-mêmes. L'une d'entre elles est la corrélation entre l'item et le score total du questionnaire, l'item en question ayant été éliminé du calcul du score total. Il est aussi possible d'étudier la performance de chaque item à l'aide d'un coefficient de Kuder-Richardson (pour les items avec des réponses dichotomiques) ou du alpha de Cronbach (pour les items de toutes sortes). Ces deux méthodes représentent en quelque sorte un calcul de la moyenne des coefficients de corrélation moitié-moitié provenant de toutes les façons possibles de diviser le questionnaire. Toutes ces méthodes ont l'avantage d'être exploitables à partir d'une seule administration de l'instrument.

6.5.3. Les versions alternatives

Il existe une forme de fidélité qui permet d'évaluer à la fois l'erreur associée à la construction de l'instrument et celle liée à son administration. C'est la méthode des versions alternatives. Chaque personne répond à deux versions considérées comme semblables de l'instrument. Le défi à relever provient de la création de deux versions de l'instrument, chacune étant différente mais valide. De plus, pour qu'elles soient réellement semblables, la corrélation entre les deux versions ne devrait pas être inférieure à 0,90 (Kline, 1993) ou, au moins, être égale à leurs fidélités.

TABLEAU 6.3 **Tableau résumé des principales formes de fidélité en psychométrie**

- **Fidélité :** évaluer l'erreur de mesure.
- **Fidélité test-retest :** stabilité temporelle de l'instrument.
- **Consistance interne :** cohérence entre les items.
  - **Moitié-moitié :** les deux moitiés du questionnaire sont mises en relation (méthodes pairs-impairs).
  - **Inter-items :** les items sont comparés entre eux (méthodes de corrélation avec le score total, coefficient de Kuder-Richardson ou coefficient alpha de Cronbach).
- **Versions alternatives :** similarité avec une autre version du même instrument.
- **Accord inter-juges :** consistance entre des observations directes (voir chapitre 8).

6.5.4. L'erreur type de mesure

Lors de l'évaluation des résultats obtenus par une seule personne, tous les coefficients de fidélité ci-dessus peuvent paraître inutiles à première vue. Par exemple, lorsqu'avant un examen un étudiant obtient un résultat de 40 à l'échelle d'anxiété situationnelle de l'IASTA-Y, comment savoir si ce résultat indique son *vrai* niveau d'anxiété ? Le concept d'erreur type de mesure (ETM) permet d'exprimer la fidélité d'un instrument tout en assistant l'interprétation de résultats individuels. L'ETM représente en quelque sorte la moyenne des erreurs obtenues si la mesure était administrée une infinité de fois à une même personne. Si l'étudiant pouvait passer l'IASTA-Y 100 fois, il faudrait s'attendre à ce que le résultat obtenu varie d'une fois à l'autre : 40, 38, 41, 40, 39, 42, 40, 44, 40, 40, 39... Il demeure toutefois possible d'estimer la moyenne de ces variations et d'établir des bornes entre lesquelles la valeur réelle a de très fortes chances de se retrouver. L'ETM peut se calculer à l'aide de la formule suivante :

$$ETM = \text{écart type} \times \sqrt{1 - \text{coefficient de fidélité}}$$

Dans le cas de l'IASTA-Y, un écart type de 9 et un coefficient de fidélité alpha de Cronbach de 0,90 nous donnent un ETM de 2,85. Nous aborderons au chapitre 9 la notion d'écart type. Pour l'instant il suffit de savoir que, sous une courbe normale, 68 % des cas se retrouvent en deçà d'un écart type de la moyenne, et 95 % entre deux écarts types. Cela signifie que nous avons 95 % de chances que la vraie valeur du concept mesuré corresponde au résultat obtenu plus ou moins deux fois l'ETM. Compte tenu de l'erreur de mesure observée avec l'IASTA-Y, il y a donc 95 % de chances que le vrai niveau d'anxiété de l'étudiant de notre exemple se situe entre 34,3 et 45,7. Laurencelle (1998) approfondit davantage ces questions, alors que Allaire et Laurencelle (1998) comparent différentes formules de calcul de l'ETM et identifient des formules un peu plus précises que celle proposée ici.

6.6. CONCLUSION

Ce chapitre se présente comme une introduction aux chapitres 7 et 8. Précisons que nous avons abordé uniquement les rudiments de la psychométrie, des ouvrages entiers y étant consacrés (p. ex., Anastasi, 1988 ; Cohen, Swerdlik, & Phillips, 1996 ; Kline, 1993 ; Laurencelle, 1998 ; Nunnally, 1978). Développer et établir les qualités psychométriques d'un instrument maison étant une tâche complexe (voir chapitre 7), le chercheur ou l'intervenant doit souvent chercher un instrument correspondant à ses besoins. Dans le monde anglophone, cette tâche se trouve fortement simplifiée par l'existence d'ouvrages de référence comme ceux de Buros (1978), Fisher et Corcoran (1994), Hersen et Bellack (1988) ou Schutte et Malouff (1995). Les centres de documentation des universités et certains groupes de recherche ont mis sur pied des répertoires d'instruments de mesure en langue française (p. ex., Hébert, Bravo, & Voyer, 1993), mais les utilisateurs francophones font face à un plus grand défi étant donné le nombre plus restreint de questionnaires traduits et validés. Une stratégie populaire consiste à identifier un instrument de mesure à partir de la littérature scientifique, tant en psychométrie que dans la section

« mesure » de n'importe quelle étude empirique, et à entrer en contact direct avec l'auteur d'un test. Précisons que quelques maisons d'édition se spécialisent dans la distribution d'instruments de mesure, mais que l'usage de plusieurs tests est restreint aux psychologues.

En guise de conclusion, rappelons que toute personne qui utilise un instrument de mesure doit prêter attention à sa validité et à sa fidélité. Que faut-il alors penser des questionnaires publiés dans les revues pour grand public ? Beaucoup de gens croient en ces tests. En l'absence de données sur leur validité ou leur fidélité, le lecteur ne peut savoir si ces « mini-quizz » mesurent bien ce qu'ils prétendent mesurer, ni connaître la constance des résultats obtenus. D'autant plus que, dans la majorité des cas, il faut déplorer l'absence de justification des « scores de coupure » utilisés. En l'absence de données psychométriques, on ne peut accorder aucune valeur aux résultats de ces tests. Qui plus est, ces questionnaires utilisent souvent l'effet Barnum, c'est-à-dire que les gens ont tendance à considérer les descriptions vagues et générales données de leur personnalité comme si elles s'appliquaient spécifiquement à eux, sans réaliser qu'elles peuvent s'appliquer tout aussi bien à d'autres personnes (Jackson, O'Dell, & Olson, 1982 ; Meehl, 1956 ; Tallent, 1958). Cette digression illustre bien qu'il faut exercer son jugement et ne pas utiliser aveuglément tout ce qui est publié...

6.7. QUESTIONS

1. Mme Janeway mène une recherche sur l'utilité des chiens en zoothérapie auprès des adolescents. Elle décide de compter le nombre de chiens que possède chaque centre d'accueil et de réadaptation. Une fois le nombre exact de chiens obtenu, elle construit une échelle de la façon suivante : ceux qui ont moins de 5 chiens, ceux qui ont entre 5 et 7 chiens, ceux qui ont entre 7 et 10 chiens, et ceux qui ont plus de 10 chiens. À quel type d'échelle appartient l'échelle de Mme Janeway ?
2. Le professeur Rodenberry évalue le niveau de stress des gens à l'aide d'une échelle de « 0 » (pas stressé du tout) à « 100 » (énormément stressé). Quel est le type d'échelle utilisé par le professeur Rodenberry ?
3. Nommez deux formes de validité et deux formes de fidélité que l'on rencontre en psychométrie.

4. Expliquez en quelques mots comment un questionnaire peut être fidèle mais non valide.

5. Décrivez brièvement en quoi consiste la fidélité au protocole.

6.8. RÉFÉRENCES

Abel, G.G., Rouleau, J., & Cunningham-Rathner, J. (1986). Sexually aggressive behavior. Dans W.J. Curran, A.L. McGarry & S. Shah (Éds.) *Forensic psychiatry and psychology: Perspectives and standards for interdisciplinary practice* (pp. 289-314). Philadelphie: Davis.

Allaire, D., & Laurencelle, L. (1998). Comparaison Monte Carlo de la précision de six estimateurs de la variance d'erreur d'un instrument de mesure. *Lettres statistiques, 10*, 27-50.

Alpher, V.S., & Blanton, R.L. (1985). The accuracy of lie detection: Why lie tests based on polygraph should not be admitted into evidence today. *Law and Psychology Review, 9*, 67-75.

Anastasi, A. (1988). *Psychological testing* (6e éd.). New York: Macmillan.

Baker, B.O., Hardyck, C.D., & Petrinovich, L.F. (1966). Weak measurement vs. strong statistics: An empirical critique of S.S. Steven's prescription on statistics. *Educational and Psychological Measurement, 26*, 291-309.

Bandura, A. (1986). *Social foundations of thought and action.* New York: Prentice Hall.

Barlow, D.H. (1991). The nature of anxiety: Anxiety, depression, and emotional disorders. Dans R.M. Rapee & David H. Barlow (Éds.) *Chronic anxiety. Generalized anxiety disorder and mixed anxiety-depression* (pp. 1-28). New York: Guilford Press.

Beidel, D.C., Neal, A.M., & Lederer, A.S. (1991). The feasibility and validity of a daily diary for the assessment of anxiety in children. *Behavior Therapy, 22*, 505-517.

Bourque, P., Blanchard, L., & Vézina, J. (1990). Étude psychométrique de l'échelle de dépression gériatrique. *Revue Canadienne du Vieillissement, 9*, 348-355.

Buck, J.N. (1970). *The House-Tree-Person technique: Revised manual.* Los Angeles: Western Psychological Services.

Buros, O.K. (1978). *The VIIIth Mental Measurement Yearbook.* Highland Park: Gryphon Press.

Chambless, D.L., Caputo, G.C., Bright, P., & Gallagher, R. (1984). Assessment of fear in agoraphobic: The body sensations questionnaire and the agoraphobic cognitions questionnaire. *Journal of Consulting and Clinical Psychology, 52,* 1090-1097.

Cohen, J. (1990). Things I have learned (so far). *American Psychologist, 45,* 1304-1312.

Cohen, R.J., Swerdlik, M.E., & Phillips, S.M. (1996). *Psychological testing and assessment* (3e éd.). Toronto : Mayfield Publishing.

Ellermeier, W., Westphal, W., & Heidenfelder, M. (1991). On the «absoluteness» of category and magnitude scales of pain. *Perception & Psychophysics, 49,* 159-166.

Exner, J. (1978). *The Rorschach: A comprehensive system* (Vol. 2). New York: John Wiley.

Fisher, J., & Corcoran, K. (1994). *Measures for clinical practice. A Sourcebook* (2e éd., Vols. 1 et 2). New York: The Free Press.

Frank, L.K. (1939). Projective methods for the study of personality. *Journal of Psychology, 52,* 603-613.

Fontaine, R., Mercier, P., Beaudry, P., Annable, L., & Chouinard, G. (1986). Bromazepam and lorazepam in generalized anxiety: A placebo-controlled study with measurement of drug plasma concentrations. *Acta Psychiatria Scandinavica, 74,* 451-458.

Freeston, M.H., Ladouceur, R., Thibodeau, N., & Gagnon, F. (1994). L'inventaire d'anxiété de Beck. Propriétés psychométriques d'une traduction. *Encéphale, 20,* 47-55.

Fuchs, C.Z., & Rehm, L.P. (1977). A self-control behavior therapy program for depression. *Journal of Consulting and Clinical Psychology, 92,* 307-318.

Garb, H.N. (2003). Incremental validity and the assessment of psychopathology in adults. *Psychological Assessment, 15*(4), 580-520.

Garb, H.N., Wood, J.M., Lilienfelf, S.O., & Nezworski, (2002). Effective use of projective techniques in clinical practice. Let the data help with selection and interpretation. *Professional Psychology : Research and Practice, 33*(5), 454-463.

Gauthier, J., & Bouchard, S. (1993). Adaptation canadienne-française de la version révisée du *State-Trait Anxiety Inventory* de Spielberger. *Canadian Journal of Behavioral Sciences, 25*(4), 559-589.

Gauthier, J.G., & Carrier, S. (1991). Long-term effects of biofeedback on migraine headache : A prospective follow-up study. *Headache, 31*, 605-612.

Guilford, J.P. (1956). *Psychometric theory*. New York : McGraw-Hill.

Guion, R.M. (1980). On trinitarian doctrines of validity. *Professional Psychology, 11*, 191-216.

Havlicek, L.L., & Peterson, N.P. (1974). Robustness of the t test : A guide for researchers on effect of violation of assumptions. *Psychological Report, 34*, 1095-1114.

Havlicek, L.L., & Peterson, N.P. (1977). Effect of the violation of assumptions upon significance levels of the Pearson r. *Psychological Bulletin, 84*, 373-377.

Hersen, M., & Bellack, A.S. (1988). *Dictionary of behavioral assessment techniques*. New York : Pergamon Press.

Holtzman, W.H., Thorpe, J.S., Swartz, J.D., & Heron, E.W. (1961). *Inkblot perception and personality : Holtzman Inkblot Technique*. Austin : University of Texas Press.

Hunsley, J., & Bailey, J.M. (2001). Whither the Rorschach ? An analysis of the evidence. *Psychological Assessment, 13*(4), 472-485.

Jackson, D.E., O'Dell, J.W., & Oslon, D. (1982). Acceptance of bogus personality interpretations : Face validity reconsidered. *Journal of Clinical Psychology, 38*, 588-592.

Kline, P. (1993). *The handbook of psychological testing*. New York : Routledge.

Klopfer, B., Ainsworth, M.D., Klopfer, W.G., & Holt, R.R. (1954). *Developments in the Rorschach technique. Volume 1 – Technique and theory*. New York : World Book Company.

Laurencelle, L. (1998). *Théorie et techniques de la mesure instrumentale.* Sainte-Foy, Presses de l'Université du Québec.

Laurencelle, L., & Ramsay, J.O. (2001). À la recherche de l'unité de mesure en psychométrie : Réflexions sur la mesure en sciences humaines. *Mesure et évaluation en éducation, 24,* 41-52.

Lee, C.M., & Hunsley, J. (2003). Evidence-based assessment of childhood mood disorders : Comments on McClure & Kaslow (2002). *Professional Psychology : Research and Practice, 34*(1), 112-113.

Machover, K. (1949). *Personality projection in the drawing of the human figure : A method of personality investigation.* Springfield, IL : Charles C. Thomas.

Marlatt, G.A., Larimer, M.E., Baer, J.S., & Quigley, L.A. (1993). Harm reduction for alcohol problems : Moving beyond the controlled drinking controversy. *Behavior Therapy, 24,* 461-504.

Meehl, P.E. (1956). Wanted : A good cookbook. *American Psychologist, 11,* 263-272.

Messick, S. (1980). Test validity and the ethics of assessment. *American Psychologist, 35,* 1012-1027.

Moncher, F.J., & Prinz, R.J. (1991). Treatment fidelity in outcome studies. *Clinical Psychology Review, 11,* 247-266.

Murray, H.A. (1971). *Manual to the Thematic Apperception Test.* Boston : Harvard University Press.

Nunnally, J.C. (1978). *Psychometric theory* (2e éd.). Montréal : McGraw-Hill.

Ouimette, P.C., Finney, J.W., & Moos, R.H. (1997). Twelve-step and cognitive-behavioral treatment for substance abuse : A comparison of treatment effectiveness. *Journal of Consulting and Clinical Psychology, 651,* 230-240.

Rorschach, H. (1921/1942). *Psycho-diagnostics : A diagnostic test based on perception,* Traduit de l'allemand par P. Lemkau et B. Kronenburg, 1942. Berne : Hans Huber.

Schutte, N.S., & Malouff, J.M. (1995). *Sourcebook of adult assessment strategies.* New York : Plenum Press.

Selye, H. (1976). *The stress of life* (2e éd.). New York : McGraw-Hill.

Stevens, S.S. (1951). *Handbook of experimental psychology*. New York : John Wiley.

Sobell, M.B., & Sobell, L.C. (1976). Second year treatment outcome of alcoholics treated by individualized behavior therapy : Results. *Behaviour Research and Therapy, 14*, 195-214.

Tabachnick, B.G., & Fidell, L.S. (1989). *Using multivariate statistics* (2e éd.). New York : Harper & Row.

Tanaka-Matsumi, J., & Kameoka, V.A. (1986). Reliabilities and concurrent validities of popular self-report measures of depression, anxiety, and social desirability. *Journal of Consulting and Clinical Psychology, 54*, 328-333.

Tallent, N. (1958). On individualizing the psychologist's clinical evaluation. *Journal of Clinical Psychology, 114*, 243-244.

Thyer, B.A., Papsdorf, J.D., Davis, R., & Vallecorsa, S. (1984). Autonomic correlates of the subjective anxiety scale. *Journal of Behavior Therapy and Experimental Psychiatry, 15*, 3-7.

Weiner, I.B. (1995). Methodological considerations in Rorschach research. *Psychological Assessment, 7*, 330-337.

Wolpe, J. (1982). *The practice of behavior therapy* (3e éd.). New York : Pergamon Press.

CHAPITRE 

L'UTILISATION DES QUESTIONNAIRES EN RECHERCHE

Une solution pratique qui nécessite une démarche rigoureuse

STÉPHANE SABOURIN, PIERRE VALOIS
ET YVAN LUSSIER

L'analyse de la documentation scientifique contemporaine en sciences sociales fait clairement ressortir l'utilisation substantielle de questionnaires lorsque vient le temps d'examiner avec rigueur les dimensions essentielles de l'expérience humaine (Robinson, Shaver, & Wrightsman, 1991). En effet, qu'il s'agisse d'évaluer les attitudes des jeunes vis-à-vis des maladies transmises sexuellement, la relation entre divers stresseurs psychosociaux et la rupture d'une relation de couple, les répercussions de la pauvreté sur la densité du réseau social d'un individu ou l'efficacité du traitement psychosocial de la dépression chez des personnes âgées, tout chercheur doit déterminer un mode de quantification des phénomènes qui l'intéressent avant d'obtenir réponse aux questions qu'il se pose. Bien qu'il existe d'autres modes d'évaluation du fonctionnement psychosocial des individus, tels que les entrevues (structurées ou semi-structurées), l'observation directe (en laboratoire ou sur le terrain) et les méthodes projectives, le recours aux questionnaires fondés sur le rapport verbal des individus constitue une stratégie de choix, puisqu'il permet d'obtenir de façon relativement aisée des informations riches et variées sur une diversité de thématiques d'intérêt en clinique et en recherche. Puisqu'ils sont plus faciles à administrer que les autres méthodes d'évaluation, les questionnaires permettent le recrutement d'échantillons représentatifs de participants. Ce chapitre vise à exposer les étapes de construction d'un instrument de mesure reposant sur le rapport verbal des participants – ou du moins sur ce qu'ils acceptent de nous communiquer de façon volontaire en réponse à des questions particulières –, les méthodes de traduction les plus appropriées de ce type d'instrument, les effets de la désirabilité sociale sur les réponses à un questionnaire, les procédures d'administration du questionnaire, de même que l'évaluation clinique du fonctionnement psychologique à l'aide de questionnaires. Nous ne traiterons pas ici des notions de fidélité et de validité des instruments de mesure, puisque ces thématiques sont abordées au chapitre précédent. Il va cependant de soi que l'utilisation des questionnaires doit s'appuyer sur des analyses poussées de la cohérence interne des échelles, de la stabilité temporelle des résultats observés et des différents types de validité habituellement examinés : validité de contenu, validité discriminante, validité convergente, validité de construit, etc.

7.1. LES ÉTAPES DE CONSTRUCTION D'UN QUESTIONNAIRE

Les étapes de construction d'un questionnaire en sciences sociales sont bien connues (Dalois, 1987 ; DeVellis, 1991 ; Rossi, Wright, & Anderson, 1983 ; Sudman & Bradburn, 1982) et résumées au tableau 7.1. Elles sont importantes à connaître, car elles permettent de mieux évaluer l'utilité d'un questionnaire et de poser un jugement éclairé sur la méthode retenue au moment de sa construction.

Le phénomène à mesurer, le problème social à circonscrire, bref les objectifs à atteindre, doivent être explicites dès le départ. La simplicité de cette recommandation en surprendra quelques-uns. Elle signale cependant la nécessité d'une connaissance

TABLEAU 7.1 **Sept étapes à suivre dans la construction d'un questionnaire**

1. Détermination du problème à l'étude et du sujet traité.
2. Constitution de la banque d'items.
3. Construction de l'échelle de réponse.
4. Évaluation du bassin initial d'items.
5. Élaboration du mode de présentation du questionnaire.
6. Création d'un échantillon pour tester la version pilote de l'instrument.
7. Analyse d'items.

approfondie des théories ayant cours dans le secteur d'intérêt et des recherches les plus récentes dans le domaine. La consultation de la documentation scientifique diminue les risques de dupliquer un travail ayant déjà été accompli par d'autres. Elle évite aussi de reproduire certaines erreurs. Enfin, elle empêche l'omission de facettes ou de dimensions importantes du concept à mesurer. Le concepteur de questionnaire peut aussi s'inspirer d'études de cas et d'entrevues individuelles ou de groupes pour cerner les éléments essentiels du problème à étudier. Une fois les dimensions spécifiées, la tâche suivante consiste à identifier des indicateurs de ces dimensions. Un indicateur est un signe observable qui témoigne de la présence d'un phénomène et que nous interprétons comme une manifestation d'un concept particulier. L'indicateur n'est pas le concept, mais un moyen de le représenter et de le mesurer. Bien sûr, il est impossible d'envisager à l'avance tous les problèmes qui surgiront. À l'impossible nul n'est tenu. D'ailleurs, si nous disposions au départ de toutes les réponses et si les théories existantes permettaient de prévoir toutes les possibilités, il ne serait tout simplement pas nécessaire de construire un questionnaire en tout premier lieu. Au surplus, chaque étude conduit inévitablement à de nouvelles questions de recherche, même si les questionnaires utilisés sont de première qualité. Il s'agit tout simplement, au départ, de minimiser les difficultés et de les prévenir. Ces consultations préliminaires, aussi indispensables soient-elles, n'assurent toutefois pas la qualité du questionnaire. Celui-ci doit fournir des informations précises et complètes, ce qui nous amène à la deuxième étape de construction des questionnaires.

Dans l'éventualité où l'analyse de la documentation ne fait pas ressortir l'existence de questionnaires bien adaptés à l'objet d'étude, la deuxième étape de construction d'un questionnaire nécessite la constitution d'une banque d'items qui représentent fidèlement la ou les dimensions du concept, du phénomène ou de la situation à investiguer. Chaque item doit se rapporter spécifiquement à une dimension homogène du construit. Les propriétés métrologiques du questionnaire dépendent directement de la qualité de chacun des items. Il est relativement facile de constituer une banque initiale d'items à l'aide (a) d'une recension de la littérature sur le sujet, (b) d'entrevues avec des personnes de la population cible et (c) d'entrevues avec des experts dans le domaine de spécialisation. De plus, la rédaction d'items gagne à s'inspirer des conseils suivants :

(a) Les questions doivent être brèves (moins de 25 mots) et ne pas contenir d'ambiguïtés.

(b) Le vocabulaire employé doit être simple, compréhensible et adapté à la catégorie d'individus visés (p. ex., des enfants de huit ans ne peuvent pas être évalués de la même manière que des adultes concernant leur estime d'eux-mêmes).

(c) Les abréviations et les signes sont à proscrire.

(d) Les questions ne contiennent idéalement qu'un seul élément d'information.

(e) Les expressions faisant référence à la fréquence d'un événement ou d'une situation (p. ex., toujours, jamais, parfois, la plupart du temps, etc.) nuisent généralement à la compréhension des questions, surtout si les échelles de réponse comprennent aussi des éléments de fréquence. Par exemple, que répondriez-vous à la question « Pensez-vous souvent qu'il est rare de nos jours de trouver un conjoint toujours fidèle ? », si l'échelle de réponse allait de toujours à jamais, en passant par fréquemment et la plupart du temps ?

(f) Les fausses prémisses sont à éviter. Ainsi, à la question « Afin de maintenir la relation avec votre conjoint, devriez-vous lui faire davantage de compliments ou participer aux tâches domestiques plus régulièrement ? », l'individu ne peut répondre s'il ne désire pas maintenir sa relation.

(g) Les items ne contiennent pas de double négation : « En général, vous *opposeriez*-vous à ce que votre conjoint *ne* soit pas fidèle ? »

(h) Les items doivent s'appliquer à l'expérience actuelle de l'individu. « La mémoire est une faculté qui oublie » et plus les items se rapportent à un passé lointain, plus la précision des réponses décroît.

(i) Les questions visant à recueillir des données sociodémographiques devraient s'inspirer largement de celles utilisées dans les recensements. Ces questions ont déjà été mises au point par des spécialistes dont le travail est de concevoir des items simples. De plus, cela facilite la comparaison entre les études.

(j) Les énoncés très polarisés où tout le monde serait d'accord ou en désaccord sont rejetés afin d'obtenir une variation dans les réponses fournies.

(k) Les questions les plus compliquées doivent être précédées d'un paragraphe explicatif.

(l) Les formulations d'items tendancieuses qui incitent les gens à répondre dans un sens qui donnera satisfaction au chercheur sont à proscrire.

La construction d'une échelle de réponse constitue la troisième étape dans l'élaboration d'un questionnaire. Les écrits scientifiques suggèrent une quantité appréciable de techniques de mesure d'attitudes ou de traits. Pour la plupart, ces techniques prennent la forme de questionnaires constitués d'items singuliers et dont la fonction principale consiste à positionner un individu sur une échelle d'évaluation, afin, idéalement, de pouvoir prédire avec exactitude son comportement. Parmi cette gamme de techniques, il s'en trouve des plus connues, dont les échelles à *intervalles d'égalité apparente* de Thurstone (1928), *additives* de Likert (1932), *cumulatives* de Guttman (1944), *de dépliage* de Coombs (1964), à *item unique* de Guilford (1954), *multiplicatives* de type *croyances / conséquences* de Rosenberg (1956) et *différentiateurs sémantiques* de Osgood, Suci et Tannenbaum (1957).

Nous ne décrirons pas ici en détail chacune des techniques d'échelonnement. Le lecteur intéressé peut consulter les manuels spécialisés (p. ex., Rossi, Wright, & Anderson, 1983). Les échelles de type Likert étant les plus populaires, la présentation ne portera que sur ce modèle de mesure. Likert (1932) a conçu sa méthode d'élaboration d'échelles additives parce qu'il considérait trop exigeantes, en matière d'énergie et de temps, les approches proposées par Thurstone (Himmelfarb, 1993). Le modèle de Likert porte sur des items comportant plusieurs catégories de réponse. Si l'on présume que ces catégories sont ordonnées, il devient alors possible d'imaginer un continuum commun aux personnes et aux catégories de réponse, et ce pour tous les items. On peut alors considérer le choix d'une catégorie de réponse comme une relation d'ordre entre le répondant, d'une part, et plusieurs catégories, d'autre part. Ce postulat est à la base du modèle de Likert. Ce modèle repose aussi sur la production d'un certain nombre d'énoncés qui reflètent favorablement ou défavorablement l'attitude ou le trait étudié. Chaque énoncé est suivi d'une échelle « accord/désaccord » comportant habituellement cinq catégories de réponse incluant ou non une catégorie neutre. Par exemple, au tableau 7.2 une personne doit choisir une catégorie de réponse parmi les cinq. Sur la base du continuum personnes-catégories, cette personne sélectionnera la catégorie dont elle se sent, pour une raison ou pour une autre, la plus proche. Elle donnera donc comme réponse la catégorie qui représente la distance la plus courte avec elle-même et rejettera par le fait même les quatre autres catégories. Bref, les répondants indiquent jusqu'à quel point ils sont d'accord ou en désaccord avec chacun des énoncés. La somme des scores à chaque énoncé, après le recodage des énoncés défavorables comme l'item 2 du tableau 7.2, représente le degré d'attitude ou du trait mesuré. Évidemment, ce modèle de mesure présuppose la présence d'un continuum dans l'attitude ou le trait examiné et l'existence d'un facteur latent homogène à la base de l'attitude ou du trait. Les principaux avantages de cette technique d'échelonnement sont : (a) la simplicité de la méthode, (b) la plausibilité des postulats qui sous-tendent ce modèle de mesure et (c) la possibilité d'en évaluer facilement la valeur scientifique à l'aide des analyses de cohérence interne et de l'analyse factorielle.

Le bassin initial d'items obtenus doit ensuite être évalué par un comité d'experts (quatrième étape). Cette révision permet :

TABLEAU 7.2 **Illustration d'une échelle de type Likert**

	Fortement en désaccord	Légèrement en désaccord	Ni en désaccord ni d'accord	Légèrement d'accord	Fortement d'accord
1. J'aime les méthodes de recherche.	1	2	3	4	5
2. Je n'aime pas ce cours.	1	2	3	4	5

(a) de vérifier le degré de polarisation des items, (b) de détecter les items dont le contenu est ambigu, (c) de relever les items qui doivent être recodés et (d) de déterminer si toutes les dimensions du concept à l'étude se retrouvent dans l'échelle.

Pour ce faire, il faut consulter des experts dans le domaine de la construction d'échelles et dans le domaine de spécialisation. Ceux-ci émettent par écrit leur jugement sur chacun des items du questionnaire. Leur tâche consiste à répondre, par exemple, aux quatre questions suivantes: (a) l'item est-il trop polarisé (c.-à-d., est-ce un item avec lequel la grande majorité des répondants sera soit totalement d'accord, soit totalement en désaccord)?, (b) est-il ambigu?, (c) reflète-t-il un sentiment favorable (item positif) ou défavorable (item négatif) à l'égard du phénomène? et (d) les dimensions sont-elles toutes couvertes par le questionnaire? Un item est modifié ou éliminé si tous les juges choisis ne s'entendent pas sur la valeur (favorable ou défavorable) d'un item. Qui plus est, un item peut être légèrement modifié et/ou reformulé pour le rendre plus clair si environ deux juges sur trois (ou trois juges sur quatre) ne s'entendent pas sur le degré d'ambiguïté et de polarité des items. De même, une nouvelle dimension est ajoutée si deux juges soulignent qu'à leur avis celle-ci fait partie du construit.

Après avoir révisé le bassin initial d'items, le chercheur détermine le mode de présentation du questionnaire (cinquième étape). La clarté des consignes, leur concision, leur brièveté et leur pertinence influencent directement la motivation des participants à répondre aux items. En d'autres mots, il faut attiser la curiosité et l'intérêt du répondant si nous voulons le convaincre de répondre au questionnaire. Par la suite, les items sont généralement regroupés en sections cohérentes. Il faut éviter de débuter par des questions difficiles ou embarrassantes. Lorsque le participant répond aux premières questions avec aisance, les chances qu'il remplisse l'ensemble du questionnaire augmentent fortement. De la même façon, à cause de la fatigue qui s'accumule, il est recommandé de ne pas insérer systématiquement les items les plus importants à la fin de l'instrument. Enfin, il faut numéroter chaque item et chaque page pour simplifier la tâche des répondants.

À la sixième étape, le chercheur recrute un échantillon de personnes afin de préexpérimenter la première version de son instrument de mesure et, partant, estimer l'intérêt, les réactions et les connaissances préalables des participants qui seront par la suite rencontrés. Ici, il ne faut pas lésiner sur le nombre de participants rencontrés. En règle générale, un ratio de 10 participants par item apparaît une limite inférieure à respecter (Nunnally, 1978). La qualité et la pertinence des analyses d'items subséquemment entreprises en dépendent directement. L'instrument de mesure doit également être adapté à la clientèle visée. De plus, le chercheur cherche à maximiser le taux de réponse en s'assurant que les participants s'intéressent à l'étude: (p. ex., un questionnaire sur les attitudes à l'égard de la retraite s'adresse plus à des personnes de plus de 50 ans qu'à des jeunes étudiants en milieu universitaire). La nature personnalisée du contact avec les participants, le respect des règles d'anonymat et de confidentialité, la longueur du questionnaire, l'inclusion d'une enveloppe de retour pré-affranchie constituent d'autres facteurs liés au taux de réponse observé.

L'analyse d'items réfère à un ensemble d'analyses quantitatives qui permettent de déterminer la valeur de chaque item (septième étape). Dans ce contexte, le chercheur examine minutieusement les résultats rapportés par les participants de l'échantillon de développement (voir chapitre 6):

(a) Les corrélations item-total révèlent l'homogénéité de chacun des items en référence à l'ensemble des autres items.

(b) La matrice des corrélations inter-items permet de détecter les items redondants qui font augmenter le coefficient alpha de façon artificielle en restreignant l'univers initial d'items à une région trop spécifique du construit.

(c) La variance des items peut être examinée pour déceler les items pour lesquels les participants répondent à peu près tous la même chose. L'absence de variation signifie qu'il est impossible de discriminer les différences individuelles en rapport avec le construit mesuré.

(d) La moyenne aux items se rapproche idéalement du centre de l'étendue des scores possibles. La présence de moyennes se situant aux extrêmes de l'échelle de réponse se répercutera négativement sur la variance des scores. Elle signale la nécessité de reformuler l'item en des termes différents.

(e) Le coefficient de cohérence interne ou coefficient alpha indique dans quelle mesure les items mesurent de façon homogène le construit sous-jacent étudié.

(f) Le coefficient de stabilité temporelle permet d'estimer la relation entre les scores obtenus au même questionnaire à deux moments différents.

(g) L'analyse factorielle permet de déterminer le nombre de dimensions qui sous-tendent le questionnaire.

L'application des techniques d'analyse d'items constitue donc une étape cruciale de la construction des questionnaires. Le lecteur intéressé à en savoir plus peut consulter quantité d'ouvrages spécialisés en psychométrie (Laurencelle, 1998 ; Nunnally, 1978).

Nous illustrerons maintenant les différentes étapes de construction d'un questionnaire à partir d'un exemple concret : le concept d'ajustement dyadique ou conjugal. Nous procéderons à une analyse de ce phénomène psychosocial, nous décrirons un questionnaire fréquemment utilisé et les différentes étapes de mise au point qui ont présidé à son apparition. Nous discuterons ensuite des méthodes de traduction des questionnaires, de l'influence de la désirabilité sociale sur les réponses émises par les participants, des procédures d'administration du questionnaire, ainsi que de l'évaluation clinique du fonctionnement psychologique à l'aide de questionnaires.

7.1.1. Illustration pratique : Le concept d'ajustement dyadique

7.1.1.1. DÉTERMINATION DU PROBLÈME À L'ÉTUDE ET DU SUJET TRAITÉ

La première étape d'une démarche de choix ou de construction d'un questionnaire vise à déterminer clairement ce qui doit être mesuré. Nous devons donc en tout premier lieu analyser la documentation scientifique sur la notion d'ajustement conjugal. Le concept d'ajustement dyadique ou conjugal a pris une place prépondérante dans l'analyse des relations conjugales et familiales, constituant sans contredit l'une des variables les plus étudiées dans ce secteur de recherche (Spanier, 1976 ; Spanier & Filsinger, 1983). L'étude de ce concept a vraiment connu une expansion dans les années 1970.

Des controverses importantes ont été soulevées concernant l'organisation de composantes théoriques de l'ajustement conjugal. Pour rendre compte de cette situation, Spanier et Cole (1976) soulignent l'absence de consensus parmi les auteurs quant à la définition de l'ajustement conjugal. L'examen de diverses définitions émanant des études les plus importantes dans la documentation laisse voir que, malgré certaines similitudes, il n'y a pas deux définitions semblables. De plus, des chercheurs peuvent changer leurs définitions d'une étude à l'autre. Une telle incertitude entraîne, par conséquent, des problèmes d'opérationnalisation et de mise au point de questionnaires.

Le chercheur qui désire évaluer l'ajustement relationnel des conjoints doit débattre des mérites respectifs des conceptions unidimensionnelle ou multidimensionnelle. En effet, il existe un problème de taille concernant l'organisation hiérarchique des dimensions de l'adaptation conjugale. Les tenants de la conception unidimensionnelle privilégient le recours à une mesure générale de l'ajustement, constituée d'un ou de deux items. Selon Fincham et Bradbury (1987), cette pratique a pour avantage de fournir une évaluation globale de la qualité de la relation et d'éviter le chevauchement entre l'ajustement dyadique et d'autres construits d'intérêt (p. ex. communication, satisfaction sexuelle, intimité affective, etc.). En contrepartie, ce type de mesure peut être instable.

La position multidimensionnelle est endossée par les chercheurs qui croient que l'ajustement conjugal est constitué de divers facteurs comme les différences non assumées dans le couple, l'expression affective, la satisfaction, la cohésion, le consensus chez les conjoints (Spanier, 1976).

Il faut également passer en revue les instruments de mesure existants. Certains chercheurs consacrent leur vie professionnelle à l'élaboration d'un questionnaire d'évaluation. Il apparaît donc important de consulter les ressources existantes pour déterminer si la documentation scientifique ne comprend pas un questionnaire qui évalue le concept que le chercheur désire mesurer. De plus, plusieurs compendiums d'instruments de mesure ont été publiés et répertorient des dizaines de questionnaires bien construits et qui possèdent des caractéristiques psychométriques acceptables. Parmi les plus connus, citons celui publié en 1991 par Robinson, Shaver et Wrightsman et intitulé *Measures of Personality and Social Psychological Attitudes*. Il comprend des recensions complètes de questionnaires traitant du bien-être subjectif, de l'estime de soi, de l'anxiété sociale, de la dépression, de la solitude, de l'aliénation et de l'anomie, de la confiance interpersonnelle, du lieu de contrôle, de l'autoritarisme, des rôles sexuels et des valeurs.

En psychologie du couple, de tels ouvrages apparaissent régulièrement (L'Abate & Bagarozzi, 1993 ; Touliatos, Perlmutter, & Straus, 1990 ; Tzeng, 1993). Parmi les instruments publiés et utilisés au cours des 30 dernières années en vue d'évaluer la satisfaction conjugale, les mieux construits sont certes l'Échelle d'ajustement dyadique de Spanier (1976) et l'Inventaire de satisfaction maritale de Snyder (1982). Ces instruments ont acquis une grande crédibilité, parce que leurs auteurs ont utilisé des techniques de construction d'un questionnaire basées sur les principes les plus exigeants de la tradition psychométrique.

Spanier (1976) a élaboré un instrument de mesure de l'ajustement adapté aux relations dyadiques contemporaines. Il porte le nom d'Échelle d'ajustement dyadique « ÉAD » (*Dyadic Adjustment Scale*) et vise à pallier les faiblesses des instruments de mesure répertoriés dans la documentation, incluant celui de Locke et Wallace (1959). Cet instrument comporte deux avantages importants. Premièrement, il peut être utilisé auprès de couples mariés hétérosexuels et peut aussi s'appliquer à d'autres types de relations (p. ex. couples en cohabitation, couples homosexuels), d'où le choix du terme « dyadique ». Deuxièmement et contrairement aux autres instruments, il repose sur un cadre conceptuel bien défini. Celui-ci représente une synthèse des idées qui traversent les écrits scientifiques sur l'adaptation conjugale (Spanier & Cole, 1976). Selon cette conception, l'adaptation est considérée comme un processus continu, pouvant être évalué à des points précis dans le temps sur une dimension allant de bien ajustée à mal ajustée (Spanier, 1976). Ainsi, l'ajustement est vu comme un état plutôt que comme un trait (Baillargeon, Dubois, & Marineau, 1986). Ce processus qui caractérise les changements dans l'ajustement est constitué d'événements, de circonstances et d'interactions qui font évoluer le couple sur le continuum. Spanier (1976) soutient que l'ajustement est déterminé par le degré (a) de différences non assumées dans le couple, (b) de tensions intra et interpersonnelles dans le couple, (c) de satisfaction des partenaires, (d) de cohésion entre les conjoints et (e) de consensus sur des sujets jugés importants pour l'un et/ou l'autre partenaire. Ces composantes théoriques sont décrites en détail dans l'article de Spanier et Cole (1976). Spanier reconnaît que la qualité d'un mariage constitue un phénomène multidimensionnel (Spanier & Lewis, 1980). L'accroissement de l'ajustement est associé aux progrès enregistrés dans ces cinq secteurs de la dyade. C'est à partir de ce modèle conceptuel que Spanier (1976) a développé l'ÉAD.

7.1.1.2. Constitution de la banque d'items

L'ÉAD a été bâtie en plusieurs étapes. D'abord, tous les instruments de mesure de l'adaptation conjugale ont été colligés (p. ex., Locke & Karlsson, 1952; Locke & Wallace, 1959; Orden & Bradburn, 1968), ce qui a permis à Spanier de déterminer un bassin préliminaire d'environ 300 items. Les items redondants ont été éliminés, ce qui a eu pour effet de réduire quelque peu le bassin initial d'items.

7.1.1.3. Construction de l'échelle de réponse

Les items de l'ÉAD sont évalués sur différentes échelles de réponse. Certains items (p. ex. « Dans quelle mesure vous et votre partenaire êtes d'accord ou en désaccord sur la quantité de temps passé ensemble ? ») sont évalués sur une échelle en 6 points allant de 0 (toujours en désaccord) à 5 (toujours d'accord). D'autres items (p. ex. « Embrassez-vous votre partenaire ? ») sont, pour leur part, évalués sur une échelle en 5 points allant de 0 (jamais) à 4 (toujours). Enfin, et toujours à titre d'exemple, quelques items (p. ex., « Le fait d'être trop fatigué pour avoir une relation sexuelle a-t-il provoqué des différences d'opinions ou des problèmes dans votre relation au cours des dernières semaines ? ») sont évalués sur une échelle de type dichotomique (non, oui).

Cela a amené Norton (1983) à critiquer les décisions et la procédure d'échelonnement utilisées par Spanier. D'après Norton, les items sont pondérés de façon inadéquate. Par exemple, les échelles de réponse en plusieurs points sont additionnées avec celles qui sont dichotomiques. La cote « 1 » sur l'échelle dichotomique est traitée d'une façon qui équivaut à la cote « 1 » sur l'échelle en 5, 6 ou 7 points. Pour Norton, « on additionne des pommes et des oranges ». En réponse à Norton, Spanier (1983) prétend qu'il n'y a aucun fondement théorique permettant d'assigner des pondérations différentielles aux items. Toujours selon lui, les analyses qu'il a effectuées dans son étude ne justifient pas l'utilisation de scores pondérés. Norton (1983) critique également la décision prise par Spanier lors de l'élaboration de l'ÉAD, qui consiste à éliminer les variables dont la distribution est fortement asymétrique. La nature des relations conjugales implique probablement ce genre de données asymétriques, précise Norton (1983). Les gens mariés tendent à indiquer dans leur rapport verbal qu'ils ont un mariage heureux. La distribution des données risque donc d'être négativement asymétrique. Si la forte asymétrie permet d'éliminer un item, alors les items restants peuvent être ceux qui possèdent une distribution normale, mais qui sont les moins représentatifs de la qualité conjugale.

7.1.1.4. Évaluation du bassin initial d'items

Trois juges ont examiné la validité de contenu des items à partir de la définition théorique de l'ajustement marital, tel que défini par Spanier et Cole (1976). S'il y avait consensus entre eux quant à la pertinence théorique d'un item, celui-ci était conservé. Dans le cas contraire, l'item était éliminé. À la fin de cette étape approximativement 200 items ont ainsi été retenus.

7.1.1.5. Élaboration du mode de présentation du questionnaire

Les items présentant les mêmes choix de réponse sont regroupés pour former des sections cohérentes. De plus, pour faciliter la tâche des répondants, chaque item est numéroté et clairement associé à son échelle de réponse. Enfin, pour éliminer une part du biais de désirabilité sociale, Spanier a pris soin de souligner dans les consignes de départ que « La plupart des gens éprouvent des problèmes dans leur relation ». Cette stratégie méthodologique vise en quelque sorte à mettre le répondant en confiance et à l'inciter à répondre au questionnaire avec transparence.

7.1.1.6. Création d'un échantillon pour tester la version pilote de l'instrument

Ensuite, ce questionnaire a fait l'objet d'expérimentations. Il a été soumis à 218 personnes mariées de classe socioéconomique moyenne et à 94 individus ayant obtenu un divorce dans les 12 mois précédant l'étude. Les données recueillies ont été soumises à des analyses indiquant la fréquence avec laquelle chaque choix de réponse est utilisé. Les items ayant une faible variabilité et une distribution fortement asymétrique ont été éliminés. Après cette opération, l'échelle contenait 52 items.

7.1.1.7. Analyse d'items

Les moyennes des 52 items retenus pour les échantillons d'individus mariés et divorcés ont été comparées. Les items n'ayant pas discriminé les participants de ces deux échantillons ont été éliminés. Ce processus d'épuration a conduit à l'élaboration d'un questionnaire composé de 40 items. Enfin, ces items ont été soumis à une analyse factorielle. La procédure utilisée a permis de conserver 32 items qui se subdivisent en quatre facteurs : consensus, satisfaction, cohésion et expression affective. À cet égard, des analyses factorielles de type confirmatoire supportent la validité de ce modèle hiérarchique (Sabourin, Lussier, Laplante, & Wright, 1990). De plus, comme cet instrument a été utilisé autant auprès de populations normales que de populations cliniques, les chercheurs disposent de normes correspondantes.

En général, dans les nombreuses études examinant les caractéristiques psychométriques de l'ÉAD, les résultats supportent la consistance interne de l'instrument (Baillargeon et al., 1986 ; Bouchard, Sabourin, Lussier, Wright, & Boucher, 1991 ; Filsinger & Wilson, 1983 ; Sabourin, Bouchard, Wright, Lussier, & Boucher, 1988 ; Sharpley & Cross, 1982 ; Spanier, 1976 ; Spanier & Thompson, 1982). L'instrument semble également avoir une bonne validité discriminante (Margolin, 1981 ; Spanier, 1976).

Certains spécialistes dans le domaine de la psychométrie pourraient proposer une séquence d'analyse d'items quelque peu différente de celle que nous avons décrite et argumenter que les études de validité ne font pas partie intégrante de l'analyse d'items. Nous souscrivons en partie à cette opinion puisqu'à notre avis, le processus de validation des questionnaires ne peut suivre, pour des raisons d'ordre pratique, une séquence bien arrêtée où par exemple l'analyse de cohérence interne précède toujours l'analyse de validité factorielle.

7.2. LA TRADUCTION DE QUESTIONNAIRES

Il existe d'excellents textes sur les règles de traduction d'un questionnaire d'une langue à l'autre (Vallerand, 1989). Voici quelques conseils destinés aux chercheurs qui désirent utiliser un questionnaire déjà publié dans une langue autre que le français ou évaluer la qualité d'un processus de traduction.

(1) Il faut d'abord discuter avec le concepteur du questionnaire ou l'entreprise de commercialisation de l'instrument de mesure. Ces derniers savent, en toute probabilité, si le questionnaire a déjà été traduit en langue française. Ils peuvent aussi vous renseigner sur les méthodes de traduction utilisées, sur les résultats obtenus et sur leur estimation de la qualité de la version française. Cette démarche simple évite de reprendre inutilement les travaux d'autres chercheurs.

(2) Si aucune version française n'existe et si la permission du concepteur de l'instrument est accordée, il faut établir une traduction en langue française du questionnaire. Généralement, deux versions distinctes sont produites respectivement par deux personnes bilingues dont la langue maternelle est le français. Ces versions sont ensuite comparées et une version préliminaire est élaborée à partir des traductions obtenues.

(3) La retraduction constitue l'une des étapes suivantes. Ici, deux personnes bilingues dont la langue maternelle est l'anglais retraduisent la version préliminaire produite à l'étape 2 du français à l'anglais sans consulter la version originale anglaise du questionnaire. La comparaison de ces trois versions donne généralement lieu à des révisions des items en langue française.

(4) Il faut après coup déterminer la clarté des consignes et des items traduits en français. Le chercheur recrute un groupe de plusieurs juges externes qui attribueront une cote de clarté à chacun des items. Ces cotes se font sur une échelle de type Likert, par exemple en quatre points, en déterminant si l'item examiné est très difficile (+1), assez difficile (+2), assez facile (+3) ou très facile (+4) à comprendre. Si plus d'environ 20 % des juges indiquent que l'item est difficile à comprendre, celui-ci doit être révisé puis réexaminé.

(5) Les phases précédentes mènent à une version expérimentale du questionnaire qui sera scrutée par un groupe d'experts en techniques de développement d'instruments et dans le domaine sur lequel porte le questionnaire. Ces experts déterminent si chaque question se rapporte au facteur commun sous-jacent. Si le questionnaire comprend plus d'une dimension, les experts précisent à quelle dimension chaque item se rapporte.

(6) Enfin, la version anglaise et la version finale en langue française du questionnaire sont administrées à un échantillon suffisamment large d'individus bilingues. La comparaison des différences sur chaque paire d'items permet d'identifier les items qui ne sont pas équivalents en anglais et en français. Le cas échéant, leur traduction doit être reprise, et ce jusqu'à ce que l'ensemble du questionnaire soit comparable à la version originale. Il ne reste plus qu'à évaluer la fidélité et la validité de la version française et, idéalement, à établir des normes.

7.3. LA DÉSIRABILITÉ SOCIALE

La désirabilité sociale, qui est définie comme cette tendance des individus à répondre aux questions d'une manière socialement approuvée, est depuis longtemps considérée comme une variable contaminant les questionnaires d'auto-évaluation de toutes sortes (Edwards, 1957). En effet, plusieurs études démontrent que les mesures d'auto-évaluation de diverses caractéristiques reliées au stress, incluant les traits d'anxiété (Edwards, 1957 ; Kimble & Posnick, 1967), les états d'anxiété (Asendorpf & Scheirer, 1983 ; Linden & Frankish, 1984 ; Weinberger, Schwartz, & Davidson, 1979), la prise de notes (*self-monitoring*) sur des événements stressants (Kiecolt-Glaser & Murray, 1980 ; Linden & Fuerstein, 1983), la dépression et l'anxiété (Tanaka-Matsumi & Kameoka, 1986), la détresse et la tendance suicidaire (Linehan & Nielsen, 1981, 1983), sont fortement affectées par la désirabilité sociale. En fait, Linden, Paulhus et Dobson (1986) ont démontré que la désirabilité sociale explique entre 16 % et 30 % de la variance des scores obtenus à diverses mesures d'auto-évaluation de la détresse psychologique. Plus précisément, les participants qui présentent un haut niveau de désirabilité sociale signalent moins de symptômes psychologiques et physiologiques que les participants qui obtiennent des scores plus faibles à cette échelle.

Des études récentes menées par Paulhus (1984, 1986) sur les différents questionnaires de désirabilité sociale ont mis en évidence l'existence de deux facteurs distincts servant à décrire ce concept. L'autoduperie (traduction française de l'expression « Self-Deception », soit la méconnaissance de soi ou auto-illusion) reflète un déni des pensées qui sont menaçantes sur le plan psychologique pour un individu et a pour fonction de le protéger de ces pensées douloureuses ou anxiogènes qu'il a sur lui-même. L'hétéroduperie (traduction française de l'expression « Impression Management », soit le contrôle social de l'image de soi ou aveuglement d'autrui) désigne la tendance à présenter une image favorable de soi *à autrui*. Le phénomène qu'est l'hétéroduperie peut plus facilement être contourné si une relation de confiance est établie entre l'expérimentateur ou l'intervenant et le répondant, quoique ce phénomène puisse tirer son origine d'un trait de personnalité particulier chez certains individus. Le rôle joué par le phénomène d'autoduperie peut être considéré comme plus subtil. Il renvoie l'expérimentateur ou le clinicien à sa capacité d'aider le client à entrer en contact avec les pensées qui sont menaçantes pour lui-même et qui souvent sont refoulées dès qu'elles apparaissent.

Il existe plusieurs méthodes de contrôle de la désirabilité sociale (voir Paulhus, 1991, pour une discussion approfondie).

(1) Lors de la création d'un test on peut recourir à des choix de réponses qui forcent l'individu à se prononcer à l'égard de deux ou plusieurs possibilités qui semblent aussi désirables socialement les unes que les autres.

(2) L'emploi d'une technique statistique nommée « analyse factorielle » sur les réponses du questionnaire et d'une autre qui mesure la désirabilité sociale facilite l'identification et l'élimination des items qui partagent des caractéristiques communes à la désirabilité sociale *et* au concept évalué par l'autre questionnaire.

(3) D'autres analyses statistiques nommées « régression multiple » et « corrélation partielle » (voir chapitre 9) permettent de déterminer la relation entre deux variables d'intérêt, par exemple la personnalité et la satisfaction conjugale, en contrôlant d'abord la contribution de la désirabilité sociale à cette relation.

(4) Certaines méthodes de contrôle de la désirabilité sociale sont étroitement liées aux procédures d'administration des questionnaires. Les consignes sur l'anonymat et la confidentialité jouent un rôle important. L'utilisation de salles séparées pour les conjoints d'un même couple minimise les risques de consultation des réponses d'autrui et de communication entre les partenaires. À ce titre, l'envoi postal du questionnaire à des couples pose problème.

7.4. L'ADMINISTRATION DE QUESTIONNAIRES

Afin de garantir une certaine rigueur méthodologique, il ne faut pas induire de sources d'erreur ou de variation au moment de l'administration de questionnaires. La mesure des variables doit donc se dérouler de façon standardisée. L'administration en face à face de questionnaires demeure à la fois la façon la plus populaire et considérée comme la plus rigoureuse de faire remplir un questionnaire. Cela peut se faire individuellement ou en groupe. Peu importe le contexte, l'administrateur doit prendre conscience que toute modification aux consignes ou aux items risque d'invalider sérieusement et de façon parfois imprévisible la validité ou la fidélité d'un questionnaire. Il faut donc respecter les directives d'utilisation décrites par l'auteur dans le manuel ou sur l'instrument. Il ne faut jamais modifier les questions ou l'échelle de réponse. Finalement, si le répondant demande de clarifier un item il faut éviter de changer la signification de la question ou d'induire une réponse. La meilleure stratégie à adopter dans ces cas consiste à répéter la question et à informer le répondant qu'on ne peut en dire plus sans risquer de fausser le test. Il peut parfois s'avérer nécessaire de lire les questions, soit parce que cela fait partie des consignes fournies à l'administrateur (p. ex., dans le sous-test vocabulaire d'un questionnaire d'intelligence) ou parce que le répondant est incapable de le faire lui-même (p. ex., une personne présentant un handicap visuel). Dans ces cas, il faut redoubler de prudence.

Malgré les avantages méthodologiques de l'administration en face à face, il faut juger des avantages et des inconvénients associés à d'autres modes d'administration en tenant compte *du contexte* de l'étude. Il existe en effet plusieurs autres méthodes de passation, dont l'administration par la poste, l'administration par téléphone, l'administration assistée par ordinateur et l'administration via l'Internet. L'administration par la poste consiste à envoyer le questionnaire par la poste et à attendre le retour des questionnaires remplis. Cette façon de procéder permet de rejoindre un bassin important de participants à un coût moindre que d'engager une personne pour faire des rencontres individuelles. Cette méthode comporte cependant certains risques. Sans précautions préalables (p. ex., expédier un préavis, joindre une lettre d'accompagnement, offrir des renfôrçateurs comme un billet de loterie et expédier une lettre de rappel), le taux de participation peut être relativement faible. De plus, aucun contrôle n'est exercé sur les conditions d'administration du questionnaire. Certaines personnes peuvent y répondre en regardant la télévision ou pendant que des enfants jouent autour d'eux, d'autres peuvent demander l'avis d'une tierce personne, d'autres encore vont le compléter par bribes successives durant leurs temps libres. L'administration au téléphone vient pallier certaines limites de l'administration par la poste tout en permettant de rejoindre des gens éloignés, mais elle possède ses propres contraintes. À moins d'utiliser une entrevue semi-structurée, il faut viser une administration aussi standardisée que dans le cas d'une administration face à face et prêter attention à la fatigue potentielle des répondants. Certains chercheurs utilisent même une combinaison des méthodes par téléphone et par la poste, où les questionnaire envoyés par la poste sont remplis au téléphone (Sudman & Bradburn, 1982).

Avec l'avènement de l'Internet, cette nouvelle façon de répondre aux questionnaires gagne en popularité. Elle permet de rejoindre des gens de partout dans le monde, mais aussi les personnes directement invitées à visiter le site en fonction de caractéristiques définies par le chercheur. Sans parler du fait que seule une classe privilégiée de la société a pour l'instant accès à l'Internet, le principal problème rencontré provient de l'évaluation du taux de participation. Il est possible d'obtenir des informations sur les visiteurs d'une page ou d'un site WEB (allant de leurs adresses électroniques au type d'ordinateur qu'ils utilisent, en passant par le nombre de minutes passées sur le site). Par contre, on ne sait pas nécessairement qui s'y est retrouvé par hasard, combien de personnes ont délibérément évité de consulter le site, quelle est l'identité réelle du répondant et s'il a rempli le questionnaire dans des conditions standardisées et optimales. Par contre, une plus grande utilisation de la vidéoconférence via l'Internet devrait offrir sous peu au chercheur la possibilité de bénéficier des mêmes avantages que ceux associés à l'administration face à face et par téléphone.

7.5. L'ÉVALUATION CLINIQUE DU FONCTIONNEMENT PSYCHOLOGIQUE À L'AIDE DE QUESTIONNAIRES

La valeur scientifique d'une démarche d'évaluation psychosociale dépend nécessairement de la qualité des informations recueillies. Ces informations doivent, dans tous les cas, provenir de sources diversifiées : (a) des données biographiques et historiques, tirées par exemple d'archives sociojudiciaires ; (b) des données observationnelles, provenant des parents, amis, enseignants, conjoint ou de spécialistes qui connaissent bien l'individu ; (c) des données expérimentales objectives recueillies, par exemple, à l'aide de mesures psychophysiologiques (p. ex., le phétysmographe pour les délinquants sexuels) ; et (d) des données subjectives fondées sur le rapport verbal de l'individu et issues plus souvent qu'autrement de questionnaires. Malgré les avantages reliés à cette méthode d'évaluation (voir le tableau 7.3), l'utilisation de questionnaires auto-administrés ne devrait jamais constituer la seule composante d'une démarche évaluative. Idéalement, le spécialiste en sciences sociales s'appuie sur un ensemble de méthodes et de procédures et il s'inspire des convergences et des divergences observées parmi les renseignements obtenus avant de poser un acte professionnel ou de formuler une opinion scientifique. En

TABLEAU 7.3 **Résumé de quelques avantages et inconvénients de la mesure par questionnaire**

Avantages
- Bref
- Simple à utiliser
- Administration standardisée
- Permet d'évaluer la perception qu'a le répondant du phénomène cible.
- Donne accès à des informations de la vie privée que l'on peut difficilement observer.
- Rend possible la mesure de construits complexes et abstraits (p. ex., l'intelligence).

Inconvénients
- Nécessite la collaboration du répondant.
- Est sensible à la désirabilité sociale.
- Le répondant peut ne pas comprendre les questions, pour des raisons
  - d'analphabétisation ;
  - de manque de clarté du contenu ;
  - de capacités intellectuelles limitées ;
  - de complexité de la tâche.
- Processus complexe de développement et de validation s'il faut créer l'instrument.

effet, l'évaluation vise à décrire un phénomène, à en comprendre les multiples facettes, en vue de prendre une décision ou de faire une prévision. Par exemple, lorsque vient le temps d'examiner le comportement d'un délinquant sexuel, l'analyse multidimensionnelle s'impose. Elle tient compte des actes répertoriés au dossier criminel, des répercussions observées chez les victimes, du jugement de cliniciens expérimentés, du profil de réactions psychophysiologiques déviant de l'individu et de ses réponses à divers questionnaires estimant la force de son jugement moral, ses tendances psychopathiques, son degré de satisfaction conjugale s'il vit en couple, etc.

Bien entendu, l'examen des différences individuelles en psychologie de la personnalité et en recherche clinique fait largement appel aux questionnaires. D'ailleurs, d'un strict point de vue historique, l'émergence des questionnaires à vocation d'évaluation psychologique est étroitement liée aux travaux des pionniers de l'approche corrélationnelle en psychologie de la personnalité. En 1883, Sir Francis Galton crée le premier prototype de questionnaire psychologique dans le cadre d'une exposition présentée lors d'une foire universelle. Par la suite, en 1917, Woodworth met au point le premier inventaire de symptomatologie psychiatrique, le « Personal Data Sheet ». Il s'agit d'un test de dépistage des problèmes personnels administré aux soldats qui s'engagent dans l'armée américaine pour participer à la Première Guerre mondiale. Au cours des années 1930, la création de questionnaires d'évaluation de l'extraversion et de prédiction du succès marital doit être notée (Terman, 1938). Les années 1940 donneront naissance au bien connu Inventaire multiphasique de la personnalité du Minnesota, le MMPI (Hathaway & McKinley, 1940). Il va sans dire que ces progrès sont étroitement liés au développement des techniques d'échelonnement et des méthodes statistiques d'ordre corrélationnel. En effet, les travaux sur l'analyse factorielle (voir chapitre 9), de même que la mise au point de modèles de mesure visant à réduire la complexité des données et l'erreur de mesure ainsi qu'à vérifier le caractère multidimensionnel des concepts psychologiques, viendront enrichir l'évaluation par questionnaire. Il faut ici retenir les noms de Thurstone, Guttman et Likert qui démontreront hors de tout doute qu'il est possible d'inférer, à partir des réponses d'un individu à un ensemble d'items, ses attitudes, sa personnalité et ses opinions. Ces modèles de mesure facilitent aussi la comparaison des scores de plusieurs individus vis-à-vis d'un même concept et de les placer en rang sur un continuum qui reflète la force de l'attitude ou du trait mesuré.

Il existe maintenant plusieurs centaines de questionnaires destinés à l'évaluation des aspects psychosociaux du fonctionnement humain (Fisher & Corcoran, 1994). En plus de permettre la quantification du ou des concepts en jeu, ceux-ci servent aussi : (a) au dépistage des problèmes psychosociaux, (b) à la sélection et à l'application d'un plan de traitements psychologiques judicieux et (c) à la mesure des résultats des traitements.

7.5.1. Le dépistage des problèmes psychosociaux

L'utilité des questionnaires à des fins de dépistage des problèmes psychologiques et sociaux est largement reconnue. L'emploi de ce type d'instrument de mesure ne doit cependant pas se faire à l'aveugle. Certains critères doivent être appliqués rigoureusement, afin que le recours à ces systèmes de détection précoce des difficultés d'adaptation psychosociale soit justifié. Ainsi, l'Organisation mondiale de la santé a publié une liste de directives qui peut guider le choix de questionnaires pour le dépistage (Wilson & Jungner, 1968) : (a) le questionnaire doit traiter d'un problème de santé physique et/ou mentale majeur, (b) l'incidence et/ou les répercussions du problème doivent justifier les coûts du dépistage, (c) il doit exister des méthodes de traitement efficace de ces problèmes, (d) le questionnaire utilisé doit posséder des qualités psychométriques satisfaisantes, afin de minimiser les erreurs d'identification des cas et d'éviter de conclure à tort qu'un individu souffre d'une difficulté ou de conclure qu'un individu ne souffre pas du problème alors qu'il en souffre vraiment, (e) le questionnaire doit jouir d'un rapport coût/bénéfice élevé, c'est-à-dire que le temps, les efforts et l'inconfort imposés aux participants doivent être avantageusement compensés par les bénéfices éventuels liés à la participation, (f) le questionnaire doit permettre d'identifier précocement les individus à risque de développer le trouble étudié et (g) le traitement offert aux participants à risque doit être plus efficace que celui offert aux personnes qui souffrent du trouble étudié. Évidemment, ces critères ne traitent pas tous directement du choix de questionnaire de dépistage. Ils montrent cependant la nécessité pour le chercheur et l'intervenant d'adopter une vision globale du processus de recherche et du rôle des questionnaires dans la démarche scientifique et clinique.

Le tableau 7.4 présente sommairement quelques-uns des questionnaires d'évaluation psychosociale les plus utilisés dans les études contemporaines de dépistage des troubles d'adaptation. Dans la plupart des cas, la détresse psychologique y est définie comme un état général d'activation ou d'émotions désagréables, généralement accompagnées de symptômes physiologiques d'intensité variable. Par ailleurs, bien qu'ils disposent tous de propriétés métrologiques rigoureusement démontrées, leur emploi nécessite une bonne dose de prudence et de discernement. Le lecteur intéressé doit consulter directement les manuels publiés pour saisir les limites de ces instruments sur le plan de la validité. Nous reviendrons sur ce point plus loin.

De plus, les chercheurs et les intervenants qui désirent se procurer ces instruments de mesure doivent communiquer directement, dans presque tous les cas, avec les entreprises responsables de la commercialisation de ces produits. Seule la personne ou la compagnie qui détient les droits d'auteur dispose du pouvoir légal d'autoriser un chercheur ou un clinicien à employer son instrument. De plus, plusieurs versions françaises d'un même instrument ont souvent été produites. Les différentes versions produites ne sont malheureusement pas toutes d'égale qualité et, dans certains cas, elles n'ont pas été approuvées par les auteurs des versions originales anglaises. Cela pose d'importants problèmes sur les plans déontologique, légal et scientifique.

TABLEAU 7.4 **Liste de quelques questionnaires d'évaluation disponibles en version française et fréquemment utilisés pour le dépistage des troubles d'adaptation personnelle et sociale**

Description du questionnaire	Échantillon ayant servi à la validation	Versions modifiées
***SCL-90 : Symptom Checklist* – 90 de Derogatis (1983)**		
Mesure de la détresse psychologique selon neuf dimensions : somatisation, obsessions-compulsions, sensibilité interpersonnelle, dépression, anxiété, hostilité, anxiété phobique, idéation paranoïde, traits psychotiques. 90 items.	Adolescents et adultes. Populations non clinique et clinique.	*Brief Symptoms Inventory* 53 items. Version abrégée de 10 items.
***GHQ : General Health Questionnaire* de Goldberg et Williams (1988)**		
Mesure les symptômes somatiques, l'anxiété et l'insomnie, la dépression et les dysfonctions sociales. Il constitue l'un des questionnaires les plus utilisés dans les enquêtes de santé publique et communautaire. 60 items.	Adultes. Population non clinique, souffrant de maladies mentales, de cancer, ou ayant subi des traumatismes physiques.	Versions abrégées de 30 et de 12 items.
***CES-D : Center for Epidemiologic Studies* – Depressed Mood Scale de Radloff (1977)**		
Mesure unidimensionnelle de la dépression et de ses dimensions : affect dépressif, affect positif, troubles somatiques et problèmes interpersonnels. 15 items.	Adultes. Populations clinique et non clinique, ou souffrant de problèmes de santé.	Non
***BDI : Beck Depression Inventory*, Beck, Steer et Garbin (1988)**		
Mesure unidimensionnelle de tous les symptômes caractéristiques de la dépression. 21 items.	Adultes. Populations non clinique et clinique.	Plusieurs révisions et une version pour personnes âgées.

TABLEAU 7.4 **Liste de quelques questionnaires d'évaluation disponibles en version française et fréquemment utilisés pour le dépistage des troubles d'adaptation personnelle et sociale *(suite)***

Description du questionnaire	Échantillon ayant servi à la validation	Versions modifiées
***PSI : Psychiatric Symptoms Index* de Ilfeld (1978)**		
Mesure abrégée et adaptée du *Hopkins Symptom Checklist* évaluant la dépression, l'anxiété, l'agressivité et les problèmes cognitifs. 29 items.	Cet instrument a été administré à un échantillon représentatif du Québec de plus de 16 000 personnes dans le cadre de l'enquête Santé Québec.	Version abrégée de 14 items.
***STAI : State-Trait Anxiety Inventory* de Spielberger (1983)**		
Mesure de l'anxiété utilisant deux échelles : le niveau d'anxiété au moment présent et le trait d'anxiété. 40 items.	Adolescents et adultes. Populations non clinique et clinique.	Versions adaptées pour enfants et personnes âgées.
***CBCL : Child Behavior Checklist* de Achenbach & Edelbrock (1983)**		
Mesure la compétence sociale et des troubles de comportements chez les enfants et les adolescents. Il permet de dégager une évaluation de la déviance. Les parents complètent le questionnaire. 118 items (plus d'autres reliés aux sports, rendement scolaire, etc.).	Parents d'enfants de 4 à 16 ans. Populations non clinique et clinique.	Il existe aussi une version pour les adolescents, une remplie par le professeur et une grille d'observation directe.

7.5.2. La sélection et l'application d'un plan de traitements psychologiques

Les questionnaires d'évaluation psychosociale jouent aussi un rôle de premier plan dans la sélection et l'application d'un plan de traitement ou d'un programme d'intervention. De nos jours, le professionnel qui se risque à entreprendre une intervention clinique qui ne repose pas sur une planification scientifique rigoureuse s'expose à maintes difficultés administratives, déontologiques et légales. Prenons l'exemple d'un intervenant en milieu hospitalier qui rencontre une femme d'une quarantaine d'années qui souffre de dépression. Il travaille au sein d'une clinique où chaque client ne peut être vu que pour un maximum de huit rencontres. Il subit donc d'importantes pressions administratives pour maximiser l'utilisation de son temps. Après une dizaine de minutes d'entretien, l'intervenant décide sans plus attendre d'amorcer une thérapie centrée sur l'acquisition d'habiletés sociales. Ce faisant, il se dispense d'évaluer la situation en profondeur. Il applique un traitement basé sur des pratiques comportementales axées sur l'affirmation de soi. Il procède rapidement, parce que la cliente dit ne vouloir consacrer qu'un très court laps de temps à l'intervention, quelques semaines tout au plus. Après la première séance, la cliente ne se présente plus aux rendez-vous fixés. Le thérapeute reçoit quelques jours plus tard un appel du syndic de l'Ordre professionnel dont il est membre. Celui-ci l'avise qu'il vient de recevoir une plainte le concernant. Cette plainte a été déposée par l'ex-cliente, qui a dû être hospitalisée d'urgence pour idéations suicidaires sévères consécutives à un épisode de violence domestique provoqué par une tentative d'application des habiletés enseignées lors de la première séance. On reproche au thérapeute de ne pas avoir élaboré un plan de traitement s'appuyant sur des données scientifiques complètes et de ne pas avoir obtenu le consentement éclairé de la patiente pour le traitement. Dans cette situation, l'administration d'un inventaire de symptomatologie psychiatrique aurait pu permettre de détecter le risque suicidaire et de l'approfondir en entrevue. De plus, l'emploi d'un questionnaire tel le « Conflict Rating Scale » (Straus, Hamby, Boney-McCoy, & Sugarman, 1996) aurait facilité l'identification des conduites violentes du conjoint. Sans constituer une panacée, les questionnaires peuvent orienter le cours des entretiens initiaux, ils procurent une vision plus nuancée de la situation et entraînent potentiellement une offre de traitement plus appropriée. Il va sans dire que l'exemple présenté ici aurait pu impliquer un thérapeute d'orientation humaniste ou psychodynamique. Les pressions administratives et sociales vécues par l'intervenant psychosocial ne le dispensent pas de ses devoirs professionnels d'évaluer avant d'intervenir et d'offrir une intervention rigoureusement planifiée à partir de données scientifiques complètes.

L'utilisation systématique des questionnaires peut non seulement aider à planifier et à prédire la dose optimale de traitement nécessaire avant d'espérer des résultats significatifs, mais aussi conduire à déterminer la nature du traitement qui a le plus de chance d'aider le patient à atteindre ses objectifs. En 1990, Beutler et Clarkin ont proposé une classification des caractéristiques du fonctionnement psychosocial des individus associées à une réponse différentielle à l'intervention. Ils identifient cinq classes de variables spécifiques : (a) la sévérité de la problématique ; (b) le stade de changement atteint ; (c) la complexité du problème ; (d) le potentiel de résistance et (e) le style d'adaptation et la personnalité. Nous allons aborder chacun de ces thèmes afin d'illustrer les champs d'application des questionnaires, tant pour l'intervenant que pour le chercheur.

7.5.2.1. La sévérité du problème

Les questionnaires permettent évidemment de quantifier l'état d'une situation ou la sévérité d'un problème. Cette réflexion doit cependant être poussée plus loin pour déterminer si la sévérité des symptômes éprouvés doit influencer la nature des interventions effectuées. La consultation des résultats des recherches les plus pertinentes aboutit à deux conclusions générales qui devraient guider le chercheur et le clinicien lorsqu'ils utilisent des questionnaires d'évaluation afin de planifier une intervention.

Premièrement, il existe parfois un seuil de symptomatologie et d'inconfort psychologique en deçà duquel l'efficacité de toute intervention psychosociale est compromise. Il s'agit là d'une situation fréquente chez des personnes qui souffrent de troubles antisociaux, de troubles somatiques associés à des difficultés psychologiques sous-jacentes, mais difficilement détectables, de troubles de la personnalité narcissique ou de troubles conjugaux chroniques. Aussi, une analyse plus poussée semble d'autant plus importante que, dans certains de ces cas, l'examen des scores à des inventaires de symptômes pourrait faussement amener l'intervenant à conclure que toute intervention psychosociale est à proscrire ou que, si une intervention est entreprise, les chances de succès rapide sont grandes. Les personnes qui souffrent de troubles antisociaux ne présentent généralement pas une symptomatologie psychologique élevée. Est-ce à dire que les probabilités de réussite du traitement s'en trouvent améliorées? Évidemment, la réponse à cette question est un non clair et retentissant. En fait, quand ils affichent de tels symptômes, il faut examiner avec minutie la possibilité qu'il s'agisse d'un mode de présentation de soi destiné à manipuler l'environnement social et à obtenir un traitement de faveur ou une sentence allégée. D'où l'importance dans ces cas d'administrer des questionnaires qui comprennent des échelles de validité (p. ex., vouloir se présenter sous un jour favorable ou nier une psychopathologie) qui permettent d'interpréter la signification des symptômes observés. L'analyse du patron de réponse d'un individu antisocial aux questionnaires de détresse psychosociale montre aussi l'intérêt d'inclure des inventaires de personnalité dans une batterie d'évaluations standardisées. Les résultats obtenus à de telles mesures peuvent mener à une compréhension approfondie du profil de détresse psychosociale observé chez un individu. Toutefois, l'administration de questionnaires, tels le MMPI-2 (Butcher, 1989) ou le MCMI-II (Millon, 1987) qui incluent de telles échelles, ne doit jamais mener l'intervenant à négliger les renseignements provenant d'autres sources et son jugement professionnel doit, rappelons-le, s'appuyer sur des données multidimensionnelles tirées de méthodes d'évaluation diversifiées.

Deuxièmement, lorsque les scores aux questionnaires révèlent un degré d'inconfort psychologique qui dépasse le seuil minimal dont nous venons de souligner l'importance, le plan de traitement doit tenir compte des résultats de recherche qui comparent l'efficacité de différents types d'intervention auprès de patients dont le degré de détresse est significatif. Par exemple, les résultats d'une étude récente d'envergure sur le traitement de la dépression majeure (Elkin et al., 1989) montrent que les cas de dépression les plus sévères, tels que déterminés par une combinaison de scores à divers questionnaires, répondent mieux à un traitement pharmacologique qu'à la psychothérapie. Par ailleurs, les personnes rapportant des degrés moyens de dépression bénéficient davantage d'une psychothérapie que de la médication. Enfin, ces auteurs signalent qu'en présence de symptômes dépressifs modérés, la psychothérapie interpersonnelle constitue une meilleure indication que la psychothérapie cognitivo-comportementale. Voici donc un exemple d'étude scientifique fondée sur le recours à des questionnaires standardisés dont les implications sont claires. Plus la dépression semble sévère et de nature endogène/biologique, plus le plan d'intervention doit se fonder sur des traitements médicaux et plus il faut évaluer la nécessité d'hospitaliser la personne pour protéger sa vie. Il ne s'agit là par contre que d'une seule étude et ces résultats devront être confirmés par d'autres études. Le lecteur averti consultera aussi les études comparatives les plus récentes pour déterminer la valeur respective de différents programmes d'intervention (Bergin & Garfield, 1994; Nathan & Gorman, 1998).

7.5.2.2. Le stade de changement atteint

La deuxième catégorie du modèle de Beutler et Clarkin correspond au modèle de planification des changements de Prochaska et ses collègues (1991). Ce modèle se fonde sur le postulat que le choix d'un plan d'intervention doit tenir compte du degré de réflexion que l'individu a atteint vis-à-vis du changement escompté. Ce postulat concerne autant l'intervenant que le chercheur qui s'intéresse à l'efficacité d'une forme d'intervention. Il comprend cinq stades de changement évoluant sur un plan en spirale : la pré-contemplation, l'intention ou la contemplation, la préparation, l'action et le maintien. La pré-contemplation renvoie à une phase où l'individu ne s'interroge pas sur la pertinence d'un changement de comportement ou d'attitude. Les procédures de changement les plus efficaces à ce stade sont centrées sur la prise de conscience des difficultés, la communication d'informations susceptibles d'augmenter celle-ci, la visualisation des conséquences du problème si la situation continue à se détériorer, etc. Au stade de contemplation, la personne commence à penser à la possibilité d'un changement ou d'une transformation, mais elle n'a pas commencé à agir en ce sens. Les techniques de changement recommandées ici visent surtout l'exploration de la signification des difficultés, de leur origine, et ce, peu importe l'orientation théorique des intervenants. Le stade de préparation est atteint lorsque la personne a commencé à faire des démarches de changements : par exemple, elle a commencé à lire des livres sur le problème dont elle souffre ou elle a commencé à pratiquer de nouveaux comportements avec les gens de son entourage. À ce stade, l'intervention doit porter sur le soutien de la motivation de l'individu. Lors de l'action, la personne cherche activement à changer de comportement et elle profite bien d'un traitement basé sur les méthodes comportementales, telles que le contrôle du stimulus et le contre-conditionnement. Ces mêmes techniques de gestion par le renforcement s'appliquent bien aussi lorsque l'individu a changé son comportement et qu'il désire le maintenir. L'intérêt du modèle de Prochaska réside dans les efforts qui ont été déployés pour mettre au point un questionnaire qui mesure la position de l'individu vis-à-vis chacune de ces phases. De plus, ce modèle a été appliqué avec succès pour améliorer la planification des interventions visant à aider les gens à arrêter de fumer. Ce type de questionnaire pourrait être utilisé avec profit pour d'autres types de difficultés psychosociales. Il aiderait sans doute aussi à mieux comprendre les abandons prématurés de traitement.

7.5.2.3. La complexité du problème

La complexité du problème doit être distinguée de la sévérité du problème. Ce sont deux dimensions distinctes. La complexité du problème se rapporte à sa généralisation à plusieurs sphères du fonctionnement psychosocial. Au fur et à mesure qu'un patron de réactions interpersonnelles infiltre différentes situations et qu'il est évoqué par les aspects similaires d'événements fondamentalement différents, le problème se complexifie. Il acquiert une signification symbolique qui transcende divers contextes de vie. Par exemple, le trouble panique qui se sera développé au contact d'une circonstance précise, disons le transport en avion, se transformera en appréhension chronique d'avoir une autre attaque de panique ou en l'incapacité de conduire sa voiture ou même de sortir de la maison. Différentes classes de réponse deviennent alors associées à une même thématique intra ou interpersonnelle. La peur de perdre le contrôle, la peur d'avoir peur, la peur de la dépendance, la peur de l'intimité ou de l'engagement constituent des thèmes qui expliquent parfois une diversité de comportements ou de symptômes évalués à l'aide de divers questionnaires. Il va sans dire que plus la complexité du problème est grande, plus le type d'intervention retenu devra avoir un empan large. En comparaison, un problème simple implique des habitudes transitoires et propres à certaines situations qui sont le produit de contingences environnementales. Par exemple, la classique phobie des chiens développée par suite d'une expérience malencontreuse et maintenue par des comportements d'évitement qui ne s'accompagnent pas d'une tendance généralisée à l'anxiété constitue un problème simple.

7.5.2.4. Le potentiel de résistance

Il existe désormais plusieurs indicateurs de résistance au changement qui s'appliquent à une variété de modèles d'intervention. Il va sans dire que de tels indicateurs peuvent guider la planification du traitement. En présence d'un potentiel de résistance élevé, plusieurs chercheurs ont postulé des effets d'interaction entre les degrés de contrôle, d'intimité et d'empathie des intervenants et les résultats du traitement. Ainsi, les personnes qui font montre d'une hypersensibilité au contrôle ne devraient pas se voir proposer des plans de traitement directifs qui comportent une vaste gamme d'exercices à la maison. Bien souvent ils évoluent plus aisément dans un contexte non directif ou ils réagissent mieux aux techniques paradoxales (Shoham-Solomon, Avner, &

Neeman, 1989). De même, les individus évitants et « allergiques » à l'intimité ne profitent généralement pas autant d'une intervention fondée sur l'empathie et sur l'exploration de soi. Certains chercheurs ont mis au point des questionnaires visant à évaluer le potentiel de résistance (Dowd, Milne, & Wise, 1991). D'autres emploient les échelles de validité d'inventaires de personnalité pour cerner ce même phénomène.

7.5.2.5. Le style d'adaptation et la personnalité

Le style d'adaptation d'un individu est lié aux différents mécanismes affectifs, cognitifs et comportementaux qu'il emploie pour gérer les événements perturbateurs. L'analyse minutieuse des différents questionnaires construits pour mesurer ce concept fait ressortir la présence de trois métadimensions fondamentales : l'adoption de méthodes actives de résolution des problèmes, le recours à des stratégies visant à gérer les émotions négatives suscitées par la situation et l'utilisation de stratégies d'évitement (Lussier, Sabourin, & Turgeon, 1997). D'autres soulignent que les tendances à externaliser ou à internaliser les problèmes influencent considérablement le style d'adaptation des gens. La consultation des études menées jusqu'à ce jour suggère une efficacité différentielle des traitements qui varierait selon le style d'adaptation des individus. Ainsi, les résultats révèlent de façon générale la nécessité d'un appariement du style d'adaptation des clients et des intervenants. Par exemple, les cliniciens qui cherchent surtout à modifier les capacités d'insight et d'exploration de soi réussissent généralement mieux avec des clients qui affichent une propension à internaliser leurs difficultés. À l'inverse, les clients qui externalisent leurs difficultés profitent plus que les autres d'un programme d'intervention centré sur le contrôle des contingences comportementales. Les traits de personnalité constituent aussi des variables qui devraient influencer la planification des traitements psychosociaux.

Généralement, les auteurs décrivent la personnalité comme étant l'organisation des caractéristiques, des sentiments et des comportements qui distinguent un individu d'un autre et qui persistent dans le temps, quelles que soient les situations. Il se dégage deux principaux aspects de cette définition : (a) la différence et (b) la stabilité et la cohérence. La différence représente cette caractéristique qui fait que le comportement des gens ainsi que leurs émotions leur sont aussi personnels que leurs empreintes digitales. La stabilité et la cohérence, quant à elles, indiquent que, malgré les changements qui se produisent chez les individus au cours des années, il demeure en chacun d'eux un niveau de stabilité qui perdure au-delà du temps et des événements et qui les rend uniques et reconnaissables quel que soit le temps ou l'événement (Costa & McCrae, 1980).

Nous ne présenterons que quelques instruments de mesure de la personnalité. L'inventaire de personnalité NEO-PI (Costa & McCrae, 1985) s'inspire des théories contemporaines sur la structure de la personnalité. Il se compose de cinq dimensions, et chacune peut être subdivisée en de multiples facettes : le névrotisme, l'extraversion, l'ouverture, l'amabilité et la conscience (Costa & McCrae, 1985 ; Digman & Inouye, 1986 ; Goldberg, 1981 ; Hogan, 1983 ; McCrae & Costa, 1982, 1987). Ce modèle permet une évaluation des principales composantes de la personnalité dite normale. Il existe plusieurs manuels reliant chacun de ces styles de personnalité à des formes de traitement précis (Costa & Widiger, 1994). De même, les auteurs ont examiné les combinaisons de scores à ces différentes échelles qui complexifient le traitement. Par exemple, les individus qui présentent des profils de personnalité hauts en névrotisme et faibles en amabilité et en conscience constituent bien souvent les défis thérapeutiques les plus exigeants. Enfin, de nombreux chercheurs ont utilisé ce questionnaire pour déterminer s'il existe un appariement optimal des traits de personnalité affichés par les intervenants et leurs patients. De façon générale, les résultats démontrent qu'une concordance des traits de personnalité mène à des traitements plus harmonieux et efficaces (Beutler, Wakefield, & Williams, 1994). Il existe bien d'autres instruments de mesure de la personnalité. Les plus connus sont l'inventaire de personnalité multiphasique du Minnesota, le MMPI-2 (Butcher, 1989) et l'inventaire multiaxial clinique de Millon, le MCMI-II (Millon, 1987). Historiquement, le MMPI a surtout été utilisé en psychopathologie, mais il a aussi été largement employé pour l'évaluation de la personnalité normale. Il comprend plus de 500 items sur une échelle dichotomique (vrai ou faux). Ces items ont été choisis en fonction de leur capacité à différencier des participants normaux de patients psychiatriques sur une base purement empirique et non pas de validité de construit. Le MMPI se compose de plus d'une dizaine d'échelles conceptuelles (p. ex.; la dépression, l'hypomanie, l'hystérie, l'introversion, la paranoïa) et de trois échelles de validité qui permettent de déterminer la probabilité que les réponses d'une personne aient été biaisées par une variété de phénomènes socio-psychologiques. Butcher (1990) a publié un ouvrage traitant exclusivement de l'utilisation du MMPI en vue de la planification de l'intervention psychosociale. Plusieurs chercheurs en psychologie de la personnalité ont critiqué cet instrument en soulignant que les résultats d'analyses factorielles montrent que les différentes échelles de ce questionnaire correspondent presque exclusivement à un thème général de névrotisme plutôt qu'à une multitude de sous-thèmes. Le MMPI ne tiendrait donc pas compte des autres facteurs importants qui composent la personnalité, telles l'extraversion, l'ouverture à l'expérience, l'amabilité et la conscience. Le MCMI-II a été strictement élaboré pour un usage clinique. Il repose sur un modèle circomplexe de la personnalité qui comprend deux dimensions fondamentales. La première dimension traite de deux polarités ; la polarité plaisir-douleur correspond à la capacité des individus d'obtenir satisfaction au travers de diverses expériences de vie, tandis que la polarité soi-autrui permet de déterminer si l'individu s'appuie généralement sur lui-même ou sur autrui pour satisfaire ses besoins psychologiques. La deuxième dimension renvoie à une polarité ou à un continuum qui mène de l'activité à la passivité. Cette dimension décrit les stratégies d'adaptation et les patrons de comportement adoptés par l'individu pour maximiser le plaisir et minimiser la douleur qu'il éprouve. Les différentes permutations sur ces polarités génèrent des styles de personnalité qui correspondent à la dizaine d'échelles de personnalité du MCMI-II : schizoïde, évitant, dépendant, hystrionique, narcissique, antisocial, compulsif, schyzotypal, *borderline*, paranoïde, etc. Le questionnaire comprend aussi d'autres échelles qui portent sur la symptomatologie générale : troubles de la pensée, troubles affectifs, troubles anxieux, troubles somatoformes, etc. Il existe des recommandations de planification du traitement pour chacun des troubles évalués.

7.5.3. La mesure des résultats des interventions

En plus d'être utile pour quantifier la ou les variables psychologiques à l'étude, lors du dépistage des problèmes et de la planification du traitement, les questionnaires d'évaluation psychosociale servent aussi à déterminer l'efficacité d'une intervention. Il apparaît désormais de plus en plus clair que les responsables des systèmes de soins en santé mentale doivent justifier leur existence en démontrant l'efficacité des différents programmes d'ordre préventif et curatif qu'ils administrent. Des impératifs économiques, scientifiques et déontologiques militent en faveur des pratiques d'évaluation de programme (voir chapitre 10). Cependant, bien que les intervenants reconnaissent généralement la pertinence de telles analyses, rares sont ceux qui appliquent un système objectif d'évaluation des effets de leurs interventions. Il va sans dire que de telles évaluations nécessitent l'emploi d'instruments de mesure fidèles et valides. Ces instruments devraient cibler tout au moins la symptomatologie psychosociale, les relations interpersonnelles et conjugales, l'engagement social, la personnalité et le degré de satisfaction des consommateurs de services. Il existe de très bons questionnaires pour chacune de ces sphères de fonctionnement (voir Fisher & Corcoran, 1994). Il importe cependant d'utiliser des instruments de mesure qui disposent de normes tant pour des populations dites normales que pour des populations cliniques. L'importance d'une telle caractéristique tient à la nécessité croissante de distinguer les notions de signification clinique et statistique. La signification statistique réfère aux différences de moyennes observées chez des groupes d'individus soumis à un traitement ou à une liste d'attente. Si les changements observés atteignent un seuil critique déterminé à l'avance (généralement $p < 0,05$), ils sont déclarés statistiquement significatifs. Comme il est expliqué au chapitre 9, dans certaines circonstances précises une très petite différence de moyennes peut atteindre le seuil de signification statistique. De tels changements n'ont pas toujours la magnitude voulue pour que le chercheur ou l'intervenant puisse conclure qu'ils suffisent à transformer significativement la vie de l'individu. L'individu peut avoir encore besoin d'aide pour que son profil de fonctionnement s'apparente à celui de personnes normales. Il s'agit là du concept de signification clinique. Il existe différentes méthodes pour calculer si le niveau de fonctionnement d'une personne se compare avantageusement à celui de la population non clinique (Jacobson & Truax, 1991). Les questionnaires choisis doivent donc idéalement jouir de points de rupture indiquant où les scores deviennent cliniquement significatifs. Ces questionnaires doivent aussi être sensibles aux changements visés. La sensibilité au changement de ces instruments varie considérablement et, avant d'effectuer un choix, la consultation des manuels spécialisés s'impose (Lambert, 1994 ; Laurencelle, 1998). Les coûts d'administration du questionnaire, la simplicité des procédures de compilation des résultats et la compatibilité avec les théories cliniques de l'intervenant constituent d'autres critères à adopter pour choisir un questionnaire sur des bases judicieuses.

7.6. CONCLUSION

En définitive, il importe de préciser que la validité des questionnaires auto-administrés dépend de la capacité des individus à être des observateurs attentifs de leurs processus affectifs, cognitifs et comportementaux. Au surplus, il faut postuler que ceux-ci désirent véritablement divulguer ce qu'ils observent, pensent et ressentent à l'égard de divers aspects de leur expérience. Malgré tout, l'emploi des questionnaires comporte plusieurs avantages. Ceux-ci se prêtent bien au développement d'échantillons normatifs de grande taille qui permettent de comparer l'expérience d'un individu en particulier à celle d'un groupe de personnes qui affichent des caractéristiques similaires ou dissimilaires sur le plan sociodémographique, biomédical ou psychosocial. Le clinicien qui doit déterminer si les difficultés conjugales d'un individu qu'il rencontre justifient une recommandation à une thérapie de couple peut s'inspirer des résultats à un questionnaire. L'administration d'une échelle d'évaluation de la détresse conjugale permettra de situer le profil de cet individu en comparaison, par exemple, à celui des personnes qui habituellement consultent pour ce type de problème. Le travailleur social qui désire vérifier la richesse du réseau social des gens du quartier avec lesquels il travaille dispose de diverses échelles qui permettent de comparer les variations observées selon le statut socioéconomique des citoyens ou leur degré de participation à des activités communautaires. L'utilisation des questionnaires facilite aussi le dévoilement d'événements biographiques embarrassants dont les individus refusent parfois de parler directement dans le cadre d'une entrevue. Pour certains, il s'agira d'expériences traumatiques vécus en bas âge, pour d'autres ce sera la sexualité qui représente un thème difficile à discuter en face à face. Il faut aussi signaler que les questionnaires demeurent les seuls moyens d'obtenir des données scientifiques sur des phénomènes difficilement observables, tels la personnalité, la passion amoureuse, le bonheur, les valeurs et les attitudes. Le recours systématique aux questionnaires peut aussi entraîner l'élaboration de normes valables pour diverses régions géographiques. La représentativité des résultats s'en trouve améliorée. De plus, la compilation des résultats à un questionnaire nécessite moins de ressources que l'analyse du matériel obtenu avec l'observation directe du comportement. Les coûts associés à l'utilisation des questionnaires diminuent donc forcément. Enfin, il s'avère généralement beaucoup plus facile de standardiser l'administration d'un questionnaire que le cours d'une entrevue. Évidemment, en dépit de ces avantages indéniables, les limites des questionnaires doivent être soulignées. Les représentations de soi d'un individu ou sa perception d'une situation peuvent être biaisées par une déformation consciente ou inconsciente de la réalité. Il n'existe pas encore de questionnaires imperméables au mensonge et à la tromperie. Il existe cependant des méthodes pour examiner l'effet de la propension d'un individu à se mentir à lui-même ou à projeter une impression favorable de soi. Quant aux facteurs involontaires qui peuvent influencer la précision ou la clarté du rapport verbal des gens, il faut préciser que ces objections ne tiennent pas si le chercheur désire mesurer la représentation que les gens ont d'eux-mêmes. Ajoutons aussi que l'intervieweur le plus qualifié ou l'observateur le plus expérimenté ne sont pas à l'abri de ces mêmes facteurs involontaires.

7.7. QUESTIONS

1. Énumérez les avantages et inconvénients des questionnaires.
2. Le professeur Picard mène une recherche sur la solitude des gens qui ne peuvent se rendre dans leur famille durant les vacances de Noël. Puisqu'il veut créer son propre questionnaire, donnez-lui quelques conseils pour rédiger ses questions.
3. Comment doit-on procéder pour maximiser la qualité de la traduction d'un questionnaire ?
4. Qu'est-ce que la désirabilité sociale et pourquoi est-ce un phénomène important à considérer lorsqu'on développe ou administre un questionnaire ?
5. Y a-t-il des règles de base à respecter lorsqu'on administre des questionnaires ?

7.8. RÉFÉRENCES

Achenbach, T.M., & Edelbrock, C. (1983). *Manual for the Child Behavior Checklist/4-16 and Revised Child Behavior Profile.* Burlington, VT : University of Vermont, Department of Psychiatry.

Allaire, D. (1988). Questionnaires : Mesure verbale du comportement. Dans M. Robert (Éd.) *Fondements et étapes de la recherche scientifique en psychologie* (pp. 229-275), Saint-Hyacinthe : Edisem.

Asendorpf, J.B., & Scheirer, K.R. (1983). The discrepant repressor : Differentiation between low anxiety, high anxiety and repression of anxiety by autonomic-facial-verbal patterns of behavior. *Journal of Personality and Social Psychology, 45,* 1334-1346.

Baillargeon, J., Dubois, G., & Marineau, R. (1986). Traduction française de l'échelle d'ajustement dyadique. *Revue Canadienne des Sciences du Comportement, 18,* 25-34.

Beck, A.T., Steer, R.A., & Garbin, M.A. (1988). Psychometric properties of the Beck Depression Inventory : Twenty-five years of evaluation. *Clinical Psychology Review, 8,* 77-100.

Bergin, A.E., & Garfield, S.L. (1994). *Handbook of psychotherapy and behavior change* (4e éd.). New York : Wiley.

Beutler, L.E., & Clarkin, J.F. (1990). *Systematic treatment selection : Toward targeted therapeutic interventions.* New York : Brunner/Mazel.

Beutler, L.E., Wakefield, P., & Williams, R.E. (1994). Use of psychological tests/instruments for treatment planning. Dans M.E. Maruish (Éd.), *The use of psychological testing for treatment planning and outcome measurements* (pp. 55-74). Hillsdale, NJ : LEA.

Bouchard, G., Sabourin, S., Lussier, Y., Wright, J., & Boucher, C. (1991). La structure factorielle de la version française de l'échelle d'ajustement dyadique. *Revue Canadienne de Counseling, 25,* 4-11.

Butcher, J.N. (1989). *Adult clinical system user's guide for the MMPI-2.* Minneapolis : University of Minnesota Press.

Butcher, J.N. (1990). *MMPI-2 in psychological treatment.* Minneapolis : University of Minnesota Press.

Coombs, C.H. (1964). *A theory of data.* New York : Wiley.

Costa, P.T., & McCrae, R.R. (1980). Influence of extraversion and neuroticism on subjective wellbeing : Happy and unhappy people. *Journal of Personality and Social Psychology, 38,* 668-698.

Costa, P.T., & McCrae, R.R. (1985). *The NEO Personality Inventory manual.* Odessa, FL : Psychological Assessment Ressources.

Costa, P.T., & Widiger, T.A. (1994). *Personality disorders and the five-factor model of personality.* Washington, DC : American Psychological Association.

Dawis, R. (1987). Scale construction. *Journal of Counseling Psychology. 34*(4), 481-489.

Derogatis, L.R. (1983). *SCL-90-R : Administration, scoring and procedures manual-II.* Baltimore : Clinical Psychometric Research.

DeVellis, R.F. (1991). *Scale development : Theory and applications.* Newbury Park, CA : Sage.

Digman, J.M., & Inouye, J. (1986). Further specification of the five robust factors of personality. *Journal of Personality and Social Psychology, 50,* 116-123.

Dowd, E.T., Milne, C.R., & Wise, S.L. (1991). The Therapeutic Reactance Scale : A measure of psychological reactance. *Journal of Counseling and Development, 69,* 541-545.

Edwards, A. (1957). *The social desirability variable in personality assessment and research.* New York : Dryden.

Elkin, I., Shea, T., Watkins, J.T., Imber, S.D., Sotsky, S.M., Collins, J.F., Glass, D.R., Pilkonis, P.A., Leber, W.R., Docherty, J.P., Feister, S.J., & Parloff, M.B. (1989). National Institute of Mental Health treatment of depression collaborative research program. *Archives of General Psychiatry, 46,* 971-982.

Filsinger, E.E., & Wilson, M.R. (1983). Social anxiety and marital adjustment. *Family Relations, 32,* 513-519.

Fincham, F.D., & Bradbury, T.N. (1987). The assessment of marital quality : A reevaluation. *Journal of Marriage and the Family, 49,* 797-809.

Fisher, J., & Corcoran, K. (1994). *Measures for clinical practice : A sourcebook* (2e éd.) (Vols. 1-2). New York : Free Press.

Goldberg, L.R. (1981). Language and individual differences : The search for universals in personality lexicons. Dans L. Wheeler (Éd.), *Review of Personality and Social Psychology* (Vol. 2, pp. 141-165). Beverly Hills, CA : Sage.

Goldberg, D., & Williams, P. (1988). *A user's guide to the General Health Questionnaire.* Windsor : Nfer-Nelson.

Galton, F. (1883). *Inquiries into human faculties and its development.* London : Macmillan.

Guilford, J.P. (1954). *Psychometric methods* (2e éd.). New York: McGraw-Hill.

Guttman, L. (1944). A basis for scaling qualitative data. *American Sociological Review, 9,* 139-150.

Hathaway, S.R., & McKinley, J.C. (1940). A multiphasic personality schedule (Minnesota): I Construction of the schedule. *Journal of Psychology, 10,* 249-254.

Himmelfarb, S. (1993). *The measurement of attitudes.* Dans A.H. Eagly & S. Chaiken (Éds.), *The psychology of attitudes* (pp. 23-87). Fort Worth, TX: Harcourt Brace Jovanovich.

Hogan, R. (1983). Socioanalytic theory of personality. Dans M.M. Page (Éd.), *1982 Nebraska Symposium on motivation: Personality current theory and research* (pp. 55-89). Lincoln: University of Nebraska Press.

Ilfeld, F.W. (1978). Psychologic status of community residents along major demographic dimensions. *Archive of General Psychiatry, 35,* 716-724.

Jacobson, N.S., & Truax, P. (1991). Clinical significance: A statistical approach to defining meaningful change in psychotherapy research. *Journal of Consulting and Clinical Psychology, 59,* 12-19.

Kiecolt-Glaser, J., & Murray, J.A. (1980). Social desirability bias in self-monitoring data. *Journal of Behavioral Assessment, 2,* 239-247.

Kimble, G.A., & Posnick, G.M. (1967) Anxiety? *Journal of Personality and Social Psychology, 7,* 108-110.

L'Abate, L., & Bagarozzi, D.A. (1993). *Sourcebook of marriage and family evaluation.* New York: Brunner/Mazel.

Lambert, M.J. (1994). Use of psychological tests for outcome assessment. Dans M.E. Maruish (Éd.), *The use of psychological testing for treatment planning and outcome measurements* (pp. 75-97). Hillsdale, NJ: LEA.

Laurencelle, L. (1998). *Théorie et techniques de la mesure instrumentale.* Sainte-Foy: Presses de l'Université du Québec.

Likert, R. (1932). A technique for the measurement of attitudes. *Archives of Psychology, 140,* 5-53.

Linden, M., & Fuerstein, M. (1983). Essential hypertension and social coping behavior: Experimental findings. *Journal of Human Stress, 9,* 22-31.

Linden, W., & Frankish, J. (1984, août). *Cardiovascular response to a competitive stressor as a function of repressive personality style.* Paper presented at the meeting of the American Psychological Asssociation, Toronto, Ontario, Canada.

Linden, W., Paulhus, D.L., & Dobson, K.S. (1986). Effects of response style on the report of psychological and somatic distress. *Journal of Consulting and Clinical Psychology, 54,* 309-313.

Linehan, M.M., & Nielsen, S.L. (1981). Assessment of suicidal ideation and parasuicide: Hopelessness and social desirability. *Journal of Consulting and Clinical Psychology, 49,* 773-775.

Linehan, M.M., & Nielsen, S.L. (1983). Social desirability: Its relevance to measurement of hopelessness and suicidal behavior. *Journal of Consulting and Clinical Psychology, 51,* 141-143.

Locke H.J., & Karlsson, G. (1952). Marital adjustment in Sweden and the U.S. *American Sociological Review, 17,* 10-17.

Locke, H.J., & Wallace, K.M. (1959). Short marital adjustment and prediction tests: Their reliability and validity. *Marriage and Family Living, 22,* 251-255.

Lussier, Y., Sabourin, S., & Turgeon, C. (1997). Coping strategies as moderators of the relationship between attachment and marital adjustment. *Journal of Social and Personal Relationships, 14,* 777-791.

Margolin, G. (1981). Behavior exchange in happy and unhappy marriages: A family life cycle perspective. *Behavior Therapy, 12,* 329-343.

McCrae, R.R., & Costa, P.T. (1982). Self-concept and the stability of personality: Cross-sectional comparisons of self-reports and ratings. *Journal of Personality, 43,* 1282-1292.

McCrae, R.R., & Costa, P.T. (1987). Validation of the five-factor model of personality across instruments and observers. *Journal of Personality and Social Psychology, 52,* 81-90.

Millon, T. (1987). *Manual for the MCMI-II* (2e éd.). Minneapolis: National Computer Systems.

Nathan, P.E., & Gorman, J.M. (1998). *A guide to treatments that work.* New York : Oxford University Press.

Norton, R. (1983). Measuring marital quality : A critical look at the dependent variable. *Journal of Marriage and the Family, 45,* 141-151.

Nunnally, J.C. (1978). *Psychometric theory* (2e éd.). San Franscisco : Jossey-Bass.

Orden, S., & Bradburn, N. (1968). Dimensions of marriage happiness. *American Journal of Sociology, 73,* 715-731.

Osgood, C.E., Suci, G.J., & Tannenbaum, P.H. (1957). *The measurement of meaning.* Urbana : University of Illinois Press.

Paulhus, D.L. (1984). Personality processes and individual differences : Two-component models of socially desirable responding. *Journal of Personality and Social Psychology, 46,* 598-609.

Paulhus, D.L. (1986). Self-deception and impression management in test responses. Dans A. Angleitner & J.S. Wiggins (Éds.), *Personality assessment via questionnaires* (pp. 143-165), New York : Springer Verlag.

Paulhus, D.L. (1991). Dans J.P. Robinson, P.R. Shaver & L.S. Wrightsman. (Éds.), *Measures of Personality and Social Psychological Attitudes.* New York : Academic Press.

Prochaska, J.O., Rossi, J.S., & Wilcox, N.S. (1991). Change processes and psychotherapy outcome in integrative case research. *Journal of Psychotherapy Integration, 1,* 103-120.

Radloff, L.S. (1977). The CES-D scale : A self-report depression scale for research in the general population. *Applied Psychological Measurement, 1,* 385-401.

Robinson, J.P., Shaver, P.R., & Wrightsman, L.S. (1991). *Measures of personality and social psychological attitudes.* New York : Academic Press.

Rosenberg, M.J. (1956). Cognitive structure and attitudinal affect. *Journal of Abnormal and Social Psychology, 53,* 367-372.

Rossi, P.H., Wright, J.D., & Anderson, A.B. (1983). *Handbook of survey research.* San Diego, CA : Academic Press.

Sabourin, S., Bouchard, G., Wright, J., Lussier, Y., & Boucher, B. (1988). L'influence du sexe sur l'invariance factorielle de l'échelle d'ajustement dyadique. *Science et Comportement, 18,* 187-201.

Sabourin, S., Lussier, Y., Laplante, B., & Wright, J. (1990). Unidimensional and muldimensional models of dyadic adjustment: A hierarchical reconciliation. *Psychological Assessment: A Journal of Consulting and Clinical Psychology, 2,* 333-337.

Sharpley, C.F., & Cross, D.G. (1982). A psychometric evaluation of the Spanier Dyadic Adjustment Scale. *Journal of Marriage and the Family, 44,* 739-741.

Shoham-Solomon, V., Avner, R., & Neeman, K. (1989). «You are changed if you do and changed if you don't»: Mechanisms underlying paradoxical interventions. *Journal of Consulting and Clinical Psychology, 57,* 590-598.

Snyder, D.K. (1982). Advances in marital assessment: Behavioral, communications, and psychometric approaches. Dans C.D. Spielberger & J.N. Butcher (Éds.), *Advances in personality assessment* (Vol. 1, pp. 169-201). Hillsdale, NJ: Lawrence Erlbaum Associates.

Spanier, G.B. (1976). Measuring dyadic adjustment: New scales for assessing the quality of marriage and similar dyads. *Journal of Marriage and the Family, 38,* 15-28.

Spanier, G.B. (1983). A rejoinder to «Measuring marital quality: A critical look at the dependent variable». *Journal of Marriage and the Family, 45,* 464-465.

Spanier, G.B., & Cole, C.L. (1976). Toward clarification and investigation of marital adjustment. *International Journal of Sociology of the Family, 6,* 121-146.

Spanier, G.B., & Filsinger, E.E. (1983). The dyadic adjustment scale. Dans E.E. Filsinger (Éd.), *Marriage and family assessment* (pp. 155-168). Beverly Hills: Sage.

Spanier, G.B., & Lewis, R.A. (1980). Marital quality: A review of the seventies. *Journal of Marriage and the Family, 42,* 825-839.

Spanier, G.B., & Thompson, L. (1982). A confirmatory analysis of the Dyadic Adjustment Scale. *Journal of Marriage and the Family, 44,* 731-738.

Spielberger, C.D. (1983). *Manual for the State-Trait Anxiety Inventory: STAI (Form Y).* Palo Alto, CA: Consulting Psychologists Press.

Straus, M.A., Hamby, S.L., Boney-McCoy, S., & Sugarman, D.B. (1996). The revised Conflict Tactics Scales (CTS2). Development and psychometric data. *Journal of Family Issues, 17,* 283-316.

Sudman, S., & Bradburn, N.M. (1982). *Asking questions: A practical guide to questionnaire design.* San Franscisco, CA: Jossey-Bass.

Tanaka-Matsumi, J., & Kameoka, V.A. (1986). Reliabilities and concurrent of popular self-report measures of depression, anxiety, and social desirability. *Journal of Consulting and Clinical Psychology, 54,* 328-333.

Terman, L. (1938). *Psychological factors in marital happiness.* New York: McGraw-Hill.

Thurstone, L.L. (1928). Attitudes can be measures. *American Journal of Sociology, 33,* 529-554.

Touliatos, J., Perlmutter, B.F., & Straus, M.A. (Éds.). (1990). *Handbook of family measurement techniques.* Newbury Park, CA: Sage.

Tzeng, O.C.S. (1993). *Measurement of love and intimate relations: Theories, scales, and applications for love development, maintenance, and dissolution.* Westport, CT: Praeger.

Vallerand, R.J. (1989). Vers une méthodologie de validation transculturelle de questionnaires psychologiques: Implications pour la recherche en langue française. *Psychologie Canadienne, 30,* 662-680.

Weinberger, D.A., Schwartz, G.E., & Davidson, R.J. (1979). Low-anxious, high-anxious, and repressive coping styles: Psychometric patterns and behavioral and physiological responses to stress. *Journal of Abnormal Psychology, 88,* 369-380.

Wilson, J.M., & Jungner, F. (1968). *Principles and practices of screening for diseases.* Geneva: WHO.

Woodworth, R.S. (1917). *Personal data sheet.* Chicago: Stoelting.

CHAPITRE

L'OBSERVATION SYSTÉMATIQUE DES COMPORTEMENTS

Une démarche structurée pour une évaluation valide

Sylvain Coutu, Marc A. Provost et François Bowen

L'observation est une activité naturelle de tous les êtres vivants. Le jeune chimpanzé apprend en observant les adultes. Les prédateurs observent le comportement des troupeaux qu'ils convoitent pour repérer l'animal le plus faible qu'ils prendront en chasse. Chez l'humain, la littérature foisonne de pages décrivant des comportements, témoignant du talent des écrivains pour l'observation de leurs congénères. L'histoire nous enseigne que toutes les sciences ont connu une période d'observation avant de passer à l'expérimentation. Encore de nos jours, l'astronomie est une science reconnue qui se base principalement sur l'observation. Les succès des différents satellites artificiels, télescopes ou sondes envoyés ces dernières années dans l'espace démontrent de façon éclatante que l'observation peut donner aux scientifiques un important corpus d'informations précieuses.

Il faut cependant distinguer l'observation simple de l'observation systématique qui répond à des exigences précises de rigueur scientifique. Par exemple, un observateur peu averti qui irait dans une garderie pourrait être frappé par l'agressivité dont font montre certains enfants entre eux. En fait, une observation rigoureuse nous rassure rapidement sur les capacités sociales des enfants : l'agressivité est certes présente mais d'autres comportements de nature prosociale sont également manifestés par les jeunes enfants dans leur groupe de pairs. Notre observateur se serait donc laissé leurrer par la visibilité des manifestations agressives. Nous tenterons dans ce chapitre de donner les règles à suivre pour éviter de tomber dans les pièges que le comportement humain place sur le chemin de l'observateur novice.

Ainsi, avant toute chose, l'observateur doit préciser la perspective théorique qu'il entend privilégier. Il existe deux grandes orientations en observation : l'approche qualitative-interprétative et l'approche quantitative-empirique (Pellegrini, 1996). Le chercheur qui adopte une approche qualitative-interprétative s'intéresse au phénomène de l'intérieur ; son objectif est de recueillir des données d'observation afin d'attribuer *a posteriori* un sens aux faits observés (par exemple, il pourrait étudier la signification du comportement « frapper de la main » dans un groupe d'enfants). Dans ce type de recherche, le chercheur se perçoit comme le principal instrument de collecte de données (Lamoureux, 1992), ce qui l'amène souvent à opter pour la méthode d'observation participante. Le critère d'objectivité n'est pas un absolu ici, car la recherche qualitative accorde de l'importance à la connaissance tacite et intuitive. Ce type d'approche est particulièrement utilisé en sociologie et en ethnologie.

De son côté, l'approche quantitative-empirique s'intéresse au phénomène de l'extérieur ; elle perçoit la réalité comme un ensemble d'éléments qui forment un tout. Le chercheur qui endosse cette orientation utilise l'observation systématique pour recueillir des données objectives sur un ou plusieurs éléments de la réalité (des comportements ou des événements spécifiques). Cette approche se trouve au cœur d'un bon nombre de travaux actuels effectués en psychologie. Dans ce chapitre, nous aborderons la question de l'observation en privilégiant l'orientation quantitative-empirique. Le lecteur intéressé à connaître les pratiques de l'observation dans le contexte de la recherche qualitative est invité à consulter les ouvrages de Patton (1990), Jaccoud et Mayer (1997) et Chapoulie (1997).

Pour amorcer ce chapitre, nous présentons un bref compte rendu historique relatant les faits marquants du développement des techniques d'observation comme outils d'évaluation et de collecte de données scientifiques. Ensuite, nous tentons de répondre aux questions que se pose tout scientifique qui applique une procédure d'observation systématique : Pourquoi observer ? Où observer ? Quoi observer ? Comment observer ? Suivra la présentation des principaux problèmes ou difficultés que l'observateur risque de rencontrer sur son chemin. Nous aborderons par la suite un aspect fort important inhérent aux études d'observation systématique : les mesures de fidélité intra et inter-observateurs. Le chapitre se termine par un rappel des différentes étapes qui caractérisent la démarche d'observation systématique des comportements.

8.1. UN PEU D'HISTOIRE

Les techniques d'observation ne sont pas nouvelles en soi. Déjà Darwin (1872) avait utilisé de telles techniques en étudiant l'expression des émotions chez l'homme et chez l'animal. La zoologie, à partir des années 1920, a bien pris soin d'accorder une grande place aux études de terrain, de sorte que les connaissances actuelles sur le comportement animal proviennent autant de l'expérimentation que de l'observation.

Par contre, la psychologie a emprunté un chemin différent en préférant s'en remettre à l'expérimentation bien contrôlée ; les chercheurs ont longtemps levé le nez sur des méthodes qui semblaient oublier de contrôler les situations où les comportements se produisent. Quelques auteurs avaient bien élevé la voix et tenté de replacer l'étude du comportement humain dans son contexte naturel (Merleau-Ponty, 1963 ; Politzer, 1969). La puissance de l'approche expérimentale anglo-saxonne laissait bien peu de place à l'observation. En psychologie de l'enfant, quelques chercheurs ont cependant réussi à imposer leurs observations comme objet scientifique réel (Gesell, 1925 ; Parten, 1932 ; Piaget, 1929). Mais ces travaux, bien que très connus, sont restés des cas isolés pendant bon nombre d'années.

En fait, deux approches sont à l'origine d'un certain regain d'intérêt pour l'observation. Tout d'abord, au cours des années

1950, le Midwest Psychological Field Station, à l'Université du Kansas, s'est donné comme tâche de décrire le quotidien des individus pour étudier les comportements qui ne peuvent être étudiés en laboratoire et pour mettre en lumière les séquences de comportement de la vie quotidienne (Barker, 1963; Wright & Barker, 1950). Cette équipe a observé les enfants dans leurs milieux naturels comme l'école ou la maison. Les observateurs enregistraient systématiquement tout ce qui se passait (activités, stimulations, réactions aux autres).

Cette approche a certes donné d'excellentes descriptions du comportement des enfants. Par contre, son intérêt s'est rapidement estompé lorsque l'éthologie, qui émane de la biologie, a fait son entrée en psychologie. Les fondateurs de cette école de pensée, Lorenz, Tinbergen et Von Frish, avaient démontré hors de tout doute l'importance de connaître en détail le comportement en milieu naturel avant d'expérimenter. En biologie, l'éthologie avait pris une large place et avait mené à d'importantes découvertes non seulement sur la description du comportement naturel, mais aussi sur la finalité même de ces comportements pour la survie de l'espèce. Dans certains domaines de la psychologie, on a vite saisi l'intérêt d'adopter les principes de l'éthologie pour l'étude du comportement humain.

Les techniques d'observation sont aujourd'hui très largement utilisées pour décrire et évaluer les comportements humains. Il suffit de consulter les revues scientifiques en psychologie pour constater à quel point les études d'observation occupent une place de premier plan dans les travaux publiés (Barton & Ascion, 1984; Bornstein, Bridgewater, Hickey, & Sweeney, 1980; Pellegrini, 1996). Un tel constat soulève plusieurs questions: Pourquoi choisit-on les techniques d'observation? Quels avantages ces techniques présentent-elles sur les autres instruments de mesure? Que peut-on dire de la qualité (validité) des données issues de l'observation systématique?

8.2. LES QUESTIONS RELIÉES À L'OBSERVATION

8.2.1. Pourquoi observer?

Une première raison qui milite en faveur de l'observation est que l'on reconnaît *de facto* la validité manifeste (*face validity*) des données recueillies à l'aide de cette technique. En effet, dans la mesure où les comportements sont clairement définis et où les observateurs suivent à la lettre les règles et procédures d'observation, il y a tout lieu de croire que les données enregistrées correspondent aux éléments de la réalité qui intéressent le chercheur (puisque ces données découlent de faits directement observables). En fait, l'enregistrement des données d'observation à l'aide d'une technique rigoureuse et systématique comporte généralement moins d'inférences de la part des évaluateurs que les autres méthodes d'évaluation plus indirectes (questionnaire, entrevue, auto-évaluation) qui, elles, dépendent du jugement et des perceptions des participants. L'observation serait ainsi moins influencée par les critères subjectifs que les autres méthodes d'évaluation. Par exemple, il est démontré que l'évaluation globale des comportements (du genre échelle de cotation ou questionnaire d'évaluation des comportements) risque plus d'être biaisée par les facteurs contextuels et les attentes des répondants que l'observation objective des comportements (Cunningham & Tharp, 1981). Bakeman et Gottman (1987) émettent cependant la réserve suivante : l'observation n'est pas toujours entièrement objective, puisque bon nombre de comportements sont des entités construites socialement (des « idées dans la tête du chercheur ») ayant une signification particulière dans un milieu culturel donné et qui sont le fruit d'un consensus social (les comportements « socially based » ; par exemple, les conduites d'opposition à l'adulte). L'observation de ce type de comportement impliquerait donc une certaine subjectivité de la part des observateurs, puisque ceux-ci doivent décoder les indices physiques, leur attribuer un sens et les classifier. Selon Bakeman et Gottman (1987), seules les réponses physiques sont purement objectives, car elles sont identifiables par des indices moteurs ou physiques précis (les comportements *physically based* ; par exemple, les mouvements faciaux caractéristiques du froncement des sourcils). Nous aborderons cet aspect de façon plus détaillée lorsque nous ferons une distinction entre les unités et les catégories comportementales.

Par ailleurs, les données issues de l'observation ont l'avantage d'être contextualisées puisque le chercheur sait exactement dans quelle situation il a observé les comportements. En comparaison, les mesures recueillies par les méthodes d'évaluation indirecte sont relativement indépendantes du contexte (« context-free measures »). Par exemple, un enseignant qui se sert d'une échelle de cotation pour évaluer la fréquence du comportement « se bat avec ses camarades » doit poser un jugement global qui s'appuie sur l'ensemble de ses expériences avec l'enfant évalué ; par conséquent, il est impossible de savoir si le score attribué est lié principalement au contexte de la classe, à celui de la cour d'école ou à d'autres contextes de l'environnement scolaire. Il est aussi difficile de savoir si l'enseignant est sensible ou non aux manifestations agressives des enfants.

L'utilisation des techniques d'observation peut être très appropriée pour détecter des comportements difficilement repérables ou pour mesurer des séquences d'interaction complexes. Dans certains cas, l'utilisation du matériel vidéo peut même se révéler indispensable (pour décoder des expressions faciales, pour évaluer le synchronisme de certaines actions, pour identifier les cibles des comportements, etc.). Par exemple, Tapper et Boulton (2002) ont utilisé avec succès des micros sans fil et des caméras miniatures pour observer l'agressivité d'enfants du primaire dans le contexte scolaire. De nos jours, les observateurs ont accès à toute une panoplie de moyens technologiques qui leur permettent de ralentir la séquence d'action, de grossir l'image ou d'éliminer les bruits parasites, ce qui a pour effet de faciliter leur travail et d'optimiser la qualité de leurs observations.

L'observation apparaît également comme un moyen fort adéquat pour décrire, analyser et évaluer les comportements des enfants. En effet, les jeunes enfants ont des capacités verbales et cognitives plus limitées que les adultes, ce qui rend moins attrayante, voire impossible, l'utilisation des techniques telles que l'entrevue, le questionnaire ou l'auto-évaluation. Comme nous l'avons mentionné précédemment, l'observation systématique s'est révélée particulièrement efficace pour établir le répertoire comportemental des enfants et décrire les changements de comportement au cours de l'enfance (Blurton Jones, 1972 ; Pellegrini, 1996). La documentation scientifique dans le domaine de la psychologie du développement regorge d'études ayant utilisé l'observation directe des comportements pour décrire la nature des relations entre l'enfant et ses partenaires sociaux (notamment la relation mère-enfant). Les années 1970 sont marquées par la prolifération d'études d'observation centrées sur la description des interactions entre l'enfant et ses pairs (voir Brown, Odom, & Holcomb, 1996 ; La Greca & Stark, 1986 pour une revue de la documentation). Plus récemment, les chercheurs ont également eu recours à l'observation pour cerner les caractéristiques des relations jusque-là négligées par la recherche empirique : les relations au sein de la fratrie (Cicirelli, 1995 ; Coutu, Provost, & Pelletier, 1997 ; Dunn,

1992), la relation père-enfant (Dubeau & Coutu, 2003) ou les relations thérapeutes-clients (Hoyt, 2002 ; Strupp, 1993).

L'observation présente aussi plusieurs avantages pour la recherche appliquée, notamment pour ce qui est de l'évaluation de l'efficacité des interventions thérapeutiques. Les mesures d'observation seraient même, dans plusieurs cas, plus « sensibles » que celles produites par les autres types d'instruments pour évaluer les effets des traitements cliniques (Barton & Ascion, 1984 ; Haynes & Wilson, 1979 ; Peterson, Tremblay, Envigman & Popkey, 2002). Par exemple, un questionnaire d'évaluation pourrait révéler peu de changements dans le comportement de jeunes adolescents agressifs ayant participé à un programme d'intervention. Par contre, l'observation des interactions sociales impliquant ces mêmes adolescents pourrait démontrer que l'intervention entraîne une baisse dans la fréquence de certains comportements agressifs (ces différences plus subtiles ont moins de chance d'être perçues par les répondants qui évaluent l'agressivité au post-test à l'aide d'un questionnaire). Par ailleurs, le chercheur qui utilise la même technique d'évaluation indirecte au prétest et au post-test s'expose au problème d'« habituation » à la mesure. Ce facteur d'invalidité interne n'est pas aussi présent dans les recherches d'observation puisque les participants ne sont pas informés des comportements cibles avant et après l'intervention (tandis qu'avec une entrevue ou un questionnaire, les mêmes contenus sont soumis à leur attention ; il y a donc un risque que l'évaluation initiale influence le résultat des évaluations subséquentes).

Dans le cas d'interventions individuelles, les praticiens-chercheurs peuvent avoir recours à l'observation systématique dans l'application de protocoles de recherche à cas unique (voir le chapitre 5). En établissant un niveau de base, en observant le comportement pendant la phase de traitement et en recueillant des observations après la période d'intervention, il devient possible de suivre l'évolution du comportement cible et d'obtenir ainsi des indications sur l'efficacité du traitement proposé au client.

Avant même qu'il soit question d'évaluer les effets de l'intervention, le chercheur-praticien peut utiliser les techniques d'observation pour identifier les participants (les individus cibles) qui pourraient le mieux profiter de l'intervention. Par exemple, certains systèmes d'observation permettent de dépister les enfants qui éprouvent des problèmes d'anxiété et de contrôle de leurs peurs (voir Barrios & Hartmann, 1997 pour une revue de ces techniques). L'observation peut également servir à préciser et à définir les objectifs du programme d'intervention (Jones, Reid, & Patterson, 1975). Certains auteurs (Magerotte, 1984; Pellegrini, 1996) recommandent même de toujours effectuer des observations préliminaires pour bien déterminer les comportements qui seront la cible de l'intervention. Le praticien-chercheur pourra ensuite utiliser une technique d'observation systématique pour noter trois choses: les comportements qui précèdent le comportement cible (les antécédents), la cible (le comportement visé) et les comportements qui suivent immédiatement l'émission du comportement cible (les subséquents). Mieux connu sous le nom de système ABC (en anglais: *Antecedent Behavior Consequence*), cette procédure d'observation offre l'avantage de générer des hypothèses sur les conditions qui favorisent l'apparition et le maintien des conduites cibles dans l'environnement (Barton & Ashion, 1984; Haynes & Wilson, 1979; Magerotte, 1984). De tels renseignements sont très précieux pour guider le praticien-chercheur dans le choix de ses priorités ainsi que dans l'élaboration de ses plans ou programmes d'intervention.

Enfin, l'observation systématique des comportements est une pratique très appréciée par les enseignants et autres professionnels qui interviennent auprès de groupes d'enfants et d'adolescents (Bentzen, 1993; Berthiaume, 2004; Billman & Sherman, 1997; Borich, 1990; Goupil, 1985; Sharman, Coss, & Vennis, 1995). D'ailleurs, la plupart des programmes de formation professionnelle au Québec comprennent un ou plusieurs cours centrés sur l'apprentissage des techniques d'observation systématique (en éducation, en psychologie, en psychoéducation, en travail social, etc.). Beatty (1986) avance huit raisons justifiant l'adoption de ces techniques comme outils de travail des enseignants et des intervenants: (a) pour effectuer une évaluation initiale des capacités de l'enfant, (b) pour identifier les habiletés et les difficultés comportementales, (c) pour élaborer un plan d'intervention individualisée basé sur les besoins spécifiques observés, (d) pour évaluer périodiquement les progrès des individus, (e) pour en connaître davantage sur le développement des enfants dans des domaines particuliers (psychomoteur, affectif, relationnel, etc.), (f) pour résoudre un problème particulier concernant un ou plusieurs enfants, (g) pour transmettre de l'information de qualité aux parents et aux autres spécialistes le cas échéant, et (h) pour amasser de l'information sur le fonctionnement de l'enfant (par exemple de l'information pouvant servir à éclairer les personnes qui doivent se prononcer sur le placement de l'enfant).

Nous venons de le démontrer, l'utilisation de l'observation comporte plusieurs avantages. Cependant, cela n'implique pas pour autant que les autres sources d'information ne sont pas adéquates. Nous pensons plutôt que le chercheur doit d'abord préciser son objet d'étude et définir les paramètres et conditions spécifiques de sa recherche avant de choisir ses instruments de mesure. Ce faisant, il pourra alors soupeser le pour et le contre de chaque instrument et prendre une décision éclairée.

8.2.2. Où observer ?

Une fois que le chercheur a précisé sa question de recherche et qu'il a choisi l'observation comme instrument de mesure, il doit se pencher sur les conditions les plus propices au recueil des données d'observation. La première chose qu'il doit logiquement décider est le contexte de l'observation. En clair, il doit décider s'il est plus approprié d'observer les participants dans un laboratoire ou dans leur milieu de vie habituel. Pour faire ce choix, le chercheur doit considérer tous les avantages et les inconvénients qu'offrent ces deux contextes d'observation, compte tenu du problème à l'étude et des objectifs poursuivis.

Le laboratoire est particulièrement approprié si le chercheur désire démontrer expérimentalement l'effet d'une variable (indépendante) sur le comportement (variable dépendante). C'est en isolant l'effet de la variable indépendante (donc en contrôlant l'effet des autres variables) que le chercheur pourra inférer l'existence d'un lien causal (voir chapitres 2 et 3 de ce volume). Par exemple, Barkley (1977) a utilisé une situation d'observation en laboratoire pour évaluer l'effet d'un médicament, le méthylphénidate (Ritalix[MD]), sur le niveau d'activité et d'attention chez des groupes d'enfants hyperactifs et normaux. Il ne fait pas de doute que le laboratoire permet un meilleur contrôle des variables que le milieu naturel (cela ne veut pas dire pour autant qu'il soit impossible d'effectuer des recherches expérimentales en milieu naturel).

Le laboratoire est également un lieu d'expérimentation propice à l'évaluation des problèmes de comportement des enfants et des adultes (Haynes & Wilson, 1979 ; Mash & Terdal, 1997). Certaines de ces procédures servent à évaluer des comportements en situation d'interactions sociales (par exemple, les interactions entre conjoints, avec les pairs, entre les membres de la famille), alors que d'autres sont conçues pour évaluer les comportements individuels (par exemple, les comportements de peurs et d'anxiété, les comportements alimentaires, les déficits d'attention et l'hyperactivité).

D'autres chercheurs vont effectuer des observations en laboratoire pour décrire les comportements des participants dans des situations difficilement observables dans le milieu naturel (parce qu'elles sont trop peu fréquentes ou parce qu'elles se déroulent à des endroits ou à des moments peu accessibles au chercheur). Par exemple, Pelletier, Vitaro et Coutu (1992) ont comparé les comportements de deux groupes d'enfants dans des situations de provocation simulées en laboratoire : d'une part, des enfants agressifs et rejetés des pairs et, d'autre part, des enfants prosociaux et populaires auprès des pairs. Le défi de cette recherche était d'exposer les enfants à des situations réalistes afin d'obtenir un portrait valide de leur réactivité face aux provocations des pairs. Dans ce cas-ci, l'observation en milieu naturel n'aurait pas été un choix judicieux étant donné les difficultés associées à l'observation des situations « réelles » de provocation : situations souvent difficiles à repérer et dont la fréquence d'apparition est hautement imprévisible (sans oublier l'effet potentiellement inhibant des observateurs sur les provocateurs).

L'observation des comportements humains en laboratoire s'avère fort utile en psychologie pour décrire les différences individuelles, vérifier des hypothèses sur les processus et mécanismes responsables du développement humain et élaborer, par déduction, des théories sur le fonctionnement cognitif, social, émotionnel et affectif. Les travaux de Mary Ainsworth et de ses collaborateurs sur l'attachement mère-enfant constituent, à cet égard, une illustration éloquente du caractère heuristique de l'observation en laboratoire. La situation d'observation qu'elle a conçue pour étudier la qualité du lien affectif mère-enfant est aujourd'hui utilisée partout dans le monde et sert de point de référence aux chercheurs et cliniciens qui s'intéressent aux relations parents-enfant. D'autres travaux intéressants ont utilisé l'observation en laboratoire pour vérifier des hypothèses sur le fonctionnement cognitif et socio-cognitif des enfants. Par exemple, Dodge (1980) a fait la démonstration, en observant des enfants agressifs en laboratoire, que ces derniers avaient tendance à prêter des intentions hostiles à leurs camarades dans les situations de provocation ambiguës. Cette constatation a donné suite à toute une série de recherches sur les déficits socio-cognitifs des enfants agressifs, en plus d'influencer les contenus des programmes d'intervention et de prévention qui leur sont destinés (Dodge, 2003).

Les chercheurs qui utilisent l'observation en laboratoire tiennent pour acquis que les comportements observés sont comparables ou équivalents à ceux émis par les participants dans le milieu naturel (Haynes & Wilson, 1979). Toutefois, il s'en trouve plusieurs pour reprocher aux études menées en laboratoire de produire des résultats ayant une validité écologique douteuse (McCall, 1977 ; Pellegrini, 1996). En effet, il peut être difficile de généraliser les comportements observés dans le contexte particulier du laboratoire à d'autres contextes ; le fait de savoir que les participants peuvent adopter (ou ne pas adopter) certaines conduites dans un milieu contrôlé ne permet pas de dire qu'ils réagiraient effectivement de la même façon dans leur milieu de vie habituel. Soucieux de garantir une plus grande validité écologique des données, plusieurs chercheurs vont préférer recueillir leurs observations là même où vivent les participants : le milieu familial, le milieu de travail, l'école, la garderie, l'hôpital, les centres commerciaux ou de loisirs, etc.

Il existe deux types d'observation en milieu naturel : l'observation non structurée et l'observation semi-structurée (ou semi-standardisée). L'observation non structurée consiste à recueillir des données sur les comportements des participants dans les situations courantes de leur vie, à un moment que le chercheur juge intéressant (par exemple, pendant les récréations à l'école, les jeux libres en garderie, etc.). Ce type d'observation est choisi lorsque le but du chercheur est d'obtenir des informations sur les modes d'adaptation des individus à leur environnement et sur les facteurs contextuels susceptibles d'influencer leur conduite (Altmann et Altmann, 2003). Inspirés par le courant éthologique, plusieurs auteurs ont adopté l'observation systématique en milieu naturel (non structuré) comme moyen privilégié pour décrire les comportements humains normaux (Hinde, 1982) et anormaux (Cairns & Cairns, 1986 ; Tapper et Boulton, 2002).

Pour ce qui est de l'observation semi-structurée, elle consiste à observer les participants dans leur contexte de vie habituel mais dans une situation choisie par le chercheur. Par exemple, Coutu et al. (1997) ont observé des dyades fraternelles d'âge préscolaire à leur domicile dans trois situations de jeu semi-structuré (en leur présentant des jouets nouveaux à assembler). Ce type de contexte est approprié lorsque l'observation vise à décrire des comportements/interactions très spécifiques (ou peu fréquents) ou à relever des différences individuelles. En effet, un observateur qui visiterait plusieurs familles pour noter les comportements interactifs des enfants avec les membres de leur famille pourrait avoir de la difficulté à comparer les participants entre eux s'il n'a pas structuré au minimum la situation d'observation (dans une famille des amis pourraient être présents à la maison, dans une autre les enfants pourraient faire la sieste, dans une autre l'aîné pourrait regarder la télévision pendant que le cadet fait du bricolage, etc.). La standardisation des contextes d'observation s'avère donc un compromis intéressant entre l'observation en laboratoire et l'observation non structurée en milieu naturel. Il va de soi que le chercheur qui retient cette option doit, au préalable, justifier son choix de situation et démontrer que l'option retenue ne pose pas de problème sur le plan de la validité écologique.

Dans les études de terrain (« field study ») et d'évaluation de programmes, les données d'observation sont rarement recueillies dans un seul contexte ; le chercheur n'a souvent pas d'autres choix que de varier ses lieux d'observation pour atteindre ses objectifs, surtout lorsque plusieurs intervenants sont concernés (voir chapitre 10). Les programmes d'intervention actuels impliquent souvent des actions concertées de la part de plusieurs personnes provenant de divers milieux (par exemple, plusieurs programmes destinés aux enfants ayant des problèmes de comportement comprennent des interventions multi-sites ; Beaudoin, Dumas, & Verlaan, 1995 ; Vitaro et Gagnon, 2000). Plutôt que d'embaucher des observateurs indépendants, certains chercheurs vont préférer entraîner des parents, des enseignants ou des intervenants à l'observation systématique pour avoir accès aux comportements des participants dans le plus grand nombre de situations possible (Haynes & Wilson, 1979 ; Pellegrini, 1996 ; Peterson et al., 2002).

8.2.3. Quoi observer ?

8.2.3.1. Le choix des centrations

Un chercheur qui a pris la décision d'utiliser l'observation dans un contexte donné doit maintenant suivre des étapes bien précises pour définir, sélectionner et mettre en place un ensemble de comportements correspondant à ses objectifs. Il doit mettre au point ce que Fassnacht (1982) et Bakeman et Gottman (1986) définissent comme un système d'observation. Certains préfèrent l'expression « grille d'observation » à celle de « système d'observation ». Nous emploierons les deux expressions au cours de ce texte. Le système d'observation comporte deux niveaux : des unités observables directement et des regroupements théoriques d'unités que l'on désigne généralement par le terme « catégories ».

Les unités sont les éléments les plus simples et les plus irréductibles du système. Boehm et Weinberg (1987) les définissent comme les actions directement observables ou les activités réalisées par un individu dans un milieu donné. Par exemple, « frapper », « sourire », « s'asseoir » sont des unités d'observation. La première étape de la recherche consiste donc à choisir les unités qui correspondent le mieux aux objectifs de la recherche. Ce choix essentiel représente l'armature de la qualité et de la validité des résultats. Il doit en outre se faire en fonction de l'utilisation des unités par plusieurs observateurs. Plus les comportements seront simples et précis, plus le consensus entre les membres d'une équipe d'observateurs pourra s'établir rapidement. Fassnacht (1982), Bakeman et Gottman (1986), Boehm et Weinberg (1987) et Beaugrand (1988) établissent les quatre critères suivants pour déterminer correctement des unités comportementales :

1. Les unités doivent être mutuellement exclusives, ce qui facilite leur identification. Par exemple, il faut éviter de mettre dans la même liste « parler en souriant » et « sourire ».
2. Les unités doivent être des comportements concrets et visibles comportant le moins d'inférence possible à des états internes. Introduire des unités comme « tristesse » ou « jalousie » risque de mener à de très longues discussions entre les observateurs et allonger indûment l'entraînement pour obtenir un taux d'accord acceptable (voir plus loin la section sur la fidélité inter-observateurs).
3. La dimension des unités est importante. L'observateur prendra soin de choisir des unités simples, faciles à définir et à codifier sans pour autant sélectionner des actions tellement spécifiques qu'elles ont peu de chance de se produire en cours d'observation. Par exemple un chercheur qui inclurait « trottiner », « courir » et « galoper » dans sa grille risquerait fort de finir par regrouper les trois unités dans ses analyses finales. Il aurait donc perdu son temps à tenter de définir et d'observer trois unités très pointues avec des fréquences d'occurrence trop faibles. Il vaudrait donc mieux qu'il utilise simplement l'unité « courir » et qu'il la définisse comme « toute action motrice plus rapide que la marche ».
4. Les unités doivent être des comportements ayant une fréquence d'occurrence assez élevée dans le contexte d'observation choisi par le chercheur. Par exemple, l'observation d'une classe d'élèves de primaire ne devrait pas contenir des éléments comme « courir » ou « tirer les cheveux ».

La règle de base se résume à inclure tous les comportements cohérents avec les objectifs tout en gardant la grille la plus simple possible pour que les observateurs ne soient pas contraints à des exploits de rapidité qui mettraient en péril la validité de leurs observations. Dans ce sens, il faut, comme dans toute bonne recherche, restreindre ses objectifs d'observation.

Le chercheur peut, pour les besoins des analyses, regrouper ses unités en catégories. Ainsi, « frapper », « menacer », « crier vers un autre » peuvent se regrouper dans la catégorie « agression ». Ces catégories sont souvent utilisées dans les analyses, car elles représentent des concepts théoriques plus faciles à interpréter lors de la discussion des résultats.

8.2.3.2. Événements ou états

Cette distinction cruciale implique une chaîne de décisions ultérieures. Un événement est une action brève, alors qu'un état se prolonge. L'observateur peut donc choisir de travailler sur des événements en notant seulement le moment d'occurrence des comportements (se couche, se lève, lève le bras vers le haut). En général, le choix d'utiliser des événements implique une observation rapide de gestes précis. Par contre, dans certaines circonstances, l'observateur peut utiliser des états (être couché, se tenir debout). Il est clair cependant que chaque type correspond à des questions différentes. Par exemple, des études sur la dominance sociale (Trudel & Strayer, 1985) vont privilégier les événements pour bien saisir la dynamique de l'établissement de cette hiérarchie dans un groupe d'enfants. Ces études vont donc observer des comportements comme « attaque », « menace », « prend », « signale », etc.

Par contre, certaines recherches tentent plutôt de saisir l'organisation du comportement. La recherche classique de Parten (1932) est bien connue en particulier pour la grille qu'elle a développée à cette occasion. L'utilisateur de cette grille doit observer des états comme « en jeu seul », « coopère » ou « en jeu parallèle » en prenant simplement des décisions au sujet de la position relative des enfants dans le groupe. Ces deux exemples démontrent bien l'importance de la distinction événement-état pour guider l'observateur vers le type d'observation qu'il faut privilégier. Ce choix fait, l'observateur pourra alors définir sa procédure d'observation.

8.2.4. Comment observer ?

La dernière question à laquelle le chercheur doit répondre est : comment observer ? Autrement dit, quelles sont les opérations spécifiques que l'observateur doit effectuer pour recueillir les données d'observation désirées ? Ici encore, les réponses qu'il aura fournies aux questions précédentes influenceront ses décisions concernant la marche à suivre. Trois aspects doivent être considérés par le chercheur : la méthode d'échantillonnage, la technique d'enregistrement des données et la procédure d'entraînement des observateurs.

8.2.4.1. La méthode d'échantillonnage

Une recherche ne peut pas prendre en considération toute la population. On doit donc prélever une petite partie de cette population : un échantillon. Un sondage politique n'utilise, en général, que 1000 personnes ; un chercheur en sciences de la santé prélèvera quelques cellules d'un foie malade pour en faire une analyse ou quelques gouttes de sang pour détecter une maladie. L'observateur rigoureux ne peut prétendre observer tous les comportements qui surviennent dans la population qu'il étudie. De toute façon, est-ce bien nécessaire ? À la garderie, est-il nécessaire de suivre toute la journée les enfants pour étudier leurs échanges sociaux ? Un chercheur qui déciderait de le faire pourrait trouver le temps long au moment des siestes, quand les échanges sont pour le moins limités ! Comme tout autre chercheur, il doit faire des choix ; il doit d'abord choisir ses mesures (les comportements ; voir la section précédente), puis décider par la suite des acteurs à observer, des moments préférables pour observer et du type de séquences.

L'ouvrage de référence sur l'échantillonnage en observation est, sans conteste, l'article de Jeanne Altmann (1974), qui a colligé toutes les techniques disponibles (pour une révision récente de ces techniques, voir Altmann et Altmann, 2003). Nous ne présenterons ici que les principales et les plus intéressantes pour des gens désireux d'observer l'espèce humaine. En effet, bien des aspects présentés par Altmann touchent plus spécifiquement les cas particuliers d'observation d'animaux en nature.

Échantillonnage ad libitum

C'est la forme d'échantillonage la plus simple, qu'on nomme aussi les notes sur le terrain (Altmann, 1974). En fait, il ne s'agit pas à proprement parler d'échantillonnage, puisque l'observateur note tout ce qui attire son attention. Plusieurs erreurs se glissent facilement dans ce type d'observation : le chercheur est attiré par certains comportements (l'agression en garderie, comme nous le disions au début de ce chapitre) ou par certains membres du groupe (un enfant plus cabotin que les autres, un garçon plus actif ou plus violent). L'échantillonnage *ad libitum* sert en fait à se faire une idée du type de comportements que l'on peut rencontrer chez le genre d'individus à observer. C'est une première étape où l'observateur se familiarise et assimile. Un observateur qui n'a jamais vu un groupe d'une douzaine d'enfants d'âge préscolaire a sûrement intérêt à regarder quelques bandes vidéo avant de tenter d'observer systématiquement. On peut aussi utiliser cette technique d'échantillonnage pour simplement se laisser imprégner du comportement des participants. La célèbre primatologue Jane Goodall a passé des mois à simplement observer de cette façon une colonie de chimpanzés. Elle a ressorti des trésors d'observations spontanées qu'elle a, par la suite, précisées par des observations plus organisées.

Par ailleurs, comme le souligne Altmann, cette technique permet de temps à autre d'observer un comportement rare mais significatif. Cela peut ouvrir la voie à l'élaboration de nouvelles idées ou de nouveaux projets.

L'échantillonnage par individu cible

Cette méthode d'échantillonnage est très répandue parce qu'elle permet de bien cibler l'objet d'observation. Essentiellement, il s'agit ici de choisir un individu à la fois et de suivre ses activités pendant un laps de temps prédéterminé. L'observateur pourra ainsi, dans un groupe d'enfants, commencer par regarder Sophie pendant deux minutes pour passer ensuite à Olivier pour les deux minutes suivantes et ainsi de suite pour tout le groupe. Il doit déterminer l'ordre des cibles avant le début de sa séance et s'y tenir rigoureusement. Il arrive des moments où la cible ne fait rien, alors qu'il y a plein d'activités plus intéressantes à observer autour ; il faut malgré tout s'en tenir à la cible déterminée. Cette technique exige, comme toute autre technique d'échantillonnage, de revoir souvent chacune des cibles. Cette technique s'utilise aussi bien avec des événements qu'avec des états et elle est particulièrement utile pour étudier des répertoires de comportements (Altmann, 1974) ou pour saisir des aspects particuliers du comportement de sujets cliniques (Hutt & Hutt, 1970). Cette façon de recueillir les données est très flexible, car elle permet des analyses sur les caractéristiques des participants, les comportements et leurs effets (la réponse).

Cette technique est aussi fort appréciée lorsqu'il s'agit de décrire les interactions sociales, puisqu'il est alors facile de consigner l'émetteur, le comportement, la cible du comportement et sa réponse (Gauthier, 1985). Une telle description est possible lorsque les conditions d'observation permettent de suivre sans interférence les participants et lorsque le système d'observation (l'ensemble des unités comportementales) respecte les critères que nous avons énoncés dans la section précédente. Ces conditions respectées, nous pouvons raisonnablement penser que tout ce qui est observé (et noté) durant une période d'observation sur un individu cible représente non seulement l'ensemble de ses propres actions, mais également l'ensemble des actions dirigées vers lui. Pour ces comportements, l'individu cible est vu à la fois comme le donneur et comme le receveur. Cependant, pour estimer le nombre d'interactions entre deux individus cibles, il faut nécessairement posséder un nombre égal de périodes d'observation pour chacun des deux individus, afin de permettre une analyse statistiquement valable. Ce point est très important si l'on désire par exemple établir le réseau des relations sociales au sein d'un groupe en utilisant cette technique.

Une fois que les unités de comportement et la séquence des individus cibles sont fixées, il reste à déterminer la durée d'une observation. Il n'existe pas de règle fixe dans ce domaine. Néanmoins les auteurs (Altmann, 1974, Beaugrand, 1988, Boehm & Weinberg, 1987) soulignent certains éléments à prendre en considération. Certes, il convient de choisir une durée qui permet de noter les séquences des événements ou des états avec le moins de coupures possible causées entre autres par la fin d'une séance. La durée d'une observation sur un individu cible doit être suffisamment longue pour capter des comportements moins fréquents ; plus on augmente cette durée, plus grande est la probabilité de les capter. Altmann (1974) précise toutefois que si l'on désire mener une étude synchronique des comportements, il est préférable que tous les individus ciblés le soient au moins une fois par séance. Voilà pourquoi il est suggéré de ne pas trop étirer les temps d'observation, quitte à augmenter le nombre total de périodes d'observation par participant en augmentant d'autant le nombre de visites dans les milieux. De plus, il ne faut jamais perdre de vue que les situations ou les contextes à l'intérieur desquels nous comptons mener nos observations sont également d'une durée limitée. Finalement, les auteurs s'entendent pour souligner qu'une trop longue période d'observation produit un effet de fatigue préjudiciable pour la qualité des données recueillies. L'observateur doit donc chercher à établir un équilibre entre, d'une part, ses objectifs de recherche et, d'autre part, les contingences qu'impose le milieu d'observation (disponibilité des participants, environnement physique, activités des participants, etc.).

En résumé, avec un système d'observation au point et un nombre suffisant de participants, la technique d'échantillonnage par individu cible représente la meilleure technique pour obtenir un grand nombre de données sur une vaste gamme de comportements individuels et sociaux, et cela, avec un minimum de biais ou d'erreurs (Altmann, 1974 ; Beaugrand, 1988 ; Boehm & Weinberg, 1987). Selon Altmann (1974), c'est sans contredit la technique la plus employée en éthologie et dans les autres disciplines qui utilisent l'observation structurée. Sur le plan de la quantification des données, cette technique permet d'obtenir à la fois la fréquence d'un comportement, sa durée et, si c'est nécessaire, son intensité.

Cependant, en limitant ses observations à un participant à la fois, cette technique ne nous semble pas toujours la plus appropriée pour les recherches menées en laboratoire ou, plus exactement, lorsque les situations d'expérimentation sont courtes et que le nombre d'individus à observer est relativement limité (moins de six participants). Les deux prochaines techniques peuvent être considérées comme des variantes de l'échantillonnage sur un individu cible. La différence réside essentiellement dans le fait que ce sont les comportements qui sont ciblés en premier lieu.

L'échantillonnage complet et continu

Le chercheur peut plutôt choisir de se concentrer non pas sur l'individu, mais sur un comportement en particulier, et en noter toutes les occurrences en un lieu donné pendant un temps déterminé. Par exemple, un observateur s'intéresse à la séquence de demande et d'offre d'un jouet par les enfants de trois ans. Cette technique se distingue de l'échantillonnage par individu cible, puisqu'elle permet de se concentrer plus aisément sur un groupe plutôt que sur un seul individu à la fois. L'utilisation d'une telle technique requiert toutefois le respect de certaines conditions selon Altmann (1974) : (a) la visibilité de l'ensemble du groupe doit être excellente; (b) les comportements doivent être facilement identifiables et détectables (« attention-attracting ») ; (c) les comportements ne doivent pas se produire trop fréquemment, afin de permettre à l'observateur de tout noter. Cette dernière condition est toutefois moins importante si les données d'observation sont enregistrées sur bandes vidéo. Selon Altmann (1974) cette technique permet entre autres d'obtenir les informations suivantes: (a) les pourcentages, taux ou indices basés sur la fréquence des comportements ou des interactions enregistrées, (b) la description précise de courtes séquences comportementales, comme une menace et la réaction qu'elle entraîne, (c) l'étude de la synchronie comportementale (comme la description des réactions de chacun des membres d'un groupe lors d'un événement ou d'une situation spécifique).

L'échantillonnage de séquences comportementales

Cette technique consiste à observer une chaîne de comportements exécutés généralement entre plusieurs individus en interaction. Par exemple, Desbiens (1995) s'intéresse aux interactions que les enfants à la garderie entretiennent avec leur éducatrice. Dans ce cas, la prise de données débute avec une interaction d'un enfant avec l'éducatrice et se continue jusqu'à la fin ou à l'interruption de la séquence entre l'enfant et l'adulte. Cette technique se rapproche de l'échantillonnage par individu cible du fait qu'elle se concentre sur un ou deux individus à la fois, mais s'en distingue dans le sens où la durée de l'observation est déterminée par le déroulement de la séquence. De plus, le choix des individus à observer ne dépend nullement d'un ordre préalablement établi. Altmann (1974) souligne que l'observateur doit avoir déterminé avec précision quels sont les critères qui décident du début et de la fin d'une séquence. En certaines circonstances, l'observateur peut se trouver devant des séquences convergentes où l'un des acteurs quitte le groupe initial pour commencer une activité similaire avec d'autres participants. Par exemple, un individu, victime d'une agression, redirige cette agression en s'en prenant à un tiers. En fait, dans la grande majorité des cas, ces problèmes peuvent être résolus de façon satisfaisante si les séquences que nous observons n'apparaissent pas trop souvent ou bien s'il existe un moyen d'enregistrer simultanément plusieurs séquences (caméra vidéo).

En pratique cette technique permet d'obtenir plus d'information que par l'échantillonnage sur un individu cible, car la séquence ne risque pas d'être interrompue par la fin de la période d'observation. Cette technique permet également d'obtenir un grand échantillon d'interactions sociales dans leurs contextes respectifs.

L'échantillonnage un-zéro

Cette méthode consiste simplement à noter, au cours d'un court laps de temps (par exemple, 15 secondes), si un comportement survient (un) ou non (zéro). Généralement, l'observateur utilise une liste limitée de comportements qu'il coche sur une grille quadrillée selon l'unité de temps choisie. Cette méthode peut s'utiliser pour observer plusieurs individus à la fois ou un seul. Le but de cette méthode est de compléter la fréquence des intervalles de temps où le comportement apparaît (Altmann, 1974).

Pour noter les comportements, deux techniques sont possibles. La première consiste à cocher tous les comportements au moment même où ils sont observés. À chaque intervalle de temps choisi, l'observateur change simplement de ligne, ce qui lui permettra par la suite d'établir des moyennes d'occurrences par intervalle. Cette technique n'est possible que si l'observateur a peu d'individus à suivre et peu de comportements dans sa liste. La seconde technique consiste à noter au terme de la période choisie ce qui se passe à ce moment précis. Cette technique permet d'étudier un plus grand groupe sur plus de comportements que la première technique. Cette technique comporte cependant certaines lacunes, car elle met de côté beaucoup d'informations sur la durée et les contextes entourant le comportement ou l'interaction. Tout ce que l'observateur peut retirer de ses observations est un taux d'occurrence des comportements choisis. Il faut donc que l'échantillonnage des périodes soit relativement important pour avoir du matériel intéressant.

L'échantillonnage par balayage

L'observateur utilise cette méthode pour enregistrer l'activité d'un individu ou d'un groupe à des moments précis (Altmann, 1974; Lehner, 1979). Cette méthode peut permettre d'obtenir des données d'un grand groupe, puisque chaque individu est observé à son tour. Dans les études sur les animaux, cette méthode est très utilisée sur de longues périodes et sert surtout à recueillir des données sur la distribution temporelle des états d'un individu ou d'un groupe (Lehner, 1979). Chez les humains, cette méthode peut aussi avoir des applications sur des périodes plus courtes.

Ainsi, Dumont (1998) a analysé la structure d'attention sociale dans des groupes d'enfants d'âge préscolaire. Ici, la séquence d'observation était de 10 secondes. L'observateur choisissait l'ordre d'observation des enfants, puis observait chaque enfant pendant 10 secondes. Après chaque séquence, il notait le comportement de la cible (ici les regards vers quels autres enfants) et passait ensuite à un autre enfant.

La technique de l'échantillonnage par balayage se révèle très utile pour les comportements du type « état ». Elle est cependant tout à fait contre-indiquée pour les comportements de type « événement », et ce, quelle que soit leur fréquence d'apparition (comme les comportements agressifs). Quant à la détermination de la durée de l'intervalle de temps, celui-ci variera naturellement en fonction de la longueur moyenne du comportement ciblé. Bien qu'il n'existe pas de règle stricte à ce sujet et que le chercheur ne dispose pas toujours de données à cet égard, nous estimons que, pour accroître la probabilité de « tomber » sur le comportement ciblé, il serait souhaitable d'établir la durée de l'intervalle à environ le quart ou le cinquième de la durée moyenne estimée de l'unité comportementale. Par exemple, si la durée estimée du comportement est d'environ deux minutes, la durée de l'intervalle pourrait être de trente secondes. En règle générale, quelques heures seulement d'observations préliminaires sont nécessaires pour réaliser une telle estimation. Tout comme pour l'échantillonnage un-zéro, cette technique requiert que l'observateur puisse disposer d'un appareil lui signalant de façon précise et continue l'intervalle de temps (comme un signal préenregistré sur une enregistreuse transmis par un petit écouteur).

Finalement, l'échantillonnage par balayage peut se révéler une technique complémentaire très utile, en particulier lorsque le système d'observation utilisé comporte un certain nombre d'« états » parmi ses unités. En effet, cette technique permet à l'observateur de consacrer la majeure partie de son temps à la collecte des événements (souvent plus difficiles à identifier parce que plus brefs) en utilisant d'autres techniques (échantillonnages par individu-cible, complet et continu, etc.), puisque la collecte concernant les états ne se fait qu'à des intervalles précis et relativement distants les uns des autres. À titre d'exemple, Bowen, Provost et Dumont (1995) ont combiné l'échantillonnage par individu cible et la technique du balayage, afin de recueillir respectivement des observations sur les comportements prosociaux et antisociaux (événements) et sur le type de participation sociale (états) des enfants dans le groupe de pairs en garderie.

8.2.4.2. L'ENREGISTREMENT DES DONNÉES D'OBSERVATION

La technique d'enregistrement la plus simple (et probablement la plus utilisée) consiste à noter les données d'observation directement sur une feuille d'encodage (*check-list*). Avant d'entreprendre la collecte des données, l'observateur doit normalement inscrire sur cette feuille les renseignements suivants : (a) l'identité des observés (noms des personnes présentes et de l'individu cible ; pour respecter l'anonymat des participants, on recommande d'inscrire des numéros d'identification) ; (b) une description du contexte (lieu et situation) ; (c) des indications sur la période d'observation (date et heure) ; et (d) l'identité de l'observateur. La fiche présente ensuite la liste des unités/catégories comportementales du système d'observation (en désignant directement les comportements ou en utilisant des codes numériques). La feuille d'encodage est structurée de manière à faciliter l'entrée des données ; l'observateur doit pouvoir repérer facilement les codes pour enregistrer l'information au bon endroit. Cette technique d'enregistrement papier-crayon a l'avantage d'être peu coûteuse. Cependant, elle présente deux principaux inconvénients : (1) l'observateur doit cesser d'observer les participants pendant quelques secondes pour procéder à l'enregistrement de chaque donnée (ce problème n'existe pas si la procédure d'échantillonnage prévoit une période d'enregistrement) ; et (2) les données enregistrées doivent être compilées, ce qui ajoute une source d'erreurs possible.

Une seconde technique consiste à utiliser un ordinateur (portatif dans le cas des observations en milieu naturel) pour enregistrer les comportements observés. Cette technique exige que l'observateur mémorise des codes de comportements et apprenne à utiliser un logiciel conçu pour l'entrée des données. L'enregistrement des observations à l'aide d'un ordinateur est plus coûteux que la technique papier-crayon. En revanche, cette façon de faire comporte moins de risques d'erreurs (l'observateur peut observer et enregistrer simultanément ; les données enregistrées sont compilées automatiquement). Des firmes spécialisées dans le domaine technologique (par exemple, NOLDUS) élaborent et commercialisent des outils informatiques à l'intention des chercheurs qui mènent des études d'observation. De tels outils rendent de fiers services aux chercheurs qui s'intéressent à l'étude des séquences comportementales ou à la synchronie des actions. Ces mêmes compagnies développent également des appareils d'enregistrement miniaturisés alimentés par des piles électriques (ayant la forme d'une grosse calculatrice). Bien que très coûteux, ce type d'appareil comporte plusieurs avantages, notamment pour ce qui est de l'observation en milieu naturel : (a) l'observateur peut circuler librement avec son appareil en main pour suivre les déplacements d'un observé ; (b) l'appareil passe plus facilement inaperçu ; (c) l'appareil fournit instantanément des statistiques sur les données recueillies ; (d) l'appareil enregistre les durées de façon automatique et fiable ; enfin, (e) il est possible de décharger la mémoire de l'appareil dans celle d'un ordinateur pour effectuer les analyses statistiques prévues dans le plan d'analyse.

8.2.4.3. L'ENTRAÎNEMENT DES OBSERVATEURS

Le chercheur responsable de l'étude se charge habituellement d'entraîner les observateurs qui participent au recueil des mesures d'observation (le plus souvent, des étudiants assistants de recherche ou des professionnels de recherche ; exceptionnellement, nous avons vu que le chercheur peut aussi entraîner des parents ou des intervenants). Le nombre d'observateurs dépend de la taille de l'échantillon, du nombre de comportements à observer et de la fréquence des périodes d'observation. Dans la mesure du possible, on recommande d'embaucher au moins trois observateurs, afin de ne pas compromettre la poursuite de la collecte de données en cas de désistement ou d'indisponibilité de l'un des observateurs. Le responsable prendra soin de ne pas informer les observateurs des hypothèses ou des objectifs de l'étude pour éviter de biaiser leur jugement. Pour la même raison, il n'informera pas les observateurs de l'appartenance des participants à tel ou tel groupe. La période d'entraînement se déroule habituellement en deux temps.

La première étape consiste à fournir aux observateurs tous les renseignements relatifs à la grille de comportements et à la procédure d'observation (technique d'échantillonnage). Le chercheur doit prendre grand soin de bien expliquer chaque unité ou catégorie comportementale qu'il désire observer. Il doit par la suite s'assurer que tous les observateurs s'entendent sur ces définitions. Idéalement, le chercheur se sert de bandes vidéo/audio préenregistrées pour illustrer les comportements cibles et présenter les sources d'erreurs possibles. Les observateurs en formation doivent se familiariser avec le système d'observation et s'assurer qu'ils ont bien compris les consignes du chercheur. Dans le cas des études utilisant l'observation directe des comportements (en présence des participants), le chercheur doit spécifier aux observateurs l'attitude à adopter pour ne pas perturber le déroulement de la situation ou influencer le comportement des observés (l'attitude neutre et «désintéressée» des observateurs suffit habituellement à décourager les participants qui, spontanément, cherchent à établir le contact avec les observateurs). S'il y a lieu, les observateurs seront initiés à l'utilisation du matériel d'enregistrement des données et à l'équipement technique.

La seconde étape consiste à s'exercer dans les mêmes conditions que celles prévues dans le protocole de l'étude. Les observateurs peuvent ainsi développer leurs habiletés en observation et identifier les comportements qui prêtent à confusion. Lorsqu'ils pensent avoir maîtrisé le système et la procédure d'observation, on procède à une mesure de fidélité inter-juges (*voir la section 8.4.2 de ce chapitre*). Le résultat de cette mesure détermine la marche à suivre: un niveau d'accord faible signifie que les observateurs doivent reprendre le travail d'entraînement et tenter d'identifier les sources d'erreurs. Par contre, un niveau d'accord élevé signifie que les observateurs sont prêts à entreprendre les observations dans les conditions prévues. Il est souhaitable qu'on effectue des mesures de fidélité inter-observateurs à intervalles réguliers pour s'assurer de la qualité des mesures recueillies. Si le chercheur observe une détérioration marquée du taux d'accord entre les observateurs en cours d'expérimentation, il doit cesser la collecte des données afin de cerner le problème (fatigue, réactivité à la mesure, baisse de motivation, oubli des consignes) ; ce n'est qu'une fois le problème corrigé (correction confirmée par un taux d'accord acceptable) que les observations pourront reprendre leur cours. L'expérience démontre qu'il est sage de prévoir des rencontres régulières avec les observateurs pour échanger des vues sur les difficultés rencontrées lors de la prise des mesures d'observation. En effet, de telles rencontres permettent aux observateurs de parler des problèmes vécus et de discuter des solutions possibles.

8.3. PROBLÈMES RELIÉS À L'UTILISATION DES TECHNIQUES D'OBSERVATION

Le chercheur qui choisit l'observation comme technique d'évaluation peut rencontrer certains problèmes sur son chemin. Comme nous l'avons mentionné au début de ce chapitre, les embûches et les pièges liés à la pratique de l'observation sont nombreux et variés. Cinq problèmes spécifiques retiennent surtout l'attention: (a) les coûts élevés, (b) la lourdeur du processus d'observation, (c) le caractère restrictif des observations recueillies, (d) la réactivité des observés à la situation d'observation et (e) les biais de l'observateur. Discutons plus en détail chacun de ces problèmes.

8.3.1. Les coûts élevés

L'observation systématique comporte plusieurs opérations qui coûtent cher. Le chercheur doit, au minimum, embaucher et entraîner trois observateurs pour effectuer la collecte des données. Pour ce faire, il doit disposer d'un matériel d'entraînement adéquat (par exemple, un téléviseur muni d'un vidéoscope). Les périodes d'entraînement et de collecte de données nécessitent habituellement un travail continu pouvant s'étendre sur plusieurs semaines, occasionnant du même coup des dépenses élevées. Les études d'observation menées en laboratoire sont habituellement plus coûteuses, car le chercheur doit prévoir dans son budget des dépenses pour l'aménagement des lieux, l'achat de l'équipement d'observation (microphones, caméras vidéo, miroir sans tain, etc.) et les frais de déplacement des participants.

8.3.2. La lourdeur du processus

La procédure d'observation comprend plusieurs étapes qui impliquent la mise en œuvre de plusieurs opérations. Il est impossible de réaliser toutes ces opérations sur une courte période de temps (même lorsque les conditions idéales sont réunies). Or, le chercheur ne dispose pas toujours des ressources et du temps nécessaires pour entreprendre une étude d'observation.

8.3.3. Le caractère restrictif des observations

Les observateurs ne peuvent pas tout observer et tout noter. Le chercheur doit faire des choix et privilégier le système d'observation qui lui semble le plus approprié en fonction de son problème de recherche (choix de grille d'observation, de situations, de méthodes d'échantillonnage, etc.). Ce faisant, il laissera de côté des comportements et des renseignements potentiellement importants. Une fois la collecte démarrée, le chercheur peut difficilement faire marche arrière et inclure de nouvelles centrations dans sa grille ou modifier sa procédure d'observation (à moins d'entraîner de nouveau les observateurs). Le fait qu'il soit difficile, sinon impossible, de récupérer ces données perdues ou d'apporter des ajustements en cours de recherche constitue une limite des techniques d'observation directe (Forehand, 1990). Ce problème est moins aigu si le chercheur dispose d'enregistrements vidéo, puisqu'il est alors possible d'effectuer de multiples décodages. Cependant, l'observation sur bandes vidéo peut entraîner d'autres types de problèmes : faible qualité des enregistrements, individus cibles placés en dehors du champ de la caméra ou cachés par un objet, comportements verbaux inaudibles ou couverts par les autres sons ou par les bruits parasites.

8.3.4. La réactivité des observés à la situation d'observation

Il y a un principe qui dit qu'observer un phénomène c'est le changer (Bentzen, 1993). Il ne fait pas de doute que la présence d'un observateur (ou du matériel d'observation) est susceptible de modifier les comportements des personnes et d'affecter la validité des données recueillies. Même lorsque l'observateur se fait discret, sa présence seule peut entraîner toute une série de réactions non désirées chez les participants observés. Ces derniers peuvent modifier leurs comportements habituels pour adopter des conduites qu'ils jugent plus acceptables socialement. D'autres peuvent devenir plus anxieux et manifester des signes de nervosité. Au début, l'observateur est un personnage inconnu et intrigant qui attire l'attention. Il n'est donc pas recommandé qu'il recueille les observations dès les premières minutes de la rencontre initiale, car c'est probablement à ce moment que les participants sont les plus conscients de la présence de l'observateur. Il est sans doute préférable de prévoir une période de temps pour permettre aux personnes de s'habituer à la présence de ce dernier. L'expérience démontre que les personnes observées (en particulier les enfants) se lassent habituellement très vite d'un observateur passif qui ne répond pas à leurs sollicitations (Masling & Stern, 1969). Par mesure de précaution, on conseille tout de même aux observateurs de faire preuve de beaucoup de discrétion et de tout faire en leur possible pour ne pas attirer sur eux l'attention des participants (en évitant les contacts visuels directs, en ayant l'air affairé, en répondant de façon brève aux questions qui leur sont adressées, etc.).

8.3.5. Les biais de l'observateur

Malgré tous les efforts déployés par le chercheur pour atteindre le plus haut niveau d'objectivité, les données d'observation peuvent être empreintes d'une certaine subjectivité attribuable aux biais de l'observateur. En effet, comme tout être humain, l'observateur a assimilé tout au long de sa vie des connaissances sur le monde qui l'entoure, il s'est construit des attentes face aux autres, il a développé une certaine représentation du monde et de la réalité. Tout cela est de nature à nuire à la qualité objective de ses observations. Par exemple, un observateur qui note les comportements de garçons et de filles à l'école pourrait être influencé par sa propre conception des comportements masculins et féminins ou encore par ses croyances concernant les différences sexuelles. Les écrits scientifiques mentionnent souvent deux types de biais potentiels, soit le biais de sévérité et le biais de halo. Le biais de sévérité signifie que l'observateur utilise des critères trop ou pas assez sévères lors de ses évaluations, ce qui peut affecter notamment la moyenne des résultats rapportés (Hoyt, 2000). Les désavantages de ce biais se manifestent particulièrement lorsqu'on désire comparer ou mettre en commun les résultats rapportés par plusieurs observateurs. Instinctivement, on peut penser par exemple aux différences relevées par les étudiants lorsque différents professeurs corrigent leurs travaux. Le biais de halo (Thorndike, 1920) décrit l'impact qu'une impression préalable de la part de l'observateur peut avoir sur ses observations subséquentes. Par exemple, si un observateur développe une opinion favorable envers un participant lors des premières minutes d'observation et que cela influence par la suite le jugement qu'il porte sur les comportements de ce participant, on qualifiera ce biais d'effet de halo. Le biais de l'observateur est très difficile à mesurer et à contrôler (Hoyt, 2000). Seuls des critères clairs pour définir les centrations peuvent assurer une certaine objectivité et limiter les effets nuisibles des biais sur la validité des données d'observation. Seuls des critères clairs pour définir les centrations peuvent assurer une certaine objectivité et limiter les effets nuisibles des biais sur la validité des données d'observation.

8.4. LA FIDÉLITÉ DES OBSERVATIONS

Nous venons de le voir, l'observation repose en grande partie sur la capacité des observateurs à décrire correctement ce qui se passe réellement. Lorsqu'un chercheur organise son plan de recherche, il choisit des mesures du comportement qui sont éprouvées et les plus objectives possible ; il peut donc se fier sur ses résultats. Un électrocardiogramme et le nombre de fois où un rat presse un levier sont des mesures fiables car il suffit de compter les battements ou les pressions pour obtenir un résultat. La notion de fidélité s'applique aussi à un questionnaire ou à un test validé.

Une observation, par contre, peut susciter des doutes. Est-ce que l'observateur a bien vu ce qui s'est passé, parfois très rapidement ? N'a-t-il pas interprété plutôt ce que décrit l'action qu'il a enregistrée ? L'observation exige donc une période d'entraînement et une contre-expertise de plusieurs observateurs. Il est ici primordial de dégager et de calculer la fidélité des observateurs.

8.4.1. L'intra-fidélité

L'intra-fidélité consiste à vérifier si un observateur, une fois bien entraîné, sait maintenir son niveau de précision avec le temps. Ne va-t-il pas s'améliorer avec la pratique ? Ou, au contraire, perdra-t-il de son efficacité et de sa précision en se fiant trop à ses habiletés ? Chaque observateur doit donc pouvoir se comparer à lui-même à plusieurs moments de l'étude, surtout s'il s'agit d'une recherche qui suit des participants sur plusieurs mois. Il faut ainsi prévoir, avant de commencer toute observation, une banque de bandes vidéo où chaque observateur choisira des segments particuliers qu'il observera à de nombreuses reprises au cours de la période d'expérimentation. Cette précaution permettra de suivre l'évolution de chaque observateur et de corriger certains glissements qui pourraient se produire. Par exemple, un de nos programmes de recherche (Bowen et al., 1995 ; Provost, 1996) exigeait que les observateurs passent une heure par jour dans un groupe de garderies. Nos collaborateurs en venaient à connaître les enfants et à prévoir leurs réactions. Il fallait donc qu'ils restent vigilants pour ne noter que ce qu'ils voyaient réellement en évitant de consigner un comportement avant qu'il se produise ou à la place de ce qui arrivait réellement. Il fallait donc éviter à tout prix d'être surpris par une réaction inattendue et être bien certain des capacités des collaborateurs pour noter un comportement imprévisible de la part de la cible de l'observateur. Une observation répétée des mêmes séquences permettait aux observateurs de tester concrètement la stabilité de leurs capacités.

8.4.2. L'inter-fidélité

Rester stable dans son jugement n'est pas le seul gage de précision. Un observateur seul peut rester stable dans son erreur ! Il faut donc s'assurer que ce qu'inscrit un observateur pourrait être consigné exactement de la même façon par un observateur indépendant. Il faut ainsi démontrer que d'autres observateurs qui reprendraient ailleurs la même étude dans des conditions similaires arriveraient aux mêmes résultats. Plusieurs facteurs peuvent en effet mettre en péril la précision de l'observation. Lehner (1979) souligne en particulier la clarté des unités comportementales à l'étude. Une discussion préliminaire entre les observateurs permet en général de résoudre ce problème. Est-ce que tous les collaborateurs comprennent bien ce que « menace » veut dire ? Est-ce qu'ils voient en même temps cette action chez un enfant ? Avant de s'engager sur le terrain, lors de la période d'entraînement, les observateurs peuvent utiliser un équipement audiovisuel pour visionner, de façon indépendante, les mêmes séquences et vérifier s'ils ont noté les mêmes comportements au même moment. Ici aussi, un bon plan de recherche prévoira une mesure périodique de la fidélité inter-juges.

8.4.3. Mesures de fidélité

Pour les deux types de fidélité, la mesure est relativement aisée. Il s'agit simplement de recueillir les réponses communes des observateurs (ou du même observateur à plusieurs reprises) et de diviser par le nombre total d'observations. On multiplie généralement par 100 pour obtenir un pourcentage d'accord. Cette mesure se nomme le taux d'accord inter-juges. Par exemple, la séquence d'observation dure cinq minutes et le plan d'observation prévoit une observation à toutes les 15 secondes. Il y aura donc 20 observations pour chaque observateur. Au terme de la séance de visionnement, les observateurs comparent leurs réponses. À 17 reprises, ils ont noté la même réponse. Le taux d'accord est donc de 85 %

$$\frac{17 \times 100}{20} = 85\,\%$$

Le pourcentage d'accord est fort utilisé. Il ne donne cependant pas une image parfaite de l'accord. En effet, la séquence peut contenir un nombre élevé d'un comportement en particulier ou elle peut montrer une interaction particulièrement difficile à coder à cause de la rapidité (deux enfants qui s'amusent à une bataille de coussins en riant aux éclats). Dans ces deux cas, il faut corriger les taux d'accord qui peuvent apparaître artificiellement élevés (dans le cas d'un comportement qui revient trop souvent) ou artificiellement bas (dans le cas où le comportement serait très difficile à coder). Lehner (1979) suggère, pour les données nominales, l'utilisation de la statistique kappa de Cohen (1960) qui calcule le taux d'accord attribuable à la chance :

$$K = \frac{Po - Pc}{1 - Pc}$$

où Po = proportion de l'accord observé

et Pc = proportion de l'accord se produisant par hasard.

L'exemple suivant illustre cette formule. Deux observateurs observent une séquence avec 100 unités d'observation. Une fois les données recueillies, ils organisent le tableau suivant :

TABLEAU 8.1 **Illustration du calcul du kappa**

		Deuxième observateur					
	Comportements	**Comportements**					**Total des colonnes**
		1	**2**	**3**	**4**	**5**	
Premier observateur	1	**7**		1			8
	2	1	**24**				25
	3	1	1	**17**	2	2	23
	4			3	**25**	1	29
	5				1	**14**	15
	Total des rangées	9	25	21	28	17	100

La diagonale de ce tableau indique les unités d'observation où les deux observateurs étaient d'accord (7 fois pour le comportement 1, 24 fois pour le comportement 2 et ainsi de suite). Un rapide coup d'œil au tableau permet aussi de constater que les comportements ne semblent pas s'être distribués de la même façon au cours de la séquence et que les deux observateurs ont parfois noté des comportements différents. Ainsi, le premier observateur a vu une fois le comportement 1, alors que le deuxième voyait le comportement 3.

Le pourcentage d'accord donne ici

$$\frac{87}{100} \text{ (somme de la diagonale)} \times 100 = 87\,\%$$

Le kappa, par contre, se calcule comme suit :

$$Pc = \frac{(9 \times 8) + (25 \times 25) + (23 \times 21) + (29 \times 28) + (15 \times 17)}{100 \times 100} = 0{,}2247$$

C'est-à-dire la somme des produits des totaux pour chaque comportement chez chaque observateur divisée par le produit du nombre total d'observations réalisées par chaque observateur.

Le kappa est donc de

$$\frac{0{,}87 - 0{,}2247}{1 - 0{,}2247} = 0{,}83$$

Le coefficient kappa peut varier entre 0 (aucune entente) et + 1 (entente parfaite) (voir chapitre 9). Un kappa de 0,60 est généralement considéré comme acceptable alors qu'un kappa de 0,80 ou plus est jugé bon (Suen & Ary, 1989). Notons qu'il existe plusieurs autres procédures statistiques qui permettent d'établir le niveau de consistance (intra et inter-observateurs) ; par exemple, les coefficients de corrélation et de généralisabilité (Mitchell, 1979 ; Shavelson, Webb, & Rowley, 1989). Cependant, en raison des nombreux avantages qu'il présente, le kappa demeure la mesure d'accord inter-observateurs la plus recommandée (Pellegrini, 1996). Le lecteur intéressé peut consulter l'article de Brennan et Prediger (1981) sur les variantes du kappa.

8.5. CONCLUSION

En terminant, récapitulons les étapes à suivre pour organiser une recherche utilisant l'observation systématique. Ces différentes étapes sont présentées sous la forme d'un tableau synthèse pouvant servir de grille d'analyse des études d'observation.

8.6. QUESTIONS

1. Quelle est la différence entre une observation non structurée et l'observation semi-structurée ?

2. Le chercheur Robillard inclut dans une grille d'observation systématique des comportements d'enfants dans une salle de classe les dimensions suivantes: « sourire » « demi-sourire » « sourire étonné » et « sourire timide ». Qu'en pensez-vous ?
3. Distinguez l'échantillonnage par individu cible et l'échantillonnage par balayage.
4. Quel avantage présente la statistique kappa dans le calcul du taux d'accord entre les observateurs ?

TABLEAU 8.2 **Étapes de réalisation d'une étude d'observation systématique**

Étapes	Questions	Opérations
1	Pourquoi observer	Définir l'objet d'étude (problématique, phénomène, question de recherche ou problème clinique). Évaluer si l'observation constitue le moyen le plus approprié pour mesurer le phénomène à l'étude. Il faut ici évaluer le rationnel de l'observation comme méthode de collecte de données empiriques. Cette évaluation doit se faire en tenant compte des variables suivantes: les caractéristiques des participants, le niveau de précision attendu sur le plan de la mesure, les risques de biais externes, les ressources financières, le temps alloué à la collecte de données et, finalement, la possibilité d'entraîner des observateurs indépendants.
2	Où observer	Choisir le contexte de l'observation: contexte structuré du laboratoire ou contexte semi-structuré en milieu naturel. Observation limitée à un seul site ou multi-sites. Le chercheur doit démontrer que le choix de son contexte d'observation est le plus approprié en fonction du but. Il doit aussi se prononcer sur la validité écologique des données recueillies (peut-on généraliser les données à d'autres contextes ?).
3	Quoi observer	Identifier les centrations de l'observation (les comportements cibles). On peut utiliser un système ou une grille d'observation déjà établis (s'ils existent) ou élaborer son propre système. Il faut s'assurer ici que les unités ou les catégories comportementales retenues sont définies de façon opérationnelle et qu'elles représentent les meilleurs indices comportementaux pour résoudre le problème. Cette étape est cruciale car elle concerne la validité des mesures.

TABLEAU 8.2 **Étapes de réalisation d'une étude d'observation systématique *(suite)***

Étapes	Questions	Opérations
4	Comment observer	Définir les règles et procédures d'enregistrement. Il s'agit ici de définir la séquence des opérations à exécuter pour recueillir systématiquement les données d'observation. Le chercheur doit faire des choix méthodologiques en tenant compte des contraintes et des conditions particulières inhérentes à son étude. Concrètement, cela signifie choisir la méthode d'échantillonnage (*ad libitum*, un-zéro, par balayage, etc.) et la méthode d'enregistrement les plus appropriées (observation directe *vs* enregistrement vidéoscopique suivi d'un décodage des bandes vidéo ; utilisation d'appareils informatisés d'enregistrement des observations).
5	Quand observer	Il faut d'abord entraîner les observateurs. Prévoir une période d'entraînement pour familiariser les observateurs avec le système et la procédure d'observation. L'utilisation de bandes vidéo permet d'illustrer les comportements cibles et de déceler les erreurs possibles. Pratiquer ensuite l'observation dans des conditions analogues à celles prévues dans l'étude. Calculer les indices de fidélité inter-juges et intra-juge (s'il y a lieu). Retourner à l'entraînement si les taux d'accord sont insatisfaisants. Commencer la période de collecte des données si les taux d'accord sont acceptables.
6	Comment évaluer la fidélité des mesures	Calculer le niveau d'entente entre les observateurs (% d'accord, coefficient kappa) pendant la période d'entraînement des observateurs et pendant la période de collecte des données. L'indice kappa est le plus recommandé.
7	Comment traiter les données recueillies	Informatiser les données d'observation et effectuer le traitement statistique prévu dans le plan d'analyse.
8	Quels sont les limites ou les problèmes de l'étude	Relever les facteurs ayant pu nuire à la qualité des données. Dresser la liste des moyens pris par le chercheur pour assurer l'objectivité des données recueillies (conditions optimales d'observation, choix de situation pertinent, contrôle des biais possibles, déroulement et procédure adéquats, observateurs non informés des objectifs et des groupes d'appartenance des participants, etc.).

8.7. RÉFÉRENCES

Altmann, J. (1974). Observational study of behavior: Sampling methods. *Behavior, 49*, 227-265.

Altmann, S.A., & Altmann, J. (2003). The transformation of behaviour field studies. *Animal Behaviour, 65*, 413-423.

Bakeman, R., & Gottman, J.M. (1986). *Observing interaction.* New York: Cambridge University Press.

Bakeman, R., & Gottman, J.M. (1987). Applying observational methods: A systematic view. Dans J.D. Osofsky (Éd.), *Handbook of infant development*, (2e éd.) (chap. 15). New York: Wiley.

Barker, R.G. (1963) (Éd). *The stream of behavior: Explorations of its structure and content.* New York: Appleton.

Barkley, R.A. (1977). The effects of methylphenidate on various types of activity level and attention in hyperkinetic children. *Journal of Abnormal Child Psychology, 5*, 351-370.

Barrios, B.A., & Hartmann, D.P. (1997). Fears and anxiety. Dans E.J. Mash & L.G. Terdal (Éds.), *Assessment of childhood disorders* (chap. 5) (3e éd.). New York: The Guilford Press.

Barton, E.J., & Ascion, F.R. (1984). Direct observation. Dans P.H. Ollendick & M. Hersen (Éds.), *Child behavioral assessment, principles, and procedures* (pp. 166-194). New York: Pergamon Press.

Beatty, J.J. (1986). *Observing development of the young child.* Columbus: Merrill Publishing Co.

Beaudoin, L., Dumas, J., & Verlaan, P. (1995). Les désordres de la conduite (2). Approches thérapeutiques à base empirique. *Revue Canadienne de Psycho-éducation, 24*, 71-92.

Beaugrand, J.P. (1988). Observation directe du comportement. Dans M. Robert (Éd.), *Fondements et étapes de la recherche scientifique en psychologie* (chap. 10), (3e éd.). Saint-Hyacinthe: Edisem.

Bentzen, W.R. (1993). *Seeing young children: A guide to observing and recording behavior* (2e éd.). Albany: Delmar Publishers Inc.

Berthiaume, D. (2004). *L'observation de l'enfant en milieu éducatif.* Montréal: Gaëtan Morin Éditeur.

Billman, J., & Sherman, J.A. (1997). *Observation and participation in early childhood settings.* Boston : Allyn & Bacon.

Blurton Jones, N. (Éd.), (1972). *Ethological studies of child behaviour.* Cambridge : Cambridge University Press.

Boehm, A.E., & Weinberg, R.A. (1987). *The classroom observer : Developing observation skills in early childhood settings.* New York : Teachers College Press.

Borich, G.D. (1990). *Observation skills for effective teaching.* Columbus : Merrill Publishing Co.

Bornstein, P.H., Bridgewater, C.A., Hickey, J.S., & Sweeney, T.M. (1980). Characteristics and trends in behavioral assessment : An archival analysis. *Behavioral Assessment, 2,* 125-133.

Bowen, F., Provost, M.A., & Dumont, M. (1995). Une étude observationnelle du développement des conduites prosociales et antisociales entre les pairs à la garderie. *Revue Canadienne de l'Étude en Petite Enfance, 4,* 17-28.

Brennan, R.L., & Prediger, D.L. (1981). Coefficient Kappa : Some use, misuses, and alternatives. *Educational and Psychological Measurement, 41,* 687-698.

Brown, W.H., Odom, S.L., & Holcombe, A. (1996). Observational assessment of young childrens' social behavior with peers. *Early Childhood Research Quarterly, 11,* 19-40.

Cairns, R., & Cairns, B. (1986). An evolutionary and developmental perspective on aggression. Dans C. Zahn-Waxler, E. Cummings & R. Iannoti (Éds.), *Altruism and aggression* (pp. 58-87). New York : Cambridge University Press.

Chapoulie, J.-M. (1997). La place de l'observation directe et du travail de terrain dans la recherche en sciences sociales. Dans J. Poupart, J.-P. Deslauriers, L.-H. Groulx, A. Laperrière, R. Mayer & A.P. Pires (Éds.), *La recherche qualitative : Diversité des champs et des pratiques au Québec* (chap. 4). Boucherville : Gaëtan Morin éditeur.

Cicirelli, V.G. (1995). *Sibling relationships across the life span.* New York : Plenum Press.

Coutu, S., Provost, M.A., & Pelletier, D. (1997). Observation des interactions fraternelles chez des enfants d'âge préscolaire. *Revue Canadienne de Psycho-éducation, 26,* 123-138.

Cunningham, T.R., & Tharp, R.G. (1981). The influence of settings on accuracy and reliability of behavioral observation. *Behavioral Assessment, 3*, 67-78.

Darwin, C. (1872). *Expression of the emotions in man and animals.* Londres : Murray.

Cohen, J. (1960). A coefficient of agreement for nominal scales. *Educational and Psychological Measurement, 20*, 37-46.

Desbiens, L. (1995). La relation affective enfants-éducatrice en fonction de la relation mère-enfant. Trois-Rivières. Thèse de doctorat inédite.

Dodge, K.A. (2003). Do social information processing patterns mediate aggressive behaviour? Dans B. Lahey, T. Moffitt, & A. Caspi (Éds.), *Causes of conduct disorder and juvenile delinquency* (pp. 254-274). New York : Guilford Press.

Dodge, K.A. (1980). Social cognition and children's aggressive behavior. *Child Development, 51*, 162-170.

Dubeau, D., & Coutu, S. (2003). Un père et une mère, des différences qui font la différence. *Prisme, 41*, 58-75.

Dumont, M. (1998). La différence intersexuelle des comportements pro et anti-sociaux. Trois-Rivières. Thèse de doctorat inédite.

Dunn, J. (1992). Sisters and brothers : Current issues in developmental research. Dans F. Boers & J. Dunn (Éds.), *Children's sibling relationships : developmental and clinical issues* (pp. 1-18). Hillsdale : Lawrence Erlbaum Associates Publishers.

Fassnacht, G. (1982). *Theory and practice of observing behaviour.* New York : Academic Press.

Forehand, R. (1990). Families with a conduct problem child. Dans G.H. Brody & I. E. Sigel (Éds.), *Methods of family research : Biographies of research projects. Volume 2 : Clinical populations* (pp. 1-30). Hillsdale : Lawrence Erlbaum Associates Publishers.

Fortin, A. (1988). Plans de recherche à cas unique. Dans M. Robert (Éd.), *Fondements et étapes de la recherche scientifique en psychologie* (pp. 191-212), (3e éd.). Saint-Hyacinthe : Edisem.

Gauthier, R. (1985). Techniques d'enregistrement du comportement. Dans R.E. Tremblay, M.A. Provost & F.F. Strayer (Éds.), *Éthologie et développement de l'enfant.* Paris : Stock, Laurence Pernoud.

Gesell, A.L. (1925). *The mental growth of the pre-school child : A psychological outline of normal development from birth to the sixth year, including a system of developmental diagnosis.* New York : Macmillan.

Goupil, G. (1985). *Observer en classe.* Brossard : Behaviora.

Haynes, S.N., & Wilson, C.C. (1979). *Behavioral assessment.* San Francisco : Jossey-Bass Publishers.

Hinde, R. (1982). *Ethology.* London : Fontana.

Hoyt, W.T. (2000). Rater bias in psychological research : When is ti a problem and what can we do about it ? *Psychological Methods, 5*(1), 64-86.

Hoyt, W.T. (2002). Bias in participant ratings of psychotherapy process : An initial generalizability study. *Journal of Counseling Psychology, 49*(1), 35-46.

Hutt, S.J., & Hutt, C. (1970). *Direct observation and measurement of behavior.* Springfield : Charles C. Thomas Publisher.

Jaccoud, M., & Mayer, R. (1997). L'observation en situation et la recherche qualitative. Dans J. Poupart, J.-P. Deslauriers, L.-H. Groulx, A. Laperrière, R. Mayer & A.P. Pires (Éds.), *La recherche qualitative : Enjeux épistémologiques et méthodologiques* (Partie III). Boucherville : Gaëtan Morin éditeur.

Jones, R.R., Reid, J.B., & Patterson, G.R. (1975). Naturalistic observation in clinical assessment. Dans P. McReynolds (Éd.), *Advances in psychological assessment* (pp. 42-95). San Francisco : Jossey-Bass.

Ladouceur, R., & Bégin, G. (1980). *Protocoles de recherche en sciences appliquées et fondamentales.* Saint-Hyacinthe : Edisem.

Lamoureux, A. (1992). *Une démarche scientifique en sciences humaines.* Laval : Éditions Études Vivantes.

La Greca, A.M., & Stark, P. (1986). Naturalistic observations of children's social behavior. Dans P.S. Strain, M.J. Guralnick & H.M. Walker (Éds.), *Children's social behavior, development, assessment, and modification* (pp. 181-213). Orlando: Academic Press.

Lehner, P.N. (1979). *Handbook of ethological methods.* New York: Garland Press.

Magerotte, G. (1986). *Manuel d'éducation comportementale clinique.* Bruxelles: Pierre Mardaga Éditeur.

Mash, E.J., & Terdal, L.G. (Éds.) (1997). *Assessment of childhood disorders,* (3e éd.). New York: The Guilford Press.

Masling, J., & Stern, G. (1969). Effect of the observer in the classroom. *Journal of Educational Psychology, 60,* 351-354.

McCall, R. (1977). Challenges to a science of developmental psychology. *Child Development, 48,* 333-394.

Merleau-Ponty, M. (1963). *La structure du comportement.* Paris: Presses Universitaires de France.

Mitchell, S.K. (1979). Interobserver agreement, reliability, and generalizability of data collected in observational studies. *Psychological Bulletin, 2,* 376-390.

Parten, M.B. (1932). Social participation among preschool children. *Journal of Abnormal and Social Psychology, 27,* 243-269.

Patton, M. (1990). *Qualitative evaluation and research methods.* Beverly Hills, CA: Sage.

Pellegrini, A.D. (1996). *Observing children in their natural worlds: A methodological primer.* Mahwah: Lawrence Erlbaum Associates Publishers.

Pelletier, D., Vitaro, F., & Coutu, S. (1992). A threefold assessment of social problem-solving skills in aggressive-rejected and prosocial-popular children. *European Bulletin of Cognitive Psychology, 12,* 31-49.

Peterson, L., Tremblay, G., Ewigman, B., & Popkey, C. (2002). The parental daily dairy: A sensitive measure of the progress of change in a child maltreatment prevention program. *Behavior Modification, 26,* 627-647.

Piaget, J. (1970). *La naissance de l'intelligence chez l'enfant* (7e éd.) (1929, 1re éd.). Neuchâtel: Delachaux et Niestlé.

Politzer, G. (1969). *Les fondements de la psychologie*. Paris: Éditions sociales.

Provost, M.-A. (1996). Description de catégories de compétence sociale chez les enfants d'âge préscolaire. Dans R. Tessier, G.M. Tarabulsy & M.A. Provost (Éds.), *Les relations sociales entre les enfants* (pp. 19-43). Québec: Presses de l'Université du Québec.

Sharman, C., Cross, W., & Vennis, D. (1995). *Observing children: A practical guide.* London: Cassell.

Shavelson, R.J., Webb, N.M., & Rowley, G. (1989). Generalizability theory. *American Psychologist, 44*, 922-932.

Suen, H., & Ary, D. (1989). *Analysing quantitative behavioral observation data.* Hillsdale: Lawrence Erlbaum Associates Publishers.

Strupp, H.H. (1993). The Vanderbilt psychotherapy studies. Synopsis. *Journal of Consulting and Clinical Psychology, 61*(3), 431-433.

Tapper, K., & Boulton M.J. (2002). Studying aggression in school children: The use of a wireless microphone and micro-video camera. *Aggressive Behaviour, 28*, 356-365.

Thorndike, E.L. (1920). A constant error in psychological ratings. *Journal of Applied Psychology, 4*, 25-29.

Trudel, M., & Strayer, F.F. (1985). La dominance et l'influence sociale chez les jeunes enfants. Dans R.E. Tremblay, M.A. Provost & F.F. Strayer (Éds.), *Éthologie et développement de l'enfant.* Paris: Stock, Laurence Pernoud.

Vitaro, F., & Gagnon, C. (Éds.) (2000). *La prévention des problèmes d'adaptation chez les enfants et les adolescents.* Sainte-Foy: Presses de l'Université du Québec.

Wright, H.F., & Barker, R.G. (1950). *Methods in psychological ecology: A progress report.* Lawrence: Kansas Field Study of Children's Behavior.

CHAPITRE

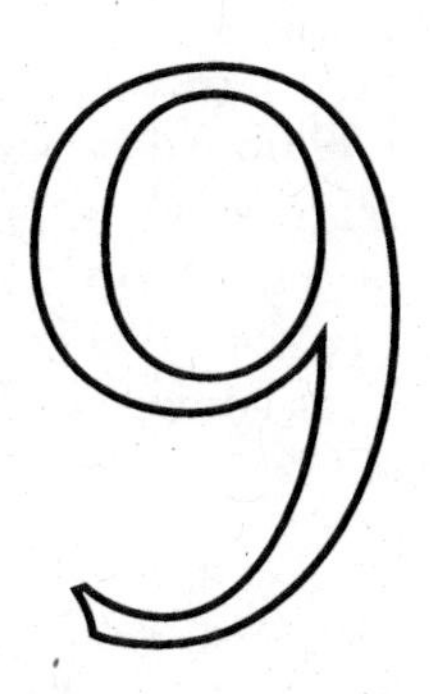

LES ANALYSES STATISTIQUES

Comprendre leur utilité et leur signification

LOUIS LAURENCELLE

En sciences humaines comme en biologie ou en physique, le chercheur observe un phénomène, l'étudie dans diverses conditions, contrôlées ou non, prend des mesures et tente enfin de formuler une généralisation. Les phénomènes étudiés s'avèrent souvent complexes, les mesures prises varient d'une personne à l'autre, d'une condition à l'autre, et ce n'est pas une mince affaire que d'énoncer une règle, une relation *générale* à partir de la masse de données obtenues. Cette difficulté apparaît particulièrement grande en sciences humaines puisque, au contraire des phénomènes de la physique classique, les phénomènes humains sont surdéterminés et fluctuants et que, dans la plupart des cas, nous ne pouvons *mesurer* ces phénomènes qu'à travers leurs effets sur le comportement ou la pensée verbalisée des participants. Les données de la recherche sont donc marquées par une forte variabilité, et c'est à partir d'elles que le chercheur doit déceler et démontrer des changements systématiques, s'il y a lieu, et en faire la généralisation.

Nos stratégies de recherche doivent donc composer avec cette forte variabilité issue de plusieurs sources. Nous recruterons plusieurs participants plutôt qu'un seul participant par groupe ou par condition ; nous prendrons plusieurs mesures plutôt qu'une seule mesure par participant, et ainsi de suite. Pour synthétiser les données et nous préparer à la généralisation, nous calculerons d'abord la moyenne (arithmétique), ou la médiane, afin d'en comparer la valeur d'une condition à l'autre. Mais gare à la variabilité toujours présente ! Comme nous le verrons dans la section suivante, la généralisation d'une règle ou d'une conclusion dépend de plusieurs facteurs, que nous identifierons à partir d'un exemple pédagogique. Munis d'une procédure de décision, celle des tests d'hypothèses en statistique inférentielle, et en utilisant l'une ou l'autre des distributions normale, t de Student, Khi-deux (χ^2) ou F, nous pourrons attaquer quatre exemples d'application extensifs dans la section centrale. Enfin, nous terminerons par un tour du propriétaire de l'arsenal de méthodes statistiques dont le chercheur dispose pour faire face à différentes situations de recherche et combler ses besoins.

Mais, avant de débuter, prenons la peine de rappeler quelques éléments de notation. D'abord, X_1 représente une donnée, la mesure d'un participant ; $\bar{X}$, la moyenne, représente le niveau typique des mesures obtenues d'un échantillon ou des données d'une série ; μ représente la moyenne d'une population, et Σ indique la sommation de plusieurs termes semblables. La moyenne d'une série de données $\{X_1, X_2, ..., X_n\}$ se calcule par la formule $\bar{X} = \Sigma X_i / n$. Pour obtenir l'écart type (s_x), nous calculons d'abord la variance[1], $s_x^2 = \Sigma(X_i - \bar{X})^2/(n-1)$, puis nous en extrayons la racine carrée, $s_x = \sqrt{s_x^2}$. Comme le montre sa formule, l'écart type exprime en quelque sorte le degré d'hétérogénéité qui caractérise les données d'une série. Les calculettes électroniques et les chiffriers sur ordinateur personnel (tels les progiciels Excel, Quattro, Lotus-123, etc.) effectuent facilement ces calculs.

1. Pour simplifier le calcul, on peut utiliser la formule $s_x^2 = (\Sigma X^2 - n\bar{X}^2)/(n-1)$

9.1. NOTIONS DE BASE

9.1.1. Les tests d'hypothèses ou qu'est-ce qu'une différence significative ?

Les tests d'hypothèses constituent le principal secteur d'application de la statistique pour la recherche en sciences humaines et sociales. Ils permettent de décider si la différence observée d'un groupe à l'autre (d'une condition à l'autre) est *statistiquement significative* ou non. Illustrons le problème par un exemple.

9.1.1.1. UN EXEMPLE PÉDAGOGIQUE

Un chercheur en psychologie cognitive s'intéresse à l'influence de la couleur sur la perception de la profondeur. Dans le campus de son université, il recrute 10 étudiants daltoniens de 20 à 21 ans, ayant une acuité visuelle 20/20, et 10 autres étudiants à vision chromatique normale et à acuité comparable (non daltoniens). La tâche imposée consiste à examiner une photographie grand format d'un tableau constitué d'objets de formes et couleurs diverses en éclairage frontal, les uns en premier plan, les autres en arrière-plan. Le nombre d'objets d'arrière-plan correctement repérés en une minute constitue le score (X) du participant. Précisons que l'expérience et les données sont fictives. Supposons que les données des deux groupes se présentent comme dans le tableau 9.1.

TABLEAU 9.1 **Scores (fictifs) de deux groupes de participants dans une tâche de perception visuelle**

Groupe à vision non daltonienne	Groupe à vision daltonienne
14 12 12 14 13	9 10 8 9 10
13 12 15 13 12	8 9 9 10 8

Pour le groupe Non Daltonien, la moyenne des scores est $\overline{X}_{VND} = 13{,}00$ et l'écart type, $s_{VND} = 1{,}05$; pour le groupe Daltonien, nous calculons $\overline{X}_{VD} = 9{,}00$ et $s_{VD} = 0{,}82$.

Que peut-on conclure sur la base de ces résultats? À première vue, les participants à vision non daltonienne présentent des scores plus élevés que les participants daltoniens. Non seulement cela est-il vrai pour les groupes, avec leurs moyennes de 13,00 et 9,00 respectivement, mais c'est aussi le cas au niveau des individus: chaque participant du groupe Non Daltonien offre une performance meilleure que n'importe lequel des participants du groupe Daltonien. La conclusion s'impose: le daltonisme amoindrit sensiblement la perception de la profondeur, telle qu'évaluée ici. Cela s'explique présumément par l'absence d'indices de couleur dans l'image perçue. Voilà une généralisation que nous pouvions formuler à partir de cette expérience fictive.

Nous aurions pu aussi obtenir d'autres résultats. Le tableau 9.2 en présente un second ensemble.

TABLEAU 9.2 **Scores (fictifs) de deux groupes de participants dans une tâche de perception visuelle**

Groupe à vision non daltonienne	Groupe à vision daltonienne
12 14 22 8 19	5 2 11 15 13
13 11 10 20 8	13 12 6 10 4

Plus réaliste, cet ensemble de données frappe d'abord par sa variabilité: dans un même groupe, on retrouve des scores plutôt faibles et des scores élevés. Nos calculs nous fournissent ici $\overline{X}_{VND} = 13{,}70$, $s_{VND} = 5{,}01$ et $\overline{X}_{VD} = 9{,}10$ et $s_{VD} = 4{,}48$. L'écart de performance *entre les groupes*, $\overline{X}_{VND} - \overline{X}_{VD} = 13{,}70 - 9{,}10 = 4{,}60$, est plus important que dans l'exemple précédent: les participants daltoniens identifient en moyenne 4,60 objets de moins que les participants à vision non daltonienne. Pouvions-nous conclure à partir de ces données que la différence est significative et que l'effet négatif observé chez nos 10 participants daltoniens se généralise à tous les daltoniens?

Tentons d'analyser la question posée et d'en cerner le caractère problématique. D'abord, l'inspection des données du tableau 9.2 ne montre pas un avantage systématique du groupe Non Daltonien: les données de ce groupe ne sont pas plus élevées, *en bloc*, que celles du groupe Daltonien. Cette fois-ci, on ne peut pas dire que chaque participant du groupe Non Daltonien offre une meilleure performance que n'importe quel participant de l'autre groupe. Ainsi, le groupe Non Daltonien réunit plusieurs données très élevées (p. ex., 22, 19 et 20, voire 14 et 13), donnant un avantage à ce groupe : la moyenne est d'ailleurs plus élevée de 4,6 points ! Si, à présent, on regarde les données une par une, on voit que le premier participant (X_1) non daltonien, avec $X_1 = 12$, obtient un résultat plus élevé que 6 des 10 participants daltoniens et plus faible que 3 d'entre eux ; le second, avec $X_2 = 14$, en domine 9 et est dominé par un seul participant ; le troisième, $X_3 = 22$, domine les 10 participants daltoniens. Mais les quatrième (X_4) et dixième (X_{10}) non daltoniens, avec $X_4 = X_{10} = 8$, dominent 4 participants daltoniens tout en étant dominés par 6 des 10 participants daltoniens. Ainsi de suite.

Cette inspection minutieuse et toute cette cogitation nous conduisent à plus de prudence dans les inférences que nous voudrions tirer de nos résultats. La force persuasive de ces inférences, le jugement que nous pouvons formuler sont conditionnés par divers aspects de la situation à l'étude.

9.1.2. L'importance ou le risque de la conclusion à formuler

Chaque jour, chacun de nous porte des jugements ou émet des conclusions rapidement, sans nécessairement réfléchir beaucoup, sans examiner la situation en détail ni regarder toutes les options qui s'offrent. Dans certains cas cependant, la situation est plus sérieuse et notre décision a plus de conséquences. Nous devenons alors plus exigeants à tous points de vue : nous sommes prêts à engager notre action, notre parole, notre argent, mais à condition que l'avantage soit clairement démontré. C'est le concept de *seuil de signification*, aussi désigné seuil α (« alpha »), qui exprimera cette idée de l'importance de la décision dans une situation donnée. Pour les données du tableau 9.1, par exemple, on peut conclure *sans crainte de se tromper* que le handicap perceptif des participants daltoniens entrave leur performance dans la tâche de repérage qui leur est demandée. Quant aux données du tableau 9.2, même s'il semble y avoir un avantage en faveur des participants à vision non daltonienne, la conclusion n'est pas si sûre et elle va dépendre du risque ou des conséquences qu'elle comporte. Dans le contexte de données comme celles inscrites au tableau 9.2, pour que nous puissions nous prononcer en toute sûreté, il nous manque jusqu'à présent une argumentation raisonnée.

9.1.3. La différence *en bloc* entre les groupes de données

Plus la différence d'un groupe à l'autre sera importante, plus sûrement pourrons-nous conclure que la différence est réelle, significative, généralisable. Cette *différence d'un groupe à l'autre*, nous l'exprimerons ordinairement par la *différence entre leurs moyennes*, par exemple $\bar{X}_{VND} - \bar{X}_{VD}$, comme nous l'avons fait pour notre exemple. Mais l'information contenue dans les données d'un groupe n'est pas exprimée entièrement dans sa moyenne, loin de là ! En effet, les données mesurées fluctuent, *varient* d'un participant à l'autre. Ainsi, bien qu'elle soit plus grande, la différence $\bar{X}_{VND} - \bar{X}_{VD} = 4{,}60$, pour les données du tableau 9.2, nous paraît *moins sûre*, moins *importante* même, que la différence de 4,0 entre les moyennes issues du tableau 9.1, et ce en raison de la plus forte variabilité présente. Mais qu'entendons-nous au juste par *différence importante* ? Est-ce qu'une différence de 0,5 est peu importante, insignifiante, négligeable, alors que 5,0 ou plus constituerait une différence valable, significative, généralisable? Pas nécessairement. Il nous manque, nous le voyons bien, un critère auquel comparer la différence observée (entre les moyennes) et qui nous permette d'en juger l'importance.

9.1.4. La variabilité dans les données des groupes

C'est la variabilité, la plus ou moins grande hétérogénéité des valeurs, qui distingue par-dessus tout les données des tableaux 9.1 et 9.2. Par exemple, la moyenne du groupe Non Daltonien au tableau 9.1, $\bar{X}_{VND} = 13{,}00$, *caractérise mieux les participants de ce groupe parce que sa variabilité est plus petite*, comparativement au même groupe au tableau 9.2, avec une moyenne de 13,70; la même constatation peut être élaborée pour les données du groupe à vision daltonienne. Dans le tableau 9.1, les écarts types des groupes sont de 1,05 et 0,82 respectivement, indiquant *grosso modo* que les données varient d'un participant à l'autre de 1 point en plus ou moins; cette variation est d'à peu près 5 points dans les données du tableau 9.2, avec des écarts types de 5,01 et 4,48. Ainsi, *la moyenne représente d'autant plus précisément un groupe que l'écart type correspondant est petit*. Cette conclusion peut être poursuivie encore plus loin. En effet, si l'écart type mesure et estime le degré de variabilité qu'il y a *d'un participant à l'autre* dans un groupe ou une population, l'erreur type de la moyenne décrit pareillement le degré de variabilité des moyennes *d'un groupe à l'autre* dans la population. Par exemple, dans notre étude fictive, l'erreur type de la moyenne des daltoniens représente le degré de variabilité des moyennes des daltoniens si l'étude était reprise avec d'autres échantillons, jusqu'à ce que toute la population des daltoniens ait participé à notre étude. L'erreur type exprime donc directement la marge de fluctuation typique d'une moyenne. Sa formule[2] est :

$$\sigma(\bar{X}) = \sigma/\sqrt{n}\ ;$$

il est d'usage de remplacer σ, dont on ignore habituellement la valeur réelle dans la population, par l'écart type (s) de nos données. Ainsi, la moyenne $\bar{X}_{VND}$ = 13,00 au tableau 9.1 est basée sur 10 données et l'écart type est 1,05 ; l'erreur type (estimée) de cette moyenne est donc $1{,}05/\sqrt{10} \approx 0{,}33$; pour la moyenne $\bar{X}_{VND}$ = 13,70 au tableau 9.2, l'erreur type est plutôt $5{,}01/\sqrt{10} \approx 1{,}58$. Cela signifie que, si nous avions mesuré d'autres groupes quelconques de 10 personnes, leurs moyennes auraient varié d'environ 0,33, en plus ou moins, autour de notre $\bar{X}$ = 13,00 pour le cas du tableau 9.1. La variation correspondante des moyennes est beaucoup plus importante au tableau 9.2, soit de 1,58. C'est une erreur type semblable qui constituera le critère nous permettant de juger si la différence est importante entre les moyennes observées d'un groupe à l'autre.

9.1.5. La taille des groupes (le nombre de données)

La variabilité dans les données influence donc nos conclusions : plus l'écart type est élevé, plus les moyennes observées sont imprécises et fluctuantes. Mais le nombre de données dans des groupes joue lui aussi un rôle. D'une part, l'erreur type de la moyenne serait plus grande si on avait moins de données : à la limite, si n tend vers 1, l'erreur type devient égale à l'écart type, c'est-à-dire que $\sigma/\sqrt{1} = \sigma$. D'autre part, si on avait plus de données, on pourrait réduire l'erreur type, voire la réduire autant qu'on voudrait. Par exemple, si nos données du tableau 9.2

2. Pareillement, la variance d'erreur d'une moyenne est $\text{var}(\bar{X}) = \sigma^2/n$. En voici la démonstration sommaire. Posant $\bar{X} = \Sigma X_i/n$, nous avons $\text{var}(\bar{X}) = \text{var}(\Sigma X_i/n) = \text{var}(X_1 + X_2 + \ldots + X_n)/n^2$. Or, d'après un théorème sur la variance d'une somme, $\text{var}(X_1 + X_2 + \ldots + X_n) = \text{var}(X_1) + \text{var}(X_2) + \ldots + \text{var}(X_n) + 2\text{cov}(X_1,X_2) + 2\text{cov}(X_1,X_3) + \ldots + 2\text{cov}(X_{n-1},X_n)$. Supposant maintenant que les mesures X_i sont toutes pigées au hasard dans une même population, les covariances $\text{cov}(X_i,X_j)$ deviennent toutes nulles, les variables ont toutes la même variance σ^2, d'où $\text{var}(X_1 + X_2 + \ldots + X_n) = \Sigma\sigma^2 = n\sigma^2$. Ainsi, $\text{var}(\bar{X}) = n\sigma^2/n^2 = \sigma^2/n$, comme il fallait démontrer.

étaient au nombre (n) de 230 plutôt que de 10, avec le même écart type de 5,01, l'erreur type serait $5{,}01/\sqrt{230} \approx 0{,}33$, la moyenne devenant aussi précise que celle obtenue dans le groupe de 10 participants du tableau 9.1 ! Cet effet du nombre rejoint aussi notre intuition. En effet, si au tableau 9.1 nous avions seulement 2 données par groupe, par exemple les données {13 14} *vs* {8 10}, nous ne pourrions vraiment rien conclure avec assurance ; encore moins, si nous avions une seule donnée par groupe, comme {13} *vs* {8}. Le nombre de données, c'est-à-dire le fait que nos comparaisons et nos conclusions s'appuient sur des observations répétées, va accroître la confiance que nous pouvons placer dans ces conclusions et nous permettre de généraliser ou non avec assurance.

9.2. LA PROCÉDURE D'ANALYSE ET DE DÉCISION

Pour arriver à conclure dans une situation donnée, c'est-à-dire, par exemple, pour décider si la vision daltonienne nuit ou non à la performance perceptive des participants dans la tâche imposée, les considérations énoncées précédemment, partiellement qualitatives, doivent se traduire dans une forme qui permette la décision. Cette forme sera un calcul de probabilité. Il existe plus d'une approche pour effectuer ce calcul ; nous nous en tiendrons ici à l'approche classique, due essentiellement à R.A. Fisher, tout comme la plupart des méthodes de la statistique inférentielle. En un mot, nous tenterons de vérifier s'il y a une différence entre les groupes de données en procédant comme suit : émettre l'hypothèse qu'il n'y a pas de différence réelle (appelée l'*hypothèse nulle*), puis calculer avec quelle probabilité nos groupes de données auraient pu être produits sous cette hypothèse. Si cette probabilité calculée, disons p, est assez grande, cela signifie que l'hypothèse selon laquelle nos groupes de données ne diffèrent pas vraiment l'un de l'autre est plausible. Il y a donc lieu de ne rien conclure à partir de la différence observée. Si par contre la probabilité p est très petite, ou *suffisamment petite* par rapport à un seuil de probabilité convenu à l'avance, la différence dans nos données nous apparaît alors comme remarquable. L'hypothèse nulle devient peu plausible et nous pouvons déclarer que la différence observée est *significative*. Une différence significative dépasse le cadre de nos seules données, de nos seuls groupes, et on devrait pouvoir la retrouver et l'observer en général, dans d'autres expériences semblables[3]. C'est cette procédure d'analyse et de décision qu'on désigne par l'expression « test d'hypothèses », faisant référence à l'hypothèse nulle et, bien sûr, à l'autre hypothèse, celle voulant qu'il y ait une démarcation réelle entre nos groupes, et qu'on appelle hypothèse de recherche. Le calcul de probabilité mentionné dans la procédure suppose l'utilisation d'un modèle de probabilité : nous y reviendrons plus loin.

9.2.1. L'algorithme général du test d'hypothèses

L'exemple développé ci-dessus concerne une étude de type expérimental comparant un groupe de personnes symptomatiques à un groupe de personnes asymptomatiques. La solution détaillée de ce problème de décision statistique est spécifique : nous la donnerons comme première application, un peu plus loin (voir section 9.3.1). Cependant, malgré la spécificité de chaque situation de recherche et de chaque problème de décision statistique, la réalisation des tests d'hypothèses suit un algorithme, ou schéma abstrait de procédure, qu'il est intéressant de connaître et qui sous-tend tous les cas spécifiques. Cet algorithme peut être divisé en trois phases : (a) l'énoncé des hypothèses H_0 et H_1, (b) l'évaluation de probabilité (ou application d'une formule) et (c) la règle de décision.

9.2.1.1. Phase 1 : L'énoncé des hypothèses H_0 et H_1

L'hypothèse nulle, H_0

L'hypothèse nulle se situe vraiment au cœur de la procédure du test d'hypothèses : c'est l'hypothèse selon laquelle toutes les données ne varient qu'au hasard, au gré de fluctuations provenant soit de l'échantillonnage des personnes, soit de l'imprécision de l'instrument de mesure. En formulant précisément l'hypothèse nulle, nous allons spécifier le *modèle de probabilité* auquel nos données devraient se conformer si le hasard seul était à l'œuvre. Pour notre exemple de la comparaison de deux groupes, nous dirons que la différence entre leurs moyennes tend vers zéro ou qu'elle varie autour de zéro.

---

3. Selon Fisher lui-même, la généralisation doit s'appuyer à la fois sur la significativité d'un résultat et sur sa réplication dans des expériences indépendantes.

L'hypothèse de recherche, H_1

L'hypothèse de recherche, ou contre-hypothèse, correspond ordinairement à l'idée que favorise le chercheur, celle dont il veut faire la démonstration. Elle spécifie comment l'hypothèse nulle peut être contredite. Pour le même exemple, nous dirons que, malgré les variations dues à l'échantillonnage et à l'influence inextirpable du hasard, un groupe est vraiment plus fort que l'autre et que la différence réelle entre les deux n'est pas zéro.

9.2.1.2. PHASE 2 : L'ÉVALUATION DE PROBABILITÉ

Le modèle de probabilité, $M(H_0)$

Pour permettre une évaluation de probabilité, l'hypothèse nulle doit se traduire en termes opérationnels et s'exprimer alors en un modèle de probabilité complètement spécifié ; symbolisons ce modèle par $M(H_0)$. Un modèle $M(H_0)$, qu'on désigne aussi par distribution échantillonnale, représente en quelque sorte l'ensemble des résultats que nous pourrions observer *si l'hypothèse nulle était vraie* et l'expérimentation reprise une infinité de fois. Une distribution normale avec une moyenne μ de 0 et une variance σ^2 spécifiée est l'un de ces modèles. Outre la loi (de distribution) normale, les lois t de Student, Khi-deux (χ^2) et F, la loi binomiale et d'autres lois mathématiques servent à spécifier des distributions échantillonnales pour l'une ou l'autre situation de recherche.

Le calcul de probabilité, p_{ext}

Or, qu'en est-il de nos résultats expérimentaux? L'hypothèse nulle est soit vraie, soit fausse, nous ne le savons pas avec certitude. Considérons cependant que, si H_0 est vraie pour notre situation de recherche, nos résultats sont adéquatement représentés dans le modèle $M(H_0)$ et qu'ils devraient se situer parmi les résultats les plus probables. Si par contre H_0 est fausse parce que nos interventions expérimentales ont provoqué des changements systématiques dans les données, nos résultats ne relèvent plus du modèle $M(H_0)$ et ce modèle ne les représente plus adéquatement : en fait, nos résultats devraient alors *s'écarter* des résultats probables et apparaître plutôt exceptionnels (selon l'hypothèse nulle), rares, peu plausibles.

Or, l'hypothèse nulle nous fournit vraiment un modèle de probabilité, un modèle qui indique la probabilité de tous les résultats qu'on pourrait obtenir si le hasard seul était à l'œuvre (plutôt que nos actions expérimentales). Nous pouvons donc facilement, à l'aide de formules et de tables statistiques, calculer la probabilité (p_{ext}) de nos résultats expérimentaux dans le modèle de l'hypothèse nulle. Symboliquement, l'évaluation de la probabilité extrême[4],

$$p_{ext} = \text{Pr}[\text{Nos résultats} \mid \text{M}(\text{H}_0)],$$

nous fournit une mesure de la probabilité de nos résultats sous l'hypothèse nulle, nous permettant, en retour, de juger de la plausibilité de l'hypothèse nulle pour nos résultats.

9.2.1.3. PHASE 3 : LA RÈGLE DE DÉCISION

Le seuil de signification α (seuil « alpha »)

Tous les résultats sont possibles, aussi bien ceux que le hasard pourrait produire et ceux que nous mesurons dans notre laboratoire ou avec nos tests. Or, d'un côté, nos résultats existent et nous les avons observés réellement. D'un autre côté, l'hypothèse nulle, par son modèle $\text{M}(\text{H}_0)$, présente certaines zones de résultats comme étant plus probables (ceux près du centre de la distribution), et d'autres comme moins probables (ceux plus écartés). Nous allons donc confronter l'hypothèse nulle avec nos résultats observés : si nos résultats observés ont une assez forte probabilité (p_{ext}) dans le modèle $\text{M}(\text{H}_0)$, ce modèle se trouve alors conforté ou, à tout le moins, jugé compatible avec les résultats. Si, par contre, nos résultats s'éloignent sensiblement de la zone des résultats probables dans le modèle $\text{M}(\text{H}_0)$, leur probabilité p_{ext} devient très petite. Le modèle et l'hypothèse nulle elle-même s'en trouvent par conséquent discrédités. La conclusion s'impose alors que l'échantillonnage ou le hasard seuls n'expliquent pas toutes les variations observées. Il s'est donc produit des changements systématiques dans nos données, changements que nous pouvons attribuer à nos actions expérimentales si nous prenons les précautions méthodologiques abordées dans les chapitres précédents. La décision en faveur ou à l'encontre de l'hypothèse nulle dépend donc de la valeur de la probabilité p_{ext}, mais il nous faut aussi un seuil à partir duquel p_{ext} peut être déclarée suffisamment petite : c'est le seuil de signification α (« alpha », la première lettre de l'*alpha*bet grec). La tradition et la convention imposent les deux

---

4. La notation p_{ext} signifie « probabilité extrême » et réfère au fait que la plausibilité d'un modèle correspond à la probabilité selon laquelle le modèle peut produire le résultat particulier de même que des résultats encore plus extrêmes.

valeurs de seuil α de 5% (ou $\alpha = 0,05$) et de 1% (ou $\alpha = 0,01$). Ces pourcentages représentent en quelque sorte le risque que nous sommes prêts à tolérer que nos résultats soient en fait dus au hasard. En résumé, une fois les hypothèses H_0 et H_1 formulées, le test d'hypothèses se ramène à la règle de décision suivante :

Si p_{ext}[Nos résultats | M(H_0)] $\leq \alpha$, rejeter H_0 en faveur de H_1
Sinon, tolérer H_0.

En pratique, nous n'aurons pas vraiment à faire un calcul de probabilité ni à évaluer p_{ext}. Il suffira le plus souvent d'intégrer nos résultats dans une formule et de comparer la valeur calculée à une valeur critique, disponible dans une table statistique. La valeur critique étant située exactement au seuil α, si la valeur calculée par la formule *déborde* cette valeur critique (*i.e.* est plus extrême), c'est que nos résultats ont une probabilité plus petite que celle que nous avons fixée comme valeur acceptable, soit $p_{ext} \leq \alpha$.

Une recherche en psychologie clinique nous permettra d'illustrer les éléments abordés jusqu'ici. Dans une étude sur le traitement du trouble panique avec agoraphobie, Bouchard et al. (1996) ont comparé au moyen de deux groupes l'efficacité de deux formes d'intervention de nature cognitivo-comportementale : l'exposition et la restructuration cognitive. Lors de l'évaluation prétest et post-test, ils ont observé une diminution des scores à un questionnaire mesurant la sévérité de l'agoraphobie dans le groupe Exposition (voir les résultats ci-dessous).

Groupe Exposition (*n* = 14)	Pré-traitement		Post-traitement	
	Moyenne	Écart type	Moyenne	Écart type
Évitement agoraphobique	2,55	0,65	1,58	0,37

On peut se poser la question : est-ce que la différence observée entre les deux moments de mesure est réelle ou le fruit de variations individuelles et aléatoires chez les participants ? L'hypothèse nulle stipule donc l'absence de différences réelles du prétest au post-test et l'hypothèse de recherche, une réduction véritable de l'agoraphobie. Il faudrait donc maintenant calculer la probabilité que les différences observées soient le fruit de variations aléatoires dans les données. Abordée sous cet angle, l'utilité des analyses statistiques paraît extrêmement grande, car elles viennent compléter les démarches méthodologiques introduites dans les autres chapitres en permettant finalement l'inférence causale, la généralisation.

Compte tenu du protocole de l'étude, le traitement statistique appliqué est l'analyse de variance à plan $A \times B_R$, et le modèle de probabilité invoqué est celui de la loi F (voir section 9.3.3 et Bouchard et al. 1996). Il faut maintenant se fixer un seuil de probabilité à partir duquel on dira que la différence est statistiquement significative. Ce seuil ne peut pas être 0 %, car il reste toujours possible que la différence soit le fruit du hasard, tout comme il y a parfois un gagnant à la loterie. Si nous fixons le seuil de signification à 50 % et concluons alors à l'efficacité de l'intervention, est-ce que les psychothérapeutes ou les chercheurs des autres laboratoires pourront accepter nos conclusions ? C'est pour assurer une certaine crédibilité à nos conclusions de recherche que, par convention, nous fixons le seuil α à 5 % ou 1 %. Il ne reste plus maintenant qu'à effectuer l'analyse.

La décision statistique, les erreurs de types I et II et la puissance

Décider implique qu'il est possible de se tromper, de commettre une erreur de décision. Si, en vertu de la procédure du test d'hypothèses, nous rejetons H_0 (l'hypothèse nulle) alors qu'elle est vraie, nous commettons une erreur dite de type I : un raisonnement simple fera comprendre au lecteur que la probabilité de commettre cette erreur (si H_0 est vraie) est égale à α, le seuil de signification. Si, au contraire, nous conservons H_0 et qu'en fait elle est fausse, nous commettons une erreur de type II. La probabilité de cette erreur est plus difficile à établir : on lui a assigné le symbole β (« bêta », la seconde lettre de l'alpha*bet* grec). Le complément de cette probabilité, $1 - \beta$, est dénoté par P et appelé puissance statistique, ou puissance. La puissance représente donc la probabilité de rejeter l'hypothèse nulle quand elle est fausse ou, en d'autres mots, la capacité du test à identifier une différence réelle dans les données.

Reprenons l'étude sur l'agoraphobie, en appliquant un seuil de signification de 5 %. Si en fait l'hypothèse nulle est vraie, les données nous amèneront à commettre l'erreur de type I, c'est-à-dire à rejeter H_0, dans environ 5 % des cas ; le cas échéant, nous conclurions à tort que le traitement appliqué a réduit le niveau d'agoraphobie déclarée des participants. D'un autre côté, si l'hypothèse nulle est fausse, c'est qu'en fait le niveau d'agoraphobie après traitement s'est vraiment amélioré. Dans ce cas, les variations au hasard et l'exigence imposée par le seuil alpha nous font courir le risque de ne pas rejeter H_0 alors que nous devrions le faire ; c'est l'erreur de type II, dont la probabilité β est fonction de plusieurs facteurs. Les données et la procédure de test peuvent aussi nous conduire à correctement rejeter H_0, en déclarant que la réduction du niveau d'agoraphobie chez les participants est significative et réelle : c'est la probabilité de ce rejet justifié de H_0 qu'on appelle « puissance », le complément de la probabilité β. Pour le chercheur, toujours confronté à la variabilité et aux influences incontrôlables sur le phénomène qu'il étudie, la puissance s'avère l'outil par excellence, le levier grâce auquel il pourra ou non formuler sa généralisation, décréter ses résultats significatifs. Il peut favoriser ou augmenter la puissance de son approche statistique : (a) en utilisant et comparant des conditions expérimentales plus contrastées l'une par rapport à l'autre, c'est-à-dire les groupes les plus différents ; (b) en sélectionnant dans chaque groupe les participants les plus semblables, les plus homogènes, et en prenant des instruments de mesure précis, avec un coefficient de fidélité élevé ; (c) en employant un nombre plus élevé de participants, ou plus de mesures par participant.

Il existe des méthodes qui permettent de calculer des valeurs théoriques de puissance et qui fournissent aussi des indications sur la taille de groupe souhaitable dans une situation de recherche donnée (Desu & Raghavarao, 1990 ; Odeh & Fox, 1975).

9.2.2. Les lois-modèles

Il existe une pléiade de tests d'hypothèses qui permettent de répondre aux besoins des diverses situations de recherche qui se présentent. Cet ensemble diffus contient un noyau, celui des tests qu'on peut nommer « fishériens » (en l'honneur de R.A. Fisher) et qui tous stipulent que la variable observée X obéit à une loi de distribution normale. Les tests fishériens et ceux qui en découlent ou qui leur sont apparentés utilisent une famille de lois-modèles. Nous les présentons sommairement; les figures 9.1 à 9.4 illustrent chacune de ces lois.

9.2.2.1. La loi normale, N (μ, σ^2)

La plupart des tests d'hypothèses classiques supposent que la mesure X obéit à une loi de distribution normale (ou à peu près normale), caractérisée par une moyenne μ (« mu ») et une variance σ^2 (« sigma » carré). La moyenne ($\bar{X}$) de *n* mesures suit aussi un modèle normal, tout comme la différence ou la somme de moyennes.

FIGURE 9.1

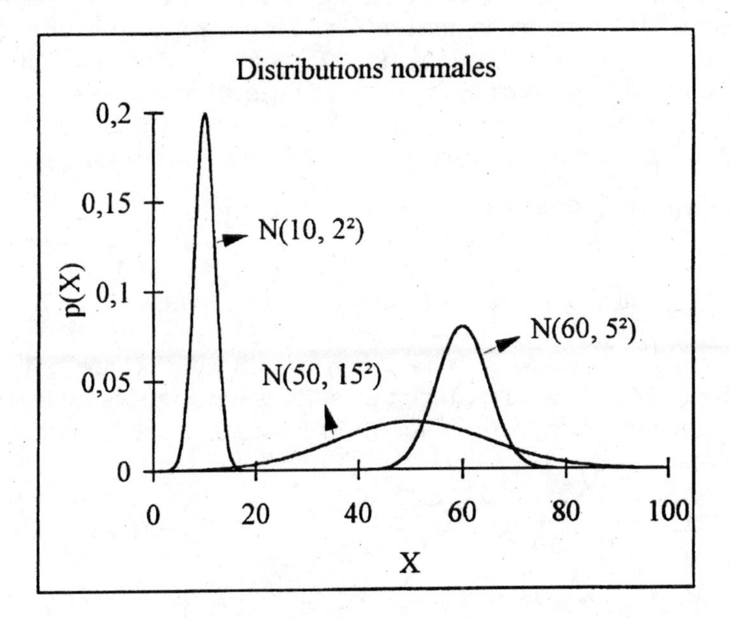

FIGURE 9.2

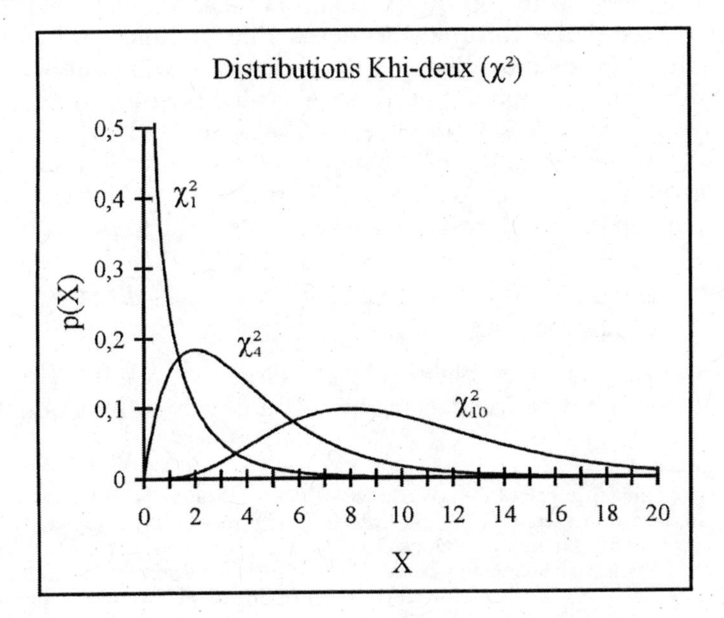

Cette loi-modèle servira donc pour l'étude et la comparaison des moyennes ainsi que dans plusieurs autres contextes. Dans une distribution normale, la masse des données se situe près de la moyenne et on retrouve de moins en moins de données à mesure qu'on s'éloigne de part et d'autre de la moyenne.

9.2.2.2. La loi du Khi-deux avec *dl* degrés de liberté (χ^2_{dl})

Quand chaque observation X se distribue (à peu près) selon une loi normale, alors l'expression $(X - \mu)^2$, semblable à ce qu'on retrouve au numérateur de la variance s^2, a une distribution de type χ^2_1 (Khi-deux avec 1 *dl*), la variance calculée sur *n* données, selon $s^2 = \Sigma(X_i - \bar{X})^2/(n - 1)$, ayant elle-même une distribution de type χ^2_{n-1}. Les *degrés de liberté* d'une statistique indiquent généralement le *nombre de données libres* à partir desquelles cette statistique est calculée[5]. La loi du Khi-deux permet donc d'étudier le comportement d'une variance d'un groupe. Elle sert aussi, incidemment, à analyser les contenus d'un tableau de fréquences d'observations (voir section 9.3.4) et à d'autres fins.

9.2.2.3. La loi *t* de Student avec *dl* degrés de liberté (t_{dl})

La variable *t* de Student (nom de plume de W.S. Gosset, un agronome travaillant pour la brasserie Guinness au tournant du XXe siècle) représente le quotient d'une variable normale sur la racine carrée d'une variable Khi-deux. Elle s'emploie notamment pour comparer les moyennes de deux groupes (voir section 9.3.1) ou d'un même groupe de personnes évaluées sous deux conditions (voir section 9.3.2), dans le cas habituel où l'on ne connaît pas la variance véritable (σ^2) et où on lui substitue les variances (s^2) d'échantillons. Elle sert aussi à tester la significativité du coefficient de corrélation *r* et dans d'autres contextes.

9.2.2.4. La loi *F* (dite de Fisher-Snedecor) avec dl_1 et dl_2 degrés de liberté (F_{dl_1,dl_2})

La variable de la loi *F*, élaborée par Fisher, représente en particulier le quotient de deux variables Khi-deux : symboliquement,

5. Par exemple, le calcul de la variance s^2 fait apparaître la valeur $\bar{X}$ dans la parenthèse, au numérateur de la formule. Or, après avoir utilisé X_1, X_2, ..., X_{n-1} dans chaque composante $(X_i - \bar{X})^2$, la dernière valeur X_n est complètement déterminée par les $n - 1$ valeurs précédentes *et* par $\bar{X}$, selon $X_n = n\bar{X} - X_1 - X_2 - ... - X_{n-1}$. C'est pourquoi la variance s^2 possède $n - 1$ degrés de liberté.

FIGURE 9.3

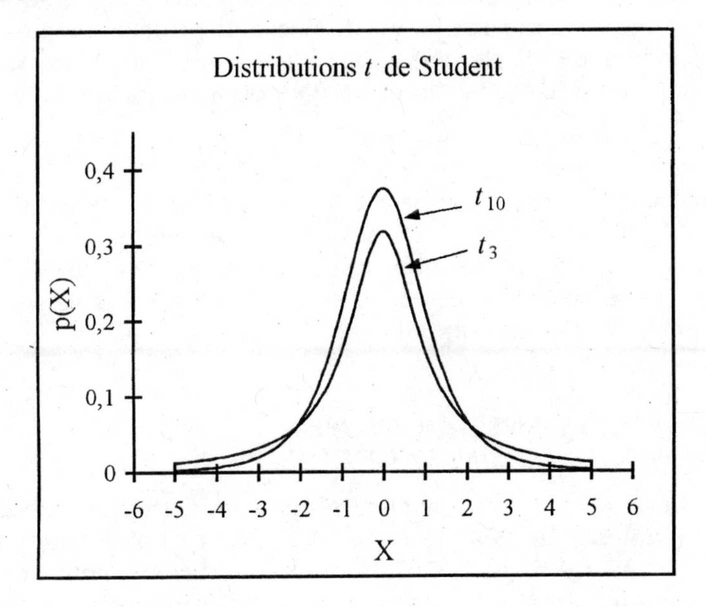

FIGURE 9.4

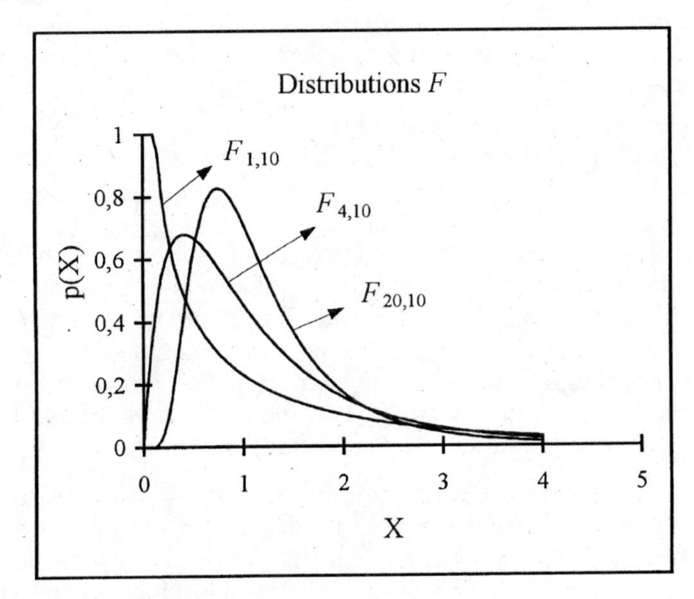

$F_{dl_1,dl_2} = (\chi^2_{dl_1}/dl_1)/(\chi^2_{dl_2}/dl_2)$. Ainsi, puisque le Khi-deux permet de représenter une variance s^2, le F permet d'étudier le quotient de deux variances. Il est l'outil de décision principal exploité par la méthode générale de l'*analyse de variance*, dont nous verrons plus loin une application importante (voir section 9.3.3).

Cette introduction aux principales lois-modèles devra bien sûr être complétée par un examen plus détaillé, en plus d'une familiarisation avec les tables d'intégrales ou de centiles qu'on retrouve publiées pour chacune d'elles. Le lecteur trouvera ces tables, de même qu'une présentation fouillée des lois mentionnées et de plusieurs autres, avec des exemples, dans l'ouvrage de Laurencelle et Dupuis (2000).

9.3. QUATRE EXEMPLES DÉVELOPPÉS, PRÉSENTÉS COMME CAS FICTIFS

Pour illustrer les notions exposées plus haut, rien de mieux que des exemples détaillés. Nous en donnons quatre qui correspondent chacun à une situation de recherche communément retrouvée en sciences humaines. Nous fournissons pour chacun la solution complète, la recette. Nous croyons de plus que les techniques associées à ces quatre exemples sont représentatives d'une majorité des situations courantes rencontrées en recherche. Le lecteur trouvera une documentation plus complète dans Sokal et Rohlf (1981), Howell (1998) ou d'autres ouvrages comparables.

9.3.1. Le test *t* sur la différence de deux moyennes indépendantes

9.3.1.1. SITUATION DE RECHERCHE ET EXEMPLE

La chercheuse veut étudier l'effet d'une intervention expérimentale, l'effet d'un traitement sur des personnes qui constituent le groupe expérimental, en comparant leurs mesures à celles d'un groupe témoin : la différence entre les moyennes de deux groupes, $\bar{X}_1 - \bar{X}_2$, témoigne de l'effet expérimental. La comparaison pourrait toucher les Hommes *vs* les Femmes, des personnes symptomatiques (d'une maladie) *vs* des asymptomatiques, etc.

La chercheuse de notre exemple s'intéresse au rôle du corps calleux (une structure du cerveau) dans la performance perceptive chez l'humain. Elle a recruté 7 participants dépourvus de corps calleux, tous âgés de 25 à 30 ans et d'intelligence moyenne :

3 participants sont callosotomisés (*i.e.* avec section chirurgicale du corps calleux) et 4 sont congénitalement acalleux (*i.e.* avec absence congénitale de corps calleux). Les participants acalleux ont-ils développé des mécanismes compensatoires ou montrent-ils le même handicap perceptif que les callosotomisés? Les résultats obtenus dans une tâche de coordination œil-main sont présentés au tableau 9.3 ci-dessous:

TABLEAU 9.3 **Résultats à la tâche de coordination**

Callosotomisés ($n_1 = 3$)	**Acalleux ($n_2 = 4$)**
$X_i = 9, 11, 15$	$X_i = 6, 10, 13, 8$
$\bar{X}_1 = 11{,}667 \quad s_1 = 3{,}055$	$\bar{X}_2 = 9{,}250 \quad s_2 = 2{,}986$

9.3.1.2. SOLUTION DÉTAILLÉE

$H_0: \mu(\bar{X}_1 - \bar{X}_2) = 0$

En vertu de l'hypothèse nulle, tous les participants proviennent de la même population, soit la population des personnes dépourvues de corps calleux. Leurs performances sont équivalentes, aux fluctuations d'échantillonnage près. La différence entre les moyennes des groupes tend vers 0.

$H_1: \mu(\bar{X}_1 - \bar{X}_2) \neq 0$

La chercheuse veut démontrer que les participants d'un groupe ou d'une condition ont des performances d'un niveau différent par rapport aux participants de l'autre groupe. La section du corps calleux à l'âge adulte, chez les participants du groupe 1, entraîne des scores différents, moins bons, que l'agénésie caractéristique du groupe 2. La chercheuse reste cependant ouverte à la possibilité que les callosotomisés performent mieux. L'hypothèse de recherche est donc *bidirectionnelle* (*i.e.* une moyenne peut être plus grande ou plus petite que l'autre), entraînant un test dit *bilatéral*.

Formules: La différence observée entre les groupes, $\bar{X}_1 - \bar{X}_2$, peut être testée en la situant dans la distribution des différences attendues selon le modèle de l'hypothèse nulle. Ce modèle repose ici sur la loi t de Student avec $n_1 + n_2 - 2$ degrés de liberté (*dl*). La formule de localisation de notre différence $\bar{X}_1 - \bar{X}_2$ est:

$$t_{\bar{X}_1 - \bar{X}_2} = \frac{\bar{X}_1 - \bar{X}_2}{\sqrt{\frac{(n_1 - 1)s_1^2 + (n_2 - 1)s_2^2}{n_1 + n_2 - 2}\left(\frac{1}{n_1} + \frac{1}{n_2}\right)}},$$

cette formule se simplifiant si les groupes sont de tailles égales ($n_1 = n_2 = n$) :

$$t_{\bar{X}_1 - \bar{X}_2} = \frac{\bar{X}_1 - \bar{X}_2}{\sqrt{\frac{s_1^2 + s_2^2}{n}}}.$$

Cette formule ré-exprime en fait la différence entre les deux moyennes en fonction de l'erreur type de cette différence.

L'application valide de cette formule suppose la condition d'homogénéité des variances de groupes, s_1^2 et s_2^2, qu'on peut tester par un quotient *F*. Si cette condition ne se trouve pas respectée, le test statistique ne sera pas valide. Il faudrait alors considérer des solutions statistiques ou mathématiques autres (Kirk, 1994).

Calcul et décision statistique: Intégrons nos données[6] dans une formule afin de situer la différence observée, $\bar{X}_1 - \bar{X}_2 = 11,667 - 9,250 = 2,417$, dans la distribution de toutes les différences semblables engendrées sous l'hypothèse nulle. Les tailles n_j étant inégales (*i.e.* 3 et 4), nous appliquons et calculons la première formule :

$$t_{\bar{X}_1 - \bar{X}_2} = \frac{11,667 - 9,250}{\sqrt{\frac{(3-1)3,055^2 + (4-1)2,986^2}{3+4-2}\left(\frac{1}{3} + \frac{1}{4}\right)}} \approx 1,050.$$

6. Il faut au préalable vérifier la condition d'homogénéité des variances à l'aide de la formule $F = s_1^2/s_2^2$. Les variances en jeu sont $s_1^2 = 3,055^2 \approx 9,333$ ($n_1 = 3$) et $s_2^2 = 2,986^2 \approx 8,916$ ($n_2 = 4$). Le quotient *F*, soit $F = 9,333/8,916 \approx 1,047$, devrait être proche de 1, selon l'hypothèse nulle propre à la condition d'homogénéité. La loi-modèle est ici la loi $F_{n1-1,\, n2-1}$ (*i.e.* avec les degrés de liberté $n_1 - 1$ et $n_2 - 1$, pour les variances du numérateur et du dénominateur respectivement). Au seuil α de 5%, les valeurs bilatérales, trouvées dans une table de la loi *F*, sont ${}_{0,025}F_{2,3} = 0,026$ et ${}_{0,975}F_{2,3} = 16,04$. Comme la valeur calculée ne déborde les valeurs critiques ni à gauche ni à droite, nous conservons H_0; les variances des groupes peuvent donc être considérées comme homogènes.

La valeur t obtenue, de 1,050, est un *écart réduit*, c'est-à-dire un écart à la moyenne exprimé en unités d'erreur type, et qui se distribue selon la loi du t de Student avec $dl = n_1 + n_2 - 2 = 3 + 4 - 2 = 5$ degrés de liberté. La différence $\overline{X}_1 - \overline{X}_2$ entre nos groupes se situe donc à environ 1 erreur type au-dessus de la moyenne 0, dans la distribution de toutes les différences comparables. Est-ce un écart, une différence significative?

La consultation de la table du t de Student, avec $dl = 5$, fournit les valeurs critiques ±4,032 pour un test bilatéral au seuil de signification de 1 %, ou ±2,571 pour un test au seuil de 5 %. Pour que la différence observée soit significative, elle doit *déborder* une valeur critique, par exemple être plus haute que 2,571 ou plus basse que −2,571. La valeur t calculée étant 1,050, notre chercheuse *ne peut pas rejeter* H_0 : elle n'est pas parvenue à démontrer que les deux types de personnes dépourvues de corps calleux ont un fonctionnement perceptif différent sur la tâche imposée. La puissance statistique est peut-être en cause ici, étant donné le très petit nombre de participants retenus dans chaque groupe.

Le lecteur intéressé pourra reprendre les deux exemples pédagogiques représentés dans les tableaux 9.1 et 9.2 (voir section 9.1.1.1). En appliquant la seconde formule, plus facile, du t, il vérifiera qu'au tableau 9.1 la différence est fortement significative ($t \approx 9{,}495$, $dl = 18$, $p < 0{,}01$) et qu'elle l'est à peine au seuil bilatéral de 5 % pour le tableau 9.2 ($t \approx 2{,}164$, $dl = 18$, $p < 0{,}05$).

9.3.2. Le test *t* sur la différence de deux moyennes jumelées

9.3.2.1. Situation de recherche et exemple

Le chercheur veut étudier l'effet d'une intervention expérimentale, l'effet d'un traitement sur des participants, mais il choisit de les comparer à eux-mêmes en les mesurant sous les deux conditions : la condition expérimentale *et* la condition de contrôle. Ce faisant, la variabilité inter-individuelle se trouve épongée, absorbée, puisque chaque participant se voit comparé à lui-même.

La comparaison des mesures « Avant l'intervention » et « Après l'intervention » tombe aussi dans le contexte de la présente procédure, de même que la comparaison de deux groupes de participants tous différents mais jumelés un à un d'un groupe à l'autre.

Un entraîneur en athlétisme pense qu'un exercice léger, préalable à la performance, est susceptible d'augmenter la puissance explosive des jambes. Pour vérifier cette idée, il recrute 10 athlètes qu'il soumet à deux conditions : la performance de l'athlète est mesurée soit immédiatement après deux tours de piste au trot, soit sans exercice, après seulement une détente des jambes de 15 minutes. Pour cinq athlètes, la condition d'exercice a lieu le matin et la condition de détente, le lendemain après-midi ; l'ordre contraire est adopté pour les cinq autres athlètes. La mesure prise est la hauteur d'un saut en hauteur sans élan, évaluée en centimètres. Les résultats sont présentés au tableau 9.4, accompagnés de quelques calculs. L'entraîneur croit que l'échauffement peut favoriser la performance explosive des jambes ; cependant, il n'exclut pas la possibilité que l'exercice préalable ait aussi l'effet opposé, en épuisant la ressource énergétique immédiate de l'athlète. En utilisant un seuil de signification α de 5 %, que peut-il conclure sur la foi de ces résultats ?

TABLEAU 9.4 **Résultats en centimètres à un saut en hauteur sans élan des athlètes**

	1	2	3	4	5	6	7	8	9	10	$\bar{X}$	s
Détente (X_1)	38,4	41,0	34,3	33,2	41,4	36,4	28,3	41,7	30,0	34,0	35,870	4,742
Exercice (X_2)	40,2	43,2	41,3	37,4	42,8	37,9	33,0	40,3	32,4	37,7	38,620	3,713
$d_i = X_1 - X_2$	−1,8	−2,2	−7,0	−4,2	−1,4	−1,5	−4,7	1,4	−2,4	−3,7	−2,750	2,280

9.3.2.2. SOLUTION DÉTAILLÉE

$H_0 : \mu(\bar{X}_1 - \bar{X}_2) = 0$

Sous l'hypothèse nulle, la performance n'est pas influencée par l'exercice d'échauffement. Les deux scores du participant manifestent simplement la variation spontanée de ce type de mesures et la différence entre les moyennes tend vers 0.

$H_1 : \mu(\bar{X}_1 - \bar{X}_2) \neq 0$

L'entraîneur souhaite montrer qu'il y a bénéfice pour la performance à faire un échauffement préalable, mais il croit surtout que les deux conditions, détente et exercice, devraient produire une différence. À cette hypothèse bidirectionnelle, on fera correspondre un test bilatéral, le risque d'erreur α, de 5 %, étant partagé à raison de 2,5 % pour une différence négative extrême (*i.e.* en faveur de la condition Exercice) et 2,5 % pour une différence positive extrême (en faveur de la condition Détente).

Formules : La différence entre les moyennes, $\bar{X}_1 - \bar{X}_2 =$ 35,870 – 38,620 = –2,750, équivaut à la différence moyenne, $\bar{d}$, qu'on peut obtenir à partir des scores d_i associés à chaque participant. Chaque valeur d_i est obtenue par

$$d_i = X_{1,i} - X_{2,i};$$

pour le participant 1, par exemple, nous avons $d_1 = 38{,}4 - 40{,}2 = -1{,}8$. La moyenne ($\bar{d}$) et l'écart type ($s_d$) de ces d_i sont obtenus par les calculs habituels, produisant ici $\bar{d} = -2{,}750$ et $s_d = 2{,}280$. Pour déterminer si la différence moyenne $\bar{d}$ s'écarte sérieusement ou non de zéro, il faut la situer dans la distribution de toutes les différences $\bar{d}$ issues du modèle de l'hypothèse nulle. La petite formule suivante permet de le faire :

$$t_{\bar{d}} = \frac{\sqrt{n}\,\bar{d}}{s_d}$$

et la loi-modèle qui lui convient est la loi du t de Student avec $dl = n - 1$, n étant le nombre de participants (non pas le nombre de données).

Calcul et décision statistique : Substituant nos données dans la formule de localisation, nous obtenons

$$t_{\bar{d}} = \frac{\sqrt{10} \times -2{,}750}{2{,}281} \approx -3{,}812 \cdot$$

La différence moyenne observée entre nos conditions s'écarte donc de presque 4 unités d'erreur type de la moyenne 0. De fait, au seuil de 5 % bilatéral et pour $dl = 10 - 1 = 9$, la table du t fournit les valeurs critiques $\pm_{0,975}t_9 = \pm 2{,}262$. Une différence observée, avec un t calculé de –3,812, déborde une valeur critique et apparaît significative au seuil choisi. L'entraîneur a donc raison de penser qu'un exercice d'échauffement préalable augmente la puissance explosive des jambes.

9.3.3. L'analyse de variance à plan factoriel mixte ($A \times B_R$)

9.3.3.1. SITUATION DE RECHERCHE ET EXEMPLE

Le plan d'une recherche se ramène parfois à la comparaison de deux groupes de participants ou de deux conditions, comme on l'a vu dans les deux exemples précédents. Souvent, cependant, le protocole inclut deux ou trois variables indépendantes, ou bien une variable indépendante et une variable contrôlée, ce protocole pouvant se représenter comme un *plan d'analyse*. L'analyse de variance (appelée couramment ANOVA), une méthode algébrique et statistique créée par R.A. Fisher, permet de vérifier l'effet des variables indépendantes et de leurs interactions dans le contexte imposé par le plan d'expérience. Malgré son nom, l'analyse de variance est donc une méthode généralisée de comparaison de moyennes. Pour introduire le concept, disons que l'analyse de variance, comme le test *t*, permet de voir si des manipulations expérimentales se traduisent par des variations entre les conditions qui sont significativement plus grandes que les différences entre les participants eux-mêmes à l'intérieur des conditions ou des groupes.

Rappelons que le plan d'expérience dit factoriel correspond au croisement de deux ou plusieurs variables indépendantes, ou *dimensions*, que nous dénotons par les lettres majuscules A, B, C, ... S'il y a p niveaux de la dimension A et q niveaux de la dimension B, le plan A × B présentera donc $p \times q$ cellules ou conditions expérimentales ; dans chaque cellule sont enregistrées de une à plusieurs données, chaque cellule fournissant une moyenne. Le symbole $\bar{X}_{2,1}$ représentera la moyenne des données dans la cellule correspondant à la combinaison du niveau 2 de A (ou A_2) et du niveau 1 de B (ou B_1) ; de même pour $\bar{X}_{2,q}$ (correspondant à A_2 et B_q) ou $\bar{X}_{p,1}$ (correspondant à A_p et B_1). Nous pouvons calculer aussi $\bar{X}_{A_1}$, qui dénote la moyenne associée globalement au niveau A_1, ou $\bar{X}_{B_3}$ pour la moyenne globale de B_3.

Il existe toutes sortes de plans : plans simples, plans factoriels, plans avec variables emboîtées, plans à blocs aléatoires, plans à effets d'interaction confondus, plans en carré latin, etc. La classe la plus générale, celle des plans factoriels, est engendrée par le croisement complet de deux ou plusieurs variables (indépendantes), tels les plans A × B, A × B × C, etc. ; le plan « A », avec deux ou plusieurs groupes, serait un cas particulier, un plan simple pour lequel le test *t* sur la différence de deux moyennes est aussi un cas particulier. Pour indiquer un plan à mesures répétées (ou à blocs aléatoires), on inscrit aussi, par exemple, $A \times B_R$, signifiant que l'on a p groupes de sujets répartis dans les niveaux A_1, A_2, ..., A_p, et que chaque sujet est mesuré répétitivement à travers les niveaux B_1, B_2, ..., B_q. Les plans factoriels comportant à la fois des variables dites inter-sujets (comme A) et des variables intra-sujet (comme B_R) sont appelés mixtes. L'ouvrage de Winer (1971) constitue une référence classique. (Voir aussi Winer, Brown et Michels (1991).)

De tous les plans employés en recherche, le plan factoriel mixte $A \times B_R$ est l'un des plus utilisés. Pensons par exemple à une étude comparant un groupe expérimental à un groupe témoin ou à un groupe placebo, les participants étant mesurés au début puis à la fin de l'intervention expérimentale.

Un chercheur en psychomotricité s'intéresse à l'impact des lésions neurologiques sur la somesthésie et les réactions motrices. Il met au point un protocole pour mesurer le temps de réaction (TR) à la stimulation de la peau, sur le dessus de l'avant-bras, en fonction de la température de l'avant-bras. Son hypothèse de travail est que les personnes neurologiquement lésées, en plus de présenter des latences de réponse plus longues, réagiront différemment des personnes non lésées aux températures froides. Le chercheur utilise trois groupes : des « Lésés centraux » (**LC**) ayant des lésions non spécifiques dans la zone du cortex sensoriel ; des « Lésés périphériques » (**LP**), et des « Non Lésés » (**NL**), les trois groupes étant égalisés pour le sexe (tous mâles), l'âge et la condition sociale. Chaque participant est mesuré sous quatre conditions de température épidermique : 22 °C, 16 °C, 10 °C, 4 °C, l'ordre d'application des températures étant varié au hasard d'un participant à l'autre. Pour appliquer chaque condition de température, le participant introduit son bras dans une boîte isolée visuellement et thermiquement, à température préréglée ; le bras y repose durant quatre minutes, après quoi l'on procède à 5 tests de stimulation (dans la boîte), à intervalle d'environ 30 s l'un de l'autre. Le TR rapporté est la médiane des mesures des 5 essais, en ms. Les données brutes sont présentées au tableau 9.5.

Les moyennes par groupe et par condition de température, soit le tableau des moyennes $A \times B$, sont calculées et présentées à la fin du chapitre (voir section 9.5). Ces moyennes sont représentées graphiquement, à la figure 9.5. Au seuil de signification de 5 %, est-il possible d'affirmer que la somesthésie chez les participants à lésion neurologique est différemment affectée par rapport à celle des personnes non lésées ?

TABLEAU 9.5 **Données brutes du plan A × B_R**

Groupe	Sujet	Températures (°C)			
		4	10	16	22
NL (A_1)	1	168	153	143	144
	2	145	132	128	128
	3	172	169	141	134
	4	200	167	190	173
	5	186	157	159	140
	6	200	165	144	144
LP (A_2)	1	136	142	159	166
	2	164	148	183	154
	3	199	188	189	158
	4	197	179	161	162
	5	185	162	139	155
	6	175	191	171	168
LC (A_3)	1	161	177	214	201
	2	212	251	265	266
	3	175	190	203	227
	4	251	238	235	253
	5	221	224	210	241
	6	208	209	212	236

9.3.3.2. SOLUTION DÉTAILLÉE

Le plan A × B_R met en jeu deux variables indépendantes, chaque variable donnant lieu, soit seule ou en combinaison, à des hypothèses nulles et à des tests correspondants. Notons que le plan A × B_R, à 2 variables, implique 3 tests (un pour l'effet principal de A, un pour l'effet principal de B et un pour l'effet de l'interaction A × B). Un plan à 3 variables impliquerait 7 tests (A, B, C, A × B, A × C, B × C, A × B × C) et, en général, un plan à *k* variables impliquerait $2^k - 1$ tests.

$H_0(A): \sigma^2_A = 0 \quad \{\mu(A_1) = \mu(A_2) = \ldots = \mu(A_p) = \mu\}$

L'hypothèse nulle sur la variable indépendante « A », ici la présence ou le type de lésions neurologiques, stipule que tous les participants réagissent semblablement, quel que soit leur groupe, et qu'ils proviennent d'une même population. Les niveaux « $\mu(A_j)$ » des *p* groupes étant tous égaux, leur variance (σ^2_A) est nulle.

$H_0(B): \sigma^2_B = 0 \quad \{\mu(B_1) = \mu(B_2) = \ldots = \mu(B_q) = \mu\}$

FIGURE 9.5 **TR moyens en fonction de la température sur l'avant-bras, selon le groupe**

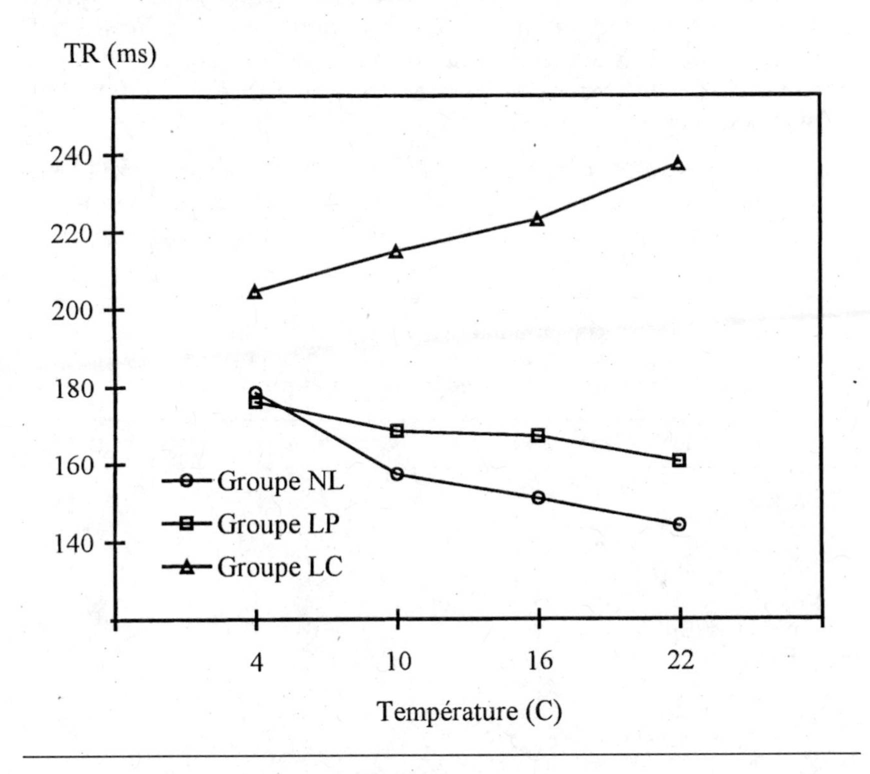

Selon l'hypothèse nulle sur la variable indépendante « B », ici la température, les performances ne sont pas affectées par les conditions auxquelles les participants sont soumis. Par conséquent, la variance entre les q niveaux de B (σ^2_B) est nulle.

$H_0(A \times B) : \sigma^2_{A \times B} = 0$
{les influences de A et de B sont indépendantes}

L'hypothèse nulle sur l' « interaction » des variables A × B stipule que, même si les variables A ou B ont des effets réels sur la variable dépendante, ces effets sont (linéairement) indépendants, produisant des variations parallèles dans les données. Les effets spécifiques des combinaisons de conditions A_jB_k sont évalués en soustrayant les effets parallèles de A et B et sont nommés « effets d'interaction » ; leur étude constitue l'avantage propre des plans factoriels d'analyse de variance. L'hypothèse nulle affirme qu'il n'y a pas d'interaction entre A et B.

Aux hypothèses nulles formulées ci-dessus s'opposent les contre-hypothèses H_1 correspondantes, soit $\sigma^2_A > 0$, $\sigma^2_B > 0$, $\sigma^2_{A \times B} > 0$, lesquelles commandent des tests unilatéraux. Les trois tests d'hypothèses du plan $A \times B_R$ prennent la forme de tests *F*, qui sont ici des quotients de « Carrés Moyens » (ou variances reproportionnées). Les résultats des calculs sont présentés d'habitude dans un tableau-résumé d'analyse de variance.

Formules : Les formules, en fait tous les calculs requis pour l'analyse, sont expliqués en détail dans l'appendice du chapitre à la section 9.5. Le tableau 9.6 résume l'information utile.

TABLEAU 9.6 **Analyse de variance des TR somesthésiques dans les trois groupes (*n* = 6 par groupe), en fonction de la température de la peau**

Source de variation	Degrés de liberté	Carré Moyen	Quotient *F*
Inter-sujets	17		
Groupes (A)	2	26847,58	$20{,}41^{0,01}$
Intragroupe*	15	1315,24	
Intra-sujet	54		
Températures (B)	3	165,64	< 1
A × B	6	1283,05	$7{,}00^{0,01}$
B × Sujets**	45	183,22	

* $F_{max} = 3{,}882$; $k = 3$, $dl = 5$; $p > 0{,}05$.
** $F_{max} = 2{,}437$; $k = 3$, $dl = 15$; $p > 0{,}05$.

Validité de l'analyse

La validité des conclusions basées sur l'analyse de variance repose sur plusieurs conditions, la première étant que la variable dépendante (X) se distribue normalement ou à peu près normalement. L'homogénéité des variances intragroupe [voir $s^2(\bar{X}_S)$, dans l'appendice] et des variances d'interaction B × sujets [voir $s^2(B \times S)$] peut être facilement testée. Les tests F_{max} indiqués en notes infra-tableau n'étant pas significatifs, nous pouvons admettre que les Carrés Moyens (CM) intragroupe et B × Sujets sont valides et procéder à la suite, sous réserve des autres conditions[7].

7. Ces conditions de validité impliquent notamment l'homogénéité des *p* matrices de co-variances (inter-conditions), de même qu'une symétrie spéciale de leur somme pondérée.

Conclusion sur les groupes (dimension A)

Le test *F* pour les groupes, avec 2 et 15 degrés de liberté et valant 20,41, est significatif au seuil de 1 % (tel qu'indiqué). En fait, les moyennes globales obtenues dans nos trois groupes (voir l'appendice) sont $\bar{X}_{NL} = 157{,}58$, $\bar{X}_{LP} = 167{,}96$ et $\bar{X}_{LC} = 220{,}00$, montrant un TR particulièrement ralenti chez les participants Lésés centraux. La pauvre performance moyenne de ces derniers est d'ailleurs apparente à la figure 9.5.

Conclusion sur les températures (dimension B)

Pour rejeter l'hypothèse nulle, chaque quotient *F* en analyse de variance doit être significativement plus grand que 1. Or, pour les effets de B, le quotient calculé, $CM_B/CM_{B \times S} = 165{,}64/183{,}22$, est fractionnaire, donc forcément non significatif. Globalement, c'est-à-dire pour l'ensemble des groupes, les températures n'ont pas d'influence générale (comme en témoignent les moyennes globales de B, en appendice).

Conclusion sur les effets différentiels des températures selon les groupes (interaction A × B)

L'inspection de la figure 9.5 fait voir que, au contraire des groupes Non Lésés et Lésés périphériques pour qui le refroidissement épidermique retarde la réponse somesthésique, la réponse des Lésés centraux est favorisée par ce refroidissement ; ce sont ces effets contraires qui se révèlent significatifs dans l'interaction A × B ($F = 7{,}00$; $dl = 6$ et 45 ; $p < 0{,}01$).

Dans son interprétation générale, le chercheur devra discuter à la fois le retard de réponse global des individus avec lésion du système nerveux central et le curieux effet de température constaté chez ces participants. Les écarts moins importants observés entre les participants à lésions neurologiques périphériques et les participants sans lésions pourront faire l'objet d'une analyse statistique ultérieure[8].

8. Rappelons que toutes les études décrites, les données et les conclusions sont fictives et que nous les exposons comme si elles étaient vraies dans un seul but pédagogique.

L'appendice du chapitre donne les indications de calcul nécessaires pour l'analyse de variance à plan $A \times B_R$, en particulier toutes les formules et tous les procédés de calcul pour déterminer les divers Carrés Moyens (CM_A, CM_B, $CM_{A \times B}$, $CM_{intragroupe}$, $CM_{B \times S}$) : l'omission de ces pages ne nuit pas à la compréhension globale du chapitre ou de l'exemple. Il existe quelques logiciels (p. ex., SAS, SPSS et SuperAnova) qui permettent l'automatisation des calculs sur plateforme centrale ou sur ordinateur personnel.

9.3.4. Le Khi-deux d'interaction pour *k* groupes indépendants

9.3.4.1. SITUATION DE RECHERCHE ET EXEMPLE

Dans les enquêtes et, parfois, dans certaines études de laboratoire, la « mesure » se présente sous forme de catégories, d'étiquettes verbales : Hommes *vs* Femmes ; Fumeurs, Anciens fumeurs, Non-fumeurs ; vivant Seul, Avec conjoint(e), Avec parents ; etc. La comparaison de deux ou plusieurs groupes de personnes ainsi « mesurées » ne peut pas se faire par le test *t* (pour deux groupes) ni par l'analyse de variance (pour plusieurs groupes), la variable dépendante étant catégorielle[9] : cette comparaison est néanmoins possible.

Une équipe de professeurs en sciences de la santé au collégial s'interroge sur l'attitude et sur les préoccupations des cégépiens à l'égard de leur santé. Ils élaborent un bref questionnaire leur permettant de classer le répondant selon son type de préoccupations de santé. Trois types émergent : Aucune préoccupation (Nil), Préoccupation de bonne alimentation (Nutrition), Préoccupation de vie active et bonne alimentation (V.A. + Nutrition). Mille deux cents étudiants de la grande région de Montréal sont interrogés, mais seuls les résultats des étudiants inscrits en Sciences humaines (Sc.h.), en Sciences de la nature (Sc.n.), en Techniques (T) et en Arts (A) sont retenus. Les résultats sont compilés au tableau 9.7 (les nombres en italique sont expliqués plus bas).

L'« attitude-santé » des cégépiens est-elle comparable d'un groupe de programmes à l'autre ?

9. Ces mesures sont aussi dites « nominales » ou relevant d'une échelle de mesure « nominale » (voir le chapitre 6).

9.3.4.2. SOLUTION DÉTAILLÉE

H_0 : La répartition des participants à travers les catégories est semblable d'un groupe à l'autre. Les profils de répartition des étudiants sont parallèles pour les quatre programmes, la probabilité qu'un étudiant ait telle ou telle « attitude-santé » est indépendante du programme et constante.

H_1 : La répartition des participants dans les catégories diffère selon le groupe. Il y a une *interaction*, c'est-à-dire une non-indépendance, entre les lignes et les colonnes du tableau de fréquences. L'« attitude-santé » des cégépiens varie selon la classe de programmes où ils sont inscrits.

Formules : Le test de l'hypothèse nulle se fait en comparant l'ensemble des fréquences observées dans le tableau 9.7 aux fréquences moyennes attendues si H_0 était vraie, c'est-à-dire si les répartitions des données d'une ligne à l'autre et d'une colonne à l'autre étaient indépendantes. Posons que nous avons *p* lignes (ou groupes) et *q* colonnes (ou catégories). Chaque fréquence observée f_{jk}, dans la ligne *j* et la colonne *k*, est comparée à une fréquence théorique ft_{jk} obtenue selon

$$ft_{jk} = \frac{L_j \times C_k}{N}$$

où L_j dénote le *total* de la ligne *j* (ou taille du groupe *j*), C_k le total de la colonne *k* (ou catégorie *k*) et N le grand total. Ces fréquences théoriques, calculées pour notre exemple, sont reportées dans le coin supérieur gauche des cellules du tableau 9.7, en italique.

Prenons la cellule de ligne $j = 2$ et colonne $k = 3$. Nous observons $f_{2,3} = 40$ étudiants de Sciences de la nature casés en « V.A. + Nutrition », c'est-à-dire qui se soucient de vie active et de bonne alimentation. Les totaux appropriés étant $L_2 = 280$, $C_3 = 110$ et $N = 1000$, nous calculons $ft_{2,3} = (280 \times 110)/1000 = 30{,}8$, donc moins d'étudiants prévus (selon H_0) que le nombre effectivement enregistré.

La statistique Khi-deux (χ^2) s'obtient alors en sommant les différences carrées entre $f_{j,k}$ et $ft_{j,k}$, au moyen du calcul

$$\chi^2 = \sum_{j,k} \frac{(f_{j,k} - ft_{j,k})^2}{ft_{j,k}},$$

la sommation des composantes « $(f_{j,k} - ft_{j,k})^2/ft_{j,k}$ » se faisant dans les $p \times q$ cellules du tableau 9.7. Cette statistique[10] est une variable de la loi χ^2 avec $(p - 1) \times (q - 1)$ degrés de liberté. L'hypothèse nulle sera rejetée si, les écarts entre fréquences observées et théoriques s'accumulant, la somme de leurs différences carrées dépasse une valeur critique.

Chaque composante devant être calculée séparément, nous en avons inscrit la valeur dans le coin inférieur droit des cellules, en italique. Ainsi, pour la cellule $j = 2$ et $k = 3$, nous calculons simplement $(40 - 30{,}8)^2/30{,}8 \approx 2{,}748$, composante qui s'additionne aux autres pour fournir la valeur finale de la statistique, soit $\chi^2 = 32{,}751$.

TABLEAU 9.7 **Type de préoccupations de santé des étudiants**

Programme	**Nil**	**Nutrition**	**V.A. + Nutrition**	**Total**
Sciences humaines	*268,0* 250 *1,209*	*88,0* 100 *1,636*	*44,0* 50 *0,818*	**400**
Sciences de la nature	*187,6* 200 *0,820*	*61,6* 40 *7,574*	*30,8* 40 *2,748*	**280**
Techniques	*134,0* 150 *1,910*	*44,0* 40 *0,364*	*22,0* 10 *6,545*	**200**
Arts	*80,4* 70 *1,345*	*26,4* 40 *7,006*	*13,2* 10 *0,776*	**120**
Total	**670**	**220**	**110**	**1000**

10. La statistique ainsi définie se distribue approximativement comme la loi χ^2, la qualité de l'approximation étant sujette à certains conditions, notamment des valeurs $ft_{j,k}$ suffisamment fortes, soit $ft_{j,k} \geq 2$.

Calcul et décision statistique

Pour les données de notre exemple, nous obtenons donc χ^2 = 32,751. Avec 4 (=*p*) groupes et 3 (=*q*) catégories de mesures, les degrés de liberté sont (4 – 1) × (3 – 1) = 6. Dans une table de la loi χ^2, nous trouvons ${}_{0,95}\chi^2_6$= 12,59, voire ${}_{0,99}\chi^2_6$ = 16,81, la somme calculée (égale à 32,751) excédant l'un et l'autre seuil. Les « attitudes-santé » des étudiants diffèrent donc d'un programme à l'autre. Notamment, les étudiants en Techniques sont moins attirés vers des préoccupations de vie active, tandis que ceux en Arts semblent s'intéresser plus que d'autres à la bonne alimentation. L'équipe de professeurs pourra qualifier et nuancer ces conclusions en scrutant l'ensemble des quantités inscrites dans le tableau de calcul.

9.4. LES AUTRES OUTILS DE LA STATISTIQUE

Bien que, selon nous, les tests d'hypothèses soient le principal outil statistique du chercheur en sciences sociales et en psychologie, d'autres outils sont disponibles et servent d'autres fonctions dans l'analyse des phénomènes mesurables. Nous nous bornerons ici à nommer ces outils et en suggérer les applications les plus courantes. Les outils présentés concernent le traitement combiné de deux ou plusieurs variables différentes et tombent donc dans la classe des techniques de l'analyse statistique multivariée, par opposition aux techniques d'analyse univariée considérées jusqu'à présent. L'analyse multivariée se fonde sur les concepts de *corrélation* et de *covariance* (ou variation conjointe) entre deux variables.

Le lecteur intéressé trouvera facilement, en bibliothèque, des ouvrages spécialisés traitant de l'une ou l'autre des techniques présentées (p. ex., Anderson, 1984 ; Tabachnik & Fidell, 1989), de même que des progiciels permettant d'en automatiser l'exécution.

9.4.1. Analyse de régression

Tous connaissent plus ou moins la régression simple, ou *régression linéaire simple*,

$$\hat{Y} = bX + a\,;$$

ce modèle exprime la variable Y (dite « critère ») comme une fonction linéaire de la variable X (dite « prédicteur »). Pensons au Succès scolaire (Y) en fonction du Q.I. (X), à la perte de Force musculaire (Y) en fonction de l'Âge (X) chez l'adulte, etc. Cette forme simple se ramifie de bien des façons. La *régression polynomiale*, soit

$$\hat{Y} = b_1X + b_2X^2 + b_3X^3 + \ldots + b_kX^k + a,$$

permet de décrire la relation de Y avec X dans un modèle plus complexe que celui d'une simple ligne droite. La *régression multiple*,

$$\hat{Y} = b_1X_1 + b_2X_2 + b_3X_3 + \ldots + b_kX_k + a,$$

décrit la relation entre un critère et une combinaison linéaire de prédicteurs. Les analyses de régression multiple reviennent fréquemment en sciences sociales, à la fois pour l'élaboration de « modèles prédictifs » ou pour découvrir les déterminants possibles d'une performance ou d'un état. La *régression logistique* est une application de la régression multiple dans le cas où le critère Y est catégoriel (par exemple « Décrocheur » *vs* « Non décrocheur » à l'école, « En rémission » *vs* « Sans rémission », etc.).

9.4.2. Analyse de variance multivariée

L'analyse de variance multivariée, appelée MANOVA, est simplement une extension de l'analyse de variance dont nous avons donné l'esquisse à la section 9.3.3. Ici, le chercheur possède deux ou plusieurs mesures différentes du phénomène étudié et il doit décider si ses interventions expérimentales (ses variables indépendantes) ont ou non une influence significative sur *l'agrégat* des mesures du phénomène. Cet agrégat prend la forme d'un composé linéaire. Ainsi, avec les mesures X, Y et Z pour chaque participant, le test d'hypothèses, au lieu de porter seulement sur X (par exemple), portera sur un regroupement de forme $c_1X + c_2Y + c_3Z$, les coefficients étant mathématiquement déterminés pour favoriser le rejet de l'hypothèse nulle. Notons au passage qu'il est justifié d'utiliser l'analyse de variance multivariée pour tester des hypothèses portant spécifiquement sur l'agrégat des mesures, mais pas pour contrôler l'erreur de type I (Dar, Serlin, & Omer, 1994 ; Hair, Anderson, Tatham, & Black, 1992 ; Tabachnick & Fidell, 1989). Ce mythe demeure malheureusement très répandu en psychologie. Finalement, le test T de Hotelling constitue un cas particulier de l'analyse de variance multivariée s'appliquant notamment à la comparaison de deux groupes de participants.

9.4.3. Analyse discriminante

L'analyse discriminante, à l'instar de la régression logistique, traite la relation entre d'une part un ensemble de prédicteurs (disons, X_1, X_2, X_3, etc.) et d'autre part un critère Y catégoriel ; le critère représente habituellement différents groupes ou catégories de personnes. Le but premier de l'analyse, aussi appelée analyse en fonctions discriminantes, est de mettre sur pied une ou plusieurs fonctions des prédicteurs afin de classer chaque participant dans le groupe (ou catégorie) à l'intérieur duquel il a le plus d'affinités. Comme but auxiliaire, le chercheur peut repérer l'ensemble de prédicteurs le plus utile pour effectuer ce classement, cette discrimination entre les diverses catégories de personnes.

9.4.4. Analyse factorielle

La corrélation $r_{X,Y}$ entre deux variables nous informe sur la parenté, l'affinité qui existe entre les deux caractères mesurés. Pour le chercheur qui explore un *domaine de variables* – par exemple les traits de personnalité, les habiletés mentales élémentaires à la base de l'intelligence, les différentes attitudes de l'élève à l'école –, il est possible de mesurer chacune de ces variables puis de calculer leurs inter-corrélations. L'inspection du tableau des inter-corrélations va révéler parfois des groupes de variables caractérisés par de bonnes corrélations parmi les variables du groupe et peu ou pas de corrélations des variables d'un groupe à l'autre. L'analyse factorielle (ne pas confondre avec l'analyse de variance à plan factoriel) est une méthode mathématique (plutôt que statistique) visant elle aussi à découvrir les parentés entre les variables, mais à un niveau plus profond, celui des *facteurs*. Sommairement, la corrélation $r_{X,Y}$ entre deux variables est expliquée par la somme des *facteurs* que ces variables partagent, chaque *facteur* étant ainsi une méta-variable, un concept, que le chercheur tente d'identifier. L'*analyse des correspondances* est une autre méthode de même souche, mais appliquée cette fois à des données catégorielles et à des tableaux de fréquences.

9.4.5. Analyse des structures de covariance

Covariance et corrélation étant deux concepts statistiques interchangeables, l'analyse des structures de covariance recouvre une classe de techniques apparentées à la fois à l'analyse factorielle et à l'analyse de régression et dont un but important est de vérifier la validité d'un modèle spécifié et articulé de relations entre des variables observées et des variables sous-jacentes. Parmi ces techniques, mentionnons l'analyse factorielle confirmatoire, l'analyse des structures latentes (incluant la méthode commercialisée *Lisrel*) et l'analyse acheminatoire (*path analysis*).

9.4.6. Expérimentation de modèles Monte Carlo

De pratique déjà établie en statistique théorique, en sciences physiques et en sciences économiques, l'élaboration et l'étude de modèles en simulation font leur chemin depuis quelques années en sciences sociales et en psychologie, notamment en psychologie cognitive. Le chercheur, se basant sur des publications ou sur ses propres recherches et ses intuitions, bâtit un modèle complet quoique simplifié d'un système comprenant le phénomène qui l'intéresse. Il traduit ce modèle dans un programme informatique puis il l'anime, ou le fait vivre, en y incorporant des composantes aléatoires réalistes (issues de nombres aléatoires engendrés par le programme) : c'est comme si le système vivait et évoluait dans l'espace informatique, en accéléré. Des mesures périodiques des variables clés du modèle renseignent le chercheur sur les tendances ou les interactions du système qui l'intéressent (voir Landry, 1997 ; Laurencelle, 2001). La vie et la mort des populations, la propagation d'un influx nerveux dans une arborescence, l'étude statistique du sociogramme et la détermination du choix exceptionnel, la vulnérabilité d'un modèle factoriel de la personnalité à des perturbations aléatoires... la liste des applications est virtuellement illimitée, l'étude des modèles étant au cœur même de l'effort de la science.

9.5. CONCLUSION

En conclusion, pour le chercheur en psychologie ou en sciences sociales, la statistique constitue une trousse d'outils bien garnie, des outils que l'informatique personnelle a rendus conviviaux. Mais, plus encore qu'une trousse d'outils, la statistique est une façon de voir le monde des phénomènes, de l'étudier, de l'expliquer, et aussi une approche qui marie la vivante richesse des phénomènes toujours variables à la rigueur, à la précision de l'expression et de la démonstration mathématiques.

9.6. APPENDICE CALCULS DE L'ANALYSE DE VARIANCE DU PLAN A × B_R

Note liminaire 1. Il existe plus d'un procédé et plus d'une formule pour effectuer le calcul des différentes composantes de l'analyse de variance, tous les procédés fournissant des résultats identiques (aux erreurs d'arrondissement près) *quand les groupes sont de tailles n_j égales.* En cas de tailles n_j inégales, la seule solution exacte (obtenue par une application explicite de la méthode des moindres carrés) est peu praticable, les autres solutions restant toutes approximatives. Notre solution fait partie de ces dernières : c'est une solution *dépondérée,* dite aussi *solution du n harmonique.* Elle a, sur les autres, l'avantage d'exploiter optimalement la calculette.

Note liminaire 2. Nous effectuons tous les calculs à (au moins) 3 décimales de précision (*i.e.* 3 chiffres décimaux de plus que l'unité de X). Les résultats sont, par contre, présentés arrondis à 2 décimales, ainsi qu'il est suggéré dans les normes de publication de l'APA (1994).

9.6.1. Calculs initiaux

Cette première phase permet d'identifier complètement le plan A × B_R, de fixer les notations et valeurs principales servant dans les formules et de préparer les calculs des Carrés Moyens.

9.6.1.1. NOTATIONS ET VALEURS PRINCIPALES

Les $p = 3$ groupes constituent la dimension A, de variantes A_1, A_2, A_3 ; les $q = 4$ températures forment la dimension B à mesures répétées, de B_1 à B_4. Les groupes sont de tailles (nombres de participants) $n_j = 6$, 6 et 6. Le nombre total de participants, dénoté N et calculé par $N = n_1 + n_2 + \ldots + n_p$, est égal à 18. Le nombre typique de participants par groupe est $\tilde{n} = 6$, $\tilde{n}$ étant la moyenne harmonique obtenue par

$$\tilde{n} = p/(n_1^{-1} + n_2^{-1} + \ldots + n_p^{-1}).$$

9.6.1.2. CALCUL DES MOYENNES PAR CONDITION ET PAR PARTICIPANT (SUJET)

Le tableau 9.9 reproduit les données brutes, séparées par groupe (ou niveau A_j). Pour chaque bloc A_j, nous obtenons les n_j moyennes par sujet ($\overline{X}_S$), les q moyennes par niveau B_k ($\overline{X}_{AB}$) et la moyenne du bloc ($\bar{X}_{A_j}$). Cette étape franchie, nous regroupons les moyennes $\bar{X}_{AB}$ dans un tableau A × B des $p \times q$ moyennes du plan, en inscrivant les moyennes (déjà trouvées) $\bar{X}_A$ et en calculant les moyennes globales $\bar{X}_B$ obtenues par la moyenne arithmétique des moyennes ($\bar{X}_{AB}$) du niveau B_k correspondant[11]. Voir le tableau 9.10.

9.6.1.3. Calcul des variances élémentaires

Les Carrés Moyens qui constituent le tableau-résumé de l'analyse de variance sont des variances (transformées de différentes façons), dont les ingrédients sont eux-mêmes des variances élémentaires (s^2). Comme pour les moyennes et avec la calculette, nous obtenons pour chaque tableau 9.9A_j: la variance des qn_j (= 24) données du tableau, dénotée $s^2(BS)_j$; la variance des q (= 4) moyennes de conditions ($\bar{X}_{AB}$), dénotée $s^2(\bar{X}_B)_j$; la variance des n_j (= 6) moyennes de sujets ($\bar{X}_S$), dénotée $s^2(\bar{X}_S)_j$. Enfin, au tableau 9.10 des moyennes A × B, nous obtenons de même, par la calculette : la variance des pq moyennes $\bar{X}_{AB}$, dénotée $s^2(\bar{X}_{AB})$, puis $s^2(\bar{X}_A)$ et $s^2(\bar{X}_B)$. Toutes ces variances sont reportées au bas des tableaux correspondants.

9.6.2. Calcul des Carrés Moyens (CM)

9.6.2.1. Plan de calcul des Carrés Moyens

Les différents Carrés Moyens (CM) qui constituent l'analyse de variance à plan A × B_R sont indiqués au tableau 9.8, avec une formule ou une indication de formule. Les lignes du tableau intitulées « Inter-sujets » et « Intra-sujet » reflètent seulement la structure du plan d'analyse et ne comportent pas de Carré Moyen.

9.6.2.2. CM_A (Carré Moyen des groupes A)

La variance entre les p groupes A_j (*i.e.* entre les p moyennes de groupe globales), soit $s^2(\bar{X}_A) = 1118{,}649$, est multipliée par $\tilde{n}$ (la taille typique de groupe) et par q, le nombre de conditions répétées. Ici, $CM_A = 6 \times 4 \times 1118{,}649 = 26847{,}576$; ce Carré Moyen possède $p - 1 = 2$ degrés de liberté.

11. Chaque moyenne globale $\bar{X}(B_k)$ est donc une moyenne des p moyennes $\bar{X}(A_jB_k)$, pour $j = 1$ à p, plutôt que la moyenne des N données observées pour tous les sujets sous la condition B_k. Ces deux façons de calculer ne s'équivalent pas lorsque les n_j diffèrent.

TABLEAU 9.8 **Tableau résumé des Carrés Moyens pour le plan A × B_R**

Source de variation	Degrés de liberté	Carré Moyen	Quotient *F*
Inter-sujets	N – 1		
Groupes (A)	$p - 1$	$\tilde{n}q s^2(\bar{X}_A)$	$CM_A / CM_{intragroupe}$
Intragroupe	N – p	$q[\Sigma(n_j - 1)s^2(\bar{X}_S)_j]/(N - p)$	
Intra-sujet	N(q – 1)		
Conditions (B)	$q - 1$	$\tilde{n}p s^2(\bar{X}_B)$	$CM_B / CM_{B \times Sujets}$
A × B	$(p - 1)(q - 1)$	Voir $CM_{A \times B}$	$CM_{A \times B} / CM_{B \times Sujets}$
B × Sujets	$(N - p)(q - 1)$	Voir $CM_{B \times Sujets}$	

9.6.2.3. CM_B (CARRÉ MOYEN DES CONDITIONS B)

La variance entre les q moyennes de conditions B_k est multipliée par $\tilde{n}$ et par p. Ici, $CM_B = 6 \times 3 \times 9{,}202 = 165{,}636$, avec $q - 1 = 3$ degrés de liberté.

9.6.2.4. $CM_{A \times B}$ (CARRÉ MOYEN D'INTERACTION GROUPES A × CONDITIONS B)

Si les variables A et B avaient des effets indépendants (ou géométriquement parallèles) sur X, la variance totale (des moyennes) du tableau A × B serait entièrement projetée dans la variance des lignes (A) et celle des colonnes (B). La variance d'interaction est définie comme une variance des effets résiduels et est obtenue par soustraction. La formule

$$CM_{A \times B} = [\tilde{n}s^2(\bar{X}_{AB})(pq - 1) - CM_A(p - 1) - CM_B(q - 1)]/[(p - 1)(q - 1)]$$

fournit le Carré Moyen requis. Ici, nous avons calculé $s^2(\bar{X}_{AB}) = 937{,}732$, puis

$$CM_{A \times B} = [6 \times 937{,}732(3 \times 4 - 1) - 26847{,}576(3 - 1) - 165{,}630(4 - 1)] / [(3 - 1)(4 - 1)] = 1283{,}045$$

9.6.2.5. $CM_{INTRAGROUPE}$

Le Carré Moyen intragroupe (CM_{i-g}) mesure la variabilité inter-sujets à partir des variances des $\bar{X}_S$ calculées dans chaque groupe A_j (c'est l'équivalent de l'erreur type des moyennes $\bar{X}_A$). Le CM_{i-g} lui-même est la moyenne pondérée de ces variances inter-sujets, d'un groupe à l'autre, comme le montre la formule au tableau 9.8. Si les groupes (n_j) sont égaux, comme ici, la moyenne simple suffit, c'est-à-dire que $CM_{i-g} = q\Sigma s^2(\bar{X}_S)_j / p = 4 \times (259{,}517 + 148{,}910 + 578{,}000)/3 = 1315{,}236$.

9.6.2.6. $CM_{B \times Sujets}$

Comme pour le CM_{i-g}, le $CM_{B \times Sujets}$ sert de critère (*i.e.* de variance d'erreur) contre lequel on peut comparer les CM_B et $CM_{A \times B}$. Il résulte lui aussi de la combinaison des variances d'interaction $s^2(B \times Sujets)$ estimées dans chacun des p groupes. Il faut donc, en premier lieu, calculer la variance $s^2(B \times S)$, ou variance résiduelle, dans chaque tableau $9.9A_j$, la formule étant

$$s^2(B \times S)_j = [s^2(BS)(qn_j - 1) - s^2(\bar{X}_S)_j \times q(n_j - 1) - s^2(\bar{X}_B)_j \times n_j(q-1)] / [(n_j - 1)(q - 1)].$$

Les quantités utilisées, déjà calculées, se retrouvent au bas de chaque tableau $9.9A_j$. Ainsi, pour le tableau $9.9A_1$, nous avons

$$s^2(B \times S)_1 = [468{,}601(4 \times 6 - 1) - 259{,}517 \times 4(6-1) - 224{,}102 \times 6(4-1)] / [(6-1)(4-1)] = 103{,}576.$$

Les p composantes d'interaction B × Sujets sont reportées aussi au bas des tableaux de calcul. Le CM global est la moyenne pondérée de ces p estimations, soit

$$CM_{B \times Sujets} = [\Sigma s^2(B \times S)_j \times (n_j - 1)] / (N - p).$$

Les groupes étant ici égaux, la moyenne pondérée se ramène à une moyenne simple, d'où $CM_{B \times Sujets} = (103{,}576 + 252{,}443 + 193{,}629)/3 \approx 183{,}216$.

9.6.2.7. Homogénéité des CM composés ($CM_{intragroupe}$, $CM_{B \times Sujets}$)

L'une des conditions requises pour l'application valide des tests d'hypothèses en analyse de variance est celle dite d'homogénéité des variances. Dans le plan $A \times B_R$, cette condition affecte le CM_{i-g} et le $CM_{B \times Sujets}$, tous deux composés à partir de p estimations prises dans les groupes A_j. Dans le but de vérifier cette condition, le test le plus expéditif est sans doute le test du F_{max} (de H.O. Hartley), soit simplement

$$F_{max} = \max s_j^2 / \min s_j^2 ;$$

pour être décrétée significative, la valeur calculée doit atteindre ou dépasser le centile 100(1 – α) trouvé dans une table de F_{max}, avec les paramètres p (= nombre de variances considérées) et dl (les degrés de liberté de chaque variance[12]). Nous adoptons ici un seuil de signification $\alpha = 0{,}05$.

Pour le CM_{i-g}, les $p = 3$ ingrédients comparés sont $s^2(\bar{X}_S)_j$ = 259,517, 148,910 et 578,000, chacun avec $dl = n_j - 1 = 5$. Leur quotient maximal est $F_{max} = 578{,}000/148{,}900 \approx 3{,}882$. Pour p = 3 et $dl = 5$, la table donne ${}_{0,95}F_{max} = 10{,}76$: ainsi le test n'est pas significatif. Les variances inter-sujets étant donc jugées compatibles d'un groupe à l'autre, le CM_{i-g} est réputé valide. Les composantes du $CM_{B \times Sujets}$, soit $s^2(B \times S)_j$ = 103,576, 252,443 et 193,629, ont chacune $(n_j - 1)(q - 1) = 5 \times 3 = 15$ dl. Leur quotient maximal, $252{,}443/103{,}576 \approx 2{,}437$, doit être confronté au F_{max} avec $p = 3$ et $dl = 15$, soit ${}_{0,95}F_{max} = 3{,}532$. Encore une fois, le quotient n'étant pas significatif, les estimations des différents groupes sont homogènes et le $CM_{B \times Sujets}$ est jugé valide. La condition d'homogénéité des variances peut être considérée comme globalement satisfaite[13].

9.6.2.8. CALCUL ET INTERPRÉTATION STATISTIQUE DES QUOTIENTS *F*

Pour tester l'hypothèse nulle sur la dimension A, soit $H_0(A)$, le quotient $F = CM_A/CM_{intragroupe} = 26847{,}576/1315{,}236 \approx 20{,}413$ est confronté à la variable $F_{p-1,N-p}$, soit $F_{2,15}$, les degrés de liberté ressortissant aux numérateur et dénominateur du F. Dans la table du F, pour le seuil de probabilité de 1 %, nous trouvons ${}_{0,99}F_{2,15} = 6{,}359$, notre résultat apparaissant fortement significatif.

Pour tester $H_0(B)$, nous prenons $F = CM_B/CM_{B \times Sujets}$ = $165{,}630/183{,}216 \approx 0{,}904$. Puisque, pour rejeter H_0, la valeur calculée doit être significativement *plus forte que* 1, il suffit de noter ici $F < 1$, indiquant ainsi que le dimension B n'a pas apporté de variations globales significatives.

---

12. Dans le cas de tailles (n_j) inégales, le test n'est qu'approximatif et on peut considérer en appliquer d'autres. Une solution recommandée consiste à appliquer les dl_j les plus élevés.
13. En cas de violation de l'une ou l'autre de ces conditions, le chercheur peut explorer quelques avenues de solution, notamment la modification des données X de base par une transformation non linéaire ou le recours à un test de type non paramétrique.

Pour $H_0(A \times B)$, le quotient $F = CM_{A \times B} / CM_{B \times Sujets}$ correspond à une variable F avec $(p - 1)(q - 1)$ et $(N - p)(q - 1)$ degrés de liberté, soit 6 et 45 pour notre exemple. La valeur calculée, $F = 1283{,}045 / 183{,}216 \approx 7{,}003$, se compare à ${}_{0,99}F_{6,45} \approx 3{,}232$ et apparaît donc significative au seuil de 1 %, reflétant l'interaction déjà visible dans la figure 9.5.

TABLEAU 9.9A$_1$ **Groupe NL (Non Lésés)**

Sujet	Températures (°C)				$\bar{X}_s$
	B$_1$ (4)	B$_2$ (10)	B$_3$ (16)	B$_4$ (22)	
1	168	153	143	144	152
2	145	132	128	128	133,25
3	172	169	141	134	154
4	200	167	190	173	182,5
5	186	157	159	140	160,5
6	200	165	144	144	163,25
$\bar{X}_{AB}$	178,5	157,167	150,833	143,833	157,583

$s^2(BS)_1 = 468{,}601$; $s^2(\bar{X}_B)_1 = 224{,}102$; $s^2(\bar{X}_S)_1 = 259{,}517$; $s^2(B \times S)_1 = 103{,}576$.

TABLEAU 9.9A$_2$ **Groupe LP (Lésés périphériques)**

Sujet	Températures (°C)				$\bar{X}_s$
	B$_1$ (4)	B$_2$ (10)	B$_3$ (16)	B$_4$ (22)	
1	136	142	159	166	150,75
2	164	148	183	154	162,25
3	199	188	189	158	183,5
4	197	179	161	162	174,75
5	185	162	139	155	160,25
6	175	191	171	168	176,25
$\bar{X}_{AB}$	176	168,333	167	160,5	167,958

$s^2(BS)_2 = 325{,}781$; $s^2(\bar{X}_B)_2 = 40{,}451$; $s^2(\bar{X}_S)_2 = 148{,}910$; $s^2(B \times S)_2 = 252{,}433$.

TABLEAU 9.9A_3 **Groupe LC (Lésés centraux)**

Sujet	**Températures (°C)**				$\bar{X}_s$
	B_1 (4)	**B_2 (10)**	**B_3 (16)**	**B_4 (22)**	
1	161	177	214	201	188,25
2	272	251	265	266	248,5
3	175	190	203	227	198,75
4	251	238	235	253	244,25
5	221	224	210	241	224
6	208	209	212	236	216,25
$\bar{X}_{AB}$	204,667	214,833	223,167	237,333	220

$s^2(BS)_3 = 778{,}174$; $s^2(\bar{X}_B)_3 = 190{,}754$; $s^2(\bar{X}_S)_3 = 578{,}000$; $s^2(B \times S)_3 = 193{,}629$.

TABLEAU 9.10 **Moyennes du plan A × B_R**
(n = 6 données par cellule interne)

Groupe	**Températures (°C)**				$\bar{X}_A$
	B_1 (4)	**B_2 (10)**	**B_3 (16)**	**B_4 (22)**	
A_1 **(NL)**	178,5	157,167	150,833	143,833	157,583
A_2 **(LP)**	176	168,333	167	160,5	167,958
A_3 **(LC)**	204,667	214,833	223,167	237,333	220
$\bar{X}_B$	186,389	180,111	180,333	180,555	(181,847)

$s^2(\bar{X}_{AB}) = 937{,}732$; $s^2(\bar{X}_A) = 1118{,}649$; $s^2(\bar{X}_B) = 9{,}202$.

9.7. QUESTIONS

1. De façon intuitive, que veut dire selon vous une différence significative au seuil de 0,05 ?
2. Le fait qu'un test d'hypothèses statistiques se révèle non significatif indique que (choisir et commenter la réponse) :
   a) les données ne montrent aucune variation, aléatoire ou systématique ;
   b) dans les données, les variations aléatoires sont plus fortes que la différence systématique présente entre les conditions ;

c) les variations aléatoires dans les données ne laissent transpercer aucune indication sérieuse de différence systématique entre les conditions.

3. Soit une expérience fictive, dans laquelle nous recrutons deux participants. Le premier est soumis au traitement expérimental, puis mesuré (X_1), alors que le second est seulement mesuré (X_2) : nous obtenons une différence entre les deux mesures, $d = X_1 - X_2$.
   a) Pouvons-nous formuler une conclusion (sur l'effet du traitement expérimental) à partir de ces résultats ? pourquoi ?
   b) Si nous recrutons plutôt quatre participants, à raison de deux par groupe, qu'apprenons-nous de nouveau ? pouvons-nous maintenant conclure ?
   c) Si, au lieu d'une seule mesure par participant, nous en effectuons deux, qu'apprenons-nous de nouveau ? cela nous aide-t-il à conclure ?
   d) Nommer les trois sources ou facteurs principaux de variation des données.

4. Le chercheur Archer rapporte une moyenne $\bar{X}$, basée sur n = 20 mesures, dont l'erreur type $\sigma(\bar{X})$ est égale à 0,3. Combien de mesures aurait-il dû combiner pour que l'erreur type de la moyenne descende à 0,1 ?

5. Dans la procédure du test d'hypothèses statistiques, l'énoncé de l'hypothèse nulle fait apparaître un modèle de probabilité, grâce auquel un calcul de probabilité peut être fait et une décision prise à partir de l'échantillon ou des échantillons de personnes mesurées. Outre son utilité pratique pour le calcul de probabilité, quelle est la fonction fondamentale de ce modèle dans la généralisation statistique ?

6. Pour comparer la performance de ses conditions Expérimentale et Témoin, chacune comptant $n = 20$ participants, le chercheur J. Archer applique le test t sur la différence de deux moyennes indépendantes : il obtient t = 1,500. En utilisant un seuil α = 0,05 bilatéral, ce résultat est-il significatif ? Toutes choses étant égales d'ailleurs, combien de participants aurait-il dû recruter pour que la différence obtenue devienne significative (au même seuil) ?

9.8. RÉFÉRENCES

American Psychological Association (1994). *Publication manual of the American Psychological Association*. Washington, D.C.

Anderson, T.W. (1984). *An introduction to multivariate statistical analysis* (2e éd.). New York : Wiley.

Bouchard, S., Gauthier, J., Laberge, B., Plamondon, J., French, D., Pelletier, M.H., & Godbout, C. (1996). Exposure versus cognitive restructuring in the treatment of panic disorder with agoraphobia. *Behavior Research and Therapy, 34*(3), 213-224.

Dar, R., Serlin, R.C., & Omer, H. (1994). Misuse of statistical tests in three decades of psychotherapy research. *Journal of Consulting and Clinical Psychology, 62*, 75-82.

Desu, M.M., & Raghavarao, D. (1990). *Sample size methodology*. Boston : Academic Press.

Hair, J.F., Anderson, R.E., Tatham, R.L., & Black, W.C. (1992). *Multivariate data analysis with readings* (3e éd.). New York : Macmillan.

Howell, D.C. (1998). *Méthodes statistiques en sciences humaines*. Bruxelles : De Boeck Université.

Kirk, R.E. (1994). *Experimental design : Procedures for the behavioral sciences* (2e éd.). Belmont (CA) : Brooks/Cole.

Landry, R. (1997). La simulation sur ordinateur. Dans B. Gauthier (Éd.), *Recherche sociale* (chap. 19). (3e éd.). Sainte-Foy : Presses de l'Université du Québec.

Laurencelle, L. (2001). *Hasard, nombres aléatoires et méthode Monte Carlo*. Sainte-Foy : Presses de l'Université du Québec.

Laurencelle, L., & Dupuis, F.A. (2000). *Tables statistiques expliquées et appliquées*. (2e éd.) Sainte-Foy : Griffon d'argile.

Odeh, R.E., & Fox, M. (1975). *Sample size choice : Charts for experiments with linear models*. New York : Marcel Dekker.

Sokal, R.R., & Rohlf, F.J. (1981). *Biometry* (2e éd.). San Francisco : Freeman.

Tabachnick, B.G., & Fidell, L.S. (1989). *Using multivariate statistics* (2e éd.). New York : Harper & Row.

Winer, B.J. (1971). *Statistical principles in experimental design* (2e éd.). New York : McGraw-Hill.

Winer, B.J., Brown, D.R., & Michels, K.M. (1991). *Statistical principles in experimental design* (3e éd.). New York : McGraw-Hill.

CHAPITRE 10

LA RECHERCHE QUALITATIVE

Une façon complémentaire d'aborder les questions de recherche

JEAN-PIERRE DESLAURIERS

La philosophie a joué un rôle très important dans l'évolution de la pensée. Tout d'abord, elle s'est opposée à la religion en entreprenant de remplacer les vérités révélées par celles que peut révéler la pensée. En donnant la primauté à l'esprit humain, elle a parié sur sa capacité de se comprendre et d'expliquer le monde qui l'entoure. Lorsque les sciences naturelles sont apparues, elles ont pu profiter de cet espace de liberté qui avait été conquis par la philosophie tout en ajoutant la méthode de recherche empirique aux moyens de production de connaissance connus. De plus, il leur a été plus facile de mettre au point leur méthode de recherche à cause de l'extériorité même de leur objet de recherche. Cependant, les sciences sociales ont éprouvé davantage de difficultés, car le chercheur de ce domaine est à la fois un observateur et un observé, membre de l'entité qu'il veut comprendre. En effet, qu'il le veuille ou non, il est partie prenante de son entreprise de formulation de connaissances. Par exemple il peut facilement influencer ses hypothèses ou son interprétation des résultats, sans le vouloir.

De la même façon que la philosophie a flirté avec la littérature, les sciences sociales ont souvent entretenu d'étroits rapports avec la philosophie. Ainsi, l'essai a marqué les sciences sociales débutantes, complété par des observations que les premiers scientistes sociaux ne savaient pas encore traiter. Cependant, avec le temps et l'expérience, elles n'ont pas tardé à développer un arsenal de méthodologies de recherche, parfois empruntées aux sciences naturelles, parfois inventées de leur cru. Avec le temps est aussi apparue une division entre deux grandes tendances, la recherche davantage quantitative et celle davantage qualitative. D'aucuns prétendent que cette division devrait disparaître au profit d'une méthodologie générale des sciences sociales (Houle, 1997). Cette volonté de s'élever au-dessus de la mêlée peut être signe d'une certaine noblesse, mais sa faiblesse est de faire fi de l'histoire.

Le présent chapitre permettra au lecteur d'acquérir les rudiments de la recherche qualitative. D'entrée de jeu, signalons qu'il s'inscrit davantage dans la tradition sociologique sans toutefois être étranger à la psychologie ; les tenants de cette discipline pourront donc aussi y trouver leur compte. Cette réserve émise, voici ce que nous proposons dans ce chapitre : 1) un survol de l'évolution de la recherche qualitative, 2) une définition de cette méthodologie, 3) une description des divers types de recherche qualitative et 4) des sujets de recherche qu'elle a privilégiés au cours de son histoire, 5) un exposé sur les techniques de collecte de données, 6) sur le devis de recherche qualitative et 7) sur le traitement informatisé des données.

10.1. UN PEU D'HISTOIRE

Aux États-Unis, l'Université de Chicago est la première à créer un département de sociologie ; celui-ci aura une telle influence sur la sociologie américaine qu'on parle maintenant de ces années comme celles de l'École de Chicago. Dès ses débuts, la recherche sociologique est qualitative ; par contre, ce n'est pas à défaut d'autres méthodologies mais bien par choix. Par exemple, à la suite de la parution de l'œuvre-phare de cette époque (Thomas & Znaniecki, 1927), Znaniecki (1934) proposera l'induction analytique comme la méthode de recherche propre à la recherche sociale. Il l'opposait à la méthode statistique qu'il appelait induction énumérative : « L'induction analytique est une méthode de recherche sociologique, qualitative et non expérimentale qui fait appel à une étude exhaustive de cas pour en arriver à la formulation d'explications causales universelles » (Manning, 1982, p. 280).

L'induction analytique exerça une grande influence sur le développement de la recherche sociale jusqu'aux années 1940, et surtout dans les années qui ont suivi la fin de la Deuxième Guerre mondiale. Néanmoins, la recherche quantitative prit peu à peu la place de la recherche qualitative. Par exemple, dans les années 1950, au Québec, la recherche qualitative était enseignée et pratiquée dans les universités ; dix ans plus tard, elle avait disparu sans laisser de trace. Il faut concéder qu'elle souffrait alors d'une grande faiblesse méthodologique qu'elle a pris plusieurs années à combler, soit le manque d'outils pour analyser les données de nature parfois très disparate. À ce sujet, la publication du livre de Glaser et Strauss, *The Discovery of Grounded Theory*, en 1967, constitue un point tournant : ces deux auteurs y proposent une façon pratique et efficace d'analyser les données qualitatives. Leur méthode influencera presque tous les chercheurs se réclamant de ce courant. Après la parution de ce livre, nous assistons à une floraison de livres portant sur la méthodologie de la recherche qualitative mais aussi au retour de la recherche dite qualitative.

Au Québec, le point d'arrivée sera le même, avec un léger décalage, mais en prenant un autre détour. Tout d'abord, la critique viendra des sciences de l'éducation dont les chercheurs seront les premiers à déplorer les faiblesses de la recherche qualitative. En effet, la pratique professionnelle se prête moins aux méthodes exigeant de la régularité : elle est plutôt faite de hiatus, de contradictions, voire de bricolage. Dans un premier temps, le courant de recherche-action veut prendre le relais. Au cours de ces années, le Département d'éducation de l'Université du Québec à Trois-Rivières s'en est fait le promoteur en mettant sur pied un réseau de chercheurs intéressés par la recherche-action alors que les départements d'administration de l'Université du Québec à Chicoutimi et de l'Université du Québec à Hull reluquent du côté des systèmes souples. On est alors en quête d'une alternative à la recherche quantitative et ce n'est pas étonnant qu'elle provienne surtout des professions davantage à la recherche du sens que des régularités comme le nursing: « Confrontées à la question du sens dans le monde du nursing, nous avons réalisé à l'expérience les limites de la méthode empirique dans la réalisation de recherche telles que la communication empathique en nursing et le jugement moral parmi les infirmières » (Munhall & Oiler Boyd, 1999, p. xv).

Bien que la psychologie soit aussi une profession d'aide où la clinique et la pratique professionnelle jouent un rôle aussi déterminant que dans le domaine de l'éducation, par exemple, la recherche qualitative s'y est implantée plus tardivement. En effet, cette discipline a un riche passé de recherches statistiques ou en laboratoire qui lui a permis de s'affirmer, ce qui explique l'intérêt plus récent pour la recherche qualitative. « Quand j'étudiais la recherche au niveau du premier cycle, il y a plusieurs années, nous apprenions seulement une approche en recherche, soit l'approche quantitative qui mettait l'accent sur les questionnaires à questions fermées et les devis expérimentaux » (Mertens, 1998, p. xiii). Cette remarque n'est pas le propre des étudiants en psychologie: beaucoup d'étudiants en sciences sociales pourraient s'en réclamer. La différence est que peut-être l'implantation de la recherche qualitative fut plus lente: « Les méthodes qualitatives ont émergé en psychologie seulement récemment en offrant un éventail de solutions de remplacement aux méthodes de recherche plus courantes. C'est difficile de définir, expliquer ou illustrer la recherche qualitative sans l'opposer à ces méthodes de recherche en psychologie qui reposent sur la quantification, les méthodes qui ont donné le ton jusqu'à maintenant » (Banister et al., 1994, p. 1).

Comme le trahit la citation précédente, au milieu des années 1970, la recherche empirique est synonyme de recherche quantitative ou de laboratoire. La recherche qualitative équivaut à la réflexion philosophique ou à la recherche documentaire. Ainsi un programme contiendra un cours de « Techniques de recherche non quantitative » pour ne pas employer le qualificatif de qualitative! Nous en étions là. Pourtant, des livres de méthodologie qualitative qui sont publiés depuis longtemps aux États-Unis prennent du temps à se faire connaître au Québec. Au tournant des années 1980, les tenants de la recherche qualitative forme l'Association pour la recherche qualitative. Le « pour » ne figure pas en vain dans cette dénomination, car si la recherche qualitative est de plus en plus connue, elle n'est pas pour autant reconnue. Elle se heurte en effet à une forte résistance. Il n'est pas rare de voir des projets de recherche refusés parce qu'ils utilisent un devis qualitatif. Même au début des années 1990, un chercheur mentionne dans un document publié que comme la recherche qualitative n'est pas dispendieuse, elle ne devrait pas être subventionnée ! Au cours de cette période, le débat qualitatif-quantitatif refait surface, aussi vieux que la recherche elle-même, et nous nous rendons compte une fois de plus que si tous sont égaux *de jure*, il n'en est pas de même *de facto*.

Depuis, la recherche qualitative a reconquis ses lettres de noblesse et elle est rentrée dans ses terres. On parle même d'un certain triomphalisme qualitatif (Conde, 1999). Ce débat qui animait les chercheurs au début des années 1990 ne soulève plus de passions maintenant. Ces temps de friction sont heureusement révolus et la paix est revenue pour trois raisons, nous semble-t-il. Tout d'abord, le courant de la recherche qualitative a affiné son arsenal méthodologique, comblant ainsi ce qui était sa principale lacune. On se rappelle que l'opposition quantitatif-qualitatif se fondait sur le doute de certains chercheurs à l'égard de la capacité de la recherche qualitative de traiter des données complexes (Jorge Sierra, 2002). Ce vide étant comblé, la résistance s'est atténuée. Ensuite, les adeptes de la recherche qualitative ont produit des travaux de recherche de qualité qui ont attiré l'attention de la communauté scientifique et convaincu les bailleurs de fonds. Sans jeu de mot, c'est sur le terrain que la recherche qualitative s'est imposée. Enfin, nous nous rendons compte maintenant que derrière le débat qualitatif-quantitatif, le véritable enjeu était probablement le statut du positivisme dans l'activité scientifique.

Pour expliquer la résurgence de la recherche qualitative, certains poussent le raisonnement à y déceler des affinités avec le postmodernisme. En effet, quatre tendances marqueraient ainsi le domaine scientifique en ce début du XXIe siècle : la résurgence de l'oral, du particulier, du local et du contexte temporel (Toulmin, 1990, cité dans Flick, 2002, pp. 12-13). Voici comment Flick explique le retour en force de la recherche qualitative :

> La recherche qualitative est orientée vers l'analyse de cas concrets dans leur singularité locale et temporelle, et en partant des propres mots des personnes et de leurs activités, dans leur milieu habituel. C'est pourquoi la recherche qualitative

> est bien placée pour ébaucher des moyens que la psychologie et les scientistes sociaux peuvent employer pour donner une expression concrète aux tendances que Toulmin mentionne. (Flick, 2002, p. 30.)

10.2. DÉFINITION

Qu'est-ce que la recherche qualitative? Il ne suffit plus de dire qu'il s'agit de «[...] toute recherche qui produit des résultats qui ne sont pas issus de traitement statistique ou de tout autre moyen de quantification» (Strauss & Corbin, 1998, p. 10). En définissant la recherche qualitative *a contrario*, on n'en apprend guère plus sauf que cette définition démontre une fois de plus la forte emprise que la recherche quantitative continue d'avoir sur le milieu scientifique. Très souvent, lorsque confrontés à la nécessité de définir leur conception de la recherche qualitative, les chercheurs se tirent d'affaire en décrivant les caractéristiques de leur méthode:

> L'expression recherche qualitative désigne toute recherche empirique en sciences humaines et sociales répondant aux cinq caractéristiques suivantes: 1) la recherche est conçue en grande partie dans une optique compréhensive; 2) elle aborde son objet d'étude de manière ouverte et assez large; 3) elle inclut une cueillette des données effectuée au moyen de méthodes qualitatives, c'est-à-dire des méthodes n'impliquant, à la saisie, aucune quantification, voire aucun traitement, ce qui est le cas, entre autres, de l'interview, de l'observation libre et de la collecte de documents; 4) elle donne lieu à une analyse qualitative des données où les mots sont analysés directement par l'entremise d'autres mots, sans qu'il y ait passage par une opération numérique; 5) elle débouche sur un récit ou une théorie (et non sur une démonstration). (Paillé, 1996, p. 196)

Cette définition fait bien ressortir les principales caractéristiques de la recherche qualitative. En effet, la force de la recherche qualitative est de développer une connaissance intime du terrain de recherche, de le comprendre dans ses multiples facettes, bien que l'objet de recherche serve à baliser les frontières de l'observation. Cependant, cet objet n'est pas circonscrit de la même manière que dans des expériences de laboratoire: l'objectif poursuivi est de comprendre les phénomènes sociaux tels qu'ils se produisent dans leur milieu naturel, d'où la nécessité d'assouplir le processus de recherche et les techniques de collecte de données. De plus, la recherche qualitative a mis au point au cours des trois dernières décennies une méthodologie permettant d'analyser les données proprement qualitatives, sans les quantifier. La popularité dont elle jouit présentement n'est pas étrangère à cette percée méthodologique.

Lorsque Pierre Paillé (1996) avance que la collecte de données n'implique aucun traitement, il décrit un idéal à atteindre ou une situation où il est impossible de faire autrement, comme lorsqu'un anthropologue aborde une nouvelle société par exemple. Cependant, bon gré mal gré, le chercheur traite les données de quelque façon. Par exemple, un chercheur qualitatif qui obtient toujours la même réponse à la même question cessera de la poser pour ne pas indisposer son interlocuteur. Déjà, c'est une forme de traitement. En outre, Spradley (1979) suggérait de poser des questions plus ouvertes au début de la recherche et plus précises à la fin. Ici encore, le processus même de la recherche impose un traitement rudimentaire.

Pour ce qui est de l'objectif de la recherche qualitative, soit de produire une théorie ou une démonstration, la position adoptée par Pierre Paillé est habituelle. Il trouve ici un allié en Robert A. Stebbins, un méthodologue reconnu en recherche qualitative et auteur de plusieurs monographies. Stebbins (1990) tend à regrouper les techniques de recherche qualitative sous le parapluie de la recherche exploratoire:

> La discussion portant sur les différences entre exploration et confirmation démontre pourquoi les scientistes sociaux emploient les termes *qualitatif* et *quantitatif* pour désigner des méthodes de recherche qui sont utilisées pour traduire ces deux approches. L'accent mis sur la précision et l'analyse statistique dans la recherche de confirmation lui donne une caractéristique quantitative ou numérique qui est largement absente dans la recherche exploratoire. (Stebbins, 1990, p. 42)

Cette position tend à changer toutefois. Au fur et à mesure que la recherche qualitative développe son arsenal technique, elle se révèle suffisamment précise pour se prêter tout aussi bien à la vérification d'hypothèses et de théories qu'au récit ou à la description. « Dans les principales traditions de la recherche qualitative orientée vers la théorisation, les méthodes qualitatives sont aussi des méthodes de premier choix pour donner plus de portée et approfondir les propositions théoriques qui ont été formulées par des études de terrain réalisées précédemment » (Patton, 2002, p. 194).

Cela dit, le terme de recherche qualitative recouvre maintenant un large éventail d'approches :

> Le terme « méthodes qualitatives « n'a pas de sens précis en sciences sociales. Au mieux, ce vocable général désigne une variété de techniques interprétatives ayant pour but de décrire, décoder, traduire certains phénomènes sociaux qui se produisent plus ou moins naturellement. Ces techniques portent attention à la signification de ces phénomènes plutôt qu'à leur fréquence. (Van Maanen, 1983, p. 9)

Il ressort que sans rechercher la fine précision, les auteurs en sont arrivés assez rapidement à une définition approximative dont ils se sont contentés. En fait, la nécessité d'en arriver à une définition exhaustive a été éclipsée par le besoin plus criant de formuler et d'expérimenter une méthodologie qui faisait défaut.

10.3. TYPES DE RECHERCHE QUALITATIVE

La recherche qualitative n'est pas totalement différente de la recherche en science sociale en général et elle comporte trois principaux courants.

10.3.1. La recherche exploratoire

La recherche qualitative a longtemps été vue comme une sorte de proto-recherche, celle qu'on réalise à défaut de mieux. « Autrement dit, pour les déductivistes, la "vraie" recherche comprend la vérification d'hypothèses déduites de la théorie, et la recherche exploratoire est une simple "mise en train" avant de passer aux choses importantes » (Palys, 1997, p. 79). Voilà un point de vue qui est en train de disparaître parce que les chercheurs se rendent compte que lorsqu'on est en présence d'un phénomène social nouveau ou atypique, il est important de s'en approcher d'abord, de le décrire. De ce point de vue, elle est d'une grande utilité pour étudier les sujets dans leur milieu naturel et, parfois, elle est même la seule méthodologie de recherche adaptée à ces circonstances. Sur le plan de l'exploration, elle présente de grands avantages, car sa souplesse lui permet de s'adapter à des situations nouvelles.

10.3.2. La recherche de confirmation

Comme il ressort des paragraphes précédents, la recherche qualitative sert aussi à confronter une théorie existante aux faits empiriques (Shaffir & Stebbins, 1991, p. 6). En effet, les chercheurs qualitatifs ont montré qu'il est possible de vérifier un cadre théorique à l'aide de données qualitatives. Qui plus est, l'observation du milieu naturel constitue parfois l'approche la plus appropriée pour attirer l'attention sur des changements subtils que les études quantifiées négligent ou ne peuvent prendre en considération. L'un des cas les plus connus est bien sûr la célèbre recherche dirigée par Mayo et relatée par Roethlisberger et Dickson (1939 [1964]). À cette époque, les contremaîtres évaluaient le rendement des employés à partir d'une étude du temps et du mouvement. Toutefois, à partir d'une recherche basée sur l'observation participante, Roethlisberger et Dickson ont démontré que les ouvriers pouvaient facilement fausser ces résultats qui semblaient si précis. Dans une autre recherche portant sur la façon dont les professeurs traitaient entre autres des problèmes de discipline, Stebbins (1975, p. 127) a également démontré que les comportements des élèves dissipés ne préoccupaient pas les professeurs autant que la littérature le laissait penser. C'est ainsi que, bien que ne possédant pas la précision statistique, la méthodologie qualitative produit des résultats d'une validité certaine.

10.3.3. La recherche évaluative

Depuis quelques années, la recherche évaluative, qu'elle prenne la forme d'une évaluation de programmes ou d'analyse de politiques, est considérée comme une recherche de plein droit.

Bien que la recherche sur les politiques puisse présenter plusieurs facettes, plusieurs caractéristiques la différencient des autres types de recherches. La recherche sur les politiques présente les caractéristiques suivantes :

- elle a un objet multidimensionnel ;
- elle constitue une recherche d'orientation empirico-inductive ;
- elle porte tant sur l'avenir que sur le passé ;
- elle est sensible aux utilisateurs des résultats de la recherche ;
- elle reconnaît explicitement les valeurs qu'elle véhicule (Majchrzak, 1984, p. 18).

Comme ce type de recherche a souvent un caractère appliqué et vise des résultats concrets, applicables aux contextes organisationnel ou professionnel, la recherche qualitative y a trouvé un nouveau champ d'application. En effet, elle permet de cerner la situation, de mieux connaître les attentes des partenaires ainsi que les problèmes qu'a suscités l'implantation des programmes, et de proposer des solutions concrètes (voir le chapitre 11 ; Patton, 1997). «Les résultats qualitatifs en évaluation font apparaître les personnes derrière les chiffres et donnent une figure aux statistiques, non pas pour attirer les larmes, bien que ça se produise, mais pour approfondir la compréhension» (Patton, 2002, p. 10)

10.4. SUJETS DE PRÉDILECTION

La recherche qualitative ne convient pas à tous les sujets de recherche. Cela étant admis, Marshall et Rossman (1999, p. 57) invoquent la supériorité méthodologique de la recherche qualitative dans certaines situations, en soutenant qu'il s'agit d'une recherche :

- qui fouille des processus et phénomènes complexes ;
- qui porte sur des phénomènes peu connus ou des systèmes innovateurs ;
- qui veut explorer quand et pourquoi les politiques, la pratique et les traditions locales entrent en contradiction ;
- qui examine les liens informels et non structurés d'une organisation de même que sur les processus organisationnels ;
- qui s'intéresse aux buts organisationnels réels, par opposition à ceux qui sont prétendus ;
- qui ne peut être réalisée de façon expérimentale pour des raisons pratiques ou éthiques ;
- où les variables pertinentes n'ont pas encore été définies.

Au cours de son histoire, outre le fait que la recherche qualitative ait eu un faible pour les recherches plus descriptives, nous pouvons relever des sujets qui reviennent périodiquement et qui ont en quelque sorte fait la marque de commerce de la recherche qualitative (Deslauriers & Kérisit, 1994, 1997).

10.4.1. Les recherches descriptives et exploratoires

La recherche qualitative a maintes fois été utilisée pour décrire un phénomène social qui ne se répète pas souvent et qui fait figure d'exemple ; on peut penser à une rencontre du type de celle de Woodstock par exemple. Dans ces conditions, la recherche qualitative peut résoudre le problème posé par les contraintes de l'échantillonnage statistique. De plus, une recherche qualitative de caractère exploratoire permet de se familiariser avec le terrain et de repérer les difficultés auxquelles peut se heurter un projet de recherche de grande envergure ; elle sert en quelque sorte de banc d'essai. Une recherche descriptive peut aussi aider le chercheur à trouver le bon angle à partir duquel il pourra poursuivre des travaux plus poussés.

10.4.2. L'étude du quotidien et de l'ordinaire

La recherche qualitative s'intéresse beaucoup aux préoccupations des acteurs sociaux. C'est ce qu'on a appelé le social proche, « [...] c'est-à-dire tous les lieux et les moments où le rapport social prend forme dans sa concrétude et non plus ce que l'on pourrait appeler le social construit » (Soulet, 1987, p. 14). Expliquée d'une autre manière, la recherche porte alors sur « [...] l'histoire sociale des objets les plus ordinaires de l'existence ordinaire : je pense par exemple à toutes ces choses devenues si communes, donc si évidentes, que personne n'y prête attention, la structure d'un tribunal, l'espace d'un musée, l'accident de travail, l'isoloir [...] » (Bourdieu & Wacquant, 1992, p. 209). Nous pouvons y ajouter la salle de classe, le lieu de travail, les multiples associations volontaires. Grâce à ses instruments comme l'histoire de vie et l'observation participante, la recherche qualitative permet tout particulièrement de comprendre ces moments privilégiés d'où émerge le sens d'un phénomène social.

10.4.3. L'étude du transitoire

Au cours de son histoire, la recherche qualitative a été attirée par la mouvance, les formes nébuleuses de l'action sociale. On peut penser aux phénomènes de marginalité, de l'inédit, de la transition qui ne peuvent s'expliquer par la régularité. Bien qu'ils aient la structure sociale comme toile de fond, ces phénomènes sociaux sont traversés par des relations dynamiques complexes où les stratégies des acteurs constituent des éléments de compréhension incontournables. On peut songer ici à l'évolution du mouvement communautaire et de son influence dans le domaine des services sociaux ou à la culture des hackers en informatique.

Il est souvent impossible de tirer un large échantillonnage de cas parce que la population ne peut être recensée convenablement à cause du caractère éphémère et éclaté du sujet de recherche. En revanche, la recherche qualitative permet de situer les lieux, de rassembler dans une trame les fils des intentions individuelles.

10.4.4. L'étude du sens de l'action

Un autre objet privilégié de la recherche qualitative est l'articulation du sens que prennent les actions de la société dans la vie et les comportements des individus ainsi que le sens de l'action individuelle quand elle s'inscrit dans une action collective. La recherche qualitative doit ici éviter deux écueils : ne pas se contenter des explications héritées du sens commun des acteurs sociaux et se méfier des explications théoriques qui s'approprieraient le sens du vécu de ces mêmes acteurs. Cette construction implique les sujets de la recherche comme dans la recherche-action et la recherche féministe. De ce point de vue, l'étude du sens que les acteurs donnent à leur action et à leur environnement ne se réduit pas à une simple description d'actions ou de phénomènes observables qui produirait une sorte de sociologie spontanée : l'objet de la recherche qualitative est l'action interprétée à la fois par le chercheur et par les sujets de la recherche.

10.4.5. L'évaluation des politiques

Si les derniers sujets évoqués ont jalonné l'histoire de la recherche qualitative, de nouveaux ont émergé des circonstances et des besoins de la société. Tout d'abord, les compressions budgétaires aidant, les politiques de l'État ont fait l'objet d'une attention particulière pour vérifier leur efficacité et leur à-propos. À ce chapitre, les caractéristiques du processus de recherche qualitative ont fait en sorte qu'elle a apporté une contribution cruciale à l'évaluation des politiques sociales. Elle est proche du terrain où il est possible d'étudier les conditions de prise de décision de même que les répercussions des politiques sur les régions, les familles et les individus ; elle peut envisager les différentes facettes d'un cas particulier et les relier au contexte général ; elle peut aussi formuler des propositions appliquées à l'action et à la pratique. Pour ces raisons, l'utilité de la recherche qualitative dans l'analyse des politiques sociales et dans l'évaluation de leurs effets concrets est de plus en plus reconnue.

10.4.6. L'évaluation de la pratique professionnelle

Autre champ d'action de la recherche qualitative : la pratique professionnelle. Ce champ attire l'attention pour plusieurs raisons, mais la première est probablement la multiplication d'occupations auxquelles l'État a attribué le statut de profession. Comme corollaire, le nombre de ces professionnelles qui interviennent dans la vie des citoyens par leur engagement dans les services personnels est de plus en plus grand : infirmière, psychologue, travailleuse sociale, psychoéducatrice, professeure. Les recherches réalisées sur la pratique professionnelle par des chercheurs comme Argyris et Schön (Argyris, 2002 ; Argyris & Schön, 1992 ; Schön, 1994 ; voir aussi Zuñiga, 1994a et 1994b) ont révélé toute la complexité des styles d'apprentissage, du perfectionnement, de même que de la pratique professionnelle elle-même. Nous savons maintenant que les praticiens efficaces et compétents se contentent rarement d'un seul modèle ni d'une seule théorie, mais que leur action est une sorte de bricolage imaginatif. Dans cette situation, la recherche qualitative représente une méthodologie tout à fait adaptée pour saisir ces subtiles adaptations et modifications dictées par les circonstances particulières de la pratique.

Si la recherche qualitative s'est intéressée en priorité à ces sujets, il ne s'ensuit pas qu'elle en détient le monopole : au contraire, tous les sujets de recherche sont ouverts à toutes les méthodologies de recherche. Cependant, ces préoccupations ont jalonné son histoire et c'est à ce titre que nous les énumérons ici.

10.5. LES TECHNIQUES DE RECHERCHE QUALITATIVE

Au cours de son histoire, la recherche qualitative s'est illustrée par l'utilisation de techniques de collecte de données non standardisées. De fait, la nature même de ces données a rendu plus difficile l'émergence d'un cadre d'analyse qui puisse à la fois être rigoureux et préserver le caractère des informations recueillies. Avec le temps, la tradition qualitative a perfectionné quelques-unes d'entre elles dont nous présentons les principales ci-après (voir aussi Mayer, Ouellet, Saint-Jacques & Turcotte, 2000).

10.5.1. L'entrevue non standardisée

L'entrevue, synonyme d'entretien et d'interview, est probablement la technique de recherche la plus utilisée parce que la plus facile :

> L'entretien est d'abord une technique économique et facile d'accès. Il suffit d'avoir un petit magnétophone, un peu d'audace pour frapper aux portes, de nouer la conversation autour d'un groupe de questions, puis de savoir tirer du « matériau » recueilli des éléments d'information et d'illustration des idées que l'on développe, et le tour est presque joué... (Kaufman, 1996, p. 7)

À l'usage, on en est venu à en distinguer plusieurs variétés, allant de l'entrevue non structurée à l'entrevue structurée (Lefrançois, 1991). Le style du chercheur y est aussi pour beaucoup, selon qu'il soit un mineur, qui est à la recherche du sens profond des informations que le sujet lui communique, ou un voyageur qui explore des domaines nouveaux et qui se change en apprenant (Kvale, 1996). Signalons qu'en recherche qualitative les chercheurs ont tendance à recourir à l'entrevue non standardisée, surtout à l'entrevue guidée par un questionnaire, l'entrevue centrée ou focalisée. Cependant, à mesure que la recherche progresse, l'entrevue devient plus centrée (Rubin & Rubin, 1996).

10.5.2. L'observation participante

C'est une des plus vieilles méthodes de recherche dont l'origine remonte aux premiers voyageurs qui en faisaient usage pour ensuite relater le récit de leurs découvertes (Chapoulie, 1997). En recherche sociale, le processus a été systématisé et les méthodologues en distinguent maintenant plusieurs types : l'observation directe, participante, indirecte, invoquée, non participante, provoquée (Lefrançois, 1991). En recherche qualitative, la forme la plus répandue semble être l'observation participante, une technique de recherche qualitative qui permet au chercheur de recueillir des données de nature surtout descriptive en participant à la vie quotidienne du groupe, de l'organisation, de la personne qu'il veut étudier (Deslauriers, 1991).

Dans une célèbre polémique, Becker et Greer avaient avancé que la donnée sociologique la plus complète était celle recueillie par l'observation participante (1969). Maintenant, tout en reconnaissant la place très importante, voire prépondérante parfois de cette technique de recherche, on s'accorde rapidement pour dire que l'observation participante sera presque immanquablement complétée par d'autres techniques de collecte de données (McCall & Simmons, 1969).

10.5.3. L'histoire de vie

L'histoire de vie (aussi appelée récit de vie ou approche biographique) peut être définie comme un récit qui raconte l'expérience d'une personne. Il s'agit d'une œuvre personnelle et autobiographique dont l'émergence est stimulée par un chercheur de façon à ce que le contenu du récit exprime le point de vue de l'auteur par rapport à ce qu'il se remémore de différentes situations qu'il a vécues (Chalifoux, 1984, cité par Mayer & Deslauriers, 2000). La définition n'est pas facile à établir, car une histoire de vie n'est pas une autobiographie, puisque la personne qui fait le récit ne l'écrit pas (Olivier, 2001). Elle est non seulement une entreprise conjointe entre le chercheur et le sujet, mais elle est surtout une technique de recherche dont l'objectif est de connaître une époque, une communauté, une société, à partir du point de vue d'une personne. Dans ce contexte, l'important n'est pas seulement le point de vue subjectif de la personne mais bien ce qu'elle peut nous apprendre sur son environnement et comment sont vécus les grands processus psychosociaux à l'échelle plus microscopique.

10.5.4. Les documents d'archives

Prennent place dans cette catégorie les échanges de lettres, les découpures de journaux, les photographies. Ces documents posent évidemment des difficultés d'analyse, sauf peut-être le document photographique dont l'analyse a été plus systématisée. Cependant, les premiers chercheurs en faisaient amplement usage, et le meilleur exemple demeure celui de Thomas et Znaniecki (1927). Cependant, l'audace dont ils ont fait preuve se réclamait d'un principe que tout chercheur devrait faire sien : tout document et toute information qui apprennent quelque chose au chercheur ont de la valeur.

10.5.5. Le groupe de discussion

Cette technique, employée d'abord en mise en marché, a vite fait de s'imposer en recherche qualitative. Le groupe de discussion (souvent appelé *focus group*) consiste à réunir un groupe de six à huit personnes pour discuter d'un sujet donné. La discussion est centrée autour de quelques questions ouvertes et la réunion est animée par un président qui contrôle les interactions comme dans toute assemblée. Ce sont des entrevues de groupe (Morgan, 1998). Cette technique a pour principal avantage de produire une grande variété de données, mais il ne faut pas sous-estimer le temps que nécessite l'organisation d'un tel groupe de même que les limites qu'il comporte (Callejo, 2001 ; Greenbaum, 1998).

Les différentes techniques ont toutes pour commun dénominateur de contribuer à atteindre l'objectif de la recherche qualitative, soit de s'approcher du terrain, de la perception que le sujet a de la situation, et de connaître ainsi à la fois le point de vue du sujet et celui de l'acteur.

10.6. LE DEVIS DE RECHERCHE QUALITATIVE

Il y a une grande variété de devis en recherche qualitative ; en effet, un devis peut être interprétatif, artistique, systématique et orienté vers la théorie, selon Smith (1987, cité dans Creswell, 1994) ou s'inscrire dans la tradition de la psychologie écologique, l'ethnographie holistique, l'anthropologie cognitive, l'ethnographie de la communication ou l'interactionnisme symbolique (Jacob, 1993, cité dans Creswell, 1994). Il n'y a pas de limite à qui veut faire dans la dentelle. Cependant, dans le fond, tous les devis se ressemblent : ils permettent de trouver les bonnes informations aux bonnes questions, de la manière la plus fiable possible. De ce point de vue, le devis de recherche qualitative ne diffère pas des autres et suivra sensiblement les mêmes étapes. Cependant, le processus présente certaines particularités que nous expliciterons ici en nous inspirant des suggestions de Deslauriers et Kérisit (1997).

10.6.1. Le contact avec le terrain

Bien que la sociologie s'en soit réclamée, la recherche qualitative adopte une attitude qui emprunte beaucoup à l'anthropologie. Un collègue qui avait tâté de la statistique décida un jour de s'initier à la recherche qualitative dont il avait tant entendu parler. Sur les recommandations d'un confrère, il lut un livre portant sur la question. Ensuite, il retourna le voir pour s'entendre dire : « Trouve-toi un projet de recherche et va sur le terrain. » « Comment, se dit-il, alors que j'ai passé tant de temps à maîtriser des tests statistiques, est-ce aussi facile que ça de faire de la recherche qualitative ? » Sa réaction était bien compréhensible, mais ses attentes étaient probablement faussées par la suggestion par ailleurs fort juste de son confrère. En effet, si la recherche qualitative suit un déroulement qui peut dérouter un adepte des groupes témoins et des mesures précises, il ne faut pas en conclure pour autant qu'il s'agit d'un processus laissé au hasard et sans balises. Au contraire, la recherche qualitative a développé une méthodologie et des techniques qui lui sont propres et qui peuvent encadrer les travaux du chercheur qualitatif.

Le goût et l'intérêt d'aller sur le terrain pour observer les phénomènes sociaux dans leur milieu naturel, d'interroger les personnes dans le cadre qui leur est familier, cette attitude qui est à la base du travail anthropologique se retrouve dans la tradition de la recherche qualitative. Cependant, le contact avec le terrain ne suffit pas à lui seul à caractériser la recherche qualitative : la très grande majorité des recherches requièrent que le chercheur se rende sur le site même de la collecte des données. Toutefois, ce qui caractérise la recherche qualitative est le rôle déterminant que le terrain joue dans la construction de l'objet même de recherche. De plus, les questions de recherche les plus intéressantes proviennent très souvent du terrain de recherche même, des réactions des personnes et de l'observation des groupes.

10.6.2. L'objet de recherche

« Un problème de recherche se conçoit comme un écart conscient que l'on veut combler entre ce que nous savons, jugé insatisfaisant, et ce que nous désirons savoir, jugé désirable » (Chevrier, 1991, p. 52). Cette définition de l'objet de recherche se situe à l'intérieur d'une conception du progrès scientifique où l'objet est retenu en fonction des manques décelés dans le corpus constitué des sciences sociales. En recherche qualitative, la question de recherche n'a pas la même précision : elle est généralement plus intuitive et plus simple au début, plus complexe et plus précise à mesure que la recherche avance. En effet, une des caractéristiques de la recherche qualitative est la construction progressive de l'objet de recherche (Deslauriers & Kérisit, 1997). En recherche qualitative, le chercheur ne vise pas initialement une définition fine de la question de recherche. Après avoir déblayé le terrain et effectué une recension des écrits qui apparaît suffisante, il faut aller sur le terrain, comme on l'a suggéré au collègue statisticien. C'est la raison pour laquelle il ne sert à rien de rechercher la précision ultime au point de départ.

La question demeure parfois telle que posée au début, le chercheur explorant l'une ou l'autre des facettes de la question qui s'était d'abord imposée à son esprit ; il arrive aussi que la question soit totalement transformée en cours de route. Chose certaine, dans tous les types de recherche mais surtout en recherche qualitative, l'objet de recherche est à la fois un point de départ et un point d'arrivée.

10.6.3. Le caractère itératif du processus de recherche

Traditionnellement, le processus de recherche est conçu comme un processus cumulatif où les récurrences des étapes sont exclues. Évidemment, il s'agit d'un idéal rarement atteint : « D'après l'expérience des spécialistes en sciences sociales, on est rarement, sinon jamais, en présence d'une série de procédés automatiquement consécutifs au cours desquels une étape d'une recherche devrait être entièrement terminée avant que l'étape suivante débute » (Selltiz, Wrightsman & Cook, 1977, p. 13). En revanche, l'originalité de la recherche qualitative est précisément d'avoir fait sienne la nécessaire imprécision du processus de recherche en assouplissant les règles de réalisation de la recherche : le processus suivi est alors dit « itératif » et il est possible de revenir en arrière. Par exemple, la construction de l'objet de recherche s'effectue souvent simultanément avec le recueil d'informations ; il y a donc une interaction constante entre recension des écrits, construction de l'objet et collecte des informations. La même interaction existe aussi entre la collecte des informations, leur traitement et leur analyse.

> « En effet, l'analyse commence dès que le chercheur recueille des données : en même temps qu'il les organise, il les traite et les analyse. Le chercheur n'attend pas à la fin pour analyser ses informations mais au contraire, dès le début, en même temps que les premières informations commencent à entrer, il rédigera des bribes d'analyse, des esquisses d'interprétation. Ces ébauches auront certes un caractère provisoire car les informations supplémentaires les mettront à l'épreuve et pourront les infirmer ; le chercheur se met cependant à l'œuvre dès le début et rédige des documents qui se retrouveront dans le rapport final. (Deslauriers & Kérisit, 1994)

La poussée de popularité que connut la recherche qualitative au cours des années 1970 résulte, semble-t-il, de la percée méthodologique que représenta le courant de la théorie émergente formulée par Glaser et Strauss (1967), aussi dénommée théorisation ancrée (*grounded theory*). Jusque-là, les chercheurs étaient prisonniers de l'induction analytique, approche efficace mais qui ne convenait pas à tous les objects de recherche (Deslauriers, 1997). La percée méthodologique fut d'abord celle de la catégorisation des données. Il s'agit dans un premier temps d'identifier les unités d'information de base, c'est-à-dire les unités de sens ; ensuite, de les coder et de les regrouper par catégories ; enfin, on peut les analyser et tirer une explication théorique du phénomène étudié. La caractéristique de ce procédé est le caractère simultané de l'analyse et de la collecte des données. C'est la raison pour laquelle le chercheur amorce l'analyse des données dès qu'il commence à les recueillir : le codage des informations comprend les germes de l'analyse (Deslauriers, 1991). Tout en recueillant les informations et en élaborant la description, le chercheur va produire des bribes d'interprétation, formuler des hypothèses de travail. Le chercheur pourra à l'occasion soumettre son interprétation à ses informateurs. En outre, le chercheur compare non seulement les données entre elles mais aussi entre différents groupes dont elles proviennent ; c'est ce qui s'appelle la comparaison constante. Le chercheur sait qu'il a recueilli suffisamment de données lorsqu'il se rend compte que les données supplémentaires qu'il recueille ne lui apprennent rien de nouveau ; on a alors atteint le seuil de saturation des données.

Une autre raison fut que la théorisation ancrée abandonna l'objectif ultime de l'induction analytique, soit la découverte de lois universelles. En rompant avec cette tradition, le courant de la théorie émergente a facilité la réalisation de recherches plus circonscrites mais tout aussi pertinentes. Ensuite, en comblant la lacune méthodologique dont souffrait depuis longtemps la recherche qualitative, ce courant de recherche a permis de recueillir et de classer les données qualitatives, de les comparer, de les analyser et d'en tirer une théorie. Désormais, il devenait possible de classer des données qualitatives, comme celles produites par l'observation participante et l'entrevue semi-dirigée, et le chercheur pouvait savoir quand s'arrêter de recueillir de nouvelles données. C'est la raison pour laquelle le processus mis de l'avant par la théorisation ancrée continue d'exercer une grande influence sur l'ensemble de la recherche qualitative.

Une étude menée sur les cuisines collectives illustre bien le processus de la recherche qualitative (Deslauriers, avec la participation de Brisebois, 1997). Ce projet de recherche visait à vérifier l'impact des cuisines collectives sur l'économie que les participantes pouvaient réaliser en cuisinant ensemble, sur le développement de leur réseau social et sur la modification des habitudes alimentaires. À cette époque, ce sujet n'avait pas encore fait l'objet d'étude. La recherche a débuté par une période intensive d'observation participante pour permettre aux chercheurs de comprendre et de décrire le fonctionnement des cuisines. Cette période a été utile pour élaborer un questionnaire. Trois mois après le début des observations, les chercheurs ont interviewé les femmes qui avaient abandonné les cuisines ; ensuite, ils ont interrogé les participantes qu'ils avaient côtoyées. Tout au long de la recherche, les chercheurs ont systématiquement noté leurs observations et se sont rencontrés pour faire part de leur interprétation. Au terme de la recherche, il est apparu que ce que les participantes appréciaient le plus était de sortir de chez elles, bien avant les aspects économiques ou nutritionnels ! En outre, l'observation a démontré que le fonctionnement d'une telle cuisine est beaucoup plus complexe qu'il ne le semble de prime abord.

10.6.4. Recension des écrits

En recherche qualitative, la recension des écrits occupe une place particulière. Le chercheur continue de lire tout au long de la recherche, et ce, tout autant lors de la collecte des données et de l'analyse que lors de la formulation de l'objectif de recherche. Le chercheur lit pour se faire une idée, pour organiser ses données et pour les expliquer. Comme les questions les plus intéressantes émergent en cours de route, le chercheur qualitatif mettra moins d'accent sur les écrits au point de départ et davantage à la fin ; car il peut arriver que les écrits demeurent muets sur une question que le terrain aura vite fait de mettre à jour.

Par exemple, en préparant une recherche sur la comparaison entre la vie en coopérative d'habitation et celle dans un HLM, les auteurs tant américains que canadiens et québécois retracés dans la recension des écrits étaient unanimes à faire ressortir deux points communs : la vie dans les HLM était teintée par l'anonymat et le vandalisme. Or, les premières entrevues réalisées dans ces lieux ainsi qu'une observation participante même sommaire ont rapidement démontré que c'était loin d'être toujours le cas. Tout d'abord, aux dires mêmes du concierge qui en avait vu d'autres comme employé dans la construction, le vandalisme n'était pas plus courant dans les HLM que dans les autres lieux où il avait travaillé. Ensuite, loin de souffrir de l'anonymat, les locataires souffraient plutôt d'un manque de vie privée : ils se connaissent trop. Dans ce cas-ci, les premières observations ont permis de corriger le tir et d'orienter la recherche dans une autre direction beaucoup plus intéressante.

10.7. LE TRAITEMENT INFORMATISÉ DES DONNÉES

Dès que l'ordinateur personnel est apparu, les chercheurs qualitatifs ont vite saisi les possibilités qu'il recelait. Par contre, entre les premiers articles que *Qualitative Sociology* consacrait au sujet, en 1984 et maintenant, il y a tout un monde. Non seulement le premier logiciel efficace qu'était ETHNOGRAPH s'est amélioré depuis, mais d'autres sont apparus comme ATLAS, NUD-IST, NVivo et VIVA par exemple, et ils ne sont pas les seuls à être offerts sur le marché. Le chercheur qualitatif a donc l'embarras du choix et peut maintenant utiliser des logiciels de plus en plus conviviaux. Au fond, cette évolution se situe dans la foulée du développement de l'informatique : « Les outils offerts par les logiciels pour aider le chercheur qualitatif sont maintenant reconnus, et même tenus pour acquis, tout comme on présume maintenant que quelqu'un utilisera le traitement de texte pour écrire ou recourra à un programme de traitement statistique des données en analyse quantitative » (Bazeley & Richards, 2000, p. 1).

L'usage du traitement informatique des données s'est peu à peu imposé parce qu'il comporte des avantages évidents : le traitement rapide d'une grande quantité d'informations, une plus grande rigueur, la simplification du travail en équipe et l'aide au choix de l'échantillon (Seale, 2000). De plus, l'ordinateur ne bouleversera pas seulement la façon de classer les données, mais aussi la collecte même des informations. Il est possible de mener des entrevues sur Internet, de faire de l'observation, d'organiser des discussions de groupe, etc. (Mann & Stewart, 2000). Enfin, progrès unanimement salué, la transcription des enregistrements que certains trouvent si ennuyeuse pourra bientôt être faite grâce à un logiciel de reconnaissance de la voix. Néanmoins, plusieurs opérations peuvent être réalisées avec un traitement de texte ordinaire, et certains se demandent même pourquoi on ne pense pas à utiliser davantage les capacités de l'équipement standard des ordinateurs personnels (Mann & Stewart, 2000). Certains auteurs craignent que tout cela ne mène à une informaticophrénie, soit à une dépendance exagérée de l'ordinateur (Ruiz Olabuénaga, 2003).

Le progrès de l'informatique en recherche qualitative tend à s'accélérer et il est impossible de savoir où et quand il s'arrêtera: «Tout effort de ma part pour tracer les contours de l'avenir possible dans le champ du logiciel en recherche qualitative serait présomptueux. Ma compréhension de ce qui pointe à l'horizon est trop limitée: quoi que ce soit que je puisse proposer comme étant le futur est condamné à être de l'histoire ancienne lorsque nous imprimerons la prochaine édition de ce livre» (Palys, 1997, p. 390). On ne saurait mieux dire.

10.8. CONCLUSION

Depuis son retour sur la scène scientifique, au début des années 1970, la recherche qualitative a été largement influencée par le courant de la théorisation ancrée. Cependant, depuis quelques années, cette tendance dominante a éclaté en une multitude de courants et de directions. On dénombre maintenant la recherche-action, la recherche participative, l'intervention sociologique, la recherche féministe et la recherche conscientisante (Mayer & Ouellet, 2000). À ces formes de recherche qualitative s'ajoutent l'ethnométhodologie, l'ethnographie, la phénoménologie, l'analyse du discours et la sociologie clinique, pour ne nommer que les principales. C'est probablement une des raisons qui expliquent le recours grandissant à la triangulation des techniques de recherche, non seulement en recherche qualitative mais aussi dans une combinaison qualitative-quantitative (Mertens, 1998; Tashakkhori & Teddlie, 1998). La très grande diversité des approches ne manque pas d'éveiller les soupçons des chercheurs et des bailleurs de fonds, de sorte qu'on estime que les possibles faiblesses des unes doivent être compensées par les forces des autres.

Pour l'instant, compte tenu de la sensibilité du temps, toute portée vers le relativisme, et de l'éclatement du courant de la recherche qualitative, il est difficile de voir quelle tendance pourrait jouer le rôle de pôle de ralliement comme l'a fait l'École de Chicago avec l'induction analytique (Deslauriers, 1997). En effet, la société occidentale tout entière est soumise à trop de turbulence pour que nous puissions voir une école s'imposer, encore moins une méthode de recherche. Cependant, nous savons aussi que ces périodes d'effervescence sont propices au renouvellement sous toutes ses formes, et il ne faudrait pas se surprendre de voir émerger de nouvelles formes de recherche, voire une transformation de la recherche qualitative autour de quelques nouveaux concepts qui pourraient jouer le rôle de la théorisation ancrée. À suivre.

10.9. QUESTIONS

1. Quelle est l'origine de la recherche qualitative ?
2. Quels sont les principaux types de recherche qualitative ?
3. Quelles sont les techniques de collecte de données le plus couramment utilisées en recherche qualitative ?
4. Nommez quelques-uns des sujets de recherche de prédilection des chercheurs qualitatifs.
5. Quelle la principale caractéristique du devis de recherche qualitative.

10.10. RÉFÉRENCES

Argyris, C. (2002). *Apprentissage organisationnel : théorie, méthode, pratique.* Bruxelles : De Boeck.

Argyris, C., & Schön, D.A. (1992). *Théorie et pratique professionnelle.* Montréal : Logiques.

Argyris, C., & Schön, D.A. (1999). *Théorie et pratique professionnelle.* Montréal : Logiques.

Banister, P., Burman, E., Parker, I., Taylor, M.N., & Tindall, C. (1994). *Qualitative methods in psychology : A research guide.* Buckingham : Open University Press.

Bazeley, P., & Richards, L. (2000). *The NVivo qualitative project book.* Thousand Oaks, CA : Sage.

Becker, H.S., & Greer, B. (1969). Participant observation and interviewing : A comparison. Dans G.J. McCall & J.L. Simmons, (Éds), *Issues in participant observation : A text and a reader* (pp. 322-331). Reading, MA : Addison-Wesley.

Bourdieu, P., & Wacquant, L.J.D. (1992). *Réponses pour une anthropologie réflexive.* Paris : Seuil.

Callejo, J. (2001). *El grupo de discusion : Introduccion a une practica de investigacion.* Barcelona : Ariel.

Chapoulie, J.-M. (1998). La place de l'observation directe et du travail de terrain dans la recherche en sciences sociales. Dans J. Poupart, L.H. Groulx, R. Mayer, J.-P. Deslauriers, A. Laperrière, & A. Pires (Éds), *La recherche qualitative : diversité des champs et des pratiques au Québec* (pp. 144-172). Boucherville : Gaëtan Morin Éditeur.

Chevrier, J. (1997). La spécification de la problématique. Dans B. Gauthier (Éd.), *Recherche sociale* (pp. 51-81). Sainte-Foy : Presses de l'Université du Québec.

Conde, F. (1999). Las perspectivas metodologicas cualitativa y cuantitativa en el contexto de la historia de la ciencia. Dans J.M. Delgado & J. Gutierez, *Métodos y técnicas cualitativas de investigacion en ciencias sociales* (pp. 53-83). Madrid : Sintesis.

Creswell, J.W. (1994). *Research design : qualitative and quantitative approaches.* Thousand Oaks, CA : Sage.

Deslauriers, J.-P. (1991). *La recherche qualitative.* Montréal : McGraw-Hill.

Deslauriers, J.-P. (1997). L'induction analytique. Dans J. Poupart, J.-P. Deslauriers, L.-J. Groulx, A. Laperrière, R. Mayer, & A. Pires (Éds.), *La recherche qualitative : enjeux épistémologiques et méthodologiques* (pp. 293-308). Boucherville : Gaëtan Morin Éditeur.

Deslauriers, J.-P., & Brisebois, C. (1997). *Les cuisines collectives : l'expérience du CLSC de Hull.* Gatineau : Université du Québec à Hull.

Deslauriers, J.-P., & Kérisit, M. (1997). Devis de recherche et échantillonnage. Dans J. Poupart, J.-P. Deslauriers, L.-J. Groulx, A. Laperrière, R. Mayer, & A. Pires (Éds.), *La recherche qualitative : enjeux épistémologiques et méthodologiques* (pp. 85-111). Boucherville : Gaëtan Morin Éditeur.

Deslauriers, J.-P., & Kérisit, M. (1994). La question de recherche en recherche qualitative. Dans Conseil québécois de la recherche sociale, *Les méthodes qualitatives en recherche sociale : problématique et enjeux* (pp. 93-97). Actes du colloque du Conseil québécois de la recherche sociale, Rimouski, 17 mai.

Flick, U. (2002). *An introduction to qualitative research* (2e éd). Thousand Oaks, CA: Sage.

Glaser, B.G., & Strauss, A.L. (1967). *The Discovery of grounded theory.* Chicago, IL: Aldine.

Greenbaum, T.L. (1998). *The Handbook for focus group* (2e éd.), Thousand Oaks, CA: Sage.

Houle, G. (1997). La sociologie comme science du vivant : l'approche biographique. Dans J. Poupart, J.-P. Deslauriers, L.-J. Groulx, A. Laperrière, R. Mayer, & A. Pires (Éds.), *La recherche qualitative : Enjeux épistémologiques et méthodologiques* (pp. 273-289). Boucherville : Gaëtan Morin Éditeur.

Jorge Serra, E. (2002). *La investigacion social y el dato complejo.* Alicante, Esp. : Publicaciones de la Universidad de Alicante.

Kaufman, J.-C. (1996). *L'entretien compréhensif.* Paris : Nathan.

Kvale, S. (1996). *Interviews : An introduction to qualitative research interviewing.* Thousand Oaks, CA: Sage.

Lefrançois, R. (1991). *Dictionnaire de la recherche scientifique.* Lennoxville : Les Éditions Némésis.

Majchrzak, A. (1984). *Methods for policy research.* Beverly Hills, CA: Sage.

Mann, C., & Stewart, F. (2000). *Internet communication and qualitative research. A handbook for researching online.* Thousand Oaks, CA: Sage.

Manning, P.K. (1982). Analytic induction. Dans P. K. Manning et R.B. Smith (Éds.), *A handbook of social science methods : Qualitative methods* (vol. 2), (pp. 273-302). Cambridge, MA: Ballinger.

Marshall, C., & Rossman, G.B. (1999). *Designing qualitative research* (3e éd.). Thousand Oaks, CA: Sage.

Mayer, R., & Deslauriers, J.-P. (2000). Quelques éléments d'analyse qualitative. Dans R. Mayer, F. Ouellet, M.-C. Saint-Jacques, & D. Turcotte (Éds.), *Méthodes de recherche en intervention sociale* (pp. 160-189). Boucherville : Gaëtan Morin Éditeur.

Mayer, R., & Ouellet, F. (2000). La recherche dite «alternative». Dans R. Mayer, F. Ouellet, M.-C. Saint-Jacques, & D. Turcotte (Éds.), *Méthodes de recherche en intervention sociale* (pp. 287-325). Boucherville: Gaëtan Morin Éditeur.

Mayer, R., Ouellet, F., Saint-Jacques, M.C., & Turcotte, D. (2000). *Méthodes de recherche en intervention sociale.* Boucherville: Gaëtan Morin Éditeur.

McCall, G.J., & Simmons, J.L. (1969). Preface. Dans *Issues in participant observation: A text and a reader.* Reading, MA: Addison-Wesley.

Mertens, D.M. (1998). *Research methods in education and psychology: Integrating diversity with quantitative & qualitative approaches.* Thousand Oaks, CA: Sage.

Morgan, D.L. (1998). *The focus group guidebook.* «*Focus Group Kit #1*». Thousand Oaks, CA: Sage.

Munhall, P.L., & Oiler Boyd, C. (1999). *Nursing research: A qualitative perspective.* Lincoln, NE: National League for Nursing Press.

Olivier, A. (2001). *Le biographique.* Paris: Hatier.

Paillé, P. (1996). Recherche qualitative. Dans A. Muchielli (Éd.), *Dictionnaire des méthodes qualitatives en sciences humaines et sociales* (pp. 196-198). Paris: Armand Colin.

Palys, T. (1997). *Research decisions: Quantitative and qualitative perspectives* (2e éd.). Toronto: Harcourt Brace.

Patton, M.Q. (1997). *Utilization-Focussed evaluation: The new century* (3e éd.). Thousand Oaks, CA: Sage.

Patton, M.Q. (2002). *Qualitative research and evaluation methods.* Thousand Oaks, CA: Sage.

Roethlisberger, F.J., & Dickson, W.J. (1939 [1964]). *Management and the worker: An account of a research program conducted by the Western Electric Company.* Cambridge, MA: Harvard University Press.

Rubin, H.J., & Rubin, I.S. (1996). *Qualitative interviewing: The art of hearing data.* Thousand Oaks, CA: Sage.

Ruiz Olabuénaga, J.I. (2003). *Metodologia de la investigacion cualitativa* (3e éd.). Deusto: Universidad de Bilbao.

Schön, D.A. (1994). *Le praticien réflexif.* Montréal : Logiques.

Seale, C. (2000). Using computers to analyze qualitative data. Dans D. Silverman (Éd.), *Doing qualitative research : A practical handbook* (pp. 154-174). Thousand Oaks, CA : Sage.

Selltiz, C., Wrightsman, I.S., & Cook, S.W. (1977). *Les méthodes de recherche en sciences sociales.* Montréal : Éditions HRW.

Soulet, M.-H. (1987). La recherche qualitative ou la fin des certitudes. Dans J.-P. Deslauriers (Éd.), *Les méthodes de recherche qualitative* (pp. 9-22). Sainte-Foy : Presses de l'Université du Québec.

Spradley, J.P. (1979). *The ethnographic interview.* New York : Holt, Rinehart & Winston.

Stebbins, R.A. (1975). Teachers and meaning : Definitions of classroom situations. *Monographs and theoretical studies in sociology and anthropology in honour of Nels Andersen*, n° 10, Leiden : Brill.

Stebbins, R.A. (1990). *Sociology : The study of society* (2e éd.). New York : Harper & Row.

Strauss, A.L., & Corbin, J. (1998). *Basics of qualitative research.* Thousand Oaks, CA : Sage.

Tashakkori, A., & Teddlie, C. (1998). *Mixed methodology : Combining qualitative and quantitative approaches.* Thousand Oaks, CA : Sage.

Thomas, W.I, & Znaniecki, F. (1927). *The Polish peasant in Europe and America.* New York : Knopf.

Van Maanen, J. (1983). *Qualitative methodology.* Beverly Hills, CA : Sage.

Znaniecki, F. (1934). *The method of sociology.* New York : Farrar & Rinehart.

Zuñiga, R. (1994a). *L'évaluation dans l'action.* Montréal : Presses de l'Université de Montréal.

Zuñiga, R. (1994b). *Planifier et évaluer l'action sociale.* Montréal : Presses de l'Université de Montréal.

CHAPITRE 11

INTRODUCTION À LA RECHERCHE ÉVALUATIVE

La recherche au service des intervenants et des gestionnaires

MARC TOURIGNY ET CHRISTIAN DAGENAIS

Depuis une vingtaine d'années au Québec l'intérêt pour la recherche évaluative croît sans cesse. Deux grands mouvements sont à l'origine de cet intérêt nouveau. Premièrement, les réorganisations successives des services de santé et des services sociaux et la rationalisation des ressources ont entraîné de nouveaux besoins et des préoccupations incessantes concernant la qualité, l'efficacité et la pertinence des interventions mises en œuvre. Dans un tel contexte, les organismes et les intervenants doivent faire aussi bien avec moins de ressources, certains services doivent être interrompus, chaque dollar dépensé doit être justifié, la compétition pour les ressources financières est plus grande, ce qui entraîne la nécessité de mieux démontrer le bien-fondé des actions et des services offerts. Comme cela se passe aux États-Unis depuis déjà plusieurs années, le financement des programmes d'intervention et des organismes œuvrant dans les services de santé et les services sociaux est de plus en plus conditionnel à l'évaluation des services et des programmes financés. Le programme d'action communautaire pour les enfants (PACE) du gouvernement fédéral, dont le financement de chaque programme dépend de l'inclusion d'un volet évaluatif, représente un bon exemple de ces nouvelles pratiques.

Deuxièmement, l'élaboration de méthodes de recherche mieux adaptées aux particularités de la pratique a stimulé l'éclosion de nouvelles approches telles que la « recherche-action », « l'évaluation participative », « l'évaluation centrée sur une meilleure utilisation » *(utilization focused evaluation)* et « l'évaluation appropriative » *(empowerment evaluation).* Ces nouvelles approches favorisent un rapprochement entre chercheurs et intervenants. Elles visent à développer des recherches appliquées ayant des répercussions plus immédiates sur les pratiques et les problèmes sociaux. La création d'équipes de recherche spécialisées à l'égard d'un problème social identifié comme prioritaire par la nouvelle Politique de la santé et du bien-être et la création des Instituts universitaires dans le domaine des services sociaux sont des exemples de ce rapprochement chercheur/intervenant qui suscitent un intérêt grandissant pour le développement de l'évaluation de programme.

Les intervenants, les administrateurs et les chercheurs sont donc de plus en plus susceptibles de participer de près ou de loin à un projet d'évaluation d'un programme ou d'un service. Dans cette optique, l'objectif de ce chapitre est d'initier le lecteur au domaine de la recherche évaluative et de lui offrir une compréhension lui permettant d'être un participant et un consommateur plus averti en matière de recherche évaluative. Le chapitre présente donc, dans un premier temps, une introduction incluant une définition de la recherche évaluative et un bref rappel historique. Cette introduction est suivie d'une description des principales formes d'évaluation. Le chapitre se termine par une présentation succincte des différentes étapes liées à l'évaluation de programme.

11.1. RECHERCHE ÉVALUATIVE OU ÉVALUATION DE PROGRAMME ?

Certains auteurs soulignent que la recherche évaluative et l'évaluation de programme désignent des activités et des domaines différents (Guba & Lincoln, 1981 ; Nadeau, 1988 ; Zuniga, 1994). Les définitions diverses entourant ces deux concepts pourraient se situer sur un continuum où, à une extrémité, la recherche évaluative est perçue comme une activité strictement scientifique, c'est-à-dire n'utilisant que des logiques et des méthodologies reconnues en recherche sociale (p. ex. la production de connaissances scientifiques, la vérification d'hypothèses de recherche, l'usage de méthodes scientifiques pures) ; à l'autre extrémité nous retrouvons l'évaluation de programme, qui doit être très près des besoins concrets de l'organisme qui offre des services et dont les activités sont principalement orientées vers la production de résultats pour la prise de décisions plutôt que pour l'inférence causale. Parce que dans la réalité il s'avère plus difficile de distinguer ces deux termes et pour des raisons de simplification, nous utiliserons indistinctement les termes recherche évaluative et évaluation de programme comme désignant le même domaine de recherche (Rossi & Freeman, 1993 ; Scriven, 1991).

Rossi et Freeman (1993) définissent la recherche évaluative comme « une utilisation systématique des procédures de la recherche sociale dans le but d'évaluer la conceptualisation, le protocole, l'implantation et l'utilité des programmes sociaux d'intervention » (p. 5, notre traduction). La recherche évaluative vise donc à porter un jugement sur les différentes composantes d'un programme, et ce, à partir de critères objectifs. Les méthodes utilisées pour porter ce jugement sont celles généralement reconnues en recherche sociale. À cette définition certains auteurs ajouteront que la finalité de la recherche évaluative n'est pas uniquement de porter un jugement sur un programme, mais qu'elle consiste à porter un jugement dans le but d'améliorer le programme, d'apporter des changements nécessaires et, finalement, de mieux desservir les clientèles ciblées par les programmes (Rossi & Freeman, 1993 ; Tard, Ouellet, & Beaudoin, 1997). La recherche évaluative vise donc également à guider la prise de décisions à l'égard d'un programme.

Bien que la recherche évaluative soit liée à l'utilisation des méthodes existantes en recherche sociale, il apparaît toutefois faux de penser qu'elle ne représente que la simple application de méthodes de recherche. L'évaluation de programme, étant donné les contextes dans lesquels elle se pratique et en raison de sa finalité (la prise de décisions pour l'amélioration de l'intervention), comporte presque toujours une dimension politique qui influence sa pratique (pour plus de détails voir la section *Principales étapes de l'évaluation de programme*).

Une autre notion importante à préciser est celle de programme. Un programme d'intervention se définit comme « un ensemble organisé, cohérent et intégré d'activités et de services réalisés simultanément ou successivement, avec les ressources nécessaires, dans le but d'atteindre des objectifs déterminés, en rapport avec des problèmes [...] précis et ce, pour une population définie » (Pineault & Daveluy, 1986 : p. 333). Les buts et objectifs sont généralement directement liés à un modèle théorique, c'est-à-dire qu'ils sont l'expression d'une certaine théorie de cause à effet qui rend l'intervention cohérente et systématique en vue d'un changement chez la population cible. Un programme d'intervention peut donc être de type promotionnel (qui vise le développement de compétences ou d'habiletés dans une population donnée), de type préventif (qui vise alors à réduire les facteurs de risque avant qu'un problème survienne) ou de type curatif/traitement (qui vise alors à faire disparaître le problème et ses conséquences). Bien que l'évaluation ou la recherche évaluative puisse également porter sur une activité ou une intervention particulière, et ce, dans différents domaines (p. ex., éducation, administration, marketing, etc.), dans les pages qui suivent nous nous référerons la plupart du temps à la recherche évaluative portant sur les programmes d'intervention dans un contexte de services de santé et de services sociaux.

Les principales composantes d'un programme d'intervention[1] à considérer pour l'évaluation sont :

1. La description de la problématique qui concerne tous les éléments d'une situation perçue et vécue comme un problème par un groupe de personnes ou par une collectivité. C'est ce sur quoi un organisme veut agir, ce qu'il veut changer. Pour bien connaître la problématique, il faut pouvoir répondre aux questions suivantes : qui vit le problème ? quelle est l'ampleur du problème ? quelles sont ses causes ou ses origines ? quelles sont ses conséquences sur la population ?

---

1. L'élaboration d'un programme d'intervention représente une tâche importante et complexe. Pour une description détaillée de ce processus, voir Pineault et Daveluy (1986).

2. Les buts et objectifs du programme qui constituent la représentation de la situation souhaitée après la mise en œuvre d'un programme. Le but est l'orientation générale du programme, alors que les objectifs (parfois divisés en objectif général, intermédiaire et spécifique) viennent préciser les résultats que le programme veut atteindre en indiquant clairement les changements souhaités chez la population ciblée par le programme. Un objectif peut viser un changement sur le plan des connaissances, des attitudes, des comportements ou des états physiques ou psychologiques. Un objectif doit préciser clairement la population ciblée, la nature des changements désirés, les critères de succès d'atteinte de l'objectif et le contexte de réalisation des changements. Enfin, un objectif doit toujours être réaliste, mesurable et en lien avec la situation problématique.
3. Les ressources matérielles, humaines et financières qui sont nécessaires à la réalisation des services ou des activités du programme. Il s'agit donc de préciser les caractéristiques du personnel, le temps qu'il doit investir, le matériel pour chacune des activités, les coûts pour la réalisation des activités, etc.
4. Les services ou les activités qui représentent le cœur du programme et qui sont décrites de façon à préciser qui fait quoi, à quel moment, avec qui, pendant combien de temps et dans quelle séquence.
5. Les résultats ou les effets attendus du programme sur la clientèle cible.
6. Le contexte précis dans lequel se situe le programme à un moment donné. Cette notion de contexte est intéressante, car elle permet d'aborder les effets réciproques que l'environnement et le programme d'intervention ont l'un sur l'autre. Que ce soit à l'intérieur d'un même organisme ou dans un quartier donné, le programme d'intervention se réalise toujours dans un contexte particulier. Ce contexte peut influencer grandement la réalisation du programme. À l'inverse, le programme d'intervention peut avoir des effets autres que ceux ciblés par le programme ou bien avoir des effets sur une autre population non ciblée.

11.2. BREF HISTORIQUE

Le développement de l'évaluation de programme est intimement lié à celui des méthodologies de recherche en sciences sociales et à celui des programmes sociaux. Les premiers efforts d'évaluation ont vu le jour au début du XXe siècle aux États-Unis et touchent principalement des programmes d'éducation (p. ex., programme d'alphabétisation) et de santé publique (p. ex., programme de réduction des maladies infectieuses) (Rossi & Freeman, 1993). Par la suite, la recherche évaluative a été influencée par les nouvelles méthodes de collecte de données, le développement de l'informatique et des nouvelles méthodes statistiques. Toujours aux États-Unis, l'après-guerre (Deuxième Guerre mondiale) et la mise en œuvre de nombreux programmes sociaux nationaux ont contribué au développement rapide du domaine de la recherche évaluative. Herman, Morris et Fitz-Gibbon (1987) mentionnent que cette deuxième vague d'évaluation de programme se caractérise par l'utilisation de méthodes expérimentales, d'instruments de mesure standardisés et de grands échantillons visant à établir clairement et sans équivoque les effets des programmes.

La période suivante a vu le développement de méthodes d'évaluation plus sensibles aux contextes et aux besoins des usagers de l'évaluation par un recours aux méthodes qualitatives. L'évaluation de programme se fait alors à plus petite échelle et elle doit permettre de porter un jugement sur le programme d'intervention (Guba & Lincoln, 1989). La quatrième vague se caractérise par des évaluations qui proposent un processus de collaboration entre les différents partenaires impliqués dans l'évaluation, où les choix sont ouverts plutôt que définis à l'avance (Tard et al., 1997). C'est aussi une évaluation qui utilise une combinaison d'approches et de méthodes dans une perspective constructiviste. Pour Guba et Lincoln (1989), l'évaluation se fait donc en interaction directe et continue avec les acteurs concernés par le programme.

Depuis une quarantaine d'années, nous avons donc assisté au développement de nombreuses approches ou théories en recherche évaluative. Parmi les plus populaires relevées par Herman et al. (1987), notons l'évaluation orientée vers les buts (*goal-oriented evaluation*, Bloom, Hasting, & Madaus, 1971), l'évaluation orientée vers la prise de décision (*decision-oriented evaluation*, Stufflebeam, 1971), l'évaluation orientée vers l'utilisation des résultats (*utilization-oriented evaluation*, Patton, 1986), l'évaluation indépendante des buts du programme (*goal-free evaluation*,

Scriven, 1974) et l'évaluation favorisant l'utilisation des méthodes de recherche traditionnelles (*evaluation research*, Campbell, 1969). Plus récemment, des théories de la quatrième génération ont été élaborées, dont celle de l'évaluation orientée vers l'appropriation des méthodes et des résultats (*empowerment evaluation*, Fetterman, Kaftarian, & Wandersman, 1996) et l'évaluation guidée par la théorie (*theory-driven evaluation*, Chen, 1990). Comme le soulignent Herman et al. (1987), ces approches ne sont pas mutuellement exclusives; elles insistent plutôt sur des aspects distincts s'utilisant parfois dans des contextes particuliers et elles présentent chacune leurs propres forces et limites.

11.3. LES PRINCIPALES FORMES D'ÉVALUATION DE PROGRAMME

La recherche évaluative peut porter sur cinq aspects distincts liés au programme d'intervention, soit: (a) l'analyse des besoins de la clientèle et de la conception du programme (l'évaluation des besoins), (b) l'analyse de l'implantation du programme (l'évaluation de l'implantation), (c) l'analyse de l'atteinte des objectifs du programme (l'évaluation de l'efficacité), (d) l'analyse du rendement du programme (l'évaluation de l'efficience), et (e) l'analyse de l'impact du programme. Pour chacune de ces formes d'évaluation, nous présenterons dans la prochaine section une brève définition, les principaux contextes d'utilisation et les principales méthodes de recherche qui y sont associées. Pour illustrer les diverses formes d'évaluation de programme, un exemple portant sur un programme de prévention des agressions sexuelles est présenté. L'exemple continu permettra d'illustrer pour chaque forme d'évaluation le contexte et les questions de l'évaluation, une brève description de la méthodologie et des résultats, de même que les décisions prises (ou changements apportés) au regard des résultats de l'évaluation.

Outre ces formes d'évaluation de programme qui sont définies en fonction de l'objet sur lequel porte l'évaluation, deux autres formes d'évaluation sont fréquemment discutées dans la littérature, soit l'évaluation formative et l'évaluation sommative. Ces formes d'évaluation se définissent davantage en fonction de l'utilisation potentielle des résultats et du processus de réalisation de la recherche évaluative. Il existe une certaine confusion dans la littérature et dans la pratique de l'évaluation de programme concernant la définition de ces deux formes d'évaluation. Par exemple, certains auteurs associent l'évaluation de l'implantation à l'évaluation formative et l'évaluation des effets à l'évaluation sommative (Tard et al., 1997 ; Zuniga, 1994). Dans ce chapitre, nous adoptons une définition plus complexe de ces deux types d'évaluation, soit celle proposée par Herman et al. (1987), et nous soulignons, tout comme Scriven (1991), qu'il ne faut pas confondre évaluation sommative et évaluation des effets. Cette dernière forme d'évaluation peut être de type sommatif ou formatif. De même, l'évaluation formative n'est pas équivalente à l'évaluation de l'implantation (Herman et al., 1987 ; Rossi & Freeman, 1993 ; Scriven, 1991).

L'évaluation formative a pour principal objectif de fournir des résultats qui permettent d'améliorer un programme d'intervention généralement en développement. Par contre, l'évaluation sommative s'utilise principalement lorsque le programme a atteint sa pleine maturité, et ce, afin de répondre à des questions davantage liées : (a) aux conditions de sa généralisation à d'autres sites ; (b) au bien-fondé de la poursuite ou non son financement ; et (c) si oui, aux conditions de cette poursuite. Comme le soulignent Herman et al. (1987), bien qu'il soit relativement facile de définir sur papier ces deux formes d'évaluation, la réalité fait en sorte que les deux formes d'évaluation sont parfois présentes à différents degrés dans la même recherche évaluative. Ces auteures suggèrent donc de voir ces deux types d'évaluation comme les extrémités d'un même continuum.

Comme son but est d'améliorer le programme d'intervention, l'évaluation formative se caractérise par le fait que les utilisateurs des résultats de la recherche sont surtout les personnes qui participent directement au développement, à la gestion et à l'implantation du programme. Dans la collecte des données l'accent est mis surtout sur l'explication des processus qui conduisent aux résultats de la recherche évaluative (p. ex., on peut ainsi expliquer pourquoi le programme connaît des difficultés dans son implantation ou quelles sont les activités contribuant à une meilleure efficacité). Les données de l'évaluation sont fréquemment analysées et présentées aux personnes engagées dans le développement du programme afin d'apporter les changements nécessaires s'il y a lieu. Les résultats sont davantage présentés oralement et l'accent est mis sur l'interprétation des résultats en fonction des conséquences sur la pratique et des changements spécifiques à apporter.

Mercier (1985) mentionne que l'évaluation formative est celle qui semble le mieux répondre aux besoins des ressources alternatives et des organismes communautaires lesquels sont vécus comme projet et comme processus. Selon cette auteure, l'évaluation formative a pour but de faciliter la gestion du programme évalué, de corriger ses faiblesses et de faciliter l'adaptation aux changements en instaurant un système d'information où les résultats de la recherche sont constamment mis à la disposition des intervenants. Pour Mercier, l'évaluation formative offre des outils d'automonitorage compatibles avec les positions d'autogestion et d'indépendance recherchées par les ressources communautaires. Les encadrés 10.1 et 10.2 présentent brièvement deux exemples d'évaluation formative (voir encadré 10.2 à la section 10.3.2).

À l'inverse, l'évaluation sommative vise principalement à porter un jugement global sur la qualité d'un programme dans le but de répondre à des questions davantage d'ordre administratif. Elle se caractérise donc par le fait que ces résultats sont utilisés par les organismes qui subventionnent le programme, par les gestionnaires et les personnes susceptibles de vouloir exporter le programme d'intervention. La collecte de données est axée sur les effets du programme ou les activités du programme sans chercher à expliquer ces résultats (p. ex., on peut dire si oui ou non le programme est bien implanté ou efficace sans pouvoir dire pourquoi). Les résultats sont présentés à la fin de la recherche sous forme de rapport écrit et leurs implications sont discutées en fonction de décisions administratives ou de généralisations potentielles. L'encadré 10.3 (voir section 10.4) fournit une description du processus et des résultats d'une évaluation sommative typique. Ce type d'évaluation génère peu de résultats permettant d'apporter des changements concrets et spécifiques au programme. En somme, les objectifs visés par l'évaluation formative et l'évaluation sommative sont suffisamment différents pour commander des pratiques d'évaluation qui se distinguent à plusieurs niveaux.

Encadré 10.1
Description des principales étapes de l'évaluation formative d'un programme de prévention du placement des enfants

Étape 1

En mai 1992, des gestionnaires d'un Centre jeunesse mettaient sur pied un programme de prévention du placement (le Projet d'intervention massive à l'enfance, PRIME). Celui-ci reproduit les caractéristiques du modèle américain *Homebuilders.* Ce type de programme est actuellement implanté dans plus de 42 États américains et dans quelques régions du Québec. Il a fait l'objet de nombreuses études, tant descriptives qu'évaluatives. Les activités de ces programmes s'appuient sur le postulat suivant : « Il est possible d'éviter le placement d'un enfant en offrant rapidement, à domicile, un soutien intensif à la famille de façon à développer ses habiletés à faire face à la situation de crise et ainsi écarter les risques de compromission de la sécurité et du développement de l'enfant. » Afin d'aider à bien implanter le programme, les responsables ont voulu y insérer un volet d'évaluation. La demande initiale des instigateurs du projet était donc de fournir des données de recherche qui permettraient de s'assurer que le programme soit bien implanté conformément au modèle américain et de vérifier certains effets du programme. Les principaux objectifs du programme étaient :

(a) de prévenir le placement de l'enfant en dehors de son milieu familial ; (b) de s'assurer de la sécurité de l'enfant et (c) de ramener la famille à un fonctionnement familial minimum adéquat. Nous avons donc procédé à l'évaluation d'implantation, dont les principales questions ont été : Est-ce que le programme rejoint les familles qui sont à risque élevé de placement ? Est-ce que le programme implanté respecte les caractéristiques du modèle *Homebuilders*, soit une intervention rapide, intensive, de courte durée, centrée sur la famille (et non uniquement sur l'enfant ou sur un parent), dans le milieu de vie (plutôt que dans les bureaux des services sociaux) et offrant du soutien concret aux familles ? L'évaluation de l'efficacité a été faite pour les deux premiers objectifs du programme. Il s'agissait donc d'une demande d'évaluation d'implantation et d'efficacité dans un but formatif.

Étape 2

Plusieurs rencontres ont eu lieu avec les intervenants et les gestionnaires du programme afin de préciser l'ensemble des questions auxquelles l'évaluation allait répondre et, par la suite, afin de définir l'ensemble des composantes du protocole de recherche (échantillon, instruments de mesure, méthodes de collecte, échéancier, etc.). Les intervenants ont pris une part active à l'élaboration des outils de collecte et ils ont été désignés comme les personnes qui allaient recueillir les données nécessaires à l'évaluation de l'implantation. Pour l'évaluation de l'efficacité, un protocole quasi expérimental a été utilisé. Le protocole permet de comparer l'évolution du taux de placement (objectif 1 du programme) et du taux de signalement (objectif 2) du groupe expérimental (PRIME) avec ceux d'un groupe de comparaison (intervention traditionnelle). Les comparaisons des taux ont été faites 3, 6 et 12 mois après l'entrée dans le programme. Un comité consultatif formé d'intervenants, de gestionnaires et de chercheurs a été mis sur pied afin d'assurer la bonne marche du projet d'évaluation.

Étape 3

Comme l'évaluation devait être formative, le comité consultatif avait jugé que, pour permettre d'améliorer le programme, il serait important d'avoir des résultats de l'évolution du projet à chaque année. La collecte de données a été effectuée par les intervenants à l'aide d'outils de collecte spécialement conçus pour l'évaluation et qui permettaient de répondre à la fois à des besoins cliniques et à des besoins de recherche. Par exemple, un outil important pour la description détaillée des services a été le formulaire de notes évolutives, qui était généralement utilisé par les intervenants et qui a été modifié de façon à pouvoir répondre aux questions de l'évaluation d'implantation. Les taux de placement et de signalement ont été calculés à partir des données fournies par le système d'information central de la Direction de la protection de la jeunesse.

Étape 4

Quelques semaines après la fin de chaque année de collecte de données, les résultats ont été présentés sous forme de communications orales à l'ensemble des personnes associées au programme. Les communications orales donnaient lieu à des échanges sur l'interprétation des résultats et montraient parfois la nécessité de faire de nouvelles analyses afin de vérifier certaines hypothèses. À la suite des présentations orales, un bref rapport synthèse était déposé. Ce rapport comprenait un ensemble de recommandations visant à améliorer le programme, c'est-à-dire à réduire les écarts entre ce qui était fait sur le terrain et ce qui devait être fait.

Par exemple, pour la deuxième année, les principaux résultats concernant l'implantation ont montré que : (a) le programme PRIME est implanté comme le modèle américain (*Homebuilders*) en ce qui concerne plusieurs aspects, dont la rapidité d'intervention, l'intensité de l'intervention, le fait que l'intervention se fasse dans le milieu de vie, qu'elle soit concrète et qu'il y ait une disponibilité de services en tout temps ; (b) trois caractéristiques du programme PRIME n'ont pas été implantées de la façon prévue, soit la durée de l'intervention, qui est plus longue que celle qui avait été planifiée, le fait que l'intervention ne se fasse pas auprès de l'ensemble de la famille (les intervenants ont plutôt tendance à travailler uniquement avec la mère) et le manque de soutien concret apporté aux familles.

En ce qui regarde l'efficacité du programme, les résultats montrent que pour les deux premières années les taux de placement et de signalement des enfants du groupe expérimental (PRIME) ne sont pas significativement différents de ceux du groupe de comparaison (intervention traditionnelle), à l'exception du taux de signalement mesuré à trois mois.

Sources : Adaptée de M. Tourigny, C. Dagenais, J. Turner & L. Lortie (1995). *Évaluation de l'implantation du projet d'intervention massive à l'enfance (PRIME) pour les deux premières années (93-94 et 94-95).* Montréal : LAREHS, Université du Québec à Montréal.
M. Tourigny, C. Dagenais & M. Doyon (1996). *Évaluation d'un programme de prévention du placement : Taux de placement et de signalement.* Communication par affiche présentée dans le cadre du XXVIe Congrès international de psychologie, Montréal, Canada, 16-21 août.

11.3.1. L'évaluation des besoins

Exemple pratique – *Partie 1*

J.K., un des parents dont l'enfant a été agressé sexuellement par un jeune adolescent, a été particulièrement bouleversé et il aimerait faire en sorte que les enfants de sa ville puissent vivre dans un environnement plus sécuritaire. J.K. réunit donc plusieurs intervenants scolaires et parents qui s'inquiètent également du fait que plusieurs enfants de la région ont été agressés sexuellement depuis le début de l'année. Au cours des premières réunions, les personnes présentes se sont entendues pour commencer par mieux connaître le phénomène des agressions sexuelles dans leur milieu avant d'entreprendre des actions. Trois grandes questions sont ressorties. La première question que le groupe se pose est de savoir si, effectivement, il y a plus d'agressions sexuelles (et quelle est la nature des agressions sexuelles commises) depuis quelques années. La seconde question est de savoir quelles sont les causes des agressions sexuelles. Enfin, le groupe est intéressé à savoir quels sont les services qui existent dans la région concernant les agressions sexuelles.

Afin de répondre aux questions liées à l'évaluation de besoins, le groupe a entrepris différentes démarches : a) un intervenant travaillant à la Direction de la protection de la jeunesse (DPJ) s'est occupé d'obtenir des statistiques provenant de la protection de la jeunesse, afin d'examiner l'évolution depuis cinq ans des signalements pour agression sexuelle. Ces statistiques devraient fournir de l'information sur le nombre de signalements reçus chaque année, la nature des agressions sexuelles et les services offerts par la DPJ sur le territoire qui les concerne. De son côté, une intervenante du CLSC (Centre local de services communautaires) va entreprendre les mêmes démarches auprès des trois CLSC du territoire. Un des parents va mener une enquête auprès des personnes clés de la communauté afin d'identifier l'ensemble des ressources existant sur le territoire. Enfin, un autre parent se propose d'effectuer une recension des études nord-américaines afin de mieux identifier l'ampleur du problème, ses causes et ses conséquences et les interventions préventives et curatives.

Dans sa démarche, le groupe de personnes de cet exemple pratique amorce ce que l'on appelle une évaluation de besoins. Ces personnes veulent réagir à un problème qu'elles jugent important et grave, et, pour ce faire, elles veulent mieux connaître l'état de la situation et les besoins réels de la population avant d'entreprendre des actions. L'évaluation des besoins correspond à l'utilisation systématique des méthodes de recherche en sciences sociales dans le but d'identifier l'ampleur et la nature d'un problème social, ses causes et ses conséquences, les caractéristiques des personnes touchées par ce problème et les contextes dans lesquels elles vivent (Rossi & Herman, 1993). Pineault et Daveluy (1986) suggèrent que le *problème* soit défini comme un état jugé déficient par l'individu, le professionnel ou la communauté, alors que le *besoin* correspond à l'écart entre un état optimal, défini de façon normative, et l'état actuel ou réel (en l'occurrence le problème social). En ce sens, le besoin représente ce qui est requis pour remédier à un problème spécifique clairement identifié (Pineault & Daveluy, 1986).

Les études de besoins servent à planifier les services à une communauté ou à une population données. Elles sont utilisées pour déterminer les problèmes des membres de cette communauté et envisager des solutions acceptables pour répondre à leurs besoins (Marti-Costa & Serrano-Garcia, 1983). L'évaluation des besoins permet donc de conceptualiser les programmes d'intervention et d'apporter une solution aux besoins identifiés. En d'autres mots, l'étude de besoins porte autant sur l'identification des problèmes que sur les solutions à privilégier.

Ce type d'évaluation peut répondre à un ensemble de questions essentielles à l'élaboration d'un programme, telles que : Combien de personnes sont affectées par le problème ? ; Quelle est la nature du problème social en termes de formes, fréquence, durée, gravité, etc. ? ; Quelle est l'ampleur du problème et comment se distribue-t-il sur un territoire donné ? ; Quelles sont les causes ou quels sont les facteurs de risque à la source du problème social ? ; Quelles sont les conséquences à court, moyen ou long terme du problème sur les personnes affectées ? ; Quelles sont les caractéristiques socio-démographiques, physiques ou psychologiques des personnes affectées par le problème et de leur milieu de vie ? ; Quelles sont les solutions proposées par les divers interlocuteurs (p. ex., les membres de la communauté, les personnes directement touchées, les intervenants) concernés par le problème ?

Il existe de nombreuses façons de procéder à une étude de besoins. Nous présenterons dans les pages qui suivent quatre méthodes de collecte de données parmi les plus couramment utilisées, soit : (a) l'inventaire des ressources, (b) l'analyse de l'utilisation des services et de la clientèle, (c) l'enquête et (d) l'analyse des indicateurs sociaux.

11.3.1.1. Inventaire des ressources

L'inventaire des ressources existantes constitue sans doute la façon la plus simple et la moins coûteuse de procéder à une étude de besoins. Il consiste à compiler les services accessibles à un groupe cible sur un territoire donné, sans nécessairement tenter de déterminer les besoins réels de la population. Généralement, cette méthode mène à la production d'une matrice des besoins et services qui permet de déterminer les forces et les limites de l'ensemble des services offerts. Cette approche présuppose que les services existants correspondent aux besoins de la population ; on ne se questionne pas, par exemple, sur la représentativité des populations à risque qui sont les plus difficiles à rejoindre par les services.

11.3.1.2. Analyse de l'utilisation des services

Les programmes et les services d'intervention découlent généralement de la reconnaissance d'un problème social jugé inacceptable pour lequel une action organisée doit être mise en place afin de remédier à la situation. Certains procèdent donc à l'évaluation des besoins à partir des services existants. Ce type d'analyse consiste à examiner l'utilisation de ces services en termes de : (a) disponibilité (Quelle est la capacité d'accueil d'un service ?) ; (b) connaissance par les organismes de référence (Le service est-il connu des organismes de la communauté ?) ; (c) degré d'acceptation par la population en général (Quelle est la perception du service et de sa clientèle dans la communauté ?) ; et (d) accessibilité (Le service est-il facilement accessible physiquement ou en termes de listes d'attente ?).

Par exemple, Meissen et Cipriani (1983) ont procédé à une étude de besoins portant sur 92 organismes à but non lucratif. Le but de cette étude visait : (a) à comprendre le fonctionnement et le rôle des organismes, (b) à comprendre le fonctionnement général des services à cette communauté dans son contexte urbain, et (c) à établir un niveau de base de contrôle de ces organismes. Les entrevues réalisées dans le cadre de cette étude rassemblent de l'information sur les caractéristiques de l'organisme (p. ex. les limites, les forces, la clientèle, etc.). Les résultats permettent de se faire une idée claire de l'ensemble des services et des clientèles cibles. Les auteurs proposent trois effets des résultats de cette étude de besoins : (a) l'étude fournit un cadre permettant de guider la prise de décision quant à la mise sur pied de services spécifiques ; (b) elle permet un échange de l'expertise des différentes ressources ; et (c) elle mène à la recommandation d'un centre de consultation commun.

11.3.1.3. L'ENQUÊTE

Plusieurs types d'enquête peuvent être mis à contribution dans le cadre d'une étude de besoins. Nous présenterons ici les cinq plus courants. Le premier consiste à estimer les besoins en formation. On mesure donc la compétence et les habiletés nécessaires pour accomplir une tâche, la compétence des gens qui exécutent cette tâche et l'intérêt ou le désir de participer à des activités de formation. Le deuxième porte sur la clientèle, généralement les anciens utilisateurs des services. On s'intéresse alors aux caractéristiques de ces personnes, aux obstacles à l'utilisation des services, à la motivation à y recourir et au degré de satisfaction (p. ex., l'opinion sur la qualité des services, la réponse aux attentes, etc.). Le troisième type d'enquête s'effectue auprès d'informateurs clés d'une communauté. Cette méthode présente les inconvénients liés aux perspectives de chacun. Par exemple, les intervenants ont généralement tendance à surestimer les problèmes et à sous-estimer la capacité des gens à changer. Par contre, cette méthode présente l'avantage d'être nettement moins coûteuse et de fournir un regard externe à la situation. Le quatrième type utilise les techniques de groupe, telles que : la technique Delphi, les auditions publiques, le groupe nominal ou le groupe de discussion. Murrell et Schulte (1980) estiment que cette dernière méthode peut constituer une plus grande menace pour les structures en place, car on exerce dans les séances de groupe beaucoup moins de contrôle sur l'expression des besoins de chaque individu et sur l'influence que les membres du groupe ont les uns sur les autres. Enfin, le cinquième type d'enquête porte sur l'ensemble de la population et fera l'objet de la section suivante (analyse des indicateurs sociaux).

Notons que certains chercheurs considèrent qu'une partie des membres de la collectivité n'expriment pas leurs besoins. Ils suggèrent donc une action sociale visant à amener ces individus à prendre conscience de leurs besoins et à mobiliser ces personnes afin d'apporter des solutions (Marti-Costa & Serrano-Garcia, 1983). Ce type d'étude de besoins représente un moyen puissant pour modifier les structures sociales, car il permet de conscientiser, organiser et mobiliser les groupes plus démunis, afin qu'ils parviennent à mieux définir leurs besoins. De ce fait, ce modèle implique la poursuite d'objectifs de mobilisation, d'implication, de création de groupes et de développement des habiletés politiques des membres. Il permet donc à ces derniers d'exercer un contrôle sur les services qui leur sont offerts.

11.3.1.4. Analyse des indicateurs sociaux

L'examen longitudinal d'indicateurs sociaux se révèle particulièrement utile afin de suivre l'évolution d'un problème social. La façon la plus courante consiste à utiliser les banques de données existantes pour reconnaître les besoins (p. ex., dossiers de la Direction de la protection de la jeunesse, dossiers d'un CLSC). Des données portant sur l'ensemble de la population, telles que celles recueillies par Statistique Canada, permettent de suivre l'évolution de certains problèmes ou de certaines conditions associées à des problèmes sociaux (p. ex., les facteurs de risque). Rossi et Freeman (1993) définissent l'indicateur social comme la mesure continue de l'étendue d'un problème social. Les indicateurs sociaux ont plusieurs fonctions ou utilités pour la planification de politiques : (a) ces données indiquent comment évoluent certaines conditions sociales ; (b) lorsqu'elles sont analysées adéquatement, ces informations peuvent servir à estimer l'ampleur d'un problème et sa répartition sur un territoire donné ; et (c) elles peuvent fournir des indicateurs de l'efficacité des programmes existants (Rossi & Freeman, 1993).

L'enquête Santé Québec, une étude réalisée tous les cinq ans auprès de la population québécoise afin d'identifier divers problèmes de santé mentale ou sociaux, constitue un autre exemple de collecte d'indicateurs sociaux. Chacune de ces études permet de tracer un portrait, par région administrative, de l'ampleur d'un problème (p. ex., le nombre de personnes affectées) et des caractéristiques des personnes touchées par ce problème. Ce type d'enquête permet de fixer les priorités gouvernementales au niveau provincial, régional et local lors de l'élaboration des services sociaux et de santé et de la répartition des crédits sur le territoire.

Dans certains cas, ce type d'étude de besoins sert à évaluer s'il est nécessaire d'agir sur une situation problématique particulière. Par exemple, des données sont actuellement colligées sur la prévalence de la violence dans les fréquentations amoureuses et les facteurs qui y sont associés. Cette étude, réalisée à la demande du Centre d'aide et de lutte contre les agressions à caractère sexuel (CALACS), souhaitant mettre en place un programme de prévention de la violence, permettra de préciser: (a) l'ampleur exacte du problème dans la région choisie, (b) la nature de la violence vécue (physique, verbale et sexuelle), (c) qui sont les jeunes affectés (victime et agresseur) et (d) quels sont les facteurs associés à la violence. L'ensemble de ces informations pourra servir à conceptualiser un programme d'intervention adapté aux jeunes de cette région et aux problèmes spécifiques qu'ils rencontrent (Pelletier, Tourigny, & Lavoie, 1998).

Exemple pratique – *Partie 2*

Les résultats de l'évaluation de besoins initiée par J.K. montrent que: (a) il semble effectivement y avoir une légère augmentation des agressions sexuelles sur le territoire; (b) bien qu'il y ait une bonne organisation des services pour aider les enfants et adolescents victimes d'agressions sexuelles sur le territoire, le groupe a constaté qu'il n'existe aucune activité de prévention des agressions sexuelles; (c) l'examen des programmes de prévention a permis au groupe d'identifier un programme de prévention des agressions sexuelles qui semble particulièrement efficace.

11.3.2. L'évaluation de l'implantation ou du processus

Exemple pratique – *Partie 3*

Le groupe a donc décidé d'implanter sur son territoire un programme de prévention des agressions sexuelles envers les enfants. Le programme choisi est un programme américain qui devra être traduit et adapté à la réalité québécoise (p. ex., en ce qui a trait à l'information sur les lois entourant les agressions sexuelles, la procédure de dévoilement, etc.). De plus, du fait que la littérature sur les programmes de prévention des agressions sexuelles rapporte que plusieurs difficultés d'implantation peuvent survenir (p. ex., la difficulté à faire participer les parents à ce type de programme) et que le programme sera implanté par un groupe de personnes plutôt que par organisme (ce qui demandera une plus grande coordination), le groupe a décidé de réaliser un projet pilote, c'est-à-dire d'implanter le programme de prévention dans une école et de faire les ajustements nécessaires avant d'implanter le programme sur l'ensemble du territoire. L'évaluation de l'implantation du programme est toute désignée pour permettre au groupe de bien suivre la mise en œuvre du programme et de procéder aux ajustements nécessaires.

Afin de réaliser l'évaluation de l'implantation, un ensemble d'instruments de collecte de données a été élaboré : un questionnaire décrivant les participants (parents et enfants) au programme ; un questionnaire décrivant la participation des participants ; des entrevues de groupe réalisées avec les parents, les enfants, les animatrices, les instigateurs du programme et le personnel scolaire de l'école où le programme a été implanté.

Pour Tard et al. (1997), l'évaluation de l'implantation ou du processus peut être définie comme l'utilisation de méthodes de recherche scientifiques permettant « essentiellement d'examiner si l'organisme est en train de réaliser ce qu'il avait prévu faire, de constater comment il le fait, et, s'il existe un écart entre ce qui avait été prévu et ce qui est en train d'être réalisé, d'expliquer les raisons de cet écart » (p. 30). Ce type d'évaluation vient répondre à trois grandes catégories de questions : (a) celle portant sur la clientèle : Est-ce que le programme rejoint bien la clientèle cible visée par le programme ? Est-ce que les critères de sélection de la clientèle sont respectés ? Quelles sont les caractéristiques des participants au programme ? Qui abandonne avant la fin du programme ? ; (b) celle portant sur les services : Est-ce que les activités ou les services offerts sont ceux prévus initialement ? Quel est le niveau de participation aux différentes activités ? Quel est le taux d'abandon des participants aux différentes activités du programme ? ; et (c) celle portant sur les ressources : Est-ce que les ressources utilisées pour réaliser les activités ou les services correspondent à celles planifiées par le programme initial ? Les données générées par ces trois grandes catégories de questions, c'est-à-dire par l'évaluation du processus, offrent de nombreuses utilisations potentielles que nous allons maintenant voir.

L'évaluation du processus est souvent utilisée dans les premières années de l'implantation d'un programme afin de s'assurer que toutes les composantes du programme sont mises en œuvre comme elles avaient été planifiées (voir encadré 10.1, section 10.3). L'utilisation de ce type d'évaluation ne se limite toutefois pas aux premières années de vie d'un programme. L'évaluation continue de l'implantation d'un programme permet de suivre l'évolution de la clientèle (et de ses besoins) ou les changements pouvant survenir dans la mise en œuvre du programme. Par exemple, dans le cadre d'un programme de traitement pour parents négligents, une évaluation continue de la clientèle pourrait constater qu'au fil des ans les participants au programme sont de plus en plus nombreux à présenter un problème de toxicomanie. Ce constat permettrait alors de réorienter les activités de façon à fournir des services spécialisés en toxicomanie. De même, une évaluation continue de l'implantation d'un programme de traitement pour enfants agressés sexuellement pourrait démontrer que la majorité des enfants sont principalement agressés par un membre de leur fratrie, alors que le programme avait été conçu, à l'origine, pour des enfants agressés par un parent. Il devient alors important de procéder à des modifications du programme pour mieux répondre aux besoins de cette nouvelle clientèle.

Dans un deuxième temps, l'utilisation de l'évaluation du processus représente souvent une étape primordiale avant de procéder à l'évaluation des effets d'un programme. Le simple fait qu'un programme existe depuis plusieurs années ne garantit pas qu'il soit implanté comme prévu ou que sa clientèle n'ait pas changé de façon significative, comme nous venons de le voir. Il y a, en effet, plusieurs raisons qui font qu'un programme ne soit implanté comme prévu : le personnel ne change pas sa méthode de travail ou résiste à l'implantation d'une nouvelle approche d'intervention (par manque de motivation ou de connaissances sur la façon de faire), les ressources nécessaires ne sont pas dégagées par la direction ou la clientèle abandonne le programme avant la fin de celui-ci. Il apparaît donc important de vérifier cet aspect avant d'investir dans l'évaluation des effets, puisqu'un programme qui n'est pas implanté adéquatement ne pourra pas produire les résultats escomptés. L'encadré 10.3 (voir section 10.4) montre clairement la nécessité d'utiliser l'évaluation de l'implantation même dans le contexte de programmes de traitement existant depuis plusieurs années. Les résultats de cette évaluation d'implantation ont clairement démontré qu'une proportion importante de la clientèle ne participait pas au traitement même si le programme était implanté depuis plusieurs années.

L'évaluation du processus peut également être utilisée conjointement avec une évaluation de l'efficacité du programme. Cette utilisation de l'évaluation de l'implantation permet alors de préciser les liens qui peuvent exister entre les composantes du programme et de mieux préciser les résultats concernant son efficacité, elle offre la possibilité de répondre à deux types de questions importantes pour le développement des programmes d'intervention.

Le premier type de questions concerne les liens entre la clientèle et les effets du programme : Qui sont les participants qui profitent le plus du programme ? Auprès de quelle clientèle le programme s'avère-t-il inefficace ? Le programme a-t-il des effets négatifs auprès de certains participants ? Si oui, quelles sont les caractéristiques de ces participants ?

Le second type de questions concerne les questions portant sur les liens entre les services et les effets du programme : Y a-t-il des activités ou des services plus efficaces que d'autres ? Quelles sont les caractéristiques du programme ou des services qui se révèlent peu liées à l'efficacité ? Une plus grande participation au programme entraîne-t-elle une plus grande efficacité ?

Par exemple, une recension récente portant sur les évaluations de programmes de prévention des mauvais traitements envers les enfants a montré qu'il existe un lien entre les caractéristiques de la clientèle (en termes de facteurs de risque) et l'efficacité des programmes de prévention (Clément & Tourigny, 1997). Les programmes se sont révélés moins efficaces auprès des mères présentant peu de risque de mauvais traitements et, inversement, plus efficaces auprès des mères ayant plusieurs facteurs de risque. De plus, les résultats des différentes évaluations montrent qu'une plus grande intensité (fréquence et durée) de l'intervention augmente l'efficacité des programmes.

Un autre exemple de l'importance de mettre en lien les résultats de l'évaluation de l'implantation et ceux de l'évaluation de l'efficacité concerne les programmes de traitement pour enfants agressés sexuellement. En effet, une recension portant sur l'efficacité de ce type de programme a démontré que les taux de participation et d'abandon du traitement sont particulièrement élevés et que ces résultats expliqueraient le peu d'efficacité démontrée par les programmes de traitement (Tourigny, 1997).

Cette information concernant l'implantation du programme permet donc de soulever l'hypothèse que ces programmes ne seraient pas efficaces parce qu'ils ne sont pas implantés de la façon initialement prévue plutôt que de conclure qu'ils ne sont pas efficaces sans pouvoir expliquer pourquoi. De même, Dagenais et Bouchard (1993) ont constaté, dans une recension des études sur l'efficacité des programmes de soutien intensif auprès des familles, que l'intervention est plus efficace auprès des familles signalées pour abus qu'auprès de celles qui sont aux prises avec un problème de négligence envers les enfants. De plus, ces auteurs ont identifié un lien entre le taux de succès et l'orientation des services vers un soutien concret aux familles. Ces exemples montrent donc clairement comment les résultats de l'évaluation de l'implantation peuvent fournir des informations permettant d'expliquer les résultats de l'évaluation de l'efficacité et de mieux réorienter les programmes d'intervention.

Le fait de procéder à l'évaluation de l'implantation au moment de l'évaluation de l'efficacité fournit également un ensemble d'informations sur le programme qui rend possible son application à d'autres sites. En effet, sans une description détaillée du programme, il est difficile d'étendre sa mise en œuvre à d'autres milieux. Enfin, pour l'organisme (c'est-à-dire les administrateurs, les gestionnaires, le personnel), l'évaluation du processus présente plusieurs autres utilités (voir l'encadré 10.2 pour des exemples d'utilisation).

Encadré 10.2
Description des principales étapes de l'évaluation continue de l'implantation d'un centre d'écoute téléphonique pour parents en difficulté

Étape 1

Un centre d'écoute téléphonique a été mis sur pied en 1983 afin de venir en aide aux parents vivant des difficultés dans leurs relations parent/enfant. Le service d'écoute téléphonique, anonyme et confidentiel, permet aux parents de se confier sans être jugés, de libérer les tensions du moment et d'être orientés vers une ressource appropriée si nécessaire. Après quelques années, l'organisme a voulu procéder à une évaluation du service. Les premières rencontres ont permis de privilégier l'évaluation d'implantation, c'est-à-dire une évaluation qui permettrait de : 1) décrire l'ensemble des services offerts par le centre (Quelles sont les interventions réalisées ? Comment se répartissent les appels au cours d'une journée, d'une semaine, de l'année ? Quelles techniques d'intervention sont utilisées par les bénévoles ? Quelles sont les principales difficultés rencontrées par les bénévoles dans leurs tâches ?) ; 2) décrire la clientèle touchée par le centre d'écoute téléphonique, à savoir: Qui sont les personnes qui utilisent le centre d'écoute téléphonique? Pour quelles raisons font-elles appel au service? Quelle est la source ou quel est l'élément déclencheur de l'appel? Comment les personnes ont-elles connu l'organisme? Quels sont les principaux facteurs de risque de mauvais traitements vécus par le parent (isolement social, sentiment d'incompétence, etc.)? L'organisme voulait que l'évaluation permette une mise à jour régulière de l'information (p. ex., mensuellement ou trimestriellement) et qu'elle soit éventuellement intégrée aux activités mêmes de l'organisme sans qu'on ait à recourir aux services d'un consultant externe.

Étape 2

Une série de rencontres avec le personnel de l'organisme a été effectuée, dans le but de définir les questions spécifiques concernant l'évaluation, la forme et le contenu des instruments de mesure prévus pour la collecte des données. Deux instruments ont été élaborés afin de recueillir l'ensemble des données nécessaires. Le premier instrument de collecte était utilisé à chacun des appels reçus par le centre d'écoute, alors que le second (plus détaillé et plus long) était utilisé auprès d'un échantillon représentatif de l'ensemble des appels téléphoniques. Ces deux instruments de collecte servaient également d'outils cliniques aux intervenants qui pouvaient y noter des informations utiles dans la gestion de chacun des appels. De plus, les informations recueillies sur ces formulaires aidaient à la supervision des bénévoles.

Étape 3

Les données ont été recueillies par les bénévoles du centre d'écoute directement au moment de l'appel téléphonique. Ces derniers avaient reçu une formation afin de se familiariser avec les instruments de mesure et la procédure de collecte de données.

Étape 4

Comme il s'agit d'une évaluation formative, un rapport descriptif présentant les résultats était produit chaque mois, chaque trimestre et annuellement. Les résultats présentés dans les rapports ont été utilisés à plusieurs fins:

1) À des fins de recherche de fonds. L'organisme pouvait ainsi produire des descriptions détaillées de sa clientèle ou de ses services en fonction du commanditaire approché. À une fondation vouée à la prévention des agressions sexuelles envers les enfants, l'organisme pouvait fournir des informations spécifiques sur la clientèle touchée par les problèmes d'agressions sexuelles (nombre de personnes, caractéristiques des personnes et des agressions sexuelles) et décrire les services offerts à ces personnes. À un organisme d'une région administrative particulière, l'organisme était en mesure de fournir un portrait de la clientèle de la région en question.

2) Pour la justification des fonds dépensés lors de la rédaction des rapports annuels. À partir d'une description détaillée, l'organisme pouvait fournir à l'ensemble des commanditaires et des organismes subventionnaires un portrait précis de l'ensemble des activités réalisées durant l'année, montrant ainsi comment l'argent était dépensé.

3) Pour l'élaboration de campagnes publicitaires ou pour la participation à des débats publics, en fournissant des informations précises et rigoureuses sur diverses problématiques vécues par la clientèle.

4) Pour la gestion des ressources humaines de l'organisme. Par exemple, en ayant un portrait précis de la distribution des appels téléphoniques durant une journée, une semaine ou une année, l'organisme était à même de mieux planifier l'horaire des bénévoles en fonction des besoins réels. Si la majorité des appels venaient entre 17 h et 22 h, l'organisme prévoit plus de bénévoles pour cette période. Une bonne description de la clientèle et de ses besoins a également permis à l'organisme de mieux orienter la sélection et la formation continue de ses bénévoles.

Source : Adaptée de M. Tourigny & N. Péladeau (1991). *Évaluation formative d'un centre d'écoute téléphonique pour parents en difficulté.* Montréal : Parents Anonymes du Québec.

11.3.2.1. LES SOURCES DE DONNÉES

Rossi et Freeman (1993) proposent quatre sources principales de données : l'observation directe, les dossiers de l'usager ou de l'organisme, les intervenants qui sont impliqués dans le programme et les participants au programme.

L'observation directe consiste à recueillir de l'information en étant sur place dans le programme, là où les activités se réalisent. Cette méthode offre l'avantage de fournir des informations parfois plus objectives que ne le sont les informations qui proviennent des intervenants ou des participants au programme. Par contre, elle soulève certaines difficultés : elle demande une formation spécifique à ceux qui observent et elle est coûteuse en matière de collecte et d'analyse de données.

L'utilisation des données déjà disponibles dans l'organisme (p. ex., dossiers des clients, renseignements contenus dans les systèmes informatisés) représente une autre source d'information intéressante. La collecte de ce type de données est moins coûteuse et les renseignements sont facilement accessibles. Par contre, la qualité de l'information est parfois très variable et une quantité importante d'informations peuvent manquer aux dossiers.

Une autre source d'information est la collecte de données réalisée directement par les intervenants. Cette collecte de données peut se faire à partir de diverses méthodes : le journal de bord de l'intervenant, les notes évolutives sur chaque client, le questionnaire structuré sous forme d'une liste d'items à cocher (*check-list*) ou l'entrevue semi-dirigée avec l'intervenant. Lorsque les intervenants sont bien formés et qu'ils participent activement, ce type de collecte génère des données de qualité tout en se révélant peu coûteux (voir encadré 10.2). Toutefois, pour l'intervenant, cette tâche peut représenter un surplus de travail considérable.

Une dernière source de données provient directement des participants au programme d'intervention. Cette source de données est particulièrement intéressante, car elle fournit un point de vue différent. Elle peut parfois être la seule source possible lorsqu'il s'agit de comprendre comment les services sont perçus ou quelle est la compréhension que les participants ont du programme.

Exemple pratique – *Partie 4*

À la fin de la première année de mise en œuvre, les résultats de l'évaluation de l'implantation du programme ont montré que dans l'ensemble le programme était bien implanté. Toutefois, trois aspects problématiques ont été identifiés : (a) les parents de milieux socioéconomiques défavorisés participaient beaucoup moins aux activités prévues pour les parents ; (b) les enfants et les parents provenant de certains groupes ethniques ont réagi à certains aspects du contenu du programme (p. ex., insister sur le fait que l'enfant a le « droit de dire non » allait à l'encontre des valeurs et pratiques éducatives de certaines communautés culturelles) ; et, enfin, (c) des difficultés liées à la coordination du projet sont survenues (p. ex., lors du dévoilement d'une agression sexuelle à l'école, des difficultés liées à la procédure de signalement à la Direction de la protection de la jeunesse ont été soulignées). Le groupe a donc pris les mesures nécessaires pour ajuster le programme relativement à ces aspects.

11.3.3. L'évaluation de l'efficacité

Exemple pratique – *Partie 5*

Après les ajustements de la première année d'implantation du programme de prévention des agressions sexuelles, le groupe a fait une demande de subvention à la Régie régionale de la santé et des services sociaux de sa région afin de pouvoir implanter le programme de prévention sur l'ensemble du territoire. La Régie a accepté de subventionner le programme à la condition que le groupe puisse démontrer que le programme atteint bien ses buts et objectifs d'intervention. En somme, la Régie demande aux instigateurs du programme d'en évaluer l'efficacité.

À partir des objectifs du programme de prévention et de quelques rencontres avec les intervenantes et les membres du groupe de coordination, un protocole d'évaluation de l'efficacité a été élaboré par une équipe de chercheurs. Les objectifs de l'évaluation seront de vérifier si le programme atteint ses objectifs d'intervention, qui sont d'augmenter le niveau de connaissances des enfants en ce qui concerne une agression sexuelle, comment identifier les situations à risque d'agression sexuelle, quoi faire lorsque l'enfant est dans une situation à risque et quoi faire si l'enfant est agressé sexuellement. Un objectif de l'évaluation des effets est également de vérifier si les connaissances des enfants se maintiendront trois mois après la fin du programme. Enfin, le protocole d'évaluation veut également vérifier si l'un des buts du programme est atteint, soit celui de dépister les enfants victimes d'agressions sexuelles.

Le protocole proposé est un protocole expérimental où les enfants sont répartis au hasard entre un groupe qui recevra le programme de prévention et un groupe ne recevant pas le programme (condition contrôle). Un questionnaire a été élaboré pour mesurer le niveau de connaissances des enfants et il a été administré avant le programme, tout de suite après et trois mois plus tard. De plus, le nombre d'enfants ayant dévoilé à la DPJ une agression sexuelle à la suite du programme et dans les semaines suivantes a été documenté à partir du système informatisé de la DPJ.

L'évaluation de l'efficacité d'un programme d'intervention peut se définir comme l'utilisation de méthodes de recherche scientifiques visant à porter un jugement sur l'atteinte des objectifs d'un programme. Ce type d'évaluation cherche à vérifier si des changements se sont effectivement produits chez les participants à un programme et à démontrer que ces changements sont directement liés à la participation au programme. Rossi et Freeman (1993) mentionnent qu'il existe deux conditions essentielles et préalables à l'évaluation de l'efficacité. Dans un premier temps, il est important que les objectifs du programme soient clairement définis en termes de changements désirés (voir Étape 1 des principales étapes de réalisation de l'évaluation). Deuxièmement, comme nous l'avons vu précédemment, l'évaluateur doit s'assurer que le programme est bien implanté, c'est-à-dire qu'il offre bien les services planifiés, et ce, à la bonne clientèle. La présence de ces deux conditions permettra d'éviter des pertes de temps, d'efforts et de ressources.

Que ce soit à l'aide de méthodes quantitatives ou qualitatives, le défi de l'évaluation de l'efficacité est donc de démontrer le plus rigoureusement possible qu'il existe un lien de cause à effet entre le programme d'intervention et les effets ou changements observés chez les participants. Dans la terminologie de la recherche en sciences humaines et sociales, le programme d'intervention ou le traitement est alors considéré comme la variable indépendante, alors que les effets attendus ou mesurés représentent les variables dépendantes. Pour déterminer le lien entre ces variables, l'évaluateur dispose donc de l'ensemble des protocoles de recherche existants (voir les chapitres 2, 3 et 5 pour une description détaillée des protocoles de recherche et de leurs limites en termes de validité interne et externe). Ces protocoles varient considérablement dans leur capacité à démontrer un lien entre le programme d'intervention et les effets sur la clientèle. Malgré le fait que le protocole expérimental avec répartition au hasard des participants constitue la solution idéale dans la détermination de ce lien, dans les faits, ce type de protocole est moins souvent utilisé dans l'évaluation de programme en raison de contraintes pratiques, telles que des problèmes d'ordre éthique, organisationnel (p. ex., un manque de ressources ou de temps) ou politique (p. ex., les intervenants d'un programme traditionnel servant de groupe de comparaison peuvent refuser de participer à une comparaison de l'efficacité de leur programme avec un programme novateur). L'évaluation de l'efficacité est sûrement la forme d'évaluation nécessitant le plus l'utilisation des méthodes de recherche. L'ensemble des informations sur les méthodes de recherche quantitatives présentées dans ce livre offrent donc des outils pouvant aider à la réalisation de l'évaluation de l'efficacité d'un programme. Il faut toutefois noter que les méthodes qualitatives sont de plus en plus utilisées dans le contexte de l'évaluation de programme et qu'elles présentent des avantages spécifiques dans certains contextes, comme nous le verrons plus loin.

Exemple pratique – *Partie 6*

Les résultats de l'évaluation de l'efficacité montrent que le programme augmente de façon significative le niveau de connaissances des enfants qui y participent. De plus, le programme s'avère efficace pour dépister les enfants victimes d'agressions sexuelles. Par contre, les résultats montrent également que les connaissances des enfants diminuent avec le temps et que trois mois après la fin du programme les enfants ont oublié plusieurs des concepts importants. Les instigateurs du projet ont donc décidé d'ajouter au programme des séances mensuelles de rappel, de façon à maintenir les acquis des enfants.

11.3.4. L'évaluation de l'efficience ou du rendement

Exemple pratique – *Partie 7*

La Régie régionale de la santé et des services sociaux, qui subventionne le programme de prévention des agressions sexuelles, subventionne également un deuxième programme de prévention implanté sur un autre territoire qu'elle couvre. En raison de compressions budgétaires qu'elle doit effectuer, la Régie a entrepris une démarche de rationalisation des programmes qu'elle finance. Bien que la Régie reconnaisse le besoin de faire de la prévention des agressions sexuelles sur l'ensemble du territoire qu'elle dessert, elle veut utiliser le programme de prévention qui sera le plus rentable, c'est-à-dire utiliser le programme qui, tout en étant efficace, est celui qui coûte le moins cher à réaliser. Elle demande donc une évaluation du rendement, de façon à pouvoir juger du programme, parmi les deux qu'elle subventionne, qui présente le meilleur rendement.

L'efficacité démontrée d'un programme n'est pas le seul élément à considérer dans la prise de décision concernant la poursuite ou non d'un programme ou son expansion à d'autres territoires. Les coûts directs liés à la réalisation du programme (c'est-à-dire les ressources financières, matérielles et humaines investies), de même que les coûts indirects sont également à considérer. Dans le contexte politique et social actuel, où les ressources se font de plus en plus rares, cette question des coûts d'un programme prend de plus en plus d'importance. Plus précisément, dans un contexte de restrictions budgétaires, les questions sur la façon d'obtenir des résultats intéressants en investissant le moins de ressources possible sont très présentes. L'évaluation de l'efficience ou du rendement d'un programme permet de répondre à ce type de questions, puisqu'elle vise à mettre en lien les effets d'un programme et ses coûts. L'évaluation du rendement d'un programme permet de répondre à des questions telles que : Quel est, entre deux programmes ayant les mêmes objectifs d'intervention, celui qui permet d'atteindre ces objectifs au moindre coût ? Est-il possible de diminuer les coûts d'un programme en diminuant le nombre de rencontres thérapeutiques ou en coupant certaines activités, et ce, sans en diminuer l'efficacité auprès de la clientèle ?

Il existe deux formes d'évaluation du rendement, soit l'évaluation du rapport coût-efficacité et celle du rapport coût-bénéfice. L'évaluation du coût-bénéfice examine la relation entre le coût d'un programme et ses résultats en exprimant en termes d'argent les coûts et les effets du programme. Par exemple, l'évaluation d'un programme de probation intensive s'adressant à des jeunes contrevenants a démontré que le programme diminuait la récidive de 10 % chez les jeunes délinquants, ce qui représente des économies de 500 000 $ par année en frais juridiques et en coût d'hébergement des délinquants en centre de réadaptation (soit le bénéfice ou les effets du programme exprimés en dollars). Si le programme coûte 250 000 $ par année à réaliser (ce qui représente les coûts), nous pouvons affirmer que pour chaque dollar investi dans le programme la société épargne deux dollars (soit le rapport coût-bénéfice exprimé en dollars). Les résultats de cette évaluation justifient donc l'existence du programme. De plus, une telle évaluation, lorsqu'elle est utilisée auprès d'un autre programme de probation intensive, peut permettre une comparaison du rendement des deux programmes et fournir aux décideurs ou aux gestionnaires des informations pour choisir le programme dont le rendement est le plus performant.

L'analyse de coût-efficacité est une évaluation où l'on examine la relation entre les coûts d'un programme et les résultats, mais cette fois en exprimant les coûts en termes d'effets obtenus. Par exemple, l'évaluation d'un programme de traitement pour personnes aux prises avec un problème de toxicomanie, dont le budget annuel est de 400 000 $ (ce qui représente le coût du programme), a montré que deux ans après la fin du traitement 50 % des participants d'une année n'ont pas rechuté, soit 100 personnes (les effets ou les bénéfices du programme). On peut donc dire que chaque 4 000 $ (c'est-à-dire 400 000 $ divisé par

100 personnes qui n'ont pas rechuté) investi dans le programme réussit à atteindre l'objectif de faire cesser la consommation à un participant (le coût exprimé en fonction de l'effet). L'expression du rendement d'un programme en termes de coût-efficacité permet ainsi la comparaison avec d'autres programmes.

Malgré les avantages évidents de l'évaluation du rendement d'un programme par rapport à la prise de décision, ce type d'évaluation demande des connaissances méthodologiques et techniques importantes sur le plan de l'économie, des finances et de l'administration (Nas, 1996). Pour ces raisons, il existe encore peu d'évaluations du rendement qui sont réalisées dans le contexte des programmes d'intervention au Québec.

11.3.5. L'évaluation de l'impact

Exemple pratique – *Partie 8*

Depuis la mise en œuvre de leur programme de prévention, les membres du groupe de coordination ont parfois été informés que le programme, même s'il paraissait efficace pour augmenter les connaissances des enfants concernant la prévention des agressions sexuelles, semblait avoir des effets imprévus. Par exemple, un parent a rapporté à une animatrice que son enfant avait très peur des inconnus depuis qu'il avait participé au programme de prévention. Un enseignant de l'école où le programme a été implanté a signalé que les élèves de sa classe lui posaient beaucoup de questions sur la sexualité, ce qui le rendait mal à l'aise.

L'examen des effets non prévus d'un programme d'intervention représente l'objectif principal de l'évaluation de l'impact. Pour y répondre, le groupe de coordination et l'équipe de recherche ont donc décidé d'ajouter à l'évaluation de l'efficacité deux questionnaires, dont l'un vise à vérifier l'existence d'effets non prévus du programme sur les enfants (p. ex., une augmentation des peurs ou de l'anxiété) et sur la qualité des relations parent/enfant (p. ex., est-ce que les parents parlent davantage avec leur enfant de la sexualité et de la prévention des agressions sexuelles ?). Le second questionnaire s'adresse aux professionnels enseignants et non enseignants des écoles où le programme est implanté. Il vise à vérifier les effets non prévus sur les enfants, mais également sur la relation professionnel/élève et sur le climat de l'école.

L'évaluation de l'impact d'un programme consiste à évaluer les effets qui ne sont pas directement liés aux objectifs du programme. Bien qu'il s'agisse d'une forme d'évaluation des effets et que certains auteurs ne distinguent pas l'évaluation des effets de l'évaluation d'impact (Mohr, 1992 ; Rossi & Freeman, 1993), nous pensons qu'il est intéressant de le faire, car ce type d'effets est très peu examiné en dépit du fait que cela soit très pertinent et important dans la compréhension globale d'un programme d'intervention. Parmi les effets que l'évaluation de l'impact tente de cerner, notons : les effets à plus long terme de l'intervention, les effets du programme sur une population non visée par l'intervention, les effets non prévus (dont les effets négatifs) sur la clientèle du programme ou tout autre effet du programme dans l'environnement où il est implanté (Dubé, Maltais, & Paquet, 1995 ; Zuniga, 1994). L'évaluation de l'impact tente donc de répondre à des questions comme : Le programme d'intervention a-t-il des effets négatifs sur les participants ou sur leurs proches ? Quel est l'effet d'un programme auprès des intervenants qui y travaillent ? Est-ce que les effets constatés à la fin du programme se maintiennent deux ans après ? Quels sont les effets d'un programme auprès de la communauté dans laquelle il est implanté ? En raison de la nature des informations à recueillir (p. ex., des effets non prévus, des effets non identifiés *a priori*), les méthodes qualitatives (p. ex. : entrevue semi-structurée, *focus group* ou étude de cas) sont particulièrement appropriées pour la réalisation de ce type d'évaluation (pour plus de détails sur les méthodes qualitatives, voir Creswell [1994] et Patton [1990]).

Comme le soulignent Tard et al. (1997), l'évaluation de l'impact est plus rarement entreprise par les organismes, car cette démarche dépasse de beaucoup leur mission et les moyens dont l'évaluateur dispose généralement pour réaliser une évaluation. Toutefois, plusieurs recherches évaluatives ont démontré la présence de ces effets et leur rôle particulièrement important lorsqu'on veut porter un jugement sur un programme. Par exemple, dans le cadre d'une recension sur l'efficacité des interventions auprès des enfants agressés sexuellement, Tourigny (1997) conclut que, lorsque les résultats des recherches évaluatives permettaient d'examiner les effets négatifs de l'intervention, ces résultats montraient qu'un pourcentage non négligeable d'enfants voyaient leur état psychologique se détériorer en cours de traitement : cela montre l'importance d'examiner de façon systématique les effets négatifs potentiels d'une intervention.

Exemple pratique – *Partie 9*

Les résultats de l'évaluation de l'impact ont permis de constater que la grande majorité des enfants et des parents sont satisfaits du programme de prévention et que ce dernier n'entraîne pas d'effets négatifs, comme une augmentation de l'anxiété ou de la peur, chez les enfants. Par contre, l'évaluation a mis en lumière le fait que plusieurs enseignants et professionnels des écoles se sentent mal à l'aise avec les élèves qui abordent la problématique des agressions sexuelles avec eux. Devant ces résultats, les responsables du programme de prévention ont décidé d'ajouter une rencontre de sensibilisation s'adressant spécifiquement au personnel scolaire dans le but de le familiariser avec le programme et son contenu. Cette rencontre s'effectue maintenant avant les rencontres prévues avec les parents et les enfants.

11.4. LES PRINCIPALES ÉTAPES DE LA RECHERCHE ÉVALUATIVE

Nous l'avons vu, la recherche évaluative n'est pas uniquement l'utilisation de méthodes de recherche en vue de porter un jugement sur la valeur ou sur les mérites d'un programme d'intervention. Un de ses objectifs est d'aider à la prise de décision. Le fait de « porter un jugement » et « d'aider à la prise de décision » crée un contexte particulier dans lequel l'évaluateur doit mettre en œuvre ses connaissances des méthodes de recherche. Quelle que soit la forme d'évaluation, celle-ci représente souvent une certaine menace pour les utilisateurs potentiels (que ce soit les intervenants, la clientèle, les gestionnaires ou les bailleurs de fonds). En effet, l'évaluation d'un programme se situe toujours dans un contexte politique et social qui fait en sorte qu'il existe différents enjeux liés aux différents acteurs/utilisateurs potentiels d'une évaluation. Par exemple, l'évaluation des besoins d'une communauté peut se révéler menaçante pour des organismes de la communauté œuvrant à la prévention de la toxicomanie si l'évaluation fait ressortir qu'il existe très peu de facteurs de risque de la toxicomanie dans la communauté, rendant ainsi peu justifiée la mise en œuvre de programmes de prévention de la toxicomanie. De même, l'évaluation de l'efficacité ou du rendement peut apparaître encore plus menaçante pour les instigateurs d'un programme, spécialement si l'enjeu des résultats porte sur la poursuite ou non du programme.

En plus de la menace inhérente à l'évaluation et des enjeux entourant l'utilisation de ses résultats, Rossi et Freeman (1993) mentionnent deux autres aspects qui peuvent influencer grandement la réalisation d'une évaluation de programme. Le premier concerne l'aspect très volatile parfois des programmes d'intervention dans certains organismes. Dans le cours de l'évaluation d'un programme, un ensemble d'événements ou de décisions administratives peuvent survenir, entraînant parfois des changements importants dans l'évaluation ou rendant même celle-ci impraticable. Il peut s'agir d'un changement touchant :

1. La clientèle du programme. Par exemple, une évaluation portant sur l'efficacité d'un programme d'intervention pour adolescentes agressées sexuellement peut être retardée de plusieurs mois en raison d'une diminution du nombre d'adolescentes prises en charge par la Direction de la protection de la jeunesse qui offre le programme.
2. Le personnel. En raison d'une réorganisation dans les services d'un organisme, un programme d'intervention pourrait perdre la moitié de ses intervenants et devoir intégrer de nouveaux intervenants qui ne connaissent pas le programme.
3. Le programme évalué. Un programme pourrait être amputé d'une ou de plusieurs de ses composantes en raison de compressions budgétaires importantes.
4. L'environnement en général. Des décisions administratives pourraient faire en sorte que le groupe représentant la condition contrôle ne puisse plus être créé.

Dans le contexte actuel de la réforme des services de santé et des services sociaux, cette volatilité des milieux de la pratique est particulièrement importante et présente.

Le second aspect pouvant influencer grandement la pratique de l'évaluation a trait à la double contrainte rencontrée dans la réalisation d'une évaluation (Rossi & Freeman, 1993). En effet, d'un côté l'évaluateur doit évaluer un programme de la façon la plus rigoureuse possible scientifiquement et, de l'autre, il doit pouvoir aider à la prise de décisions tout en faisant face aux contraintes pratiques (p. ex., les contraintes politiques, budgétaires ou de temps) liées à la réalisation de la recherche évaluative. C'est donc dans ce contexte d'influences multiples que l'évaluateur doit procéder à la réalisation des principales étapes de l'évaluation.

Encadré 10.3
Description des principales étapes de l'évaluation sommative d'un programme de traitement pour enfants abusés sexuellement

Étape 1

Les responsables d'un programme de traitement pour enfants agressés sexuellement (PTEAS) ont demandé à une équipe de chercheurs de réaliser une recherche évaluative concernant leur programme. La demande initiale était d'évaluer l'efficacité du programme en activité depuis déjà plus de cinq ans. Les responsables désiraient alors vérifier la capacité du programme à atteindre ses objectifs et voulaient un jugement global sur cet aspect, considérant que le programme était arrivé à maturité, c'est-à-dire que les principaux ajustements avaient été faits et que le programme correspondait à ce qu'ils souhaitaient. Il s'agissait d'un programme bien connu au Québec et dont la description détaillée apparaissait dans un document écrit (Lebeau & Benoit, 1984). Les objectifs du PTEAS sont de prévenir la récidive et de réparer les dommages psychologiques subis par les différentes personnes en cause (victime, agresseur, mère ou conjointe et, selon le cas, la fratrie). Les principales séquelles identifiées chez la victime sont la dépression, l'anxiété, le sentiment d'incompétence, l'isolement social, le sentiment de revictimisation et les problèmes de comportement. Une première rencontre a eu lieu avec l'ensemble des intervenants et des gestionnaires engagés dans le programme afin de s'assurer de la compréhension de la demande faite aux chercheurs, de valider le mandat de l'évaluation et d'établir un échéancier de travail avec l'équipe du programme pour l'étape 2. Il s'agissait donc nettement d'une demande d'évaluation sommative, et les étapes suivantes sont assez représentatives de ce type d'évaluation.

Étape 2

Dans les mois qui ont suivi cette demande, plusieurs rencontres entre le personnel du programme et les évaluateurs ont eu lieu afin d'élaborer conjointement un protocole d'évaluation. Les rencontres ont donc servi à bien comprendre le programme et, par la suite, à définir l'ensemble des composantes du protocole de recherche (échantillon, instruments de mesure, méthodes de collecte, échéancier, etc.). À la suite de ces rencontres, l'objectif principal a été d'évaluer l'efficacité du programme en distinguant les effets spécifiques de deux volets thérapeutiques : l'un comprenant de la thérapie individuelle, dyadique et familiale (volet IDF) et l'autre de la thérapie de groupe (volet de groupe). Le protocole de recherche proposé était un protocole à niveaux d'implantation multiples consistant à prendre des mesures (entrevue avec passation de questionnaires) à trois reprises auprès des enfants participant au traitement, soit à leur entrée dans le programme, 8 mois et 16 mois plus tard. Un objectif secondaire était d'évaluer l'implantation du programme en décrivant les familles, les différents acteurs dans l'agression sexuelle, les agressions sexuelles elles-mêmes et, enfin, certaines caractéristiques des services reçus par les familles participantes.

Étape 3

La collecte et l'analyse des données s'est échelonnée sur près de quatre ans. Deux types de mesures concernant les enfants ont été prises, celles recueillies directement auprès de l'enfant et celles obtenues par l'entremise de ses parents. En ce qui concerne les mesures prises auprès des enfants, 41 enfants abusés sexuellement par un membre de la famille (nucléaire ou élargie) ont participé à l'étude.

À chaque rencontre avec les enfants, des mesures ont été prises concernant la dépression, le sentiment de compétence, le lieu de contrôle, l'anxiété, les réactions d'affirmation de soi et le réseau social de l'enfant. De plus, chaque parent répondait également à un questionnaire concernant les comportements de son enfant. L'ensemble de ces variables correspondait à un sous-objectif du programme qui visait la réduction des conséquences de l'agression sexuelle pour la victime. Les données concernant l'implantation du programme ont été recueillies à partir des dossiers de la Direction de la protection de la jeunesse. Durant cette période de collecte de données, il y a eu quelques rencontres avec l'équipe du programme, afin d'informer ses membres de l'avancement de la recherche évaluative. Aucun résultat n'a été présenté à l'équipe du programme durant cette période.

Étape 4

Les analyses de données ont été réalisées à l'hiver 1993 et plusieurs présentations des résultats ont été faites ; dans un premier temps à l'équipe du programme, par la suite à l'ensemble des intervenants de l'organisme et, finalement, dans d'autres organismes du territoire où était implanté le programme de traitement. Ces présentations ont eu lieu avant la rédaction du rapport final, afin de discuter de l'interprétation et de l'utilisation possibles des résultats.

Les principaux résultats de l'évaluation de l'efficacité montrent que, globalement, la participation au volet IDF est associée à des améliorations chez l'enfant sur le plan de la dépression, de l'anxiété, du sentiment de compétence, du lieu de contrôle et des problèmes de comportement, alors que la participation aux thérapies de groupe est associée à des effets négatifs du traitement sur le plan du sentiment de compétence et du lieu de contrôle. De plus, la participation aux thérapies de groupe n'a eu aucun effet sur la dépression, l'anxiété, l'agressivité, la soumission et l'affirmation de soi. Enfin, la participation à la thérapie de groupe est associée à une diminution des problèmes de comportement.

Les principaux résultats de l'évaluation de l'implantation montrent que, dans l'ensemble, les victimes ont peu participé aux différents volets du programme. Les enfants ont assisté en moyenne à 14 rencontres pour l'ensemble du volet IDF, alors que, théoriquement du moins, on se serait attendu à un minimum se situant davantage autour de 36 rencontres. La thérapie individuelle est la forme de thérapie la plus suivie par les enfants, puisque 83 % des victimes en ont reçu et que le nombre moyen de rencontres thérapeutiques est de 12 rencontres par enfant. À l'inverse, les thérapies dyadique et familiale ont été peu utilisées auprès des enfants, puisqu'un enfant sur deux (51 %) n'a participé à aucune thérapie dyadique et que 85 % n'ont eu aucune thérapie familiale. Enfin, le nombre moyen de rencontres de groupe auxquelles les enfants ont participé est de sept sur une possibilité théorique de vingt. Il faut noter ici que plus de la moitié des enfants (56 %) n'ont assisté à aucune rencontre de groupe. Par la suite, un rapport de recherche a été déposé à l'organisme administrant le programme de traitement et à celui qui avait subventionné la recherche évaluative. Des communications et des articles scientifiques ont été publiés dans les années qui ont suivi.

Sources : Adaptée de M. Tourigny, N. Péladeau & M. Doyon, sous la direction de C. Bouchard (1993). *Évaluation sommative du programme de traitement des enfants abusés sexuellement, implanté dans la région de Lanaudière par le Centre des services sociaux Laurentides-Lanaudière.* Montréal : LAREHS, Université du Québec à Montréal.
Adaptée de M. Tourigny, C. Dagenais, J. Turner & L. Lortie (1995). *Évaluation de l'implantation du projet d'intervention massive à l'enfance (PRIME) pour les deux premières années (93-94 et 94-95).* Montréal : LAREHS, Université du Québec à Montréal.
M. Tourigny, C. Dagenais & M. Doyon (1996). *Évaluation d'un programme de prévention du placement : taux de placement et de signalement.* Communication par affiche acceptée dans le cadre du XXVIe Congrès international de psychologie, Montréal, Canada, 16-21 août.

11.4.1. Étape 1. Déterminer clairement le mandat et la faisabilité de l'évaluation

À partir du moment où l'évaluateur est approché dans le but de procéder à une évaluation, que ce soit par un organisme (évaluateur externe), ou par un service de l'organisme où il travaille (évaluateur interne), sa première tâche consiste à déterminer clairement la nature et le contexte de la demande d'évaluation (Herman et al., 1987). Durant cette étape, l'évaluateur doit répondre à des questions telles que : Qui veut l'évaluation ? Pourquoi veut-on une évaluation ? À quelles fins les résultats seront-ils utilisés ? Par qui ? Quel est le contexte politique et social dans l'organisme, dans la communauté ? Quel est le programme à évaluer ? Y a-t-il des contraintes particulières (en matière de ressources humaines, financières ou de temps) qui rendent difficile la réalisation d'une évaluation ? Enfin, quel est le point de vue des différents acteurs sur l'ensemble de ces questions ? En somme, il s'agit de déterminer si l'ensemble du contexte est favorable à la réalisation de l'évaluation (Tard et al., 1997).

Le second volet de cette première étape, qui peut se faire en parallèle avec le premier volet, consiste à déterminer si le programme peut être évalué, si la façon dont il a été constitué permet une évaluation. Il s'agit de déterminer clairement les objectifs à court et à long terme de façon à pouvoir vérifier s'ils sont bien atteints. Il s'agit également de pouvoir bien décrire les activités et les ressources qui seront mises en œuvre afin d'atteindre les objectifs du programme, et ce, afin de pouvoir vérifier si le programme est bien implanté comme il a été conçu (Grinnell & Williams, 1990). L'évaluateur doit également vérifier l'existence de liens logiques entre les diverses composantes du programme. Plus spécifiquement, il doit examiner les liens logiques entre les besoins d'un groupe de personnes (celles ciblées par le programme), d'une part, et le programme d'intervention proposé pour combler ces besoins, d'autre part. De même, à l'intérieur du programme, les liens logiques entre les différentes composantes doivent également être examinés : les objectifs du programme, les activités à réaliser, les ressources disponibles et les effets escomptés. Par exemple, si dans une communauté l'isolement social des parents représente un facteur de risque de mauvais traitements, un programme de prévention des mauvais traitements devrait avoir pour objectif la réduction de l'isolement social chez les parents. Des rencontres individuelles entre un intervenant et les parents seraient une activité beaucoup moins adéquate pour atteindre cet objectif que la création d'un groupe d'entraide ou l'organisation d'activités sociales pour les parents.

L'évaluateur a donc besoin d'avoir un portrait précis du programme à évaluer. Il s'agit là d'un défi, car l'expérience montre que très peu de programmes d'intervention sont décrits avec la précision qu'une évaluation exige. Parfois même, il n'existe aucune description du programme à évaluer. Une description détaillée et écrite d'un programme de traitement serait directement liée à une plus grande efficacité des programmes, principalement parce que l'on pense qu'avec un programme clair et détaillé les intervenants peuvent mieux orienter leurs actions (Beutler, Williams, & Zetzer, 1994).

Dans la détermination de l'évaluabilité d'un programme, les objectifs représentent le point central, surtout parce qu'ils relient la situation problématique de départ aux éléments de solution (c'est-à-dire le programme) et qu'ils sont essentiels à l'évaluation de l'implantation et de l'efficacité d'un programme (Pineault & Daveluy, 1986). Pineault et Daveluy distinguent deux grandes catégories d'objectifs, soit les objectifs du programme et les objectifs opérationnels. Les objectifs du programme correspondent aux résultats que le programme vise quant à l'état à atteindre ou aux comportements à développer chez la population cible. Ainsi, les objectifs présentés dans les encadrés 10.1 et 10.3 sont de bons exemples d'objectifs de programme qui visent des changements auprès de la clientèle ciblée, en termes de réduction des conséquences de l'agression sexuelle (p. ex., la dépression, l'anxiété, etc.) chez les enfants. De leur côté, les objectifs opérationnels se rapportent aux résultats visés par l'équipe de mise en œuvre du programme. Dans le cas des programmes présentés dans les encadrés, des objectifs opérationnels seraient par exemple : (a) d'offrir de la thérapie individuelle et de la thérapie de groupe, ou (b) d'offrir des services continus, c'est-à-dire 24 heures sur 24 et 7 jours par semaine. Ce sont donc des objectifs qui précisent aux intervenants ce qu'ils doivent mettre en œuvre pour atteindre les objectifs du programme et non des objectifs de changements auprès de la clientèle.

Des objectifs d'intervention adéquats et bien définis devraient permettre de déterminer clairement les personnes ciblées par l'intervention (qui), les besoins à combler, c'est-à-dire les effets attendus du programme (ou les changements désirés auprès de la clientèle) et les critères de succès permettant de juger de l'atteinte des objectifs. On peut également ajouter les conditions dans lesquelles les changements attendus se produiront (Tard et al., 1997). Par exemple, un objectif visant la diminution de l'isolement social pourrait être formulé ainsi : À la fin du programme, les parents (qui) auront au moins deux (critères de succès) personnes de plus dans leur réseau de soutien social (les effets attendus). Cet objectif permettra à l'évaluateur de préciser les mesures à prendre, auprès de qui les prendre et quel sera le critère d'atteinte de l'objectif. À l'inverse, l'objectif suivant ne permettrait pas à l'évaluateur de vérifier son atteinte et l'efficacité d'un programme : Offrir des groupes d'entraide aux parents (nous n'avons ici aucune idée des changements concrets qui sont attendus chez le parent ni des critères de succès). De même, l'objectif suivant : À la fin du programme, les parents (qui) auront un plus grand réseau de soutien social (les effets attendus). Cet objectif ne présente pas clairement ce que l'on entend par un plus grand réseau. Est-ce que deux personnes de plus, ce sera suffisant pour dire que le programme est efficace ? ou bien doit-on parler de dix personnes ? Il devient alors difficile de juger de l'atteinte de l'objectif.

Si le programme ne peut être évalué, l'évaluateur et les responsables du programme devront travailler à mieux préciser les diverses composantes du programme *avant* de passer à la seconde étape qui vise à définir le protocole de recherche à l'aide duquel on évaluera le programme.

11.4.2. Étape 2. Déterminer le protocole d'évaluation

Pour cette deuxième étape, l'évaluateur vise à préciser l'ensemble des questions de l'évaluation et à déterminer le protocole d'évaluation, c'est-à-dire l'ensemble des modalités de collecte des données qui permettront de répondre aux questions de l'évaluation. Pour l'évaluateur, ces deux premières étapes de l'évaluation sont particulièrement importantes pour établir un climat de confiance et de coopération avec l'équipe engagée dans le programme d'intervention (Herman et al., 1987). De plus, ces étapes sont également l'occasion de faire en sorte que tous les acteurs et utilisateurs s'approprient le processus d'évaluation.

Il n'existe pas de consensus autour du niveau d'appropriation, certaines approches plus traditionnelles n'accordent qu'un rôle minime aux acteurs impliqués dans un programme (p. ex., leur rôle se limite à la collecte de données), alors que d'autres approches vont favoriser une appropriation très grande du processus de l'évaluation (p. ex., les tenants de *l'empowerment evaluation*: Fetterman, Kaftarian, & Wandersman, 1996). Pour notre part, nous entendons par appropriation du processus d'évaluation la participation active de tous les acteurs engagés dans le programme (ceci incluant en théorie les participants au programme, bien qu'en pratique cette participation soit difficile) à toutes les étapes importantes de l'évaluation. Bien qu'il n'y ait pas de moyens magiques pour l'appropriation du processus, la création d'un comité consultatif semble favoriser cette appropriation, de même que l'expression des diverses opinions, la prise de décision et la résolution des problèmes qui surviennent en cours de route. Le comité consultatif peut être composé de représentants des différents utilisateurs de l'évaluation et avoir le mandat de voir à la bonne marche de la recherche évaluative.

11.4.3. Étape 3. Procéder à la collecte et à l'analyse des données

À cette étape, il s'agit de mettre en œuvre le protocole d'évaluation élaboré à l'étape précédente. Le rôle de l'évaluateur (et du comité consultatif s'il y a lieu) est de voir à ce que tout soit réalisé comme planifié. Il doit s'assurer que l'échantillonnage et le recrutement des participants sont réalisés convenablement, que les instruments de mesure sont bien administrés, que les échéanciers sont respectés. Une bonne supervision du processus de collecte est essentielle, afin de pouvoir garantir la qualité des données et du protocole d'évaluation. Les données peuvent être recueillies par des agents de recherche, des intervenants ou parfois même par la clientèle du programme. L'important est que les personnes concernées soient bien formées, afin de remplir leur rôle adéquatement. Une fois la collecte terminée, l'évaluateur procède aux analyses des données.

Il est clair qu'à cette étape une évaluation formative fera en sorte que les données seront analysées plus fréquemment et plus rapidement, de façon à les rendre accessibles à l'équipe d'intervenants en vue de modifications potentielles du programme.

11.4.4. Étape 4. Présentation des résultats et rédaction du rapport

Une fois les analyses de données effectuées, les résultats doivent être présentés aux principaux utilisateurs potentiels de l'évaluation. Ils peuvent l'être sous la forme d'une communication orale ou d'un rapport écrit. Cette étape est particulièrement cruciale dans le contexte de l'évaluation d'un programme, puisqu'un des objectifs de l'évaluation est d'aider à la prise de décision. Certains auteurs ont même bâti des modèles théoriques de l'évaluation dont l'objectif premier est de favoriser l'utilisation des résultats (Patton, 1986; Stufflebeam, 1971). Comme nous l'avons mentionné plus haut, l'utilisation des résultats de l'évaluation peut être favorisée dès les premières étapes de la réalisation de la recherche évaluative. En fait, la participation des différents acteurs engagés dans le programme d'intervention (p. ex., intervenants, gestionnaires, administrateurs) à l'ensemble du processus de la recherche évaluative augmente l'appropriation des résultats par l'équipe du programme (Contandriopoulos, Champagne, Denis, & Pineault, 1992).

Dans une étude américaine, menée auprès d'évaluateurs de programmes, Torres, Preskill et Piontek (1997) ont tenté de mieux comprendre les pratiques de communication des résultats d'évaluation. Les résultats de l'étude confirment que la participation des principaux utilisateurs de l'évaluation au processus d'évaluation augmenterait: (a) la crédibilité de l'évaluation, (b) la compréhension de l'évaluation et du programme et (c) la possibilité que des suites soient données à l'évaluation. Concernant plus spécifiquement la présentation des résultats, l'étude montre que les éléments suivants facilitent la diffusion et l'utilisation des résultats : (a) un langage adapté aux différents auditoires à qui sont présentés les résultats, (b) l'usage d'un matériel visuel, dont des graphiques et des diagrammes, (c) la rédaction de rapports synthèses et (d) la présentation des résultats à un moment opportun, de préférence le plus rapidement possible après la fin de la collecte des données. En fait, sous ce dernier aspect, Pineault et Daveluy (1986) soulignent avec justesse que plus l'évaluateur fournira rapidement des résultats aux personnes qui prennent les décisions, plus les résultats seront utiles et meilleures seront les décisions prises par ces personnes.

Parmi les éléments ne facilitant pas la diffusion des résultats, les auteurs signalent plusieurs facteurs se rapportant au contexte organisationnel et politique, dont : (a) un manque de clarté des besoins réels des utilisateurs de l'évaluation (qui devraient être définis à l'étape 1 de la recherche), (b) un roulement du personnel impliqué dans le programme, qui fait en sorte que ceux ayant demandé de participer à l'évaluation ne sont plus en poste au moment de la présentation des résultats, (c) des résistances liées à des résultats défavorables au programme, (d) une mauvaise compréhension des résultats. Un des éléments faisant consensus concerne la longueur des rapports d'évaluation : les évaluateurs ont pratiquement tous rapporté que les rapports traditionnels sont trop longs et très souvent peu lus (Torres, Preskill, & Piontek, 1997). Ce dernier élément est particulièrement connu des évaluateurs de programmes qui voient leurs rapports d'évaluation peu utilisés en raison de leur longueur. De nouveaux moyens doivent être mis en œuvre à ce niveau, afin d'augmenter l'utilisation et la diffusion des résultats de l'évaluation.

11.5. APPROCHE QUALITATIVE ET APPROCHE QUANTITATIVE

Il existe des méthodes de recherche qualitatives intéressantes qui sont de plus en plus utilisées pour procéder à l'évaluation de programme (Patton, 1990). Ces méthodes permettent généralement de répondre à des questions différentes de celles auxquelles une approche quantitative peut répondre. Par exemple, lorsque le programme et ses objectifs sont peu définis, une approche qualitative sera plus utile pour identifier les composantes et les effets potentiels de ce type de programme. Lorsqu'elles sont utilisées dans le contexte de l'évaluation, les méthodes qualitatives permettent d'obtenir des informations beaucoup plus précises et détaillées qui fournissent une bien meilleure compréhension d'un programme. Ces méthodes sont donc particulièrement intéressantes dans le contexte d'une évaluation formative, étant donné leur meilleure capacité à répondre à des questions sur le pourquoi et le comment des liens entre les diverses composantes d'un programme. Elles sont également appropriées dans le contexte de programmes susceptibles d'avoir des effets non prévus.

Les approches qualitatives ont longtemps été opposées aux approches quantitatives, et de nombreux débats ont porté sur la pertinence d'une approche par rapport à l'autre (Herman et al., 1987). Il est toutefois de plus en plus accepté et reconnu que chaque approche présente ses propres forces et limites et que les deux s'utilisent dans des contextes différents. De plus en plus de chercheurs vont donc favoriser l'utilisation combinée des deux approches à l'intérieur d'une même évaluation.

11.6. ÉVALUATEUR EXTERNE *vs* ÉVALUATEUR INTERNE

Lorsque vient le temps d'évaluer, les promoteurs ont parfois la possibilité de choisir si la personne qui procédera à l'évaluation proviendra de leur organisme ou sera employée dans le programme (évaluateur interne) ou bien s'ils vont demander d'évaluer le programme à une personne qui n'appartient pas à leur organisme et qui n'a pas de liens d'autorité avec l'organisme qui commande l'évaluation (évaluateur externe). Bien que l'on ait parfois associé l'évaluation formative à l'utilisation d'un évaluateur interne, de même que l'évaluation sommative à l'utilisation d'un évaluateur externe, Rossi et Freeman (1993) soulignent que ces associations ne doivent pas être automatiques. Il est également reconnu par plusieurs auteurs que chaque type d'évaluateur présente ses avantages et inconvénients propres (Grinnell & Williams, 1990 ; Scriven, 1991).

Du côté de l'évaluateur interne, les principaux avantages concernent une meilleure connaissance du programme, de l'organisme et du contexte dans lequel le programme est mis en œuvre. Cette meilleure connaissance peut grandement faciliter la réalisation des principales étapes de l'évaluation. Entre autres, une étude a montré que les évaluations internes ont plus d'impact sur les décisions organisationnelles (van de Vall & Bolas, 1981 : cités par Rossi & Freeman, 1993). La principale raison est que les évaluateurs internes sont plus fréquemment en contact avec les décideurs et les gestionnaires, ce qui permet une meilleure compréhension et une meilleure utilisation des résultats de l'évaluation. Toutefois, le fait d'appartenir au même organisme augmente la pression que peut subir un évaluateur de la part des responsables du programme. Cette pression peut influencer le degré d'objectivité de l'évaluateur ou, dans certains cas, la crédibilité des résultats de l'évaluation pour des personnes extérieures à l'organisme.

À l'inverse, l'évaluateur externe peut se révéler plus objectif, puisqu'il ne connaît pas les personnes du programme, qu'il n'a pas d'intérêt dans le programme ou l'organisme, qu'il est moins susceptible d'être atteint par les critiques et que, *a priori*, il n'a pas de préjugés à l'égard des différents acteurs. Étant donné son statut d'externe, il peut également soulever des questions parfois délicates sur la structure de l'organisation, il peut mieux intervenir dans le cas de conflits internes. Enfin, en raison de son statut de contractuel il ne peut être soumis à d'autres tâches qui pourraient entrer en conflit avec son rôle d'évaluateur (Grinnell & Williams, 1990). Toutefois, le principal désavantage de l'évaluateur externe est qu'il possède, *a priori*, peu de connaissances sur le programme, l'organisme et le contexte.

11.7. CONCLUSION

La recherche évaluative constitue un domaine en expansion au Québec. De plus en plus de personnes des milieux de la pratique seront impliquées dans une telle démarche dans les années à venir. Il apparaît donc important que ces personnes comprennent mieux la recherche évaluative, ses diverses formes et ses principales utilisations. Leur participation active aux différentes étapes de l'évaluation s'avère un élément important de la réussite d'une évaluation de programme. Il n'existe pas de façon unique de faire de la recherche évaluative. On doit voir davantage la recherche évaluative comme un processus de création. À l'intérieur de ce processus, le chercheur doit utiliser, de façon sélective, les méthodes de recherche dont il dispose, afin de pouvoir répondre du mieux qu'il peut aux questions qui lui sont posées, et ce, tout en tenant compte du contexte dans lequel la recherche évaluative s'inscrit. Certains principes caractérisent toutefois l'évaluation réussie : (a) elle doit être utile, c'est-à-dire qu'elle doit générer des informations pratiques qui répondent aux besoins des divers utilisateurs ; (b) elle doit être réalisable, c'est-à-dire qu'elle doit tenir compte des contraintes pratiques, financières et politiques ; (c) elle doit être conduite de façon éthique et dans le respect des droits de chacun (p. ex., les droits des participants, le droit du public à connaître les résultats, l'identification des conflits d'intérêts, etc.) ; et enfin (d) elle doit fournir des informations exactes, valides et fiables (*Joint Committee on Standards for Educational Evaluation*, 1981 : voir Herman et al., 1987).

11.8. QUESTIONS

1. Nommer les principales composantes d'un programme d'intervention.
2. Nommer les cinq principaux types d'évaluation liés aux programmes d'intervention.
3. Donnez deux aspects qui distinguent l'évaluation formative de l'évaluation sommative ? Expliquez brièvement.
4. Nommez les principales étapes d'une recherche évaluative.
5. Donnez un avantage et un désavantage à utiliser un évaluateur interne plutôt qu'un évaluateur externe dans le cadre d'une évaluation de programme.

11.9. RÉFÉRENCES

Beutler, L.E., Williams, R.E., & Zetzer, H.A. (1994). Efficacy of treatment for victims of child sexual abuse. *Future of Children, 4*, 156-175.

Bloom, B.S., Hastings, J.T., & Madaus, G.F. (1971). *Handbook on formative and summative evaluation of student learning.* New York : McGraw-Hill.

Campbell, D.T. (1969). Reforms as experiments. *American Psychologist, 24*, 409-429.

Chen, T.H. (1990). *Theory-Driven Evaluations.* Newbury Park, CA : Sage.

Clément, M.É., & Tourigny, M. (1997). A review of the literature on the prevention of child abuse and neglect : Characteristics and effectiveness of home visiting programs. *International Journal of Child and Family Welfare, 2*(1), 6-20.

Contandriopoulos, A.P., Champagne, F., Denis, J.L., & Pineault, R. (1992). L'évaluation dans le domaine de la santé : concepts et méthodes. Version révisée du texte paru dans T. Lebrun, J.C. Sailly & M. Amouretti (Éds.), Actes du colloque « *L'évaluation en matière de santé : des concepts à la pratique* » (pp. 14-32). Lille, France : CREGE.

Creswell, J.W. (1994). *Research design : Qualitative and quantitative approaches.* Thousand Oaks, CA : Sage.

Dagenais, C., & Bouchard, C. (1993). Intervention massive ou intervention magique ? : Les programmes de soutien intensif aux familles. *PRISME, 3*(4), 503-515.

Dubé, N., Maltais, F., & Paquet, C. (1995). *Félicitations pour votre beau programme : Guide pour bâtir un projet ou un programme.* Gaspé : Régie régionale de la santé et des services sociaux, Direction de la santé publique.

Fetterman, D.M., Kaftarian, S.J., & Wandersman, A. (Éds.) (1996). *Empowerment evaluation : Knowledge and tools for self-assessment and accountability.* Thousand Oaks, CA : Sage.

Fitz-Gibbon, C.T., & Morris, L.L. (1987a). How to design a program evaluation. Dans J.L. Herman (Éd.), *Program evaluation kit* (2e éd.). Newbury Park, CA : Sage.

Fitz-Gibbon, C.T., & Morris, L.L. (1987b). How to analyze data. Dans J.L. Herman (Éd.), *Program evaluation kit* (2e éd.). Newbury Park, CA : Sage.

Grinnell, R.M., & Williams, M. (1990). *Research in social work : A primer.* Itasca, Il : Peacock.

Guba, E.G., & Lincoln, Y.S. (1981). *Effective evaluation : Improving the usefulness of evaluation results through responsive and naturalistic approaches.* San Francisco, CA : Jossey-Bass.

Guba, E.G., & Lincoln, Y.S. (1989). *Fourth generation evaluation.* Newbury Park, CA : Sage.

Henderson, M.E., Morris, L.L., & Fitz-Gibbon, C.T. (1987). How to measure attitudes. Dans J.L. Herman (Éd.), *Program evaluation kit* (2e éd.). Newbury Park, CA : Sage.

Herman, J.L. (Éd.) (1987). *Program evaluation kit* (2e éd., vols. 1-9). Newbury Park, CA: Sage.

Herman, J.L., Morris, L.L., & Fitz-Gibbon, C.T. (1987). Evaluator's handbook. Dans J.L. Herman (Éd.), *Program evaluation kit* (2e éd.). Newbury Park, CA: Sage.

King, J.A., Morris, L.L., & Fitz-Gibbon, C.T. (1987). How to assess program implementation. Dans J.L. Herman (Éd.), *Program evaluation kit* (2e éd.). Newbury Park, CA: Sage.

Lebeau, T.M., & Benoît, D. (1984). *Rapport sur le programme de traitement des enfants abusés sexuellement.* Repentigny, Canada : Centre des services sociaux de Laurentides-Lanaudière.

Marti-Costa, S., & Serrano-Garcia, I. (1983). Needs assessment and community development : An ideological perspective. Dans A. Zautra, K. Bachrach & R. Hess (Éds.) *Strategies for Need Assessment in Prevention* (pp. 75-88). New York : Haworth Press.

Meissen, G.J., & Cipriani, J.A. (1983). A need assessment of human services agencies in an urban community. Dans A. Zautra, K. Bachrach & R. Hess (Éds.) *Strategies for Need Assessment in Prevention* (pp. 123-133). New York : Haworth Press.

Mercier, C. (1985). L'évaluation des ressources alternatives : à la recherche de modèles alternatifs en évaluation. *Revue canadienne de santé mentale communautaire, 4*(2), 57-71.

Mohr, L.B. (1992). *Impact analysis for program evaluation.* Newbury Park, CA: Sage.

Morris, L.L., Fitz-Gibbon, C.T., & Freeman, M.E. (1987). How to communicate evaluation findings. Dans J.L. Herman (Éd.), *Program evaluation kit* (2e éd.). Newbury Park, CA: Sage.

Morris, L.L., Fitz-Gibbon, C.T., & Lindheim, E. (1987). How to measure performance and use tests. Dans J.L. Herman (Éd.), *Program evaluation kit* (2e éd.). Newbury Park, CA: Sage.

Murrell, S., & Schulte, P. (1980). Procedures for systematic citizen input to community decision-making. *American Journal of Community Psychology, 8,* 19-30.

Nadeau, M.A. (1988). *Évaluation de programme : Théorie et pratique.* Québec : Presses de l'Université Laval.

Nas, T.F. (1996). *Cost-benefit analysis: Theory and application.* Thousand Oaks, CA: Sage.

Patton, M.Q. (1986). *Utilization-focused evaluation.* Beverly Hill, CA: Sage.

Patton, M.Q. (1987). How to use qualitative methods in evaluation. Dans J.L. Herman (Éd.), *Program evaluation kit* (2e éd.). Newbury Park, CA: Sage.

Patton, M Q. (1990). *Qualitative evaluation and research methods.* Newbury Park, CA: Sage.

Pelletier, V., Tourigny, M., & Lavoie, F. (1998). *Incidence et facteurs de risque de la violence (psychologique, physique et sexuelle) dans les fréquentations amoureuses chez les adolescents-es.* Rapport de recherche remis au CALACS Laurentides. Hull: UQAH, Département de psychoéducation.

Pineault, R., & Daveluy, C. (1986). L'évaluation. Dans R. Pineault & C. Daveluy (Éd.) *La planification de la santé: concepts, méthodes, stratégies* (pp. 411-466). Montréal: Éditions Agence d'AC.

Rossi, P.H., & Freeman, H.E. (1993). *Evaluation: A systematic approach.* Newbury Park, CA: Sage.

Scriven, M. (1974). Pros and cons about goal-free evaluation. Dans W.J. Popham (Éd.), *Evaluation in education: Current applications.* Berkeley, CA: McCutchan.

Scriven, M. (1991). *Evaluation thesaurus,* (4e éd.) Newbury Park, CA: Sage.

Stecher, B.M., & Davis, W.A. (1987). How to focus an evaluation. Dans J.L. Herman (Éd.), *Program evaluation kit* (2e éd.). Newbury Park, CA: Sage.

Stufflebeam, D.L. (Éd.) (1971). *Educational evaluation and decision making.* Itasca, IL: Peacock.

Tard, C., Ouellet, H., & Beaudoin, A. (1997). *L'évaluation de l'action des organismes dans le cadre du programme d'action communautaire pour les enfants (PACE): Manuel d'introduction.* Sainte-Foy: Université Laval, Centre de recherche sur les services communautaires.

Torres, R., Preskill, H.S., & Piontek, M.E. (1997). Communicating and reporting: Practices and concerns of internal and external evaluators. *Evaluation Practice, 18*(2), 105-125.

Tourigny, M. (1997). Efficacité des programmes de traitement pour enfants abusés sexuellement: Une recension des écrits. *Revue canadienne de psychoéducation, 26*(1), 39-69.

Tourigny, M., Dagenais, C., Turner, J., & Lortie, L. (1995). *Évaluation de l'implantation du projet d'intervention massive à l'enfance (PRIME) pour les deux premières années (93-94 et 94-95).* Montréal: Université du Québec à Montréal, LAREHS.

Tourigny, M., Dagenais, C., & Doyon, M. (1996). *Évaluation d'un programme de prévention du placement: taux de placement et de signalement.* Communication par affiche présentée dans le cadre du XXVIe Congrès international de psychologie, Montréal, Canada, 16-21 août.

Tourigny, M., & Péladeau, N. (1991). *Évaluation formative d'un centre d'écoute téléphonique pour parents en difficulté.* Montréal: Parents Anonymes du Québec.

Tourigny, M., Péladeau, N., & Doyon, M., sous la direction de C. Bouchard (1993). *Évaluation sommative du programme de traitement des enfants abusés sexuellement, implanté dans la région de Lanaudière par le Centre des services sociaux Laurentides-Lanaudière.* Montréal: Université du Québec à Montréal, LAREHS.

Zuniga, R. (1994). *Planifier et évaluer l'action sociale.* Collection Intervenir. Montréal: Presses de l'Université de Montréal.

CHAPITRE 12

LA RECHERCHE ET L'ÉTHIQUE

L'éclairage apporté par l'énoncé de politique des trois conseils subventionnaires canadiens

MICHELINE ALLARD ET STÉPHANE BOUCHARD

Le progrès scientifique ne peut se faire à n'importe quel prix. Le chercheur se doit de faire avancer les connaissances en agissant de manière responsable. Il utilise pour ce faire des moyens qui respectent l'intégrité, la dignité et la vie privée de toutes les parties concernées. Avant d'entreprendre une étude, il apparaît toujours nécessaire de s'interroger sur les motifs et les conséquences de la recherche en ce qui a trait au bien-être des participants. Les prétendues expériences « médicales » que les nazis ont pratiquées pendant la Deuxième Guerre mondiale sur les victimes dans les camps de concentration ainsi que l'essai de nouveaux médicaments et de nouvelles techniques chirurgicales (Beecher, 1966; Commission scientifique des crimes de guerre, 1950), ont sensibilisé l'opinion mondiale au mauvais sort que certains chercheurs ont fait subir à des sujets de recherche tant humains qu'animaux. Ces expérimentations douteuses ont également attiré l'attention de plusieurs corps législatifs et gouvernementaux. Ainsi, de nombreux organismes ou ordres professionnels possèdent des règles déontologiques et des principes d'éthique guidant la façon de traiter les participants en recherche (p. ex., Association médicale mondiale, 1964/2000; American Psychological Association, 2002; Société canadienne de psychologie, 2000).

Au Canada, la parution de l'énoncé de politique sur la recherche impliquant les humains par les trois grands organismes subventionnaires fédéraux (CRM, CRSNG et CRSH) vient confirmer l'importance et les multiples facettes de l'éthique en recherche. Chaque étude subventionnée par l'un de ces trois organismes doit maintenant se conformer à l'énoncé de politiques des trois conseils (ÉPTC) (Medical Research Council of Canada, Natural Sciences and Engineering Research Council of Canada, Social Sciences and Humanities Research Council of Canada, MRC, NSERCC & SSHRC, 1998)[1]. Bien que certaines institutions et certains organismes subventionnaires possèdent depuis longtemps leur propre code d'éthique, le respect des lignes directrices concernant l'éthique proposées par l'ÉPTC (MRC et al., 1988) s'est imposé au Canada pour la réalisation de tout projet de recherche. Son élaboration s'est fondée sur sept principes visant à respecter la dignité humaine: (a) le respect de l'autonomie et du choix éclairé, (b) le respect des groupes vulnérables, (c) le respect de la vie privée et de la confidentialité, (d) le respect de la justice et de l'équité, (e) l'équilibre entre les inconvénients et les bénéfices associés à la participation à l'étude, (f) la réduction maximale des conséquences négatives et (g) l'augmentation maximale des bénéfices pour le participant, la société et l'avancement des connaissances. Dans bien des cas, ces principes s'appliquent sans ambiguïté. Par contre, dans plusieurs autres, il apparaît nécessaire d'aborder le problème sous différents angles afin d'y voir plus clair. Selon l'ÉPTC (MRC et al., 1998), le chercheur partage la responsabilité de s'assurer du respect des règles d'éthique avec

1. L'ÉPTC se limite à la recherche à laquelle participent des humains auprès de qui le chercheur obtient des informations personnelles par une interaction, une intervention ou une analyse de leurs tissus ou fluides. L'éthique de la recherche avec les animaux est brièvement abordée au chapitre 14.

le comité d'éthique de son institution. Les comités d'éthique en recherche ont pour fonction, entre autres, d'examiner tous les projets de recherche avant qu'ils débutent afin de poser un regard impartial et de les approuver.

Il semble important de mentionner que le Québec s'est aussi doté de lignes directrices pour les recherches à caractère médical. Le Plan d'action ministériel en éthique de la recherche et en intégrité scientifique (Gouvernement du Québec, 1998) présente des particularités différentes de l'ÉPTC (MRC et al., 1998). Mais comme son application vise surtout les recherche effectuées dans le Réseau de la santé et des services sociaux, et que ses principes ne divergent pas de façon majeur de ceux de l'ÉPTC (MRC et al., 1998), le présent chapitre se centrera sur l'ÉPTC. Toutefois, le chercheur affilié à la fois à une institution universitaire et à un organisme du Réseau de la santé et des services sociaux devrait maîtriser les subtilités des deux documents.

Dans ce chapitre, nous examinerons d'abord divers principes éthiques qui doivent guider toute recherche scientifique[2]. Les principes abordés portent sur l'évaluation du risque, le consentement éclairé, la duperie, la désensibilisation, l'invasion de la vie privée, la fraude, la propriété intellectuelle et les comités d'éthique. Finalement, nous considérerons certaines particularités éthiques qui relèvent de recherches effectuées en contexte d'intervention.

12.1. ÉVALUATION DES RISQUES ET DES BÉNÉFICES DE LA RECHERCHE

En plus de s'assurer que son étude contribue à l'avancement des connaissances, le chercheur doit toujours déterminer si elle expose les participants à un risque minimal et en soupeser soigneusement les risques et les bénéfices. Un risque est jugé minimal lorsqu'il correspond au niveau de risque encouru par une personne dans sa vie de tous les jours (MRC et al., 1998).

Le chercheur doit aussi évaluer son protocole de recherche en fonction du type de participants auprès desquels la recherche sera effectuée. Certaines études comportent des risques

2. Avant d'entreprendre une recherche, nous recommandons fortement au chercheur canadien de faire un examen approfondi de l'ÉPTC et de ses nuances.

lorsqu'elles s'effectuent auprès de participants vulnérables, alors que les risques sont moins élevés pour d'autres participants. Notamment, les participants atteints de dépression peuvent réagir plus fortement à certains types de traitements psychologiques ou à des manipulations expérimentales. Les collectivités vulnérables ou différentes sur le plan de la culture méritent aussi une attention particulière. Par exemple, lors d'études sur les communautés autochtones ou auprès de minorités culturelles, il faut considérer et respecter l'existence de valeurs, de coutumes et de besoins différents. L'ÉPTC (MRC et al.,1998) recommande d'éviter l'exclusion indue des participants sur la base de caractéristiques comme la culture, la religion, la race, le sexe, l'âge ou la condition physique. Par exemple, si l'on effectue une étude sur l'efficacité d'un médicament (p. ex., antidépressant) et que l'on décide d'exclure les femmes sans qu'il existe de justification médicale, cette situation pourrait causer un préjudice aux femmes.

12.2. LE CONSENTEMENT LIBRE ET ÉCLAIRÉ

Le succès d'une foule de recherches en sciences sociales repose sur la participation volontaire d'étudiants, d'enfants, de clients, de patients ou d'autres membres de la communauté. Peu importe la situation, le participant et le chercheur s'engagent dans un contrat social. Ce contrat peut être formel ou informel. Dans tous les cas, le chercheur demeure responsable du respect des droits des individus et de leur dignité. Ainsi, le chercheur doit informer suffisamment les participants quant aux modalités de la recherche qui peuvent influencer leur décision de participer. Le consentement éclairé comprend trois éléments principaux: (a) la compétence, (b) la connaissance et (c) la volition. La *compétence* correspond à l'habileté du participant à prendre une décision rationnelle en accord avec ses propres valeurs fondamentales et à fournir un consentement intentionnel. Le participant doit être en mesure de réaliser pleinement la nature et les conséquences de sa participation. Dans certains cas, le consentement ne peut être obtenu du participant lui-même. Ces cas incluent les nouveau-nés, les personnes souffrant d'un retard mental ou d'autres troubles psychologiques, les jeunes enfants ou toute autre personne dont les habiletés ne lui permettent pas de saisir l'information pertinente pour prendre une décision éclairée quant à sa participation à l'étude. Dans ce cas, il faut obtenir le consentement des parents du participant ou des tuteurs légaux. Pour d'autres participants ne remplissant pas les critères de compétence, une tierce personne légalement autorisée peut être désignée pour consentir en lieu et place du participant.

Les subtilités du Code civil du Québec posent ici un problème intéressant, soit celui de définir si un mineur peut accepter de participer à une recherche sans le consentement écrit de ses parents (et dans l'affirmative, à partir de quel âge). Les opinions à ce sujet divergent (voir un avis juridique à ce sujet http://www.uqo.ca/recherche/ethique/consentement-mineur.asp) mais, de façon générale, la participation d'un mineur de quatorze ans et plus à un projet de recherche à caractère non médical ne nécessiterait pas l'obtention du consentement écrit d'un parent. La prudence reste toutefois de rigueur. D'ailleurs, toute recherche avec des enfants (McIntosh, 2004) ou des populations vulnérables (MRC et al., 1998) doit être menée avec circonspection.

La *connaissance* correspond à la compréhension complète des divers aspects, des risques et des sources d'inconfort qui peuvent découler de la participation à l'étude. Pour ce faire, le chercheur doit donner assez de renseignements sur la recherche, relativement à tous les risques connus et aux sources d'inconfort, pour que le participant puisse prendre une décision éclairée. Cette information doit être présentée d'une manière simple. Le chercheur doit se rendre disponible pour répondre aux questions du participant et présenter d'emblée les possibilités autres que la participation à l'étude. Cela ne signifie pas pour autant qu'il doit inonder le participant de petits détails sur la recherche. Il informe simplement le participant de tous les aspects susceptibles d'influencer sa décision de participer à l'étude. Dans le cas de protocoles utilisant une affectation aléatoire, les participants ne peuvent pas savoir à l'avance dans quelle condition expérimentale ils seront affectés, mais ils doivent être informés des différentes conditions possibles, y compris les conditions placebo et liste d'attente.

Finalement, la *volition* correspond à la capacité de fournir un consentement en l'absence de pression ou de contrainte externe. Pour que l'individu puisse intentionnellement donner son consentement, il ne doit y avoir aucune coercition directe ou indirecte de la part du chercheur. Ainsi, la participation à une étude ne peut être exigée comme préalable à un cours à l'université ou encore comme moyen d'éviter une pénalité quelconque. Le chercheur a donc la responsabilité d'informer les participants qu'ils sont libres de se retirer de l'étude à n'importe quel moment. La volition revêt une importance particulière dans les études auxquelles participent des personnes qui ne sont pas totalement libres ou autonomes, ou qui sont contraintes sous l'autorité d'autres individus (p. ex., personnes souffrant de maladie mentale sévère, prisonniers, étudiants, employés). Le chercheur travaillant auprès de ces populations doit porter une attention particulière aux facteurs parfois subtils pouvant affecter la volition de ces individus. Dans les situations où les participants reçoivent de l'argent ou une autre compensation pour leur temps et leur effort, il faut là aussi s'assurer que cette rémunération n'induit pas des bénéfices exagérés et une incitation supplémentaire à ne pas refuser.

Comme l'illustrent les paragraphes précédents, l'objectif n'est pas simplement d'obtenir le consentement, mais bien de permettre au futur participant de faire un choix éclairé. À moins d'exceptions accordées explicitement par le comité d'éthique, le consentement se concrétise par la signature d'un formulaire de consentement. Selon l'ÉPTC (MRC et al., 1998), ce formulaire devrait généralement inclure les éléments présentés au tableau 12.1. Bien que le consentement écrit constitue la norme, il peut se révéler inacceptable ou inapproprié pour certaines cultures. Dans ces cas, le consentement peut être obtenu de façon verbale. Toutefois, on recommande alors que chaque étape de l'obtention verbale du consentement soit documentée. Habituellement, le participant conserve une copie du formulaire signé.

Il y a des types de recherches où, avec l'accord du comité d'éthique, le consentement éclairé n'est pas nécessaire. Par exemple, le chercheur peut désirer ne pas obtenir le consentement des participants puisque le fait de les informer altérerait leurs comportements. Dans ce cas, les gens sont étudiés à leur insu. Par exemple, un chercheur a voulu mesurer le degré de discrimination à l'égard des Noirs dans les restaurants voisins des quartiers généraux des Nations Unies dans la ville de New York (Selltiz, 1955). Pour ce faire, un couple de clients blancs de même sexe ainsi qu'un couple de clients noirs de même sexe ont visité les mêmes restaurants. Cette étude a révélé que, dans une proportion importante des restaurants, les clients noirs ont été moins bien servis et qu'ils ont été victimes de discrimination. Dans cette étude, les membres du personnel des restaurants n'ont pas donné leur consentement pour que leurs comportements soient étudiés. De ce fait, le chercheur a transgressé les

TABLEAU 12.1 **Information à présenter au futur participant et à inclure dans le formulaire de consentement**

Informations essentielles :
- l'invitation à participer à une recherche
- une description des objectifs de la recherche
- une description de l'identité des chercheurs
- une description de la durée et de la nature de la recherche
- une description de la procédure
- une description des bénéfices et des risques potentiels de la participation et, pour la recherche clinique, des conséquences du refus de participer
- une assurance de la liberté de participer et de se retirer n'importe quand, sans que cela lui porte préjudice
- une assurance qu'il conservera la possibilité de décider s'il désire poursuivre ou se retirer
- une assurance que la confidentialité des résultats sera préservée
- une description de ce qui peut ou ne peut pas être fait avec les informations obtenues
- une confirmation que le participant a eu la possibilité de poser des questions sur la recherche et qu'il a reçu des réponses satisfaisantes
- la signature du participant (si cela est acceptable dans sa culture) et du chercheur
- la mention que le participant conserve une copie du formulaire de consentement

Informations complémentaires au besoin :
- une assurance que toute nouvelle information ayant un impact sur la décision de poursuivre la participation à l'étude sera transmise rapidement
- l'identité d'une personne pouvant expliquer les aspects techniques de l'étude
- l'identité d'une personne indépendante à contacter pour discuter des aspects éthiques de la recherche
- une description de ceux qui peuvent avoir accès aux informations et comment la confidentialité sera protégée
- une description des responsabilités du participant
- une description des coûts et aspects financiers engagés par la participation
- une description du potentiel de commercialisation des résultats de la recherche ou de conflits d'intérêts de la part du chercheur, de son institution ou de la source de subvention
- la possibilité d'être affecté à une condition contrôle
- la stratégie de publication et comment la personne sera informée des résultats de l'étude
- l'existence d'interventions alternatives (en recherche clinique)
- la signature d'un témoin

Inspiré de l'énoncé de Politique des trois conseils (1998).

droits des participants. Dans l'ÉPTC (MRC et al., 1998), les trois conseils canadiens de recherche s'entendent pour considérer comme acceptable l'observation en milieu naturel sans le consentement des participants dans la mesure où : (a) elle survient dans l'environnement naturel, (b) elle ne requiert pas de mise en scène ou d'artifices pour réaliser la recherche, (c) les données sont recueillies sans référence à des individus spécifiques ou à des informations privées identifiables, et (d) l'étude a reçu l'assentiment du comité d'éthique. Il existe cependant des débats quant à ce qui constitue un comportement public, un endroit public et un mode acceptable d'observation publique, particulièrement lorsqu'un chercheur fait une observation à l'extérieur de son contexte culturel. Le chercheur doit éviter, le plus possible, d'engager des gens à leur insu et sans obtenir leur consentement.

12.3. INVASION À LA VIE PRIVÉE

Le participant d'une recherche a droit à la protection de sa vie privée et des informations personnelles qui le concerne. La vie privée se compose de comportements, de pensées, de croyances, de sentiments, d'opinions politiques, d'une vie sexuelle, etc. De nombreuses recherches en sciences humaines et sociales s'intéressent à des variables qui peuvent porter atteinte à la vie privée des participants. Les participants conservent toujours le droit de décider s'ils veulent partager ou non ces informations. Donc, le chercheur ne doit en aucun temps obtenir de l'information auprès des participants sans avoir pris des mesures permettant de respecter leur sentiment d'intégrité et de dignité. Lorsque le chercheur aborde la vie privée des gens et les renseignements personnels à leur égard, il doit honorer deux principes fondamentaux, l'anonymat et la confidentialité. L'anonymat consiste à faire en sorte que l'identité d'un participant ne soit pas associée aux données recueillies au cours de la recherche. Dans ce cas, l'idéal est de ne pas obtenir le nom des participants. Toutefois, si cela se révèle impossible, le chercheur doit employer un système de codification afin de masquer l'identité des participants et détruire la liste des noms lorsque l'analyse de données est terminée. Quant au principe de la confidentialité, il assure aux participants que l'information divulguée au cours de la recherche ne sera transmise à une tierce personne qu'avec son consentement explicite. Ce principe semble apporter des bénéfices non seulement aux participants, mais aussi aux chercheurs. Notons que l'assurance de la confidentialité favorise plus d'honnêteté de la part des participants (Boruch & Cecil, 1979) et atténue l'effet de la désirabilité sociale, ce qui contribue à augmenter la validité des résultats.

Toutefois, il se peut que les participants ne se rendent pas compte qu'ils divulguent certaines informations faisant partie de leur vie privée. Voici trois situations où cela peut se produire.

Premièrement, en recherche clinique, les participants veulent souvent dévoiler beaucoup d'informations afin d'obtenir de l'aide pour résoudre leur problème. Deuxièmement, certains questionnaires contiennent un ou des items qui évaluent des aspects de la vie privée moins essentiels à la recherche (p. ex., la sexualité dans un questionnaire sur les troubles du comportement des enfants). Troisièmement, après la mise en commun des informations obtenues à différentes sous-échelles, l'analyse des tests de personnalité peut révéler des informations sur le statut psychologique de la personne, ses caractéristiques personnelles, ses croyances, etc. L'établissement d'un profil de personnalité serait peut-être catégoriquement refusé si les participants en étaient informés avant le début de la recherche. Ainsi, il incombe au chercheur de faire en sorte que les participants réalisent et comprennent les tenants et aboutissants de la recherche, et ce avant le début de la recherche ou, au plus tard, à la fin, au cours d'une phase de désensibilisation qui sera décrite plus loin. Dans bien des domaines comme la recherche clinique ou légale, la nature de ces informations peut causer un préjudice si elles sont interprétées incorrectement ou dévoilées à d'autres personnes (p. ex., les résultats d'un test d'intelligence). De plus, dans le cas où les résultats de la recherche seront éventuellement publiés, les chercheurs doivent prendre toutes les précautions nécessaires afin de s'assurer que la vie privée des participants ne sera pas dévoilée publiquement, notamment lors de l'utilisation de protocoles à cas unique.

Un dilemme éthique peut se poser si certaines informations compromettantes sont révélées au cours de la recherche (Kendall & Butcher, 1982). Par exemple, si un participant avoue son intention de tuer son ex-conjointe, est-ce que le chercheur doit garder cette information confidentielle ? Non. Dans une telle situation, il est du devoir du chercheur de briser la confidentialité en avisant la victime potentielle, s'il la connaît, et les autorités concernées. En fait, si le chercheur soupçonne que le participant constitue un danger imminent pour lui-même ou pour autrui, il se trouve dans l'obligation de briser la confidentialité afin de protéger le ou les individus en cause. Ce sont là deux exemples de limites à la confidentialité. Au Québec[3] on compte quatre situations

3. Le chercheur ou le clinicien doit se renseigner sur les règles d'éthique en vigueur dans sa province, car celles-ci peuvent varier d'une province à l'autre. Par exemple, en Ontario un psychologue peut briser le secret professionnel lorsque le participant est abusé sexuellement par un professionnel de la santé membre d'un ordre professionnel, ce qui n'est pas le cas au Québec.

pour lesquelles le clinicien peut être dans l'obligation de briser la confidentialité : (a) on soupçonne ou on a la certitude qu'un enfant subit de la négligence ou de l'abus, (b) on reçoit une ordonnance de la cour, (c) le participant présente un danger imminent pour lui-même et (d) le participant présente un danger imminent pour autrui. Toutefois, si le participant révèle certains comportements qu'il a *eus dans le passé*, tels un vol, un viol ou tout autre délit grave et qu'il ne représente plus un danger le chercheur est tenu de respecter le principe de confidentialité (Robert, 1988). Par contre, la recherche soulève souvent des situations bien plus ambiguës. Par exemple, que devrait faire un chercheur qui administre des questionnaires anonymes dans une école et qui apprend qu'un élève se sent très malheureux, déprimé et victime d'agression de la part de ses pairs ? Comment respecter l'engagement à la confidentialité sans ignorer ces informations concernant un participant ? Il n'existe pas de réponses toutes faites à cette question. Dans sa réflexion éthique, le chercheur devrait anticiper ces situations en fonction du type de recherche qu'il effectue. Il pourrait même proposer des solutions dans le formulaire de consentement.

12.4. LA DUPERIE

L'étude de Stanley Milgram (1974) sur la soumission à l'autorité présente un exemple classique de la duperie en recherche. Dans cette expérience, un participant se présente à l'Université de Yale et reçoit de l'argent pour sa contribution à une prétendue étude sur les effets de la punition sur l'apprentissage. À son arrivée au laboratoire le participant rencontre son coéquipier, un homme d'un certain âge et bien portant. L'expérimentateur dupe le participant en lui faisant croire que, après une affectation au hasard, c'est lui qui doit punir le coéquipier s'il fait des erreurs. La duperie se poursuit quand on explique au participant que la punition est constituée de chocs électriques de plus en plus forts. À chaque erreur du coéquipier, le participant doit administrer des chocs dont l'intensité progresse de 15 volts (choc léger) à 450 volts (choc grave). Pour informer le participant sur la magnitude des chocs électriques, celui-ci reçoit un vrai choc de 45 volts, ce qui s'avère légèrement douloureux. Lorsque l'expérimentation débute, le coéquipier fait beaucoup d'erreurs, obligeant le participant à lui infliger des chocs de plus en plus forts. Plus les chocs augmentent, plus le coéquipier se plaint de douleur. On dépasse même le point où les chocs atteignent 330 volts et où le coéquipier ne réagit plus du tout. Tout au long de l'expérimentation, un assistant de recherche insiste pour que le participant poursuive la procédure. En fait, le coéquipier est un compère de l'expérimentateur et il ne reçoit aucun choc. Les résultats de l'étude de Milgram suggèrent que, bien que troublés émotivement par leurs gestes, plusieurs participants ont fait preuve d'une obéissance aveugle à ce qui leur était demandé, et ce largement au-delà de ce qui était prévisible. Cette étude occupe une place importante dans le développement des connaissances en psychologie sociale. Par contre, elle soulève clairement le problème de la duperie.

La duperie peut prendre diverses formes et entraîner des conséquences plus ou moins négatives pour les participants. De façon générale, elle correspond à l'omission volontaire de divulguer certains aspects significatifs de la recherche aux participants ou encore à la transmission d'information ambiguë ou totalement inadéquate quant à la nature même de l'étude. Dans certains contextes, la duperie devient essentielle pour effectuer adéquatement la manipulation expérimentale. Dévoiler certains détails importants risque parfois de compromettre la rigueur méthodologique de l'étude en favorisant certaines attitudes ou certains comportements chez les participants.

La duperie soulève une question d'éthique controversée puisqu'elle va directement à l'encontre du principe du consentement éclairé. Pour cette raison, certains chercheurs considèrent la duperie comme totalement inacceptable (Shaughnessy & Zechmeister, 1994). Le dilemme éthique qui se pose au chercheur consiste à s'interroger sur les conséquences négatives qui peuvent découler des omissions ou biais d'information. Par exemple, le chercheur ne doit en aucun temps duper une personne à propos de conséquences résultant de sa participation dont la connaissance pourrait influencer sa décision de participer à l'étude. Si l'étude risque de provoquer chez celle-ci des conséquences physiques ou émotionnelles supérieures à ce qu'elle risque de vivre naturellement dans son quotidien, le chercheur a la responsabilité d'en aviser la personne afin qu'elle prenne une décision objective et volontaire.

Selon l'ÉPTC (MRC et al., 1998), la duperie peut être tolérée par le comité d'éthique si : (a) les risques encourus sont considérés comme légers, tout au plus ; (b) l'altération de l'information concernant la recherche n'affecte pas les droits et les libertés des participants ; (c) il n'existe pas d'autres possibilités pour obtenir les connaissances justifiant son utilisation et elle est réduite à sa plus simple expression ; (d) il y aura une phase de désensibilisation, si possible ; et (e) la duperie n'implique pas une intervention thérapeutique. Avant de mener une étude susceptible de provoquer de la duperie chez les participants, le chercheur doit donc faire la démonstration de la nécessité d'utiliser la duperie et justifier son importance pour l'avancement des connaissances scientifiques. Dans ce contexte, il semble peu probable que l'étude de Milgram puisse aujourd'hui être reprise au Canada.

Dans l'élaboration de son protocole de recherche, le chercheur doit déterminer l'ampleur des effets négatifs potentiels que peut induire la duperie et définir les modalités spécifiques prévues afin de protéger les droits des participants. De plus, il doit démontrer que la procédure est efficace et qu'elle réussira à éliminer tous les effets négatifs majeurs que l'étude risque d'induire. Pour ce faire, il doit planifier un moment approprié où il désensibilise chacun des participants.

12.5. LA DÉSENSIBILISATION

Typiquement, la désensibilisation prend la forme d'une rencontre entre l'expérimentateur et le participant. Au cours de cette rencontre, il faut informer les participants sur la vraie nature de la recherche et expliquer les raisons de la duperie. Ainsi, le chercheur informe les participants des buts réels de l'étude, du protocole utilisé, des résultats attendus et des implications de l'étude. Il a également la responsabilité de donner au participant les raisons qui ont motivé l'utilisation de la duperie et de lui fournir des explications quant à sa contribution spécifique à l'étude. L'ensemble de ces informations a pour but de rectifier toute fausse idée ou croyance que les participants ont pu développer à propos de l'étude et d'éliminer les effets négatifs que l'étude a pu provoquer chez eux. Par exemple, la participation à l'étude de Milgram (1974) a pu avoir un impact sur l'estime de soi des participants. Dans de tels cas, le chercheur doit se rendre disponible pour répondre à toute question des participants concernant les aspects de l'étude qui leur semblent ambigus, et ce, dans le but d'atténuer leur source d'anxiété ou d'inconfort face à l'étude et de les aider à préserver une bonne estime d'eux-mêmes. Si certains participants présentent des problèmes malgré une désensibilisation complète, le chercheur devrait les diriger vers des ressources appropriées.

L'efficacité de la désensibilisation dépend de plusieurs variables, telles que les caractéristiques des participants, la nature de la duperie, de même que l'intervalle entre la duperie et la désensibilisation (Kazdin, 1992). De plus, il est possible que les participants refusent de croire l'expérimentateur durant la désensibilisation (Ross, Lepper, & Hubbard, 1975). Parfois, afin d'éviter une contamination de l'information, les expérimentateurs attendent que tous les participants terminent la recherche avant d'amorcer le processus. Il se peut alors qu'au moment de la désensibilisation les participants ne soient plus intéressés ou ne soient plus accessibles (Blanck, Bellack, Rosnow, Rotheram-Borus, & Schooler, 1992). De plus, il semble qu'un délai trop long amène une atténuation de l'efficacité de la désensibilisation comparativement à un processus entamé immédiatement à la fin des tâches effectuées par les participants. Ainsi, si le protocole de recherche présente une duperie quelconque envers les participants, le chercheur doit désensibiliser le participant dans les plus brefs délais. Il faut aussi savoir comment présenter l'information car, dans certains contextes, une information mal expliquée durant le processus de désensibilisation lui-même peut soulever un problème éthique (Kendall & Butcher, 1982).

Bien qu'en théorie il soit jugé essentiel de s'assurer de la désensibilisation de chaque participant, en pratique il arrive que dans certains types de recherche la désensibilisation soit plus difficile à appliquer. En effet, lorsque la recherche a lieu en milieu naturel, il devient parfois très difficile de déterminer les effets négatifs que la recherche a pu entraîner (Robert, 1988). Par exemple, si un chercheur observe les comportements d'aide de passants devant la simulation d'une crise d'épilepsie sur la place publique, il est difficile de déterminer si cette recherche a induit des effets négatifs quelconques auprès des passants. Dans les cas où la désensibilisation peut être impossible ou peu efficace sur une base individuelle (p. ex., étude par questionnaires à grande échelle, recherche en milieu naturel), le chercheur doit considérer la possibilité de fournir la désensibilisation à la communauté entière par l'intermédiaire des médias. Dans d'autres cas (p. ex., jeunes enfants, individus avec retard mental), il peut être approprié de fournir la désensibilisation aux parents, tuteurs légaux ou à toute autre tierce partie autorisée.

La désensibilisation semble apporter des bénéfices éducationnels non seulement aux participants, mais également aux chercheurs (Blanck et al., 1992). Elle peut devenir une excellente source d'information afin de savoir comment les participants ont perçu et vécu l'expérience. Par le fait même, elle peut contribuer à identifier, s'il y a lieu, certains problèmes méthodologiques présents à l'intérieur du protocole, notamment la diffusion de l'information ou les facteurs historiques (Blanck et al., 1992).

Finalement, certains chercheurs informent parfois les participants des résultats de l'étude, même en l'absence de duperie. Cette pratique devrait être beaucoup plus fréquente. De cette manière, les participants peuvent en apprendre plus sur leur contribution à l'étude et, par le fait même, se sentent personnellement davantage parties prenantes au processus scientifique.

12.6. LA FRAUDE

Comme tout être humain, les chercheurs ne sont ni insensibles ni infaillibles. L'élaboration et la réalisation d'études comportent plusieurs étapes qui vont de l'élaboration du plan de recherche à l'interprétation écrite des résultats sous la forme d'un article scientifique, en passant par la collecte, la saisie et l'analyse statistique des données. Chacune de ces étapes présente des possibilités d'erreurs. Cependant, il faut savoir distinguer une erreur qui survient par inadvertance de celle produite intentionnellement par l'altération de données ou la fausse interprétation de résultats dans le but de duper la communauté scientifique ou de gonfler son curriculum vitae. L'erreur faite de façon intentionnelle par un chercheur dans le but de duper ses collègues ou le public par une fausse déclaration sur l'étude constitue une fraude. La fraude peut se manifester de plusieurs manières et elle va à l'encontre des fondements mêmes de la démarche scientifique. Ainsi, le chercheur peut faire en sorte que les participants dont les résultats sont plutôt marginaux abandonnent prématurément afin que leurs résultats ne soient pas comptabilisés, il peut intentionnellement altérer certaines données ou éliminer celles qui vont à l'encontre de son hypothèse, ou encore interpréter faussement des données non significatives.

Sous les apparences de l'objectivité, un scientifique peut laisser ses préjugés imprégner son travail scientifique, ou encore imposer ses convictions personnelles sur le monde. Afin d'illustrer comment l'objectivité ne résiste pas toujours aux infiltrations doctrinaires de certains chercheurs, voici deux exemples fréquemment cités dans la littérature (Broad & Wade, 1982).

Samuel G. Morton était un éminent médecin et scientifique de son époque. Il accumula entre 1830 et 1851, l'année de sa mort, une collection importante de crânes humains de différentes races. Morton croyait fermement que le volume du cerveau constituait une mesure de l'intelligence. Ce préjugé correspondait à celui de l'époque et l'amena à jongler avec les nombres pour obtenir les résultats qu'il recherchait. Morton trafiqua les chiffres de la façon suivante. Lorsqu'il désirait abaisser la taille moyenne des crânes d'une race, il ajoutait des sous-groupes contenant de petits cerveaux. S'il comparait cette race à une autre, il pouvait enlever le sous-groupe en question pour augmenter la moyenne du groupe. C'est seulement en 1978 que Stephen Gould, un paléontologue de Harvard, reprit les calculs de Morton et démontra que toutes les races possédaient approximativement des volumes crâniens égaux. En fait, le facteur prépondérant pour la dimension du crâne est la taille du corps et non l'intelligence. Morton n'avait pas remarqué que les hommes, qui sont généralement plus grands que les femmes, possédaient des cerveaux plus grands. Il a ainsi négligé de corriger les effets du sexe. La hiérarchie raciale de Morton favorisa ses préjugés quant à la grosseur des cerveaux et présentait, en plus de biais importants, plusieurs erreurs arithmétiques. Cet exemple illustre bien comment un scientifique, convaincu par une doctrine sociale valorisée à l'époque, peut être amené à sélectionner des données qui renforcent son hypothèse initiale.

Le cas de Sir Cyril Burt est un autre exemple de fraude scientifique restée insoupçonnée pendant de nombreuses années. Le premier à mettre en doute ses travaux fut Leon Kamin, un psychologue de l'Université de Princeton (Broad & Wade, 1982). C'est finalement Leslie Hearnshaw, professeure de psychologie de l'Université de Liverpool, qui détermina exactement la nature même de la fraude Burt (Hearnshaw, 1979). Cet éminent professeur de psychologie au University College de Londres soutenait que l'éducabilité et les potentialités futures d'un enfant pouvaient être déterminées de façon impartiale dès l'âge de 11 ans. Cependant, Kamin, en révisant les articles de Burt, remarqua que ceux-ci étaient très incomplets quant à la description du protocole utilisé (p. ex., qui a administré quels tests, à quel enfant, et quand). De plus, plusieurs données de Burt faisaient l'objet de coïncidences très improbables et semblaient plutôt refléter un effort conscient pour prouver sa propre position à l'égard de l'hérédité. Burt publia trois comptes rendus sur le QI de jumeaux élevés séparément. Les trois études faisaient mention à la troisième décimale d'un coefficient de corrélation (0,771) qui ne changeait jamais, malgré l'ajout de nouveaux participants à l'échantillon. La même coïncidence se répétait pour les trois coefficients de corrélation concernant les QI de jumeaux élevés ensemble (0,944). Hearnshaw détermina que Burt avait inventé des données dans plusieurs de ces articles fondamentaux.

Ces deux exemples démontrent que certains chercheurs, dans leur désir effréné de gagner la reconnaissance du milieu scientifique ou impatients d'obtenir des fonds de recherche importants, peuvent perdre de vue l'une des bases de la science : l'objectivité. Ce type de fraude discrédite parfois la recherche aux yeux du public, mais en général elle demeure plutôt méconnue. Sur le plan strictement scientifique, il est malheureusement bien plus facile de trouver une étude intéressante (p. ex., Zeitlin, Netten, & Goetsh, 1995) que d'admettre que cette même étude résulte d'une fraude (*Behaviour Research and Therapy*, 1996).

Pour sa part, l'erreur qui se produit par inadvertance est légitime, mais elle devrait être immédiatement corrigée après sa reconnaissance. Souvent, les journaux scientifiques comportent une section permettant aux chercheurs d'aviser les lecteurs de certaines corrections apportées après la publication de leur manuscrit (p. ex., Morrisson, McLeod, Morrisson, & Andesson, 1997). Tout chercheur a la responsabilité de respecter lui-même les principes éthiques en matière de fraude. Il doit aussi s'employer à contrer la fraude en enseignant aux gens qui travaillent pour lui les valeurs centrales en sciences, l'importance de l'intégrité de tout chercheur pour l'avancement de la science en général et la nécessité de contribuer à l'accroissement des connaissances en partageant ses travaux avec la communauté scientifique. Même si le chercheur ne participe pas à certaines étapes de l'étude, par exemple à la collecte de données, il a la responsabilité malgré tout de s'assurer du déroulement de ces étapes dans des conditions conformes aux normes de l'éthique.

12.7. L'ALLOCATION DE CRÉDIT POUR LA PROPRIÉTÉ INTELLECTUELLE

La science encourage l'échange des idées scientifiques en rendant celles-ci accessibles à l'ensemble de la communauté par le processus de publication des études dans des journaux scientifiques. Dès le moment où il rend publics ses ouvrages, le chercheur signe un contrat implicite avec l'ensemble de la communauté scientifique. Ce contrat implique que ses ouvrages vont contribuer à l'avancement des connaissances et contenir toute l'information pertinente pour permettre à d'autres chercheurs de reproduire la procédure utilisée. Cette dissémination des données commande le respect de la propriété intellectuelle des idées. Celle-ci inclut l'indication de sources lorsqu'un chercheur fait référence à du matériel publié par un autre chercheur et la reconnaissance de l'apport respectif des personnes qui ont collaboré à un projet de recherche. Ce dernier point provoque beaucoup de discussions lorsqu'on aborde l'utilisation par un chercheur de travaux effectués par des étudiants ou la publication de données provenant d'un mémoire de maîtrise ou d'une thèse de doctorat. Il faut aussi savoir que, dans un article, l'ordre dans lequel le nom des auteurs est mentionné reflète de façon décroissante la contribution *scientifique* de chacun (APA, 2001, 2002). Les codes d'éthique des universités et des différentes associations professionnelles sont clairs sur ce point : en règle générale, l'étudiant détient la propriété intellectuelle des travaux qu'il rédige personnellement. Les difficultés apparaissent donc lorsqu'il s'agit de départager la contribution respective du superviseur et de l'étudiant dans la rédaction d'un article tiré de travaux de l'étudiant, et lors de la mise en commun de travaux de plusieurs étudiants.

12.8. LA RECHERCHE SUR LES INTERVENTIONS PSYCHOSOCIALES (THÉRAPIES ET TRAITEMENTS)

Jusqu'à présent, nous avons considéré des principes généraux qui sont communs à différents domaines de recherche en psychologie et en sciences sociales. Cependant, la présence d'une relation thérapeutique fait que certaines questions éthiques méritent une attention particulière.

L'information donnée au client à propos du traitement occupe une place importante. En plus du but et des modalités relatives à l'étude, le chercheur se doit d'informer le participant du niveau d'efficacité de l'intervention offerte. Plusieurs traitements psychosociaux demeurent expérimentaux et cette information devrait être fournie au participant. Si des informations sont déjà connues concernant le traitement, elles devraient être transmises au participant. Par contre, le dévoilement honnête de toute information sur le traitement peut, dans certains cas, poser problème ou atténuer l'effet thérapeutique. Prenons l'exemple du traitement des maux de tête à l'aide de la biorétroaction («biofeedback») (Holroyd & French, 1995). La justification théorique du traitement présentée aux clients repose sur l'idée que les effets du traitement sont liés à la capacité de contrôler l'instabilité vasomotrice associée à la migraine à l'aide de la relaxation et de la biorétroaction. Les études empiriques révèlent que *l'impression* que se forment les gens de leur propre capacité à se détendre, à contrôler leur activité vasomotrice et à contrôler leur migraine est tout aussi importante, sinon plus, que leur capacité réelle à exécuter ces tâches (Gauthier, Ivers, & Carrier, 1996). Dévoiler cette information avant d'offrir un traitement par biorétroaction risque donc de nuire au participant en diminuant la crédibilité du traitement et de sa justification théorique.

La recherche avec une population clinique peut requérir des précautions supplémentaires en ce qui a trait à la confidentialité. En effet, certaines personnes (p. ex., employeurs, membres de la famille du participant, directeur d'école) peuvent éprouver un intérêt particulier pour les résultats du participant et la nature de l'étude (p. ex., évaluation de l'ajustement psychosocial). Ces informations peuvent devenir potentiellement dommageables pour le participant si elles sont connues. Par exemple, dans une étude portant sur le traitement de personnes séropositives, un bris de confidentialité par inadvertance de la part du chercheur pourrait entraîner des conséquences négatives au travail (stigmatisation, discrimination, etc.).

Abordons finalement les conditions contrôles dans les études cliniques. Lorsqu'on offre des traitements, l'utilisation d'une condition contrôle soulève certains dilemmes éthiques. Un de ces dilemmes est lié à l'utilisation d'une condition placebo où les participants sont privés du traitement expérimental potentiellement efficace. Dans ce cas, le chercheur doit reconsidérer sérieusement la nécessité d'une telle comparaison. Un article enflammé écrit par Elliott et Weijer (1995) intitulé «Cruel and Unusual Treatment» présente des arguments très négatifs à l'égard de l'utilisation intentionnelle de placebos pour les personnes souffrant de troubles mentaux. Ces auteurs s'opposent catégoriquement aux compagnies pharmaceutiques et aux chercheurs qui utilisent des placebos dans des contextes où il existe déjà un traitement efficace pour traiter le trouble mental en question. Certains chercheurs ont sévèrement répondu à cet article en accusant les auteurs de ne pas nuancer les circonstances où le placebo est utilisé (p. ex., Silverstone, 1996). L'utilisation du placebo constitue d'ailleurs un traitement efficace pour bien des gens (Uhlenhuth, Matuzas, Warner, &

Thompson, 1997). De plus, elle permet d'évaluer les effets secondaires réels de la médication (car bien des gens rapportent souffrir d'effets secondaires à la suite de la prise de placebo…) et elle offre plus de puissance statistique que l'utilisation d'un traitement standard. L'utilité du placebo et ses implications éthiques demeurent controversées (Derivan, Leventhal, March, Wolraich & Zito, 2004; DuVal, 2004; Rothman & Michels, 1994). Pour l'instant, l'ÉPTC considère l'utilisation du placebo comme acceptable uniquement dans certaines circonstances bien précises, notamment lorsque aucune autre forme de traitement n'est reconnue comme efficace (MRC et al., 1998).

12.9. LE COMITÉ D'ÉTHIQUE

Nous l'avons dit au début de ce chapitre, le chercheur doit évaluer les risques et les bénéfices potentiels des participants. Cette tâche en apparence simple est en fait soumise au regard subjectif du chercheur. Voici trois exemples réels d'études où la communauté scientifique peut différer d'opinion avec le chercheur en ce qui a trait au niveau de risque encouru. Dans une première étude, un chercheur était persuadé d'avoir fait une découverte quant au fonctionnement physiologique des sentiments et des attitudes (Hess, 1965). Ainsi, il croyait que la pupille de l'œil se contractait en présence d'événements désagréables et se dilatait en présence d'événements agréables. Afin de vérifier son hypothèse, il photographia les yeux des participants lorsque ceux-ci visualisaient des images de cadavres et de restes de victimes de camps de concentration nazis. Avant de s'engager dans l'étude, les participants n'avaient pas été informés du contenu des images. Dans une autre étude, les chercheurs ont voulu tester l'influence de l'organisation sur le comportement des groupes (French, 1944). Ainsi, des groupes structurés et non structurés furent recrutés pour participer à un débat. Lorsque la discussion commença, les participants aperçurent de la fumée en provenance de la porte. Toutefois, lorsque les participants voulurent quitter les lieux, ils constatèrent que la porte était verrouillée. En 1962, Bergin voulut étudier l'influence d'une personne prestigieuse sur les attitudes des jeunes, plus spécifiquement sur les attitudes qui avaient de fortes implications émotives. Pour ce faire, une personne de prestige dans l'évaluation de la personnalité du département de psychiatrie donnait les résultats de tests de personnalité aux participants. Aux participants masculins, il disait que leurs tests révélaient la présence de caractéristiques féminines, alors qu'aux participants féminins il disait que leurs résultats révélaient des signes de masculinité.

Ces trois types de recherche ont exposé les participants à des niveaux de stress et de risque qui varient selon la perception des gens ; certains considèrent cela comme acceptable, d'autres non. Probablement que les chercheurs, pour leur part, étaient de bonne foi et ne pensaient pas nuire significativement aux participants. Mais le fait d'exposer des participants à un tel stress sans leur consentement peut facilement être considéré comme une pratique douteuse. C'est pour cela qu'il existe depuis plusieurs années des comités d'éthique dans les institutions où se déroulent des activités de recherche. Le mandat d'un comité d'éthique est de poser un regard le plus objectif possible afin de s'assurer du respect des principes éthiques en vigueur dans l'institution à laquelle est affilié le chercheur. En annexe à l'ÉPTC, on trouve une liste qui explicite fort bien l'étendue des projets de recherche qui doivent être soumis à une évaluation par le comité d'éthique. Cette liste indique les types de cas où les projets de recherche doivent être évalués par le comité d'éthique : que la recherche soit subventionnée ou non, que le financement soit externe ou interne, que les sujets proviennent de l'intérieur ou de l'extérieur de l'établissement, que les sujets soient rémunérés ou non, que la recherche soit effectuée au Canada ou à l'étranger, que la recherche soit menée à l'intérieur ou à l'extérieur de l'établissement, que la recherche soit réalisée par le personnel ou par des étudiants, que la recherche soit menée en personne ou à distance (par courrier, courrier électronique, télécopieur, téléphone, etc.), que les données soient recueillies directement des sujets ou à partir de dossiers existants n'appartenant pas au domaine public, que les travaux de recherche soient destinés à être publiés ou non, que la recherche soit centrée sur le sujet ou non, que la recherche soit basée sur l'observation, l'expérimentation, la corrélation ou la description, qu'une recherche similaire ait été approuvée ailleurs ou non, que la recherche soit une étude pilote ou un projet complet, que le but de la recherche soit d'acquérir des connaissances fondamentales ou appliquées, que le premier objectif de la recherche soit l'acquisition d'un savoir, l'enseignement ou la formation. À la lecture de cette liste, on voit bien que presque tous les projets de recherche doivent être soumis au regard d'un comité d'éthique.

La constitution des comités d'éthique peut varier d'une institution à l'autre. Pour effectuer une évaluation du respect des normes d'éthique selon l'ÉPTC (MRC et al., 1998), le comité doit être constitué d'au moins cinq personnes (incluant des hommes et des femmes): deux personnes possédant une expertise dans le domaine de recherche abordé, une possédant une expertise en éthique, une provenant de la communauté et n'étant pas affiliée à l'institution et une autre personne. Pour l'évaluation d'études de nature biomédicale, l'une de ces personnes doit posséder une expertise sur le plan légal.

Bien que toute étude doive être approuvée par un comité d'éthique avant qu'elle débute, l'ÉPTC (MRC et al., 1998) propose une évaluation proportionnelle selon le niveau de risque. En d'autres termes un projet de recherche qui comporte beaucoup de risques doit être évalué en détail, alors qu'un projet dont le risque n'est pas plus que minimal peut être évalué par un sous-comité. Il incombe donc au comité d'éthique de chaque institution d'établir les niveaux d'évaluation et la procédure à suivre.

Finalement, l'ÉPTC (MRC et al., 1998) innove en proposant un suivi continu des projets, c'est-à-dire des évaluations durant la réalisation de l'étude par le comité d'éthique. Le concept d'évaluation proportionnelle au niveau de risque s'applique ici aussi, bien entendu.

12.10. CONCLUSION

La recherche a pour but ultime de faire progresser les connaissances. Dans ses efforts vers l'atteinte de cet objectif, tout chercheur a le devoir de mettre en œuvre et de mener à terme la recherche la plus rigoureuse possible sans porter atteinte au respect et à la dignité de l'individu, ni à ses droits fondamentaux. Le chercheur évite donc de compromettre le bien-être des participants. Il doit aussi être conscient qu'il tire un profit du fait que les gens participent à son étude. Ce profit n'est pas nécessairement monétaire, mais il reste que les participants donnent de leur temps ou partagent des informations personnelles pour le bien d'autrui. Au cours des différentes phases de réalisation d'une recherche, plusieurs principes éthiques risquent donc d'être remis en question. C'est alors que le chercheur doit faire face aux situations où son désir de faire progresser le savoir peut entrer en conflit avec certaines valeurs humaines ou sociales. Les comités d'éthique peuvent aider le chercheur dans cette tâche où, finalement, chaque cas nécessite une évaluation individualisée.

Toute personne qui participe à une recherche devrait être considérée comme partenaire plutôt que simple sujet coopératif ou, à l'extrême, victime. Les principes éthiques en recherche vont cependant au-delà de la protection des participants. Ainsi, certains principes sont liés à l'intégrité de la science et aux obligations et responsabilités du chercheur dans ses relations avec ses collègues, avec sa discipline, et avec les autres disciplines. Ces principes visent notamment la duperie, la fraude, l'allocation de crédit pour la propriété intellectuelle et le partage des connaissances dans la communauté.

Après avoir abordé l'importance de l'éthique en recherche, survolé l'énoncé de politique des trois conseils canadiens et illustré tout au long de l'ouvrage la variété des protocoles et contrôles méthodologiques, nous constatons que le chercheur doit considérer les principes éthiques comme des *guides* essentiels. Il doit toutefois agir avec jugement et ne pas appliquer chaque principe aveuglément, sans questionnement, pour décider ce qui est acceptable ou non. Ces principes ne peuvent pas toujours s'appliquer sans ambiguïté. En cas de doute, le chercheur doit consulter ses collègues et son comité d'éthique et examiner la situation sous plusieurs angles. Dans tous les cas, le chercheur doit trouver la meilleure solution afin d'atteindre ses objectifs scientifiques tout en respectant les droits de toutes les parties en cause.

12.11. QUESTIONS

1. Quels sont les trois principaux éléments d'un consentement éclairé ?
2. Dans le cadre d'une recherche, le chercheur doit tenir compte de deux principes fondamentaux relatifs à la vie privée des gens. En quoi consistent-ils ?
3. Avant d'effectuer son étude, le chercheur doit déterminer s'il expose les participants à un risque plus que minimal. De quelle façon juge-t-on si le risque est minimal ?
4. Certaines informations doivent impérativement figurer dans un formulaire de consentement. Nommez-en quelques-unes.

5. Comment est reconnu l'apport respectif des personnes qui ont collaboré à un projet de recherche dans la liste des auteurs d'une publication ?

12.12. RÉFÉRENCES

American Psychological Association (2001). *Publication manual of the American Psychological Association.* (Sc éd). Washington, DC : Auteur.

American Psychological Association (2002). *Ethical principles of psychologists and code of conduct.* Washington, DC : Auteur.

Association médicale mondiale (1964, révisée en 2000). *Déclaration d'Helsinki.* Ferney-Voltaire (France) : Auteur.

Beecher, H.K. (1966). Ethics and clinical research. *New England Journal of Medicine, 274,* 1354-1360.

Behaviour Research and Therapy (1996). Erratum. *Behaviour Research and Therapy, 34,* 99.

Bergin, A.E. (1962). The effect of dissonant persuasive communications upon changes in a self-referring attitudes, *Journal of Personality, 30,* 423-438.

Blanck, P.D., Bellack, A.S., Rosnow, R.L., Rotheram-Borus, M.J., & Schooler, N.R. (1992). Scientific rewards and conflicts of ethical choices in human subjects research, *American Psychologist, 47,* 959-965.

Boruch, R.F., & Cecil, J.S. (1979). *Assuring the confidentiality of research data.* Philadelphia : University of Pennsylvania Press.

Broad, W., & Wade, N. (1982). *La souris truquée.* Paris : Éditions du Seuil.

Commission scientifique des crimes de guerre (1950). Code de Nuremberg – 1947 (trad. française de F. Bayle, *Croix gammée contre caducée. Les expériences humaines en Allemagne pendant la Deuxième Guerre mondiale.* Voir http://www.frsq.gouv.qc.ca/fr/ethique/pdfs_ethique/nuremberg_f.pdf.

Derivan, A.T., Leventhal, B.L., March, J., Wolraich, M., & Zito, J.M. (2004). The ethical use of placebo in clinical trials involving children. *Journal of Child and Adolescent Psychopharmacology, 14*(2), 169-174.

DuVal, G. (2004). Ethics in psychiatric research: Study design issues. *Canadian Journal of Psychiatry, 49*(1), 55-59.

Elliott, C., & Weijer, C. (1995). Cruel and unusual treatment, *Saturday Night*, 31-34.

French, J.R.P. (1944). Organized and unorganized groups under fear and frustration. *University of Iowa Studies of Child Welfare, 20*, 229-238.

Gauthier, J.G., Ivers, H., & Carrier, S. (1996). Nonpharmacological approaches in the management of recurrent headache disorders and their comparison and combinaison with pharmacotherapy. *Clinical Psychology Review, 16*, 543-571.

Gould, S.J. (1978). Mortons's ranking of races by cranial capacity. *Science, 200*, 503-509.

Gouvernement du Québec. Ministère de la Santé et des Services sociaux (1998). Plan d'action ministériel en éthique de la recherche et en intégrité scientifique. Québec: Auteur.

Hearnshaw, L.S. (1979). *Cyril Burt, psychologist.* Londres: Hodder and Stoughton.

Hess. E.H. (1965). Attitude and pupil size, *Scientific American*, 212, 46-54.

Holroyd, K.A., & French, D.J. (1995). Recent developments in the psychological assessment and management of recurrent headache disorders. Dans A.J. Goreczny (Éd.) *Handbook of Health and Rehabilitation Psychology.* New York: Plenum Press.

Kazdin, A.E. (1992). *Research design in clinical psychology.* Boston: Allyn & Bacon.

Kendall, P.C., & Butcher, J.N. (1982). *Handbook of research methods in clinical psychology.* New York: John Wiley & Sons.

McIntosh, N. (2004). Ethical principles of research with children. *Current Paediatrics, 14*, 489-494.

Medical Research Council of Canada, Natural Sciences and Engineering Research Council of Canada & Social Sciences and Humanities Research Council of Canada (1998). Énoncé de politique des trois Conseils: Éthique de la recherche avec des êtres humains, 1998 (avec les mises à jour de 2000 et 2002). Ottawa: Auteurs. [http://www.pre.ethics.gc.ca/francais/policy statement/policystatement.cfm]

Milgram, S. (1974). *Obedience to authority: an experimental view.* New York: Harper & Row Publishers.

Morrisson, T.G., McLeod, L.D., Morrisson, M., & Andesson, D. (1997). Gender stereotyping, homonegativity, and misconception about sexually coercice behavior among adolescents. Erratum. *Youth and Society, 29,* 134.

Robert, M. (1988). *Fondements et étapes de la recherche scientifique en psychologie* (3e éd.). Saint-Hyacinthe: Edisem.

Ross, L., Lepper, M.R., & Hubbard, M. (1975). Perseverance in self-perception and social perception: Biased attributional processes in the debriefing paradigm. *Journal of personality and Social Psychology, 32,* 880-892.

Rothman, K.J., & Michels, K.B. (1994). The continuing unethical use of placebo controls. *New England Journal of Medicine, 331,* 394-398.

Selltiz, C. (1955). The use of survey methods in a citizens campaign against discrimination, *Human Organization, 14,* 19-25.

Silverstone, P.H. (1996). Response to Cruel and Unusual Treatment. Réponse à l'éditeur. *Saturday Night.* 16 février.

Shaughnessy, J.J., & Zechmeister, E.B. (1994). *Research methods in psychology.* New York: McGraw-Hill.

Société Canadienne de Psychologie, (2000). *Canadian code of ethics for psychologists.* (3e éd). Ottawa: Auteur.

Uhlenhuth, E.H., Matuzas, W., Warner, T.D., & Thompson, P.M. (1997). Methodological issues in psychopharmacological research. Growing placebo response rate: The problem in recent therapeutic trials? *Psychopharmacology Bulletin, 33,* 31-39.

Zeitlin, S., Netten, K.A., & Goetsh, V.L. (1995). Physiological, subjective and behavioral responses to hyperventilation in clinical and infrequent panic. *Behaviour Research and Therapy, 33,* 415-422.

SPÉCIFICITÉ MÉTHODOLOGIQUE DE DIVERS CHAMPS DE RECHERCHE

STÉPHANE BOUCHARD ET CAROLINE CYR

Dans cet ouvrage, des chercheurs et des cliniciens travaillant dans une foule de champs d'application de la psychologie et des sciences sociales ont rédigé des chapitres et utilisé des exemples propres à leur domaine d'expertise. Il nous a semblé nécessaire d'élargir l'éventail des champs d'application déjà illustrés ici. Ce chapitre poursuit donc deux objectifs : diversifier les exemples de thèmes et de stratégies de recherche et introduire des concepts méthodologiques propres à certains champs de recherche afin d'outiller l'étudiant et le praticien-scientifique dans leur démarche d'acquisition de connaissances. Il semble parfois difficile de saisir les subtilités méthodologiques propres à certains domaines. Cette limite nuit à l'appréciation des forces, de l'originalité, des contraintes imposées au chercheur, ou des faiblesses d'une étude. Nous avons donc demandé à des chercheurs de rédiger de brefs textes permettant d'atteindre les deux objectifs fixés. Les prochaines pages abordent ainsi les thèmes de la recherche pharmacologique appliquée en psychiatrie, de la recherche clinique, de la recherche en psychogérontologie, de la recherche sur le comportement animal, de la recherche en neuropsychologie, de la recherche par simulation informatisée, de l'épidémiologie et de la recension des écrits.

LES ESSAIS CLINIQUES EN PSYCHIATRIE

par Jean-Philippe Boulenger

Le développement de nouveaux médicaments implique la mise en œuvre d'une méthodologie rigoureuse visant à mettre en évidence l'efficacité et la sécurité d'emploi chez l'homme des molécules provenant de la recherche biomédicale. La majeure partie des recherches cliniques qui se déroulent préalablement à la mise sur le marché de ces médicaments repose sur des essais comparatifs encore appelés essais cliniques ou essais thérapeutiques. Ces essais sont réalisés sous le contrôle de plus en plus strict de l'industrie pharmaceutique, des autorités administratives responsables de la santé et des comités de déontologie de la recherche et ils répondent à une méthodologie précise dont les détails peuvent être retrouvés dans plusieurs ouvrages de référence récents (Spilker, 1991 ; Prien et Robinson, 1994). Dans le domaine psychiatrique, c'est surtout depuis les années 1960 que les essais cliniques ont commencé à se développer, après que les effets thérapeutiques des grandes catégories de médicaments psychotropes (antidépresseurs, neuroleptiques, anxiolytiques) eurent été mis en évidence de façon fortuite au cours de la décennie précédente par les cliniciens. Ce n'est en effet que secondairement que la multiplication des produits disponibles et le développement de médicaments au mécanisme d'action de plus en plus spécifique a nécessité la mise en place d'une méthodologie rigoureuse, conforme à celle utilisée antérieurement dans d'autres domaines de la médecine. Cette méthodologie ne diffère pas fondamentalement de celle utilisée dans la recherche clinique en général, mais se caractérise par des moyens d'évaluation essentiellement subjectifs, là où dans de nombreuses autres spécialités médicales des moyens d'évaluation objectifs (tests sanguins notamment) peuvent être mis en œuvre pour mesurer l'efficacité de thérapeutiques nouvelles. Comme dans d'autres domaines des sciences sociales, la validation des instruments de mesure utilisés dans les essais cliniques psychiatriques est donc une étape préalable indispensable à la réalisation de ce type de recherches dont nous allons maintenant souligner plusieurs particularités.

1. LES DIFFÉRENTES PHASES DES ESSAIS CLINIQUES

Le développement de médicaments nouveaux répond à des règles rigoureuses et à une progression par étapes étroitement codifiée. Quatre phases peuvent être distinguées une fois prise la décision de réaliser chez l'homme les essais cliniques d'un nouveau médicament :

1. La phase I, où le médicament est administré à des volontaires sains dans le but d'en étudier la tolérance et le métabolisme.
2. La phase II, où sur un petit nombre de patients sont déterminées les caractéristiques de l'activité thérapeutique et les doses efficaces.
3. La phase III, où des essais cliniques multicentriques sont réalisés sur un grand nombre de patients, afin de démontrer l'efficacité du produit nouveau par rapport à un placebo ou à un médicament de référence dans une pathologie définie selon des critères diagnostiques spécifiques.
4. La phase IV, qui fait suite à l'autorisation de mise sur le marché par les autorités compétentes (au Canada : la Direction de la protection de la santé) et au cours de laquelle les essais cliniques ont lieu dans des conditions plus proches de leur utilisation habituelle, principalement dans le but d'évaluer la tolérance du produit sur un grand nombre de patients.

Comme toute recherche clinique, les essais thérapeutiques doivent répondre à une question clairement définie, précisée par un protocole précis qui, dans le cas des phases I à III, doit être soumis à une approbation préalable des autorités sanitaires. Les protocoles d'essais cliniques doivent être soumis au Comité de déontologie de la recherche de chaque institution dans laquelle ils se déroulent, et forment d'ailleurs la plus grande partie des protocoles évalués dans les facultés de médecine. Les lecteurs intéressés aux nombreux problèmes éthiques et administratifs posés par les essais cliniques pourront se référer au rapport très exhaustif réalisé par Deschamps et ses collaborateurs (1995) pour le gouvernement du Québec.

2. LA NOTION D'ESSAI CONTRÔLÉ

L'activité thérapeutique observée à la suite de l'administration d'un médicament donné est loin de représenter seulement l'activité pharmacologique du produit administré. Elle est en fait la résultante de quatre facteurs principaux :

1. L'effet intrinsèque du médicament, son activité pharmacologique.
2. L'évolution spontanée des troubles traités, qui elle-même dépend de l'état initial du patient.
3. Les erreurs de mesure éventuelles.
4. Les facteurs non pharmacologiques de la réponse thérapeutique ; aspects relationnels, environnement, attentes du patient... Ces derniers facteurs sont tout particulièrement importants dans les essais cliniques en psychiatrie ou dans ceux ayant pour objectif le traitement de troubles fonctionnels subjectifs (douleurs, fatigue, vertiges...).

L'existence de ces facteurs confondants, qui viennent perturber l'évaluation précise de l'activité pharmacologique, nécessite le contrôle d'un certain nombre des variables de l'essai clinique. Par exemple, le biais d'évaluation lié aux attentes du prescripteur ou du patient par rapport aux effets d'un traitement donné est contrôlé par l'attribution au hasard des traitements faisant l'objet de la comparaison et par l'apparence identique de ces derniers : l'essai est dit alors « randomisé en double insu » (Fisher & Greenberg, 1993). Dans certains cas, la nature du traitement administré n'est cachée qu'au seul patient : on parle alors d'essai à simple insu.

La variabilité symptomatologique ou évolutive des patients est contrôlée par l'application de critères d'inclusion bien définis, un problème particulièrement délicat dans le domaine de la santé mentale où de nombreux facteurs peuvent influencer l'évolution des troubles. L'application stricte de la 4e révision des critères diagnostiques de l'Association américaine de psychiatrie (1995) après la passation d'un questionnaire structuré ou semi-structuré est un moyen indispensable, mais pas toujours suffisant à l'obtention de groupes de patients homogènes.

3. L'UTILISATION DU PLACEBO

Le contrôle des facteurs non pharmacologiques intervenant dans l'évolution du patient se fait par l'administration d'une substance d'aspect identique à celui du médicament étudié, mais sans activité pharmacologique propre : le placebo. L'analyse de la plupart des essais thérapeutiques en psychiatrie et ce, quelle que soit la pathologie concernée, démontre le bien-fondé d'une telle attitude, le groupe des patients sous placebo s'améliorant de façon parfois substantielle au cours de l'essai. Bien que l'utilisation d'une condition placebo puisse avoir ses propres limites méthodologiques (Fisher & Greenberg, 1993), elle offre un meilleur contrôle des conditions de l'expérimentation que le choix d'une condition de patients en liste d'attente, qui ne bénéficie pas des effets bénéfiques éventuels des évaluations entreprises et des interactions régulières avec les investigateurs de l'étude. Ces effets positifs doivent être pris en compte dans les discussions concernant les aspects éthiques liés à l'utilisation des placebos en psychiatrie, problème (Derivan, Leventhal, March, Wolraich & Zito, 2004 ; DuVal, 2004), qui a donné lieu à des prises de position multiples (Addington et al., 1997 ; Friend & Weijer, 1997 ; Young & Annable, 1996) à la suite de la critique très ferme contre l'utilisation du placebo dans les essais cliniques, faite par deux épidémiologistes renommés dans le *New England Journal of Medicine* (Rothman & Michels, 1994). Des nombreux arguments en présence, il faut néanmoins retenir que la comparaison des effets d'une médication nouvelle démontrant l'équivalence thérapeutique de cette dernière avec les effets d'une médication de référence sans comparaison avec une condition placebo n'implique pas forcément que cette médication soit efficace, l'amélioration pouvant dans les deux cas être liée à des facteurs non pharmacologiques. Même dans des troubles aussi sévères que la schizophrénie, de nombreux arguments scientifiques militent en faveur de l'utilisation de placebos, même si le problème majeur représenté par le consentement éclairé des patients justifie pleinement la pertinence de ce débat éthique (Carpenter, Schooler, & Kane, 1997).

4. LES PROTOCOLES EXPÉRIMENTAUX

Dans la grande majorité des cas, les essais thérapeutiques comparent deux ou plusieurs groupes de patients traités pendant plusieurs semaines, le développement de l'activité thérapeutique des psychotropes étant le plus souvent progressif. Les principaux protocoles utilisés dans les protocoles d'essais cliniques sont :

1. Les essais en groupes parallèles (pré-post avec condition témoin) où les patients sont répartis au hasard et reçoivent un des traitements comparés pendant toute la durée de l'essai. Le plus souvent les doses des médicaments utilisées sont flexibles, avec une augmentation progressive au cours de l'essai (à l'intérieur de certaines limites) en fonction de la tolérance et de l'efficacité. Des essais de ce type ne sont toutefois entrepris qu'une fois que des essais à doses fixes, comparant plusieurs doses d'un même produit, ont permis de déterminer les doses minimales efficaces du nouveau médicament.
2. Les essais croisés (contrebalancés) dans lesquels chaque patient reçoit successivement les traitements comparés, ce qui permet de diminuer la variabilité des mesures faites entre les différents traitements, chaque patient étant en quelque sorte son propre témoin. L'utilisation d'un tel plan expérimental impose cependant que la symptomatologie mesurée demeure stable dans le temps (par exemple dans les troubles obsessifs-compulsifs), ce qui est rarement le cas en psychiatrie. Une seconde condition importante est l'absence d'effets résiduels (en anglais « carry-over ») liés au médicament ou aux symptômes qui empêcheraient l'état du patient de retourner à son état de base lors du passage d'un traitement à l'autre.
3. Les essais séquentiels dans lesquels chaque patient est apparié à un patient identique, chacun recevant un traitement différent, ce qui permet pour chaque paire de patients d'émettre un résultat comparatif (supérieur, inférieur ou égal) jusqu'à ce qu'un nombre suffisant de comparaisons permette d'obtenir une significativité statistique. Ce type d'essai est essentiellement utilisé en psychiatrie pour les médicaments de la classe des hypnotiques.

5. L'ANALYSE DES RÉSULTATS

Jusqu'à ces dernières années, l'analyse des effets des traitements comparés se faisait à partir des données des patients ayant participé à la totalité de l'essai clinique et complété toutes les évaluations prévues au protocole. Ce type d'analyse (participants ayant terminé) ne tient cependant pas compte des patients sortis de l'essai en cours de protocole soit du fait des effets secondaires des produits étudiés, soit du fait de l'absence d'amélioration ou de l'aggravation possible de leurs troubles. Une telle analyse pourrait ainsi aboutir à la démonstration de l'efficacité d'un médicament par rapport au placebo, alors que seule une minorité des patients de ce groupe serait arrivée au terme de l'essai. De plus en plus fréquemment le type d'analyse utilisée dans les essais cliniques est l'analyse dite en intention de traiter, « intent to treat », dans laquelle la dernière évaluation disponible pour un patient donné est utilisée pour la comparaison statistique, le résultat de cette comparaison reflétant alors de manière plus adéquate l'intérêt « global » d'une nouvelle médication tant du point de vue d'un prescripteur potentiel que du point de vue des autorités d'enregistrement. L'analyse des seuls patients ayant complété l'essai demeure utilisé, mais essentiellement dans le but d'évaluer l'effet intrinsèque du nouveau médicament et/ou l'amplitude de ses effets thérapeutiques par rapport aux médications existantes.

Mis à part les comparaisons concernant l'efficacité des traitements, l'analyse des résultats des essais cliniques concerne également la tolérance des produits administrés, cette dernière étant mesurée le plus souvent de façon systématique par des échelles appropriées : le nombre des sorties d'essai ainsi que leurs raisons sont en particulier systématiquement pris en compte et font l'objet d'une attention particulière des autorités d'enregistrement des nouveaux médicaments. Il faut cependant savoir que les essais cliniques ne permettent pas de dépister certains effets secondaires rares ou liés à l'administration prolongée de médicaments qui, dans certains cas, amèneront leur retrait du marché après plusieurs années d'utilisation grâce à la surveillance exercée par les systèmes de « pharmacovigilance » mis en place dans la plupart des pays.

Longtemps cantonnés à l'évaluation à court terme (6-8 semaines) de l'efficacité des médicaments, les essais cliniques évaluent à présent de plus en plus fréquemment le rôle prophylactique lié à leur administration prolongée, c'est-à-dire leur efficacité pour prévenir l'apparition de rechutes dans le cadre d'une pathologie donnée (p. ex., épisodes maniaques ou dépressifs, crises de panique...). Dans ces protocoles, des patients améliorés par la médication sont répartis au hasard pour poursuivre plusieurs mois le traitement ou prendre un placebo d'allure identique, et des tables de survie sont établies dans le but de comparer entre ces groupes le nombre de rechutes en fonction du temps. Tout comme le choix des critères de guérison utilisés dans les essais d'efficacité, celui des critères de rechute revêt une importance fondamentale et devrait faire l'objet d'une validation préalable. Nombreux sont en effet les exemples où les modifications d'une dimension symptomatique ne correspondent pas obligatoirement à une amélioration des capacités fonctionnelles et/ou relationnelles des patients. De ce fait, des échelles d'évaluation plus globales, et notamment les échelles de qualité de vie, sont de plus en plus couramment utilisées en psychiatrie, y compris à titre de critère principal d'efficacité.

LA RECHERCHE EN PSYCHOGÉRONTOLOGIE

par Philippe Cappeliez

La psychogérontologie (ou psychologie gérontologique) est la science qui cherche à décrire, à expliquer, à comprendre et à modifier les comportements et conduites du sujet qui vieillit (le vieillissement) ou qui est vieux (la personne âgée) (Richard & Dirkx, 1996; Vézina, Cappeliez, & Landreville, 1994).

1. LA PSYCHOLOGIE DU DÉVELOPPEMENT HUMAIN

Plus particulièrement, la psychogérontologie cherche à comprendre comment évoluent certains aspects du fonctionnement psychologique tels que l'intelligence, la mémoire, les émotions et la personnalité pendant la phase avancée de la vie adulte. Elle s'intéresse aussi aux facteurs qui expliquent les différences entre les individus. Pour atteindre ses objectifs, elle a recours à l'arsenal de méthodes de la psychologie du développement humain, au premier chef, les protocoles de recherche transversal et longitudinal, ainsi que leur combinaison sous la forme de plans séquentiels. Revoyons ici les principales caractéristiques de ces devis de recherche, leur utilité et leurs limitations dans le cadre de la recherche en psychogérontologie.

Le protocole transversal s'applique aux investigations relatives à l'ampleur et à la direction de différences potentielles entre personnes jeunes et âgées. Des participants d'âges différents sont évalués sur l'une ou l'autre dimension au moyen des mêmes mesures à un même moment et les résultats sont comparés. Cette méthode permet de faire ressortir des différences entre les groupes d'âge mais pas d'étudier les changements associés au vieillissement. Par contre, la méthode longitudinale, au moyen de mesures reprises à intervalles réguliers auprès des mêmes personnes qui avancent en âge, permet d'examiner l'évolution temporelle des phénomènes étudiés. Les problèmes méthodologiques et pratiques associés à l'emploi des méthodes transversale et longitudinale sont complexes (pour plus d'informations voir Mishara & Riedel, 1994 ; Schaie, 1996). Rappelons ici brièvement les principaux enjeux.

Lorsque des différences entre groupes d'âge apparaissent, la méthode transversale seule ne permet pas de déterminer si c'est l'âge qui en est la cause ou bien d'autres facteurs. En effet, si cela va de soi que les participants diffèrent en âge, ils se distinguent aussi les uns des autres sur de nombreux autres plans : niveau d'éducation, santé, statut socioéconomique, expériences de vie, relations sociales, etc. Les participants à de telles études appartiennent forcément à des générations différentes avec tout ce que cela implique de particularités en ce qui a trait aux attitudes, valeurs, comportements et influences culturelles. Il est donc difficile d'attribuer sans équivoque les résultats d'études transversales à la seule influence de l'âge. Une autre manière de formuler ce dilemme est de dire que, dans la méthode transversale, l'effet de l'âge se confond avec celui de la cohorte (génération).

La méthode longitudinale présente ses difficultés propres. Si les prises de mesure à intervalles réguliers sur des périodes prolongées offrent la possibilité de suivre les effets de l'avance en âge, invariablement le temps s'écoule entre ces mesures et donc tous les facteurs associés à l'évolution historique les influencent aussi. C'est dire que les sources de variation représentées par l'âge et par le moment des mesures sont confondues dans la méthode longitudinale. On ne peut affirmer avec conviction que c'est l'une ou l'autre source de variation, voire la combinaison des deux, qui influence la variable étudiée. À titre d'exemple, admettons qu'un chercheur intéressé à l'évolution des attitudes sociales avec le vieillissement enregistre une augmentation du conservatisme dans les mesures prises auprès des mêmes personnes entre les âges de 50 à 70 ans. Ce serait une erreur de sa part d'attribuer unilatéralement ce changement au vieillissement entre 50 et 70 ans. En effet, il pourrait tout aussi bien résulter de facteurs historiques. Par exemple, les attitudes de l'ensemble de la société, pas seulement des gens âgés mais des plus jeunes aussi, pourraient avoir évolué vers un plus grand conservatisme social pendant cet intervalle de 20 ans. La méthode longitudinale soulève d'autres problèmes. Avec le progrès des connaissances et le développement de nouvelles perspectives, ses instruments et mesures peuvent devenir obsolètes et les comparaisons temporelles perdre leur pertinence. Comme pour la méthode transversale, les échantillons sont souvent constitués de volontaires recrutés au sein d'organismes de loisirs ou d'associations de personnes âgées, ou encore parmi la clientèle de maisons d'hébergement. Or ce sont les personnes de couche socioéconomique favorisée et de niveau d'éducation supérieur, et issues des tranches les plus jeunes des âgés (moins de 75 ans) qui ont tendance à se porter volontaires pour les recherches. Ces caractéristiques limitent les capacités de généraliser les résultats à l'ensemble de la population. Par ailleurs, au fil du temps, la recherche longitudinale inévitablement perd quelques participants. Outre la mortalité, les raisons principales de ces abandons sont les problèmes de santé physique et psychologique. Ainsi, au fur et à mesure que la recherche longitudinale progresse, ses effectifs évoluent graduellement vers une surreprésentation des personnes en meilleure santé physique et mentale. La représentativité de la population étudiée est faussée dans la direction positive et la généralisation des résultats est là aussi mise en doute.

Des protocoles plus complexes, les plans séquentiels, se présentent comme une tentative de solution à ces limitations des méthodes transversale et longitudinale. Ces plans complexes permettent l'analyse de l'effet de l'âge, de la cohorte et du moment de la mesure au sein d'une même étude (Mishara & Riedel, 1994; Schaie, 1996). Un type de plan séquentiel consiste dans le lancement d'une nouvelle étude longitudinale à chaque reprise de mesures de l'étude initiale, ce qui permet de tenir compte des variables associées au moment de la mesure.

Dans le fond, les problèmes méthodologiques mentionnés relèvent intrinsèquement de la complexité de l'étude de tout phénomène qui se modifie avec le temps (Richard & Dirkx, 1996). Clairement, une compréhension des effets imbriqués de l'âge, de la cohorte et du moment de la mesure représente un défi de taille, rendu plus complexe encore par la grandes variabilité entre les individus, phénomène dissimulé derrière les moyennes de groupe.

2. LA PSYCHOLOGIE COGNITIVE

Un autre vaste domaine de recherche en psychogérontologie concerne l'influence du vieillissement sur les fonctions cognitives, domaine qui présente des problèmes méthodologiques singuliers (Hupet & Van der Linden, 1994).

Les études sur la mémoire sont particulièrement représentatives de ce domaine de recherche. Parce qu'elle vise à préciser son analyse des purs processus cognitifs, la recherche en psychologie cognitive du vieillissement accorde relativement peu d'attention aux variables d'ordre motivationnel et émotionnel qui certes peuvent influencer les processus cognitifs. Cette prise en considération des caractéristiques de la personne et du milieu dans lequel elle vit est essentielle pour la validité écologique des études menées dans les conditions contrôlées des laboratoires. La capacité de généraliser les résultats des recherches au fonctionnement dans la vie de tous les jours de la personne âgée est ici en cause. Cette perspective appliquée se centre sur la compétence et l'adaptation de la personne âgée dans son milieu naturel, et non plus seulement sur son niveau de performance dans des tâches cognitives de laboratoire. Les tentatives pour optimiser le fonctionnement cognitif de la personne âgée, domaine qui s'écarte d'une vision purement déficitaire du vieillissement (Van der Linden, Belleville & Juillerat, 2000), se fondent sur cette approche individualisée de l'évaluation du fonctionnement cognitif.

Au plan théorique, le problème majeur dans le domaine du vieillissement est l'absence de modèles intégratifs qui permettraient de spécifier les interrelations entre les différentes composantes du traitement de l'information.

3. LA PSYCHOLOGIE CLINIQUE

Par définition, la psychologie clinique se préoccupe des personnes âgées qui éprouvent des problèmes psychologiques et qui ont besoin d'aide. Les recherches concernant la dépression sont un exemple de ce champ de recherche.

Avec l'ubiquité des stéréotypes négatifs du vieillissement, le risque est grand de (psycho)pathologiser la vieillesse en n'y voyant que représentation de mauvaise santé physique et mentale, d'incapacité et d'incompétence. Le danger d'une adéquation entre avancement en âge et détérioration de la santé peut conduire à pathologiser toutes les questions du vieillissement, dès lors envisagées sous le seul angle du déclin. La prudence est de mise quand on considère que les distinctions entre vieillissement normal et vieillissement pathologique restent floues. Ainsi, à titre d'exemple, si la démence Alzheimer est généralement considérée comme une maladie, elle entretient un rapport particulier avec le vieillissement cognitif « normal », puisque l'âge comme tel constitue un facteur de risque. On ne soulignera donc jamais assez l'importance pour le chercheur et le praticien d'une base solide de connaissances sur la psychologie du vieillissement normal (Pushkar & Arbuckle, 2000).

La recherche en psychologie clinique du vieillissement connaît aussi ses problèmes. Les études de validité et de fidélité des instruments d'évaluation sont souvent déficitaires parce que les échantillons de personnes âgées sont insuffisants. L'absence de normes pour les personnes âgées pour beaucoup d'échelles, d'inventaires et de questionnaires utilisés le plus couramment en clinique adulte est notoire. Lorsque des normes sont disponibles, elles sont proposées en une seule catégorie pour l'ensemble des participants plus âgés, sans égard aux différences entre sous-groupes au sein de cette large classe d'âge qui va des sexagénaires aux centenaires. Les problèmes de disponibilité d'instruments adéquats se complexifient encore plus avec les différences entre les groupes d'âge quant à la reconnaissance et à la communication des problèmes et des symptômes psychologiques. Comme ailleurs dans la recherche en psychogérontologie, les participants capables et désireux de participer à des études sur une base volontaire sont souvent les personnes globalement plus fonctionnelles, ce qui biaise les résultats.

4. PROBLÈMES MÉTHODOLOGIQUES GÉNÉRAUX

Plusieurs problèmes méthodologiques en psychogérontologie concernent la nature des échantillons et la participation des personnes âgées aux recherches.

Un des stéréotypes de la phase avancée de l'âge adulte est de considérer le groupe des plus de 65 ans comme homogène. Or, bien peu de questions s'accommodent d'une telle analyse globale du large groupe des plus de 65 ans. Les octogénaires, nonagénaires et centenaires sont de plus en plus nombreux dans notre société et pourtant ils sont encore trop peu représentés dans les recherches.

Les questions relevant de la compétence de la personne dans la vie quotidienne réclament une analyse détaillée des niveaux de fonctionnement dans différentes sphères de vie. Concernant la participation et la représentativité des participants âgés, la réticence que manifestent certaines personnes âgées à l'égard de l'évaluation par des professionnels, en particulier dans les domaines du fonctionnement cognitif et de la psychopathologie, présente une difficulté particulière. Cette réticence trouve son origine dans des inquiétudes concernant les véritables motifs de l'évaluation, et la crainte d'un constat d'incompétence. Il faut savoir que, tout au moins pour la cohorte de personnes âgées d'aujourd'hui, l'écart d'âge entre la personne âgée et celui ou celle qui l'évalue se double souvent d'une nette disparité dans le niveau d'éducation et dans la compréhension « des choses psychologiques ». Cette situation peut susciter des sentiments d'infériorité et d'incompréhension chez la personne âgée. Il faut signaler que tout ce contexte de l'évaluation en psychogérontologie, en particulier la compréhension et le respect des consignes à un test, de même que l'influence des attitudes, des attentes et de la désirabilité sociale sur les réponses aux questionnaires et aux épreuves, reste un domaine insuffisamment exploré, malgré l'impact évident de ces facteurs sur la validité des évaluations.

Dans un milieu de soins comme une résidence d'accueil, la participation de personnes âgées à la recherche peut être enrayée par une attitude protectrice du personnel qui, peu convaincu du bénéfice immédiat de la recherche pour ses bénéficiaires, sera surtout sensible à ce que la recherche comporte de contraignant et d'intrusif. Ces remarques soulignent la nécessité d'une collaboration étroite entre le monde de la pratique et celui de la recherche.

Un autre problème propre à la recherche en psychogérontologie concerne la mobilité des participants. Pour diverses raisons de nature physique et économique, il est souvent plus difficile pour les personnes âgées de se déplacer pour participer à des activités de recherche, qu'elles habitent dans un domicile privé ou en établissement de soins. Comme l'entrevue est le mode de collecte de données le plus courant en psychogérontologie, les chercheurs sont donc souvent amenés à se déplacer dans le lieu de vie de la personne âgée pour mener leur recherche, ce qui exige une organisation particulière pour assurer des conditions adéquates sur le plan pratique (choix du local temporaire, minimisation des distractions et des interférences...) et pour garantir l'intégrité de la recherche.

5. L'ÉTHIQUE DE LA RECHERCHE

Les recherches en psychogérontologie doivent être encadrées par des principes éthiques (Tymchuk, 1997, chapitre 11). Certaines questions telles que la confidentialité, le consentement éclairé et le traitement adéquat des participants prennent une résonance particulière lorsqu'il s'agit de personnes âgées. Ainsi, la confidentialité présente un défi dans le cas de personnes âgées vivant dans un milieu institutionnel. La question du consentement éclairé est délicate lorsque la personne âgée présente des déficits cognitifs, et ce n'est pas elle mais bien l'entourage familial qui signale le problème aux professionnels.

6. CONCLUSION

Avec des personnes âgées, des problèmes comme les limitations fonctionnelles ou la souffrance physique, leurs transformations et leurs relations sont souvent la résultante de plus d'un trouble, un voie finale commune de troubles cognitifs, physiques et émotionnels qui se sont installés avec le temps. Le bagage génétique, le style de vie, les habitudes, et l'expérience, mais aussi le milieu physique et social, ainsi que les plans et les anticipations pour le futur ont influencé cette évolution. Il est donc clair que l'étude du vieillissement est une entreprise complexe qui nécessite un pluralisme méthodologique pour étudier les multiples facettes des phénomènes et pour promouvoir l'intégration des connaissances (Lefrançois, 1995). En particulier, le pluralisme méthodologique promeut le croisement de méthodes diverses au sein d'une même étude, par exemple l'utilisation conjointe de méthodes quantitatives et qualitatives. Les méthodes mixtes où plusieurs sources de données, par exemple l'entretien auprès d'informateurs clés, l'observation participante et l'étude de cas, sont fusionnées présentent un intérêt particulier dans le domaine du vieillissement. Étant donné la complexité des interactions entre les dimensions biologiques, psychologiques et sociales du vieillissement, la gérontologie a nécessairement un caractère pluridisciplinaire qui ne peut s'épanouir que dans un contexte de pluralisme méthodologique.

Les conclusions tirées des données recueillies auprès des personnes âgées d'aujourd'hui seront-elles encore valides demain? Étant donné l'impact des changements de la société sur les variables psychologiques et les différences entre les générations, on peut logiquement anticiper des révisions en profondeur des résultats de recherche dans des domaines particulièrement sensibles à ces influences, tels que les rôles sociaux, les relations conjugales, la sexualité et des problèmes psychologiques comme l'anxiété ou la dépression.

LA RECHERCHE CLINIQUE SUR L'EFFICACITÉ D'INTERVENTIONS PSYCHOSOCIALES

par André Marchand

La grande majorité des psychologues cliniciens et des intervenants en sciences sociales conçoivent leur discipline comme une science empirique, donc comme une aide scientifiquement fondée pour des personnes souffrant de troubles psychologiques ou de difficultés d'adaptation. Pour répondre à ces exigences le chercheur clinicien se doit d'évaluer la validité de diverses théories, l'efficacité de stratégies d'intervention et l'impact de leur application auprès de la population, et ce, à partir de méthodes de recherche bien construites empiriquement, c'est-à-dire à l'aide de la recherche clinique. Celle-ci consiste, comme toute recherche, à observer les phénomènes à l'étude, à concevoir et à formuler des hypothèses et à les mettre à l'épreuve. Cependant, une difficulté inhérente à la recherche clinique tient au fait que le clinicien chercheur doit résoudre des problèmes psychosociaux complexes dans des situations dont il ne peut très souvent ni analyser ni contrôler systématiquement les variables. Il lui faut donc saisir une situation globale et agir en fonction d'hypothèses dont il ne peut pas vérifier le détail. Très souvent, ce qui compte pour lui c'est la compréhension globale et l'action efficace, quelles qu'en soient les explications sous-jacentes (Huber, 1993). Le chercheur clinicien doit donc réduire la complexité des informations, préciser, spécifier et simplifier la réalité, la décrire en termes de quelques variables contrôlables (Huber, 1987).

Pour atteindre ce but, il doit faire appel à diverses solutions alternatives à diverses méthodes d'investigation adaptées aux multiples et différents domaines d'étude ainsi qu'à leurs contraintes. Il doit travailler avec une très grande diversité de populations s'échelonnant de la petite enfance aux personnes âgées et étudier une variété de populations spécifiques comme celles vivant des expériences particulières (p. ex., les prisonniers de guerre, les personnes seules), celles aux prises avec des difficultés psychologiques et psychiatriques typiques ou avec des problèmes de santé importants. Le chercheur clinicien étudie également les individus en contact avec les populations particulières (p. ex., les enfants ou les conjoints d'alcooliques, les conjoints de clients dépressifs, etc.). De plus, la recherche clinique s'effectue dans divers milieux (p. ex., laboratoire, clinique, hôpital, prison, école, industrie) et en conjonction avec différentes disciplines (p. ex., psychologie, médecine, psychiatrie, neurologie, pédiatrie, criminologie, etc.). Enfin, la recherche clinique touche une grande variété de sphères d'étude à l'intérieur même de son champ d'expertise. Par exemple, les sphères d'étude peuvent concerner l'analyse des caractéristiques de la personnalité, l'évaluation, le diagnostic, le traitement et la prévention des dysfonctions cliniques, les variations interculturelles et ethniques au niveau de la personnalité, etc.

Un problème inhérent à la recherche clinique et particulièrement pour le chercheur clinicien consiste à opérer des restrictions et simplifications significatives afin d'augmenter la validité interne, tout en tentant d'obtenir des résultats qui conservent une bonne valeur clinique. Pour ce faire, le chercheur clinicien peut choisir parmi plusieurs façons de procéder (méthodes d'investigation) pour recueillir des données, les analyser, les mettre en rapport et tirer des conclusions (Kazdin, 1992). Généralement, le praticien scientifique débute par l'étude de cas pour ensuite utiliser la méthode corrélationnelle et normative, et, finalement, l'étude expérimentale ainsi que la méta-analyse (Lambert & Bergin, 1994).

1. LES BUTS ET OBJECTIFS DE LA RECHERCHE CLINIQUE

Dans l'ensemble, les buts et objectifs de la recherche clinique consistent à élaborer et à acquérir un savoir théorique, à mieux comprendre les processus, les mécanismes et les ingrédients thérapeutiques. Ils consistent également, pour des raisons psychosociales et éthiques, à créer, élaborer et valider, de même qu'à améliorer divers moyens d'action, différentes formes d'intervention alternatives, à vérifier l'impact du traitement sur le fonctionnement psychosocial des personnes qui se trouvent dans une situation de détresse, donc à acquérir un savoir pratique (Hubert, 1993; Kazdin, 1994). La recherche clinique permet d'obtenir une réponse aux questions que l'ensemble des praticiens scientifiques se posent à propos de toute intervention, à savoir :

a) Quels sont les effets thérapeutiques ? Il s'agit non seulement de décrire les effets obtenus, mais aussi de savoir s'ils persistent, s'ils diminuent avec le temps ou augmentent.

b) Quels sont les facteurs et mécanismes qui les ont produits ? Le praticien scientifique se demande ce qui se passe pendant la thérapie, quels sont les processus qui s'y déroulent et, surtout, lesquels parmi ces processus peuvent être considérés comme responsables du changement thérapeutique (p. ex., l'alliance thérapeutique, le degré d'engagement, une technique spécifique).

c) Quels sont les coûts des effets et quels en sont les bénéfices ? Pour déterminer l'efficience de l'intervention c'est-à-dire les coûts et les effets, il faut connaître non seulement les stratégies d'intervention les plus efficaces, mais également les coûts-bénéfices pour le client et la société. Le coût du résultat d'une intervention thérapeutique se fait en quantifiant les ressources utilisées pour mener à bien la thérapie. Ces ressources ne sont pas seulement financières et leur appréciation doit tenir compte également de l'investissement en temps et en énergie, de la qualité de vie du client, des frais occasionnés au client, à ses proches, à son employeur, à la société, aux tiers payeurs, etc.

d) Quelles en sont les indications, c'est-à-dire les indications spécifiques d'une technique thérapeutique ? La recherche sur l'indication porte sur les facteurs qui rendent compte des différences individuelles en situation clinique réelle. En fait, le praticien scientifique veut savoir quelle est la meilleure méthode avec un client ou une problématique spécifique et comment il doit adapter la méthode aux particularités du client et de l'évolution de la thérapie.

2. LES DIFFÉRENTES QUESTIONS QUE SE POSE LE PRATICIEN SCIENTIFIQUE

Il existe différentes méthodes d'investigation pour répondre aux multiples questions que se pose le praticien scientifique afin de développer et d'identifier les interventions efficaces. Selon le type de questions qu'il se pose, il déterminera la stratégie d'investigation à utiliser. À titre d'exemple, répondre à la question « un traitement donné produit-il des changements thérapeutiques ? » exige un protocole de recherche expérimental comprenant au moins deux conditions, l'une recevant le traitement cible, l'autre recevant un contrôle adéquat (placebo, liste d'attente, absence de traitement, etc.). Plus le niveau de questionnement se complexifie, plus la stratégie de recherche doit tenir compte de paramètres multiples et confondants (Kazdin, 1992, 1994 ; Lambert & Bergin, 1994). Voici les principales questions empiriques, les stratégies alternatives pour y répondre et les exigences de base :

a) Est-ce que le traitement multimodal produit des changements thérapeutiques ? Généralement, dans ce type d'étude on compare le traitement cible à une condition contrôle (liste d'attente ou traitement placebo).

b) Quelles sont les composantes nécessaires, suffisantes et facilitatrices du changement thérapeutique (stratégie de démantèlement) ? Habituellement, avec l'aide de deux ou plusieurs conditions d'intervention, le chercheur élimine certaines composantes du traitement donné et analyse les effets.

c) Quelles sont les composantes ou autres formes de traitement qui peuvent être ajoutées, jumelées, afin d'augmenter les changements thérapeutiques (stratégies dites constructives) ?

Dans ce cas-ci, toujours en utilisant deux ou plusieurs conditions d'intervention, le chercheur ajoute certains ingrédients ou certaines composantes thérapeutiques et analyse leurs effets.

d) Quelles modifications à l'intérieur d'un traitement spécifique peuvent être faites pour en augmenter l'efficacité (stratégie portant sur les paramètres) ? Pour atteindre cet objectif, le clinicien chercheur tente de varier certains aspects du traitement, par exemple l'ordre d'apparition des techniques d'intervention, la durée, etc..

e) Quel traitement est efficace pour une population précise (stratégie de comparaison) ? Ici le chercheur compare deux ou plusieurs traitements différents pour un même problème.

f) De quelles variables (caractéristiques du client, de la famille, de son environnement, du thérapeute) l'efficacité du traitement dépend-elle (stratégie concernant les variations thérapeute-client) ? Les traitements sont appliqués séparément en fonction de divers types de cas, de thérapeutes, etc.

g) Quel processus thérapeutique affecte les performances durant les sessions thérapeutiques et contribue à l'issue du traitement (processus relationnel) ? Ici on évalue durant les traitements les diverses et multiples interactions entre les thérapeutes et les clients et, surtout, le clinicien chercheur tente de mieux connaître ses interactions qui influencent l'efficacité de l'intervention.

3. PROBLÈMES MÉTHODOLOGIQUES ET PRATIQUES (SOURCE D'INVALIDITÉ INTERNES ET EXTERNES)

Idéalement, la recherche clinique devrait se faire à l'aide d'un vaste échantillon d'individus qui consultent pour un problème spécifique, répartis au hasard dans les différentes conditions expérimentales. Les individus devraient être traités par des intervenants possédant une solide expérience clinique et de multiples mesures d'efficacité portant sur divers indices de changement thérapeutique devraient être enregistrées par des observateurs aveugles aux hypothèses ainsi qu'aux manipulations de l'étude. Malheureusement, cet idéal existe peu en recherche clinique. En effet, compte tenu de la nature particulière du contexte clinique, l'application des méthodes d'investigation aux problèmes psychosociaux ne va pas sans poser quelques difficultés d'ordre méthodologique, pratique aussi bien qu'éthique.

3.1. Les conditions expérimentales et contrôles

Entre autres, l'affectation aléatoire des participants à différentes conditions expérimentales et de contrôle pose des difficultés. Premièrement, il arrive rarement que l'on dispose d'un nombre suffisant de clients pour procéder de cette façon, ce qui limite le choix des protocoles expérimentaux et la portée des résultats. De plus, le recours à des individus recevant un traitement placebo ou laissés sur une liste d'attente durant un certain temps soulève des questions d'ordre éthique. Certains clients ne tolèrent pas de faire partie d'une condition contrôle ou d'attendre pour bénéficier d'un traitement. Pour leur part, les cliniciens sont réticents à affecter des clients dans des conditions où il y a peu de probabilités pour ces derniers d'obtenir une amélioration cliniquement significative. Plusieurs solutions existent afin de compenser le nombre insuffisant de clients et les problèmes soulevés par les conditions contrôles. Tous les praticiens scientifiques peuvent utiliser les protocoles intrasujets qui représentent une manière simple, originale et adaptée de promouvoir la recherche clinique (Kazdin, 1992). En outre, s'il y a un nombre suffisant de mesures, il est même possible d'appliquer une analyse statistique comparative des différentes phases. Ce type de protocole représente un moyen efficace et rapide de vérifier une hypothèse sans engager les frais d'une étude expérimentale contrôlée. Une autre solution au problème des conditions contrôles consiste à chercher des clients comparables mais qui ne reçoivent pas de traitement et dont on connaît l'évolution naturelle spontanée (rémission spontanée), ou à trouver des clients comparables soumis à d'autres formes de traitement.

3.2. Le diagnostic

Le chercheur clinicien fait face à une multitude de problèmes et il doit sélectionner, appliquer et adapter avec soin les différentes méthodes d'investigation, afin de ne pas manquer la singularité et la spécificité du phénomène clinique en question. Par exemple, il lui faut définir et spécifier en termes mesurables et observables la ou les problématiques afin de mieux connaître l'effet de l'intervention. Pour ce faire, il doit préciser les critères définissant la problématique étudiée (des critères diagnostiques dans le cas des maladies mentales) et inclure dans les échantillons constituant la condition expérimentale et contrôle uniquement des participants qui répondent à ces critères afin de constituer des conditions homogènes. Comme illustré à la section sur l'épidémiologie, il est plus difficile que l'on pense de poser un jugement clinique objectif, valide, sensible et fidèle. En effet, plusieurs facteurs influencent le diagnostic clinique, comme la situation où se pratique l'évaluation, l'orientation et le cadre de références théoriques de l'intervenant, les styles d'approche pour établir un jugement clinique, des critères diagnostiques plus ou moins bien définis, l'effet de halo, de clémence, l'erreur logique, etc. Il semble que le clinicien n'est pas un aussi bon juge qu'il le croit lorsqu'il s'agit de sa propre activité, et des facteurs de distorsions et d'erreurs peuvent jouer à toutes les phases du processus d'évaluation (Huber, 1987). Afin de contrer ces facteurs négatifs, il existe un certain nombre de solutions relativement récentes, comme l'utilisation d'entrevues semi-structurées ou structurées afin de poser le diagnostic principal et les diagnostics différentiels ou concomitants (le SCID, l'ADIS-IV, le CIDI, etc.), l'évaluation informatisée (Newman, Consoli, & Taylor, 1997), l'obtention d'un accord interjuges, l'entraînement systématique et la supervision des évaluateurs, etc.

Un autre problème relié au diagnostic concerne la validité interne et externe d'une étude clinique. En effet, avoir un échantillon d'individus homogène, un groupe « pur » possédant le même diagnostic (p. ex., trouble d'anxiété généralisée) sans aucune autre manifestation symptomatique ou diagnostique concomitante, est primordial pour la validité interne de l'étude. Néanmoins, cela crée un problème de validité externe, car les résultats pourront difficilement s'appliquer à la réalité clinique qui, elle, est constituée d'individus ayant très souvent un problème principal jumelé à plusieurs autres difficultés concomitantes ou secondaires (p. ex., un trouble panique associé à une phobie sociale et à un trouble de personnalité). La solution réside en une série d'études où les chercheurs font varier les critères d'inclusion et d'exclusion de la clientèle. D'une population possédant une symptomatologie unique « pure », on s'oriente de plus en plus vers une population possédant une kyrielle de pathologies secondaires.

3.3. L'adhésion aux consignes

Un autre problème en recherche clinique concerne l'adhésion du client au protocole de recherche ou à la thérapie (le terme « observance » est souvent utilisé, mais possède une signification plus passive). L'adhésion peut être considérée comme satisfaisante si le client suit la totalité de l'intervention (p. ex., respecte le nombre de séances thérapeutiques, reçoit les interventions appropriées), sans modification, adjonction, réduction ou augmentation en cours de route. Il peut arriver, pour toutes sortes de raisons, que les clients ne suivent pas les recommandations prescrites pour l'étude clinique. Par exemple, l'individu peut ne pas respecter toutes les activités à mettre en pratique entre les sessions de thérapie (exposition aux situations phobogènes et relaxation à domicile, programmes d'activités pour les individus déprimés, etc.). Une solution pour remédier à ce manque d'adhésion consiste à noter à l'aide d'une grille d'observation ou d'un journal quotidien la réalisation des activités prescrites ou les difficultés de réalisation du programme thérapeutique, puis d'en discuter à chaque rencontre avec le thérapeute. L'affectation du client à la condition contrôle peut également entraîner une absence d'observance de la procédure de contrôle et amener les clients à suivre une autre thérapie concomitante, même s'ils sont assurés d'obtenir le traitement de leur choix à la fin de la période de contrôle. De même, l'affectation aléatoire des clients dans les diverses conditions expérimentales peut influencer grandement l'adhésion. Même si les clients ont donné leur consentement écrit à l'affectation aléatoire, ils peuvent avoir des préférences pour une condition ou l'autre. Ils risquent donc de participer plus ou moins activement, ou même pas du tout, à la thérapie qui leur a été assignée si ce n'est pas celle qu'ils désiraient recevoir. Inversement, les clients qui obtiennent par affectation aléatoire le traitement convoité risquent de manifester une meilleure adhésion et donc des résultats meilleurs. Pour combler cette lacune, il peut être utile d'évaluer au départ les croyances des clients à l'égard des divers traitements proposés et d'établir la corrélation à l'observance et aux résultats (Talley, Strupp, & Butler, 1994).

Un autre facteur qui peut influencer l'adhésion du client concerne l'application de la thérapie et la cohérence de l'intervenant avec le modèle thérapeutique proposé, autrement dit, l'adhésion du thérapeute lui-même au processus thérapeutique. Pour remédier à ce problème potentiel, on utilise très souvent des grilles de vérification de la compétence du thérapeute (intégrité thérapeutique) dans sa façon de prodiguer l'intervention planifiée, d'organiser un programme d'activité avec le client et d'établir une relation thérapeutique. Ce type de grille permet, à partir d'enregistrements vidéo ou audio des séances thérapeutiques, d'évaluer l'intégrité, la conformité du thérapeute par rapport à ce type de thérapie, des stratégies qu'il doit appliquer ou du type de relation qu'il doit établir avec le client.

3.4. La signification statistique et clinique

Les analyses statistiques des données posent d'autres types de difficultés. En effet, il faut savoir si les différences constatées entre des conditions peuvent être attribuées au hasard ou non. La réponse à cette question s'obtient en comparant les observations recueillies à des distributions de probabilités connues, c'est ce que permettent les analyses statistiques (voir chapitre 9). Or, pour observer des différences significatives entre les conditions de comparaison, il faut satisfaire certains postulats qui ne sont pas toujours accessibles dans le contexte clinique. Par exemple, pour préciser la puissance minimale nécessaire et la taille de l'échantillon afin de détecter des différences significatives entre les conditions, il faut bien comprendre la signification des tests statistiques et être en mesure de calculer l'amplitude des effets (*effect size* en anglais), afin de quantifier cliniquement l'efficacité du traitement. Ensuite se pose la question de savoir si des différences statistiquement significatives ont également une signification clinique. Cette mesure essentielle du changement thérapeutique s'effectue à l'aide de différentes méthodes comprenant un part d'arbitraire et donc encore difficilement comparables entre elles.

Par exemple, il est possible de comparer les données obtenues avec celles provenant d'un échantillon d'individus dits non cliniques, avec des données normatives. Il est également possible de faire la comparaison avec des échantillons d'individus encore dysfonctionnels ou simplement de mesurer les changements intragroupes ou d'évaluer le changement thérapeutique de manière subjective, soit par l'appréciation du client ou du thérapeute, ou de mesurer l'impact du traitement au niveau social. Toutes ces façons de procéder, quoique intéressantes, posent des problèmes d'interprétation, de validité et doivent être considérées en fonction encore une fois du contexte clinique (voir Jacobson & Truax, 1991, pour une discussion plus approfondie).

3.5. Autres difficultés

Ainsi, la recherche clinique doit surmonter plusieurs obstacles. Par exemple, il faut veiller à ne pas privilégier indûment des variables facilement quantifiables mais de faible intérêt scientifique, aux dépens de celles dont le contenu clinique est plus dense mais dont la quantification est aussi plus difficile. L'évaluation des effets de la thérapie pose également des problèmes. Il faut bien circonscrire les critères d'amélioration. Or, comment mesure-t-on le changement, l'amélioration ou la disparition des symptômes ou du problème pour lequel le client est venu en thérapie? De plus, les effets d'une thérapie ne se limitent pas aux variables explicitement et spécifiquement visées par la thérapie et la théorie qui la soutiennent. Comment peut-on les évaluer? Quel instrument de mesure du changement faut-il employer? Les instruments doivent satisfaire les critères psychométriques usuels, mais ils doivent aussi être précis, suffisamment spécifiques et sensibles aux changements thérapeutiques visés. Quand le faire? Il faut choisir les moments idéaux qui permettent d'observer les changements à court, à moyen et à long terme. Avec qui le faire? Les effets thérapeutiques à évaluer étant définis, il se pose la question de savoir qui va le faire et par quel moyen. Il faut savoir que ni le client ni le thérapeute ne sont des juges neutres, non biaisés.

Pour terminer, la recherche en psychologie clinique et en sciences sociales utilise différents moyens, diverses méthodes d'investigation pour élaborer et acquérir un savoir théorique et pratique (Huber, 1993). Or, chacune de ces méthodes possède ses problèmes, ses avantages et ses inconvénients et aucune ne permet à elle seule de résoudre les multiples problèmes et embûches que posent l'étiologie, le diagnostic, l'évaluation et le traitement des problèmes psychosociaux. Chacune des méthodes d'investigation n'en saisit qu'un aspect plus ou moins important selon le problème posé et le degré d'avancement des connaissances, et toutes doivent intervenir, à un moment ou l'autre, pour faire avancer notre connaissance et notre compréhension théorique et pratique. Le chercheur et le clinicien doivent donc absolument travailler conjointement; ils doivent se prêter un mutuel appui et c'est ici qu'intervient la tâche du praticien scientifique.

LA RECHERCHE SUR LE COMPORTEMENT ANIMAL

par François Y. Doré

Le comportement des animaux est étudié par plusieurs disciplines scientifiques. Certaines ont une orientation zoocentriste, c'est-à-dire qu'elles s'intéressent d'abord et avant tout aux animaux eux-mêmes. C'est le cas de la psychologie comparée, dont les origines remontent aux premiers disciples de Charles Darwin (Doré & Kirouac, 1987). C'est également le cas de l'éthologie, de la sociobiologie et de l'écologie comportementale, qui sont plus récentes et qui prennent leur origine dans la biologie moderne. Par la comparaison d'espèces variées à l'intérieur d'un même groupe ou de groupes taxinomiques différents, ces sciences du comportement visent à comprendre l'origine évolutive et la fonction adaptative des conduites et des sociétés animales. L'espèce humaine fait partie de leur domaine d'investigation, mais elle est analysée, comme les autres espèces animales, dans la perspective de l'évolution par sélection naturelle. D'autres sciences du comportement, notamment la psychologie animale, la neuropsychologie et les neurosciences cognitives, ont une orientation plus anthropocentriste et s'intéressent donc en priorité à l'humain. Comme dans les sciences biomédicales, l'animal sert de modèle de base pour mettre au point de nouvelles méthodes expérimentales et pour tester des hypothèses et des théories qui serviront ensuite à étudier et à mieux comprendre le comportement humain normal et pathologique.

L'utilisation des animaux dans la recherche sur le comportement offre plusieurs avantages pratiques. Premièrement, contrairement aux expériences effectuées sur des sujets humains, l'échantillon de participants ne se limite pas aux seuls volontaires et est vraisemblablement plus représentatif. Deuxièmement, il est plus facile que chez les humains de contrôler avec précision et rigueur une foule de variables : caractéristiques génétiques ; régime alimentaire ; photopériode ; température, humidité et dimensions des espaces d'habitat et d'expérimentation ; etc. Ce contrôle s'avère souvent nécessaire pour bien identifier les variables qui influencent réellement un comportement. Troisièmement, la longévité relativement courte de certains animaux, en particulier des rongeurs, permet d'étudier, dans un temps raisonnable, plusieurs générations et d'analyser des effets liés au développement ontogénétique qui, chez l'humain, mettraient plusieurs décennies à se manifester.

L'utilisation des animaux permet aussi plus d'objectivité et d'impartialité. Quand l'objet d'étude et le chercheur appartiennent tous deux à l'espèce humaine, il est non seulement plus difficile d'être objectif, mais la relation entre le chercheur et les participants peut introduire, à leur insu, des biais importants dans les résultats. Par exemple, les travaux sur le phénomène des consignes implicites de la tâche ont montré que souvent les sujets humains essaient de plaire ou de déplaire à l'expérimentateur (Rosenthal, 1966). Ils tentent de deviner le but de la recherche et les résultats qu'ils sont censés produire : ils se comportent alors en fonction des attentes présumées du chercheur plutôt qu'en fonction des variables auxquelles ils sont soumis et dont on veut mesurer l'influence. Les recherches sur les animaux ne sont pas exemptes de tout biais expérimental, mais elles évitent au moins les problèmes inhérents aux inférences faites par les participants.

Sur le plan déontologique, plusieurs expériences seraient impossibles à effectuer avec des sujets humains et présenteraient des risques tout à fait inacceptables. Personne n'accepterait, par exemple, qu'à des fins expérimentales le génotype d'embryons humains soit manipulé, que des nourrissons soient élevés dans des conditions de privation sensorielle ou sociale, que des lésions cérébrales soient infligées à des personnes en bonne santé, qu'on teste un nouveau neuroleptique sur des personnes souffrant de maladie mentale sans en avoir évalué au préalable les effets secondaires sur des animaux ou qu'on expose volontairement des populations à certains polluants pour en examiner les effets neurotoxiques.

Il faut par ailleurs insister sur le fait que, contrairement à ce qui est souvent véhiculé dans les médias, la recherche animale est soumise à des règles déontologiques extrêmement sévères et que toutes les interventions expérimentales sont sous étroite surveillance. Ainsi, au Canada, toute recherche ou toute utilisation pédagogique des animaux dans les collèges et universités doit se conformer aux normes édictées par le Conseil canadien de protection des animaux, lesquelles sont parmi les plus exigeantes dans le monde. Ces normes touchent à des aspects très variés :

principes de base du traitement adéquat et du respect des animaux (utilisation d'un nombre minimal de participants ; minimisation de la douleur et de la souffrance dans les cas où elles demeurent inévitables ; probabilité raisonnable d'acquérir de nouvelles connaissances qui contribueront éventuellement à l'amélioration de la santé et du bien-être des humains et des animaux) ; installations (éclairage, température, ventilation, etc.) ; hygiène et sécurité ; normes régissant les divers types d'interventions expérimentales (privation d'eau ou de nourriture, modalités d'injection, anesthésie, analgésie, euthanasie, etc.). La négligence et les abus peuvent entraîner la fermeture d'un laboratoire, la fin des subventions de recherche et même des poursuites devant les tribunaux. Quand elles prennent connaissance de ce code de déontologie, plusieurs personnes étrangères à la recherche sont portées à conclure que les animaux de laboratoire sont beaucoup mieux traités que bien des animaux domestiques ou de ferme, et certains ajoutent même qu'ils semblent mieux traités que bien des êtres humains.

Afin de s'assurer de la mise en vigueur de ces normes de protection, chaque collège et chaque université du Canada doit constituer un comité local de déontologie animale. Ce comité se compose non seulement de chercheurs mais aussi d'un vétérinaire indépendant de l'institution et d'un représentant des associations de protection des animaux. Le comité analyse toutes les recherches qui relèvent de sa compétence et vérifie leur conformité aux normes canadiennes. Tout achat d'animaux est impossible avant que le certificat d'approbation déontologique ait été accordé. Le comité local a donc le pouvoir d'empêcher la réalisation d'une recherche qui contrevient aux normes. De plus, le Conseil canadien de protection des animaux envoie périodiquement dans chaque établissement un comité visiteur qui inspecte en détail toutes les animaleries et tous les laboratoires, et fait des recommandations pour modifier ou améliorer les conditions de logement et d'expérimentation. Certaines visites sont planifiées et annoncées à l'avance, mais d'autres sont faites sans préavis.

Les données d'une enquête menée aux États-Unis (Gallup & Suarez, 1985) montrent que, contrairement à certains mythes, l'utilisation des animaux dans les expériences en psychologie a légèrement diminué sur une période de 40 ans. En 1939, environ 10 % des articles publiés faisaient état d'expériences menées sur des animaux, alors qu'en 1979 ce pourcentage était d'environ 7 %. De plus, les souris, les rats et les oiseaux (surtout des pigeons) représentent 95 % des animaux utilisés, alors que les chiens, les chats et les primates ne représentent que 1 %. D'ailleurs, il semble que le « milieu naturel » urbain soit plus impitoyable que les laboratoires. En effet, aux États-Unis, les exterminateurs professionnels utilisent annuellement neuf millions de tonnes de poison à rat et, chaque année, au moins 20 millions de chats et de chiens sont abandonnés par leurs propriétaires, la moitié d'entre eux devant être euthanasiés alors que l'autre moitié est victime de collisions avec des automobiles ou meurt par manque de soins (Miller, 1985). En 1983, les laboratoires de psychologie américains ont utilisé 10 000 fois moins de chats et de chiens et si les chercheurs se montraient aussi négligents que certains propriétaires d'animaux domestiques, ils feraient l'objet de sanctions très sévères.

Il est vrai que, pendant longtemps, les animaux de laboratoire n'ont été protégés par aucun code de déontologie ou principes d'éthique formels. Comme aucune réglementation humaine n'est parfaitement observée par tous, il se peut qu'il y ait encore des cas de négligence ou de mauvais traitements. Cependant, depuis une trentaine d'années la mise en vigueur des règles déontologiques est de plus en plus efficace et les infractions rapidement détectées et dénoncées. Plusieurs associations de protection des animaux le reconnaissent, acceptent ce mal nécessaire qu'est la recherche sur les animaux et collaborent à l'amélioration de leurs conditions de vie dans les laboratoires. Par contre, avec d'autres associations tout dialogue semble impossible ; aucun code de déontologie, aucun fait, aucune statistique ne réussira jamais à les convaincre que les chercheurs, loin d'être des tortionnaires sadiques, travaillent avec les animaux pour améliorer le bien-être des humains ou des animaux eux-mêmes. Certes, il faut protéger les animaux de laboratoire et faire en sorte qu'ils vivent dans les meilleures conditions possibles. Mais avant d'interdire toute recherche animale, il faudra y réfléchir à deux fois, car les conséquences pourraient être désastreuses autant pour les animaux que pour les humains.

1. CONTRIBUTION DE LA RECHERCHE ANIMALE AUX CONNAISSANCES CHEZ L'HUMAIN

De toutes les sciences sociales, la psychologie est sûrement celle qui a le plus bénéficié des contributions de la recherche animale. Parmi les contributions les plus connues, il y a bien sûr l'application en thérapie comportementale, en pédagogie et à l'éducation des enfants des principes découverts dans les recherches fondamentales sur l'apprentissage. Mais il y en a d'autres, peut-être moins bien connues mais tout aussi importantes, dans différents domaines de la psychologie. Les exemples décrits dans les pages suivantes ne constituent qu'un très petit échantillon des multiples contributions de la recherche animale à l'avancement des connaissances sur le comportement et les processus sous-jacents. Certaines de ces recherches, dont le but était d'analyser et de comprendre un phénomène de comportement, ont mené à des applications qui n'avaient pas été anticipées au départ.

2. HABITUATION, MÉMOIRE DES NOURRISSONS ET DÉVELOPPEMENT COGNITIF

L'une des difficultés auxquelles les chercheurs en psychologie du développement cognitif sont confrontés est qu'avant l'âge de 2 ans les enfants ont une compréhension du langage très limitée et une capacité de production linguistique encore plus rudimentaire. Il est donc impossible de mesurer l'attention et la mémoire des nouveau-nés ou des nourrissons à l'aide des tests usuels, qui reposent sur du matériel verbal. La recherche sur l'apprentissage par habituation a permis de résoudre ce problème.

L'habituation est un apprentissage qui se manifeste par la diminution graduelle de l'intensité ou de la fréquence d'apparition d'une réponse ou d'un comportement à la suite de la présentation répétée ou prolongée d'un stimulus particulier (Doré & Mercier, 1992). La plupart des espèces animales, même les plus primitives, sont capables d'un tel apprentissage. Cette adaptation leur évite de constamment réagir aux stimuli récurrents et inoffensifs de leur environnement et de gaspiller ainsi des énergies qu'elles peuvent consacrer à des tâches plus importantes pour leur survie. Si un animal apprend à répondre de moins en moins à un stimulus qui se répète ou qui perdure, c'est qu'il a un souvenir de ce stimulus et qu'il le reconnaît. En se basant sur cette idée, les chercheurs en psychologie du développement ont utilisé l'habituation pour élaborer une technique permettant de mesurer la mémoire des nourrissons.

Dans la première phase d'une expérience, la phase d'acquisition, le nourrisson voit pendant environ 60 secondes deux copies côte à côte du même stimulus visuel **A**. Au travers d'une petite ouverture pratiquée entre les deux copies du stimulus, une caméra spéciale enregistre le temps durant lequel chaque stimulus se reflète sur la cornée du bébé, le temps de fixation visuelle constituant la principale mesure du comportement. La deuxième phase de l'expérience, qui est le test de mémoire proprement dit, survient environ 10 secondes après l'acquisition. Cette fois, on présente une seule copie du stimulus **A** accompagnée d'un nouveau stimulus **B**. Cette présentation des deux stimuli différents dure 10 secondes et on les représente une autre fois pendant 10 secondes, mais en intervertissant leurs positions. Cette interversion des positions de **A** et de **B** vise à contrôler l'effet possible d'un biais spatial chez le nourrisson. Durant les 60 secondes de la phase d'acquisition, le bébé a eu l'occasion de s'habituer au stimulus **A** et donc d'acquérir un souvenir de ce stimulus. S'il se souvient vraiment du stimulus **A**, il le reconnaîtra à la phase de test et le temps de fixation visuel qu'il lui consacrera sera inférieur à celui consacré au nouveau stimulus **B** qui, lui, n'a pas subi d'habituation.

De nombreuses expériences (Bornstein, 1989) confirment que les nourrissons habitués à un stimulus ont tendance à le regarder moins qu'un stimulus nouveau. Elles montrent aussi qu'à un âge donné les stimuli simples produisent une habituation plus rapide que les stimuli complexes et que, dans la première année de vie, les bébés plus avancés en maturité s'habituent plus facilement que les bébés moins avancés. Ces résultats ont amené certains chercheurs à utiliser l'habituation comme indice prédicteur du fonctionnement ultérieur de la mémoire de reconnaissance. Ainsi, Fagan et Singer (1983), de même que Bornstein et Sigman (1986), ont trouvé des corrélations importantes entre, d'une part, la réponse des nourrissons à des stimuli familiers et nouveaux et, d'autre part, leur quotient intellectuel à l'âge préscolaire. Fagan et Shepherd (1986) ont aussi construit un test de réaction à la nouveauté/familiarité des stimuli, le *Fagan Test of Infant Intelligence*, qui a pour but de dépister en très bas âge les nourrissons susceptibles de manifester plus tard des déficits cognitifs. Le dépistage précoce d'un léger retard est particulièrement important puisque, en général, ces enfants ne sont pas identifiés avant leur entrée à l'école.

3. APPRENTISSAGE D'ÉCHAPPEMENT-ÉVITEMENT, RÉSIGNATION APPRISE ET DÉPRESSION

Dans des conditions normales, un animal apprend facilement à éviter un événement déplaisant comme un choc électrique donné dans les pattes, quand l'apparition prochaine de cet événement est signalée par un stimulus avertisseur tel un son. C'est ce qu'on appelle l'apprentissage d'échappement-évitement. Au début, l'animal qui n'a jamais été placé dans cette situation ne s'*échappe* que lorsque le choc survient. Puis, une fois qu'il a appris l'association entre le son et le choc, il réussit à *éviter* totalement le choc en s'enfuyant dès qu'il entend le son.

Dans une série d'expériences qui visaient à approfondir l'analyse des conditionnements aversifs de ce type, Seligman et ses collaborateurs (Overmier & Seligman, 1967 ; Maier & Seligman, 1976) ont découvert que des chiens préalablement exposés à des chocs inéchappables n'apprennent pas le comportement d'échappement-évitement. Ils tournent en rond, se couchent sur le plancher de la cage et se lamentent à l'apparition du choc, sans essayer d'y échapper. Ces expériences ont amené Seligman à conclure que la présentation répétée d'événements aversifs imprévisibles et hors du contrôle de l'individu (chocs inéchappables) a des effets négatifs sur le comportement ultérieur (apprentissage d'échappement-évitement), un phénomène qu'il a nommé « résignation apprise » (*learned helplessness*, en anglais). Le même phénomène apparaît aussi chez des étudiants qui doivent résoudre des anagrammes après avoir été soumis à une série de bruits assourdissants qu'ils ne peuvent éviter (Hiroto & Seligman, 1975). Au lieu de s'améliorer au fil des essais comme les participants contrôles qui n'ont pas été soumis aux bruits, ces étudiants abandonnent souvent le problème avant l'expiration du temps alloué.

Quand ils sont soumis à des événements aversifs incontrôlables, les animaux apprennent que leur comportement a peu d'effet sur l'environnement et, en généralisant cet apprentissage, ils ont tendance à se résigner et à ne rien faire, même dans des situations où leur comportement pourrait modifier le cours des événements. Cette résignation apprise diminue leur motivation à agir sur l'environnement, perturbe les processus cognitifs à la base de l'apprentissage et crée des problèmes émotifs, tout en augmentant la vulnérabilité aux maladies. Ce phénomène, découvert initialement en laboratoire sur des animaux, a servi par la suite à élaborer une nouvelle interprétation de la dépression réactive (Seligman, 1975). Cette forme de dépression, qui apparaît chez les personnes vivant une situation incontrôlable comme la mort d'un être cher ou un divorce, se manifeste principalement par un comportement apathique, la tâche la plus insignifiante étant perçue comme une corvée insurmontable.

Les psychologues ont appliqué le concept de résignation apprise aux difficultés d'adaptation des personnes âgées (Solomon, 1990) et des personnes ayant subi un traumatisme crânien (Moore & Stambrook, 1995), à l'efficacité et à la satisfaction au travail en milieu industriel (Sahoo & Tripathy, 1990) et à une multitude de situations où des personnes ont le sentiment de ne pas pouvoir contrôler des événements importants de leur vie. Dans leurs écrits théoriques plus récents (Abramson, Seligman & Teasdale, 1978; Peterson & Seligman, 1984), Seligman et ses collaborateurs ont mis en évidence des différences importantes entre la résignation apprise des humains et des animaux. Néanmoins, la thérapie est la même dans les deux cas (Seligman, 1975). L'une des méthodes de traitement, l'immunisation, consiste à placer l'animal ou la personne dans une situation où elle ne peut échouer, ce qui lui permet d'apprendre graduellement que son comportement peut exercer un certain contrôle sur l'environnement.

4. NATURE DES RÉPONSES APPRISES ET BIORÉTROACTION

Avant les années 1960, deux points de vue s'opposaient quant à la nature des réponses qui peuvent être acquises par apprentissage instrumental ou conditionnement opérant (Davis & Hurwitz, 1977). Certains chercheurs soutenaient que le renforcement en apprentissage instrumental permet d'acquérir et de modifier des réponses musculaires « volontaires », mais qu'il ne peut affecter les réponses viscérales « involontaires » (système cardiovasculaire, système digestif, etc.), celles-ci relevant davantage du domaine du conditionnement classique. D'autres chercheurs affirmaient, au contraire, que le renforcement permet de contrôler toute réponse apprise, y compris les réponses viscérales.

Ce débat était alors difficile à trancher, parce qu'on ne disposait pas d'une technique appropriée pour dissocier les réponses musculaires et les réponses viscérales lors d'un apprentissage. Or, cette dissociation est essentielle car la modification d'une réponse musculaire a tendance à influencer aussi les réponses viscérales. La modification, par exemple, de la fréquence cardiaque dans un conditionnement opérant pourrait être une conséquence indirecte et non apprise du changement de la réponse musculaire plutôt qu'un effet direct du renforcement sur l'activité cardiovasculaire. La dissociation des réponses musculaires et viscérales est devenue possible grâce à une technique complexe mise au point par Miller et ses collaborateurs (DiCara, 1970 ; Miller, 1969 ; Miller & DiCara, 1967). Cette technique consistait à paralyser la musculature du rat par des injections de curare et à lui donner un renforcement intracérébral (qui ne nécessite pas de réponse musculaire) contingent à la modification de la fréquence cardiaque. Les expériences indiquaient que, dans cette situation de conditionnement opérant, le rat peut apprendre autant à diminuer qu'à augmenter sa fréquence cardiaque. Par la suite, d'autres expériences démontrèrent que d'autres réponses viscérales (dilatation ou constriction des vaisseaux sanguins ; accélération ou décélération de la physiologie digestive ; augmentation ou diminution de l'excrétion urinaire, etc.) peuvent aussi être contrôlées par renforcement.

Ces recherches fondamentales sur l'apprentissage instrumental de réponses viscérales ont été rapidement suivies d'applications pratiques et thérapeutiques, en particulier dans le domaine de la biorétroaction (*biofeedback*, en anglais). Plusieurs chercheurs émirent l'hypothèse que les réponses viscérales sont plus difficiles à modifier que les réponses musculaires, parce que les indices sensoriels de la modification produite sont moins perceptibles. La biorétroaction consiste donc à amplifier les indices sensoriels associés aux fonctions viscérales et à faciliter ainsi le contrôle de ces fonctions. Par exemple, la contraction excessive des muscles du front peut causer des céphalées de tension ou migraines. En enregistrant l'activité électrique de ces muscles avec un électromyographe, on peut mesurer l'état de contraction ou de relaxation du front et traduire cet état sous forme de signaux sonores que la personne perçoit facilement : la fréquence des sons varie en fonction de l'état de contraction ou de relaxation des muscles. Avec un indice sonore aussi clair, la personne peut apprendre à réduire la contraction de ces muscles frontaux. La biorétroaction est maintenant utilisée pour une grande variété de problèmes médicaux : tachycardie, hypertension artérielle, température de la peau, acidité de l'estomac, activité électrique cérébrale, etc.

5. CONDITIONNEMENT CLASSIQUE, SYSTÈME IMMUNITAIRE ET MALADIES PSYCHOSOMATIQUES

Le concept de maladies psychosomatiques n'est pas nouveau. Depuis très longtemps, en effet, on soupçonnait que des facteurs psychologiques peuvent affecter le système immunitaire qui, normalement, produit les anticorps nous protégeant contre les bactéries, les virus et les corps étrangers. Cependant, cette idée a mis du temps à être confirmée expérimentalement, parce qu'on croyait que le système immunitaire est relativement indépendant des autres fonctions corporelles et qu'il a peu d'interactions avec le système nerveux (Ader & Cohen, 1993) qui régit les fonctions psychologiques. Des expériences sur des animaux ont démontré que les réponses du système immunitaire peuvent en fait être modifiées par conditionnement classique et, donc, être influencées par le système nerveux (Ader & Cohen, 1975 ; Ader, Felten, & Cohen, 1990 ; Alvarez-Borda, Ramiraez-Amaya, Perez-Monfort, & Bermudez-Rattoni, 1995 ; Solvason, Ghanata, & Hiramoto, 1988). Ces expériences ouvrent des perspectives intéressantes pour améliorer les défenses immunitaires à l'aide de techniques psychologiques (Halley, 1991).

Bien que les associations qui s'opposent à toute recherche sur les animaux expriment des doutes sur la valeur et l'utilité de ces travaux, les animaux ne peuvent souvent être remplacés par les substituts que sont la simulation sur ordinateur et la culture de tissus *in vitro* (Gallup & Suarez, 1985). Comme le montrent les exemples précédents, cela apparaît particulièrement vrai dans le cas du comportement, car il met en jeu non seulement des molécules ou des cellules mais aussi des systèmes organiques multiples, complexes, dynamiques et coordonnés.

MÉTHODES D'ANALYSE DU COMPORTEMENT EN NEUROPSYCHOLOGIE CLINIQUE ET EXPÉRIMENTALE

par Amélie Morin, Marie-Claude Bertrand, Miriam Beauchamp et Julien Doyon

1. LA NEUROPSYCHOLOGIE CLINIQUE

La pratique de la neuropsychologie a pris beaucoup d'ampleur dans les dernières décennies. Son apparition est principalement attribuable à un besoin grandissant d'expertise en ce qui concerne les problèmes pratiques d'évaluation, de diagnostic et de réadaptation lors d'une atteinte au fonctionnement normal du cerveau. Telle qu'on la connaît aujourd'hui, cette discipline s'intéresse essentiellement à l'expression comportementale des dysfonctions cérébrales. Ainsi, comme son nom l'indique, la neuropsychologie fait aussi le lien entre les domaines de neurologie et de psychologie. Les neuropsychologues suivent d'ailleurs un cheminement académique et un entraînement pratique spécialisés dans les domaines de la neuroanatomie, de la physiologie, de la neuropathologie, et bien sûr, de la psychologie. Bien qu'ils traitent fondamentalement des mêmes concepts, les domaines de la neuropsychologie expérimentale et clinique diffèrent dans la façon dont ils approchent les questions reliées au cerveau et au comportement. La présente section du chapitre 13 fera un bref survol de l'approche clinique en neuropsychologie, particulièrement en décrivant l'évaluation neuropsychologique qui se veut le principal outil du clinicien.

1.1. Quand et pour qui ?

Une évaluation neuropsychologique est recommandée dans tous les cas où l'on soupçonne une atteinte des fonctions cognitives ou du comportement, aussi bien chez les enfants, les adultes et les personnes âgées. Typiquement, les individus sont référés en clinique afin d'émettre un diagnostic ou de décrire l'impact d'une affectation ou d'un traumatisme cérébral tel que lors d'un traumatisme cérébro-crânien, accident vasculaire cérébral, déficit développemental (autisme, déficience intellectuel, troubles d'apprentissage, etc.), désordre psychiatrique ou neuropsychiatrique, épilepsie, démences (p. ex., Alzheimer), maladies neurodégénératives (p. ex., maladie de Parkinson), ou tout autre altération du cerveau dans laquelle on craint une atteinte cérébrale organique (p. ex., intoxication aux solvents). De plus, une évaluation neuropsychologique permet de faire un diagnostic différentiel et même d'écarter la possibilité d'atteinte au cerveau. Enfin, dans le cas de certains troubles, une telle évaluation peut servir à établir un pronostic ou encore à documenter l'évolution d'une maladie. Une telle évaluation peut être demandé par le patient même, sa famille, ou encore venir d'un autre intervenant du système de la santé (médecin, travailleur social, etc.) ou du domaine du droit dans le cadre d'une expertise psycho-légale.

1.2. Le bilan neuropsychologique

À la base, c'est l'évaluation neuropsychologique (discutée ci-après) qui donne aux neuropsychologues les outils qui leur permettent d'établir un diagnostic ou de décrire en détail une atteinte des fonctions cognitives qui peut survenir dans plusieurs sphères mentales telles que l'intelligence, la résolution de problèmes et la conceptualisation, la planification et l'organisation, l'attention, la mémoire et l'apprentissage, le langage, les domaines académiques, la perception, la motricité, ainsi que la personnalité, l'humeur et le comportement.

1.2.1. L'ANAMNÈSE

Toute rencontre avec un patient débute généralement avec une entrevue d'anamnèse lors de laquelle le neuropsychologue recueille des informations en ce qui concerne l'historique médicale, développementale, académique, familiale et sociale du patient. Le questionnement se fait naturellement en bonne partie directement auprès du patient, mais s'étend aussi à ses proches, qui ont parfois une autre vision des difficultés vécues par le patient et des inconvénients engendrés. Une bonne maîtrise des antécédents du patient est essentielle à la compréhension de la problématique actuelle de celui-ci. L'entrevue vise donc le recueil d'informations reliées au motif de consultation, à l'historique, aux handicaps et aux difficultés quotidiennes. Elle sert aussi à établir un premier contact avec le patient et peut ainsi fournir au clinicien des données qualitatives, entre autres, quant au comportement, à l'humeur, à la capacité d'entrer en relation. Elle permet même d'apprécier d'un point de vue global certains aspects du fonctionnement cognitif, moteur et sensoriel.

1.2.2. L'ÉVALUATION NEUROPSYCHOLOGIQUE

De toute évidence, les informations fournies par le patient et celles captées par l'intervenant lors de l'anamnèse sont de nature subjective et qualitative. Pour confirmer ou infirmer les plaintes du patient en ce qui a trait aux fonctions cognitives, ou pour déceler d'autres troubles, il est donc nécessaire d'effectuer un examen à l'aide de mesures valides, fiables et standardisées. Le bilan neuropsychologique de base doit être suffisamment large pour survoler une vaste gamme de fonctions, mais également assez spécifique et sensible pour bien cibler la nature et l'ampleur des problèmes et alimenter l'émission d'hypothèses quant aux autres déficits associés ou sous-jacents. En même temps, le neuropsychologue doit demeurer efficace dans sa passation de tests. Le choix des tests peut aussi se faire en fonction des faiblesses du patient, des plaintes subjectives de celui-ci, ou encore en s'appuyant sur la région cérébrale atteinte, lorsque celle-ci est connue (par exemple dans les cas d'un traumatisme crânien ou à la suite d'une scanographie du cerveau).

La passation d'examens standardisés consiste généralement en un premier survol du fonctionnement intellectuel global, suivi de la passation de tests plus spécifiques. Les outils permettant le calcul d'un quotient intellectuel global, le WAIS-III (échelle d'intelligence pour adultes de Wechsler) par exemple, offrent un premier regard sur les forces et les faiblesses d'un individu, tant dans le registre verbal que non verbal. Les résultats aident à la formulation d'hypothèses neuropathologiques et permettent d'orienter l'investigation plus poussée des processus atteints. Ensuite, le neuropsychologue choisit des tests conçus pour évaluer d'autres fonctions cognitives particulières, par exemple, l'attention, l'intégration visuelle, la motricité fine ou la planification cognitive. Il existe une multitude de tests pour mesurer toutes ses fonctions, certains se ressemblent considérablement, d'autres sont uniques dans la méthode utilisée pour cibler la fonction désirée et tous comportent des avantages et des désavantages. Le choix des tests doit donc se faire avec beaucoup de soin. Il existe certains ouvrages (p. ex., *A Compendium of Neuropsychological Tests*, de Spreen &

Strauss [1998], ou *Neuropsychological Assessment*, de Lezak [1995]) qui décrivent et expliquent les tests les plus connus en neuropsychologie et qui peuvent être consultés pour plus d'informations sur la grande variété d'épreuves disponibles.

1.2.3. Les conclusions et recommandations

Une fois l'évaluation quantitative terminée, le neuropsychologue s'investit dans un travail d'interprétation des données. La grande majorité des épreuves neuropsychologiques fournissent des tableaux de scores standardisés ou de moyennes en fonction de l'âge, du sexe et parfois du niveau d'éducation. Ainsi, la performance d'un patient à une épreuve particulière est toujours comparée à celles de personnes en bonne santé, ne présentant aucun trouble neurologique ou neuropsychologique, du même âge et du même genre. De cette manière, il est possible de déterminer si un individu se trouve au-dessus ou en dessous de la moyenne attendue. Bien sûr, le travail du neuropsychologue ne se limite pas à une simple comparaison de résultats. En effet, il doit tenir compte de toutes les informations déjà obtenues, des observations qualitatives faites lors de la passation des tests et de l'anamnèse, et s'appuyer sur ses connaissances et son expérience professionnelle afin d'établir la réelle nature du trouble et l'effet global que les déficits peuvent avoir sur le fonctionnement cognitif, moteur et sensoriel du patient.

À partir des résultats et des conclusions, les neuropsychologues peuvent, à titre d'experts en ce qui concerne les fonctions cognitives, effectuer l'interprétation des données, poser un diagnostic et émettre des recommandations de suivi ou de réadaptation. Ces recommandations visent souvent la réadaptation et le traitement du patient selon ses besoins particuliers. En outre, les neuropsychologues travaillent fréquemment de concert avec les ergothérapeutes, les orthophonistes, les orthopédagogues, les psychologues, les médecins, les travailleurs sociaux et bien d'autres professionnels de la santé, dans le contexte d'une réadaptation cognitive, par exemple. Bien que les patients soient souvent référés dans d'autres milieux pour un suivi à plus long terme, le développement récent et continuel des domaines de la réadaptation cognitive et de l'intervention neuropsychologique offre maintenant encore plus de possibilités pour améliorer le fonctionnement et la qualité de vie des patients. Enfin, comme cela a déjà été mentionné, les conclusions tirées à la suite d'une évaluation neuropsychologique sont utiles pour l'émission de diagnostics et de recommandations. En plus, les neuropsychologues sont souvent appelés à se prononcer, sur des questions de pronostic, de potentiel de réadaptation, de retour au travail, de la capacité du patient à fonctionner de manière indépendante, d'institutionnalisation, d'orientation académique, et même dans des situations psycholégales.

En somme, l'évaluation neuropsychologique dans le cadre de la pratique clinique se veut un exercice précis et réfléchi qui requiert une formation et une expérience exhaustive dans le domaine de la neuropsychologie. Chaque étape nécessite une analyse minutieuse du patient, de ses résultats, des circonstances entourant le motif de consultation, et de toutes les informations pertinentes recueillies dans le cadre de l'évaluation. Notons que l'importance de la recherche n'est pas à négliger dans le domaine clinique, car les neuropsychologues doivent également se tenir au courant des plus récentes données scientifiques reliées à leur pratique et du développement de nouveaux outils psychométriques. Ainsi, les deux facettes de la neuropsychologie ne sont jamais indissociables.

2. ÉTUDES EXPÉRIMENTALES CHEZ LES PATIENTS ET LES PARTICIPANTS CONTRÔLES

2.1. Études de cas

Il existe une grande variété de méthodes par lesquelles un chercheur peut analyser le comportement. Plusieurs connaissances en neuropsychologie proviennent de l'étude d'individus présentant une dysfonction particulière du cerveau. Bien que la majorité des affectations neurologiques peuvent être regroupées en syndrome, maladie ou accident, la nature variable de l'organisation cérébrale d'une personne à une autre fait en sorte que les individus ne peuvent pas toujours être comparés entre eux. Les chercheurs et cliniciens ont donc beaucoup à apprendre des cas uniques en neuropsychologie. Un des plus célèbres cas uniques ayant été étudiés dans ce domaine est celui de H.M., décrit par Brenda Milner au début des années 1950 (Scoville & Milner, 1957). Cet homme avait subi une résection bilatérale complète des structures médiales du lobe temporal du cerveau afin de pallier des crises épileptiques n'ayant pas diminuée à la suite d'autres traitements pharmacologiques de l'époque. L'opération innovatrice a entraîné chez le patient une amnésie antérograde sévère, c'est-à-dire une incapacité à apprendre de nouvelles informations depuis la chirurgie. Les conséquences de cette opération et l'étude subséquente des déficits causés ont ainsi permis, par exemple, de découvrir et mieux comprendre le rôle essentiel joué par les lobes temporaux dans la mémoire.

Il existe beaucoup d'autres exemples semblables en neuropsychologie. À travers le temps, les études de cas ont été utilisées afin de découvrir les fonctions de diverses régions du cerveau. Elles ont aussi permis de mieux connaître les composantes cognitives déficitaires dans un grand nombre d'affectations cérébrales. Il importe toutefois de mentionner que cette approche méthodologique a été critiquée pour le manque de généralisation possible à partir des conclusions tirées d'un seul cas. C'est pourquoi, comme alternative, les chercheurs se tournent souvent vers les études de groupe.

2.2. Études de groupe

L'étude de groupe est l'approche préconisée dans le domaine scientifique psychologique. Elle permet le regroupement de plusieurs individus dans un groupe le plus homogène possible. Généralement, la performance d'un groupe ayant une maladie ou lésion cérébrale particulière est comparée à celle d'un groupe de personnes en bonne santé qu'on appelle « témoin » et qui sont appariés pour l'âge, le sexe, le niveau d'éducation et autres variables d'intérêt, tel le niveau de fonctionnement intellectuel. Toutefois, certaines études n'utilisent que des groupes témoins pour étudier la performance de personnes en bonne santé étant assignés à des traitements expérimentaux différents. Les avantages de cette approche sont multiples. Elle permet, par exemple, de contrôler plusieurs facteurs individuels favorisant ainsi la collecte de données représentant une population donnée (patients ayant la maladie de Parkinson, patients épileptiques, etc.). Par ailleurs, la puissance statistique d'une analyse est souvent augmentée grâce à un nombre accru d'individus dans un groupe. Aussi, les recherches de groupe ont permis d'importantes découvertes grâce aux phénomènes de simple et de double dissociation. D'un côté, une dissociation simple est observée lorsqu'un groupe cible, par exemple, présentant une lésion à une structure spécifique du cerveau, manifeste un déficit à une tâche cognitive « X » en comparaison avec un autre groupe n'ayant aucune lésion ou par rapport à une autre tâche « témoin ». De l'autre côté, la dissociation double se produit lorsqu'on observe un patron différent de performance entre deux groupes cliniques à deux tâches expérimentales. Par exemple, les individus de la condition clinique « A » démontrent un déficit à la tâche « X », mais une bonne performance à la tâche « Y », tandis que les participants du groupe clinique « B » obtiennent le patron inverse de performance, c'est-à-dire un bon résultat à l'épreuve « A », mais un déficit à l'épreuve « B ».

Notons cependant qu'il n'est pas toujours possible de regrouper les patients dans une seule catégorie, c'est pourquoi les chercheurs utilisent encore l'étude de cas, discutée plus haut. C'est le cas souvent, par exemple, des personnes ayant subi un accident vasculaire cérébral ou cranio-cérébral, puisque l'étendue de la lésion créée peut être extrêmement variable d'un patient à l'autre, rendant ainsi impossible la création d'un groupe possédant les mêmes caractéristiques neuroanatomiques.

3. TECHNIQUES DE VISUALISATION ET MESURES DE L'ACTIVITÉ CÉRÉBRALE

Au milieu du XXe siècle, l'étude de l'anatomie cérébrale n'était possible qu'à partir de coupes de cerveaux récupérés après le décès d'individus. Depuis une trentaine d'années, grâce à d'importants progrès technologiques, l'observation du cerveau en temps réel, que ce soit dans le but de le cartographier ou d'évaluer son fonctionnement, est plus facilement réalisable. Cette section vise à exposer brièvement les diverses techniques d'imagerie cérébrale et les différentes mesures utilisées pour étudier l'activité du cerveau.

3.1. Imagerie cérébrale

3.1.1. ANATOMIQUE

Au début des années 1970, les premières images anatomiques cérébrales ont été visualisées grâce à la tomodensitométrie cérébrale (ou tomographie assistée par ordinateur), une technique basée sur le même principe que les rayons X. Selon le niveau d'absorption de rayons X, lequel est directement proportionnel à la densité des tissus exposés, de fines coupes cérébrales axiales (appelées tomogrammes) sont créées par l'entremise de cette technique, très révolutionnaire à l'époque. De nos jours, offrant des images anatomiques d'une netteté supérieure, l'imagerie par résonance magnétique (IRM) représente l'outil concurrentiel de la tomodensitométrie. Par la génération d'un champ magnétique, l'IRM reconstitue des images tridimensionnelles, améliorant la visualisation des structures cérébrales. Plus précisément, ces images sont constituées en produisant, en fonction des propriétés magnétiques de certaines particules, des contrastes entre la substance blanche et grise, et entre les ventricules et les espaces sous-arachnoïdiens du cerveau. Ainsi, l'IRM est un instrument essentiel au cheminement diagnostique de plusieurs neuropathologies. Cette méthode aide à déceler des malformations cérébrales, ou encore à évaluer la nature, la localisation et l'étendue de lésions d'origine dégénérative ou vasculaire.

3.1.2. Fonctionnelle

Outre les méthodes d'imagerie cérébrale structurale, des techniques ont été développées afin de visualiser les régions neuroanatomiques où se concentrent des activités cognitives, sensorielles ou motrices. En d'autres termes, les méthodes d'imagerie fonctionnelle offrent la possibilité d'examiner *in vivo* les zones cérébrales activées chez les individus sains (ou présentant une atteinte cérébrale) pendant l'exécution de tâches sollicitant divers processus cognitifs (langage, mémoire, etc.), moteurs ou sensoriels (vision, audition, etc.). Ces techniques se fondent sur le principe que la réalisation d'une tâche entraîne des changements régionaux de l'activité cellulaire, lesquels s'accompagnent de fluctuations métaboliques (variation rapide de l'apport sanguin, de la consommation d'oxygène, de glucose, etc.). La tomographie par émission de simples photons (TESP) et la tomographie par émission de positons (TEP) constituent deux méthodes permettant d'acquérir des images fonctionnelles du cerveau grâce à l'injection dans le sang d'une molécule biologique (p. ex. le glucose) marquée par un isotope radioactif (p. ex. le fluo-déoxyglucose). Plus populaire en recherche, la TEP permet d'obtenir des informations sur les variations de la consommation cérébrale d'oxygène et de glucose, ou encore sur les fluctuations du débit sanguin cérébral régional pendant la réalisation d'une tâche. Par l'injection de substances radioactives se liant à des neurorécepteurs spécifiques, il est aussi possible de mesurer la distribution des neurotransmetteurs dans le cerveau et, ainsi, les modifications métaboliques associées à certaines neuropathologies. Or, offrant une résolution spatiale et temporelle supérieure ou en d'autres mots, une meilleure précision de la localisation et de l'évolution dans le temps (de l'ordre de la seconde) des activités cérébrales, l'imagerie par résonance magnétique fonctionnelle (IRMf) constitue maintenant la technique de choix pour localiser les modifications de l'apport sanguin associées aux opérations mentales. Ainsi, les images obtenues par l'entremise de cette méthode illustrent le contraste entre les zones riches en oxyhémoglobine (réduisant la proportion de déoxyhémoglobine, une molécule ayant des propriétés magnétiques) de celles présentant des niveaux normaux d'oxygénation sanguine.

Plus nouvellement mise au point, l'imagerie optique est une autre méthode d'imagerie cérébrale fonctionnelle non invasive qui consiste à projeter un faisceau de photons ressemblant à de la lumière infrarouge au niveau de la tête. Ces photons traversent les tissus corticaux et en émergent en quantité variable selon les changements d'oxygénation et d'apport sanguin sous-jacents à l'activité neuronale. Les photons émergents sont repérés par des détecteurs placés sur le dessus de la tête, ce qui fournit de l'information sur les tissus traversés. Bien que par cette méthode, l'accès aux régions corticales profondes, ainsi qu'aux zones sous-corticales soit plus difficile ou encore impossible à ce jour, l'imagerie optique présente l'avantage d'être applicable à une plus large clientèle, notamment aux enfants. De plus, contrairement à l'IRMf ou à la TEP qui exigent une immobilisation de la tête, l'imagerie optique offre la possibilité d'étudier le cerveau de personnes en mouvement.

Très récemment, des approches statistiques basées sur des modèles mathématiques ont été conçues afin d'évaluer comment les régions du cerveau sont connectées entre elles. Ainsi, grâce à l'avènement de la connectivité fonctionnelle qui permet de corréler les régions cérébrales activées, il est maintenant possible d'intégrer, en un réseau de connexions, les diverses activités cérébrales sous-jacentes aux processus cognitifs, moteurs ou sensoriels investigués.

En conclusion, la recherche dans le domaine des neurosciences a certainement été accélérée par l'avènement des nombreuses techniques de visualisation cérébrale. De plus, considérant l'importance de la recherche animale en neuropsychologie (voir la section suivante), il importe de mentionner que la plupart des méthodes présentées ci-dessus ont été adaptées afin de rendre possible l'utilisation de l'imagerie chez les animaux.

3.2. Mesures neurophysiologiques

Alors que les techniques présentées jusqu'à maintenant nous apportent de riches informations sur la précision spatiale de l'activité cérébrale impliquée dans un comportement particulier, mise à part l'imagerie optique, elles donnent des renseignements plus ou moins précis sur l'évolution de ces activations dans le temps. Les techniques électromagnétiques proposent quant à elles des mesures qui, en plus d'être directement associées à l'activité neuronale, offrent une précision de l'ordre de là milliseconde.

L'électroencéphalographie (EEG) est une technique électrophysiologique permettant l'enregistrement continu de l'activité électrique corticale à partir d'électrodes placées sur l'ensemble du scalp. L'EEG est utilisée dans les recherches sur le sommeil afin de quantifier les divers stades du sommeil, ou encore pour l'étude et le diagnostic de l'épilepsie, une neuropathologie consistant en des décharges électriques anormales au niveau du cortex cérébral. En outre, grâce aux potentiels évoqués (PÉ), il est possible de mesurer les réponses électriques évoquées dans les différentes aires corticales par des stimuli externes sensoriels ou moteurs ; des potentiels que l'on nomme PÉ exogènes. Les PÉ cognitifs, ou endogènes, reflètent quant à eux des réponses « liées à des événements intrapsychiques ». Par exemple, en présentant une tâche demandant un certain niveau d'attention, il est possible par la méthode des PÉ, de mesurer la venue d'une onde corticale (P300) spécifiquement associée aux processus attentionnels. Une autre technique, la magnétoencéphalographie (MEG) permet également de mesurer l'évolution temporelle de l'activité neuronale, mais cette fois-ci par l'enregistrement d'infimes champs magnétiques résultant de l'activité électrique du cerveau. En plus d'une bonne résolution temporelle, cette méthode présente l'avantage d'une meilleure résolution spatiale que l'EEG. Bref, ces méthodes neurophysiologiques permettent de mesurer l'activité neuronale à de multiples reprises dans de courtes périodes de temps, rendant possible l'analyse des fluctuations de l'activité électrique ou magnétique associées à divers processus cérébraux.

Introduite pour le première fois en 1985, la stimulation magnétique transcrânienne (SMT) est une autre technique neurophysiologique innovatrice utilisée en clinique et en recherche afin de manipuler temporairement, et de manière non invasive, le fonctionnement de régions cérébrales d'individus sains ou malades. Par une antenne générant un champ magnétique, cette méthode permet d'induire des petits courants dans le cerveau, lesquels correspondent à des potentiels d'action neuronaux provenant de la région stimulée. En fonction des paramètres de la stimulation magnétique (fréquence, intensité, durée, nombre de répétitions, etc.), la SMT arrive à réduire ou à hausser l'excitabilité corticale pendant une brève période de temps. Grâce à cette technique, il est possible d'évaluer la plasticité neuronale, ou encore de simuler une lésion cérébrale et imiter une dysfonction cognitive.

Finalement, dans les dernières années, les neuroscientifiques ont cherché à explorer le fonctionnement cérébral de divers points de vue en combinant les techniques électromagnétiques (EEG, MEG, SMT) et les méthodes d'imagerie cérébrale fonctionnelle (TEP, IRMf). Par l'entremise de ce couplage, il est maintenant possible de déterminer «où» et «quand» se produisent les changements au niveau de l'activité cérébrale. L'essor de nouvelles plates-formes de fusion multimodale (p. ex. l'EEG/IRMf ou TEP/SMT) comme BrainVisa favorise enfin l'intégration et la visualisation des données issues des diverses techniques présentées ci-dessus.

4. LA RECHERCHE ANIMALE EN NEUROPSYCHOLOGIE

Les recherches effectuées dans le domaine de la neuropsychologie visent bien souvent des retombées sur le plan clinique. En effet, on souhaite parfois mieux comprendre certains désordres neurologiques (démence, épilepsie, etc.) qui affectent l'être humain dans le but d'en déterminer l'étiologie ou encore de développer de nouvelles stratégies pour pallier les divers symptômes engendrés. Or, un très grand nombre de découvertes dans ce domaine proviennent initialement de travaux effectués chez l'animal. Ainsi, cette section se veut un survol des nombreuses possibilités qu'offre la recherche animale dans le domaine de la neuropsychologie.

4.1. Compréhension des mécanismes cérébraux de base associés à la cognition

De quelle manière parvenons-nous à nous remémorer divers événements? Comment sommes-nous en mesure de reconnaître quelqu'un? Comment réussissons-nous à maîtriser certaines habiletés sportives? Pour répondre à ces questions, il nous faut avoir une bonne compréhension des mécanismes qui sont à la base du fonctionnement du cerveau. La recherche animale permet d'élucider ces mécanismes pour fournir des pistes de réponses qui éventuellement nous permettent d'expliquer et de mieux comprendre les processus cognitifs tels que la mémoire, la perception ou encore l'apprentissage.

Par exemple, les travaux réalisés par certains grands pionniers du domaine des neurosciences ont révélé que certaines régions du cerveau étaient constituées d'arrangements cellulaires spécifiques sur le plan fonctionnel et au niveau de leur sensibilité à des types de stimuli particuliers. C'est à Vernon Mountcastle que l'on doit plusieurs des premiers travaux sur les propriétés des champs récepteurs des cellules somatosensorielles du cortex cérébral chez le chat. En effet, ce chercheur a démontré que certains neurones du cortex somatosensoriel primaire répondent davantage à des stimulations précises telles que le mouvement ou encore la stimulation de la surface de la peau. En enregistrant la réponse de chacune de ces cellules, il a remarqué que celles-ci n'étaient pas dispersées de manière aléatoire, mais bien disposées les unes au-dessus des autres, à la verticale. Les arrangements cellulaires en colonnes ont également été observés au niveau des cortex visuel et auditif. En effet, les célèbres chercheurs David Hubel et Torsten Wiesel ont démontré que certaines cellules du cortex visuel ne répondaient qu'à des stimuli dont le mouvement est précisément engagé dans une direction plutôt qu'une autre alors que d'autres cellules réagissent à n'importe quel mouvement, ce qui leur a valu le prix Nobel de physiologie et de médecine en 1981. Bref, bien que certains détails diffèrent d'une région à une autre, l'architecture corticale semble suivre une règle commune selon laquelle les neurones ayant les mêmes propriétés physiologiques sont organisés selon des modèles cellulaires verticaux. Ainsi, ces recherches chez l'animal ont permis l'émergence de connaissances fondamentales qui se sont avérées très importantes au sujet de l'organisation du cortex cérébral.

4.2. Étude de certains processus ne pouvant être directement accédés chez l'humain

En dépit du fait que nous possédions désormais des techniques d'imagerie à la fine pointe de la technologie, certaines contraintes éthiques évidentes font en sorte que la manipulation du cerveau humain n'est pas toujours possible. Heureusement, la recherche animale permet d'effectuer une foule d'expérimentations qui rendent possible l'investigation de nombreux processus similaires à ceux que l'on souhaiterait étudier chez l'humain. La recherche pharmacologique est un bon exemple permettant d'illustrer l'importance de l'expérimentation chez l'animal. Prenons par exemple les divers travaux sur l'œstrogène qui, depuis quelques années, ont soulevé l'hypothèse qu'en plus de ses propriétés connues au niveau des comportements reproducteurs et de ses caractéristiques sexuelles, cette hormone aurait la capacité d'influencer de manière significative le vieillissement cérébral (Kesslak, 2002). Cette idée provient du fait que, chez les femmes, le déclin abrupt d'œstrogène lors de la ménopause pourrait être relié à l'apparition de déficits cognitifs et à l'augmentation du risque de développer la maladie d'Alzheimer. Or, on a découvert que la thérapie hormonale par l'œstrogène pouvait réduire ces risques. En effet, des études animales chez le rat ont démontré que cette hormone produit des effets bénéfiques au niveau des régions cérébrales affectées par cette maladie, notamment en régulant l'établissement de connexions entre les cellules nerveuses (synaptogenèse). À plus grande échelle, cette thérapie permet de renverser les déficits cognitifs associés à de faibles taux d'œstrogène et pourrait éventuellement contribuer à réduire les risques d'apparition de la maladie d'Alzheimer.

La recherche animale est également très utile pour l'étude de la plasticité cérébrale. Jusqu'à récemment, on croyait qu'il était impossible de modifier la représentation corticale du corps humain au plan cérébral. En d'autres mots, on tenait pour acquis que les voies reliant les récepteurs au cortex étaient fixes et ne pouvaient être modifiées chez l'adulte. Dans le cadre d'une série de trois expériences, Merzenich et Jenkins (1993) ont très bien illustré le phénomène de plasticité cérébrale au niveau du cortex somatosensoriel de l'adulte. Ces chercheurs ont d'abord cartographié les champs récepteurs d'une main de singe avant de sectionner le nerf du pouce et de l'index pour finalement démontrer, avec une nouvelle cartographie, que les aires corticales associées à ces doigts avaient diminué, alors que celles associées aux trois autres doigts avaient augmenté. Ces résultats indiquaient en effet qu'il y avait eu réorganisation corticale. Ces mêmes chercheurs (1993) ont ensuite démontré le même genre de phénomène mais cette fois par suppression chirurgicale du médius, qui, encore une fois, se traduisait par une expansion des aires corticales des doigts avoisinants. Enfin, dans le cadre d'une dernière étude, ils ont entraîné des singes à effectuer une réponse motrice consistant à faire tourner un petit dispositif avec le bout de leur majeur pour obtenir leur nourriture. Après plusieurs mois, ils ont observé que les régions corticales associées à cette partie précise du majeur avaient significativement augmenté, comparativement à celles associées aux autres phalanges qui, elles, n'avaient pas été en contact avec le disque rotatif. Ces résultats révélaient que l'entraînement avait renforci les connexions entre les régions de la peau stimulées et le cortex, démontrant ainsi que, contrairement à ce que l'on croyait, les cartes de représentations corticales peuvent être modifiées, et ce, même chez le cerveau adulte.

Quelques années plus tard, Nudo et Milliken (1996) ont mené d'importantes recherches dans le domaine de la plasticité cérébrale en pratiquant des ischémies focales chez des singes. Ce type de pratique a pour effet de réduire l'irrigation du cerveau à un endroit bien précis, ce qui crée une détérioration des cellules nerveuses situées à cet endroit. Dans le cas de cette expérience, la région cérébrale ciblée était celle associée à la production des mouvements de la main. Conséquemment, ces mouvements ont été perturbés par la dégénérescence neuronale ainsi engendrée, mais les animaux ont été entraînés à développer des stratégies leur permettant tout de même d'atteindre leur nourriture placée devant eux. Fait intéressant, les chercheurs ont remarqué que cette récupération des fonctions motrices s'était également répercutée au niveau de la plasticité cérébrale. En d'autres mots, ils ont observé que les régions adjacentes à celle endommagée par l'ischémie avaient pris en charge les fonctions associées aux mouvements de la main. De telles découvertes chez les animaux permettent notamment de réaliser l'importance de la réadaptation motrice chez l'humain à la suite d'un accident vasculaire cérébral.

4.3. Meilleur contrôle sur les variables à l'étude et homogénéité

Il est difficile d'avoir un parfait contrôle sur toutes les variables qui entrent en jeu lorsqu'on fait de la recherche chez l'humain. En effet, chaque sujet a une personnalité qui lui est propre, vit dans un environnement particulier, éprouve des états émotionnels variables et, d'un point de vue plus clinique, peut présenter différents symptômes d'un déficit quelconque. Chez l'animal, il est beaucoup plus facile de contrôler ces différentes variables. Par exemple, dans le cadre des recherches sur les propriétés bénéfiques de l'œstrogène présentées précédemment, les animaux utilisés ont tous été logés dans des conditions identiques, ont été nourris de la même façon, ont été manipulés de la même manière et ont été soumis aux mêmes tests. Un tel contrôle permet d'obtenir un groupe plus homogène et, conséquemment, augmente la fidélité des résultats obtenus.

4.4. Développement de modèles animaux de divers troubles neuropsychologiques

Il est difficile de trouver des modèles animaux concordant parfaitement avec les différentes neuropathologies que l'on retrouve chez l'humain en respectant l'étiologie et la totalité des symptômes associés. L'un des principaux problèmes rencontrés concerne le fait qu'il est difficile d'imiter parfaitement les déficits organiques et fonctionnels ou encore les débalancements neurochimiques associés à la pathologie en tant que telle. Néanmoins, plusieurs modèles animaux ont été développés afin d'étudier certains troubles tels que l'épilepsie, la maladie de Parkinson, la schizophrénie, les accidents vasculaires cérébraux ou les accidents craniocérébraux.

Prenons par exemple l'épilepsie, un trouble cérébral marqué par des changements brusques et importants de l'état physiologique du cerveau provoqués par des décharges anormales de groupes de neurones. Dans le but de mieux comprendre les phénomènes épileptiques, on a créé des modèles animaux commissurotomisés, c'est-à-dire que les différentes structures reliant les deux hémisphères cérébraux ont été sectionnées. Une telle manipulation permet d'étudier les mécanismes pathophysiologiques reliés à la génération ainsi que la propagation d'un hémisphère à l'autre des décharges neuronales anormales propres à l'épilepsie. Conséquemment, de tels modèles animaux ont permis de fournir des arguments en vue de l'utilisation de traitements tels que la commissurotomie pour traiter des cas d'épilepsie spécifiques.

Ainsi, on peut voir que la recherche animale joue un rôle prépondérant dans le domaine de la neuropsychologie. En effet, elle rend possible la compréhension des mécanismes sous-jacents aux nombreux processus cognitifs présents chez l'humain tout en nous permettant d'atteindre un niveau de connaissance qui nous serait autrement inaccessible en raison d'aspects d'ordre éthique. Enfin, en plus d'assurer un contrôle des variables supérieur à celui que nous offre la recherche chez l'humain, la recherche animale continue de jouer un rôle indispensable dans l'avancée de la science à travers le développement de modèles animaux pour l'étude de diverses pathologies.

MODÉLISATION ET RECHERCHES THÉORIQUES EN SCIENCE COGNITIVE

par Robert Proulx

S'il existe un problème auquel la recherche sur l'intelligence humaine se heurte constamment, c'est bien celui de la nature des processus cognitifs. En d'autres termes, qu'est-ce qui caractérise un système dit «cognitif» ou «intelligent» d'un autre type de système? Ou encore, par quels mécanismes un organisme parvient-il à s'organiser en fonction d'un univers psychologique dont les lois sont indépendantes de celles qui régissent le fonctionnement local de ses composantes? Finalement, est-ce que le simple fait d'implanter les opérations formelles nécessaires à l'accomplissement d'une tâche hautement sophistiquée dans un automate quelconque suffit pour nous autoriser à croire en la possibilité de reproduire l'intelligence humaine dans d'autres substrats? Il va de soi que les réponses que l'on donne à ce type de questions revêtent une importance toute particulière, puisque de celles-ci dépend non seulement notre conception de la nature profonde de l'être humain, mais aussi l'ensemble des valeurs à la base de toutes nos interventions.

Il n'est donc pas étonnant de retrouver l'essence même de ces questions au centre des préoccupations de plusieurs disciplines. Tel est le cas, par exemple, de la psychologie cognitive et de ses travaux sur la structure de la mémoire et de la perception, de la linguistique computationnelle et de ses recherches sur les langages, les grammaires et la compétence des automates, de l'intelligence artificielle et de la reproduction des capacités humaines dans les ordinateurs, de la philosophie et de la formulation des théories de l'esprit, ainsi que de la neuroscience et de l'étude de l'encodage de l'information par le cerveau.

C'est d'ailleurs à la suite de la reconnaissance de l'existence de cette problématique commune à ces cinq disciplines que plusieurs individus se sont regroupés pour former un nouveau champ disciplinaire, connu sous le nom de «science cognitive», et dont l'objet d'étude se définit par la caractérisation des systèmes de traitement de l'information intelligents, qu'ils soient *naturels* ou *artificiels* (voir Stillings, Weisler, Chase, Feinstein, Garfield, & Rissland, 1995; Posner, 1989; ou Johnson-Laird, 1988 pour une revue). Le champ regroupe en fait l'ensemble des recherches théoriques et empiriques qui abordent les questions touchant la perception, la mémoire, le raisonnement logique, la résolution de problème et la représentation des connaissances dans une perpective de traitement de l'information.

Dans les paragraphes qui suivent nous passons d'abord en revue les principales approches à la base de l'évolution de ce nouveau champ disciplinaire, de même que les débats que celles-ci ont suscités. La discussion se poursuit par une brève présentation des contributions du domaine au progrès du savoir, en insistant surtout sur ses apports à la méthodologie, notamment en ce qui a trait à l'utilisation privilégiée de l'ordinateur et de la simulation comme outil de recherche.

1. LES APPROCHES EN SCIENCE COGNITIVE

Bien qu'il existe plusieurs modèles différents selon le domaine d'application concerné (perception, langage, etc.), les travaux en science cognitive peuvent à peu près tous se regrouper sous deux grandes approches distinctes et diamétralement opposées. Il s'agit respectivement de l'approche *computationnelle*, appelée aussi *approche classique* (Pylyshyn, 1988), sans doute par parce que c'est celle qui se trouve à l'origine de la création du champ disciplinaire, et, plus récemment, de l'approche *connexionniste*, laquelle est apparue vers la fin des années 1970 avec la prolifération massive des travaux sur les réseaux de neurones artificiels (Rumelhart & McClelland, 1986). Il convient de noter aussi que le traitement par réseaux de neurones constitue en fait un cas particulier d'une approche dynamique associative, laquelle regroupe aussi les modèles basés sur les automates cellulaires et les algorithmes génétiques.

1.1. L'approche computationnelle

Issus des premiers travaux en intelligence artificielle de Newell et Simon, ainsi que de ceux de Chomsky en linguistique et d'Atkinson et Shiffrin en psychologie cognitive (Johnson-Laird, 1988; Newell, 1983), les modèles computationnels de la cognition reposent sur le postulat fondamental que les systèmes intelligents constituent une classe particulière des systèmes computationnels, à savoir les systèmes physiques de traitement de symboles dérivables du formalisme des machines de Turing. Une machine de Turing est en fait un automate *virtuel* qui peut être programmé pour accomplir n'importe quelle tâche pourvu que celle-ci puisse se définir par le moyen d'un algorithme. L'exemple le plus concret d'une machine de Turing physiquement réalisée est sans contredit l'ordinateur classique, ou machine de von Neuman, lequel constitue généralement la référence de base pour décrire les opérations et les concepts à la base des modèles computationnels. En d'autres termes, la cognition dans cette approche se réduit au problème du traitement symbolique de l'information par des machines digitales universelles, et tout système en mesure d'implanter les bons algorithmes est *intelligent*, peu importe le support matériel sur lequel il se trouve implanté.

Le principal avantage de ce type de modèles est que ceux-ci permettent d'implanter naturellement les propriétés de *compositionalité*, de *systématicité* et de *productivité* des langages, ce qui les rend à la fois sensibles à la *structure* de l'information et compétents pour traiter de façon paradigmatique une infinité de propositions à partir d'un ensemble fini de règles. Toutefois, la nature essentiellement symbolique et sérielle du traitement de l'information les rend particulièrement sujets à l'explosion combinatoire et, par conséquent, difficilement applicables à la complexité du monde naturel.

1.2. L'approche connexionniste et les réseaux de neurones artificiels

C'est à la fois pour remédier aux problèmes mentionnés ci-dessus et pour se rapprocher des principes à la base du traitement de l'information par le cerveau que plusieurs individus se sont tournés vers une approche massivement parallèle du traitement de l'information, basée sur les opérations d'un réseau de neurones formel composé de plusieurs unités simples et interconnectées (Kohonen, 1989 ; Anderson & Rosenfeld, 1988 ; Rumelhart & McClelland, 1986). Contrairement aux modèles computationnels, les modèles connexionnistes insistent surtout, quant à eux, sur les propriétés dynamiques du parallélisme de masse et de la mémoire associative pour définir l'intelligence. Le résultat est que, lorsqu'ils sont mis en œuvre au moyen de simulations sur ordinateur, ces modèles se trouvent parfaitement en mesure de reproduire les capacités de *satisfaction simultanée de contraintes multiples* et de *généralisation* observées chez l'humain et l'animal en situation naturelle. De plus, ce qui distingue encore plus ces modèles, c'est surtout le fait que ces propriétés de généralisation et de robustesse ne se trouvent pas préprogrammées dans le système, mais résultent plutôt d'un processus d'adaptation ou d'apprentissage. Une telle caractéristique leur permet donc de rendre compte de l'aspect diachronique du fonctionnement cognitif, lequel se trouve laissé pratiquement vide et inexpliqué par les modèles classiques.

1.3. Le débat

Il va donc de soi que, même si ces deux approches semblent apporter des horizons nouveaux à une problématique commune, celles-ci se heurtent fermement à la question de la *nature* profonde des processus cognitifs et qu'une telle situation est généralement de nature à engendrer un débat majeur. C'est précisément ce qui s'est produit lorsque, profitant des succès apparents des modèles connexionnistes dans les domaines où l'intelligence artificielle classique semblait éprouver de nombreux problèmes, Smolensky (1988) s'est lancé dans une attaque des théories symbolistes, en prétendant qu'elles étaient non pertinentes et qu'elles avaient échoué dans leur explication des processus cognitifs. Fodor et Pylyshyn (1988) ont répondu avec autant de force par une critique systématique de l'entreprise connexionniste, laquelle selon eux ne peut en aucune manière rendre compte de la systématicité et de la compositionalité du fonctionnement cognitif. Les modèles connexionnistes ne seraient donc pertinents qu'au niveau de l'implantation. Depuis ce temps, les débats n'ont cessé de se succéder sur la question, et force nous est croire que la question n'est pas près de se régler. Toutefois, les nombreux travaux de recherche réalisés dans cette perspective ont quand même permis à la discipline de réaliser de nombreux progrès à plusieurs égards.

2. L'APPORT DU DOMAINE À L'AVANCEMENT DES CONNAISSANCES

2.1. Sur le plan fondamental

Même si la teneur des débats mentionnés ci-dessus nous amène logiquement à la conclusion que les questions fondamentales à l'origine du programme de recherche en science cognitive semblent loin d'obtenir des réponses définitives, il convient de souligner qu'il s'agit là du cas général de tout projet de nature scientifique et qu'à ce titre la discipline justifie bien sa pertinence comme domaine de recherche autonome. De plus, malgré l'absence de réponses définitives aux questions fondamentales, il n'en demeure pas moins que la multitude des travaux de recherche que son instauration a suscités ont permis de clarifier la façon de poser les problèmes et de séparer les avenues prometteuses des voies sans issue.

2.2. Sur le plan des applications

Loin de se contenter uniquement de chercher des solutions à ses problèmes d'ordre théorique, la science cognitive s'est rapidement engagée dans un programme de recherche appliquée, lequel a permis d'élargir considérablement les domaines d'intervention des disciplines dont elle est issue. En effet, les techniques développées par les projets de recherche expérimentaux, appuyées par les réalisations théoriques de l'intelligence artificielle et de la philosophie du langage, ont conduit à l'émergence de nouveaux champs d'application et d'intervention qui demeuraient jusque-là inaccessibles. Tel est le cas, par exemple, de l'évaluation de la charge mnésique en ergonomie cognitive, de l'étude de l'impact cognitif de l'informatisation du travail au niveau des facteurs humains, de même que de l'utilisation de la réalité virtuelle à des fins d'intervention en psychologie. Finalement, il y a fort à parier qu'avec l'évolution de plus en plus rapide des technologies de l'information et des communications ce secteur d'applications ne cessera de se développer.

2.3. Sur le plan de la méthodologie de la recherche

S'il existe une forme de contribution de la science cognitive qui mérite d'être soulignée, c'est bien l'accent mis sur l'utilisation de la simulation sur ordinateur comme méthode de recherche. En effet, peu importe l'approche considérée, la plupart des modèles théoriques en science cognitive font d'abord l'objet d'une validation rigoureuse au moyen de cette méthode. Il convient cependant de mentionner que, contrairement à ce que croient plusieurs individus, la simulation d'un processus cognitif sur ordinateur ne constitue pas une démonstration expérimentale de la validité des concepts du modèle sous-jacent; celle-ci constitue plutôt une démonstration de la cohérence théorique du modèle proposé. Or, c'est précisément à ce niveau que l'utilisation de cette méthode prend toute son importance. En effet, dans les disciplines cognitives comme la psychologie, la neuroscience ou la linguistique expérimentale, beaucoup d'efforts ont été faits pour développer des méthodologies de recherche empirique sophistiquées, tandis que relativement peu d'individus se sont penchés sur les méthodes d'élaboration et de vérification formelle des modèles.

Or, si la découverte de nouvelles lois scientifiques relève exclusivement du domaine de la recherche empirique, aucune explication et donc aucun progrès des connaissances ne peuvent être réalisés sans la démonstration préalable que celles-ci se déduisent logiquement des axiomes d'un modèle formel issu d'une théorie adéquate du phénomène représenté. L'avantage du processus de simulation est qu'il permet d'éprouver à la fois la validité du système de représentation et la cohérence logique des concepts.

L'ÉPIDÉMIOLOGIE

par Stéphane Bouchard et Richard Boyer

L'épidémiologie est l'étude de populations afin d'estimer la fréquence d'un problème de santé et les différents facteurs intervenant dans son apparition, sa propagation, son évolution et sa prévention. L'épidémiologiste tente de décrire un phénomène tel qu'il apparaît dans la population, et aussi d'inférer des relations de cause à effet sans nécessairement effectuer les manipulations propres à la méthode expérimentale. L'épidémiologie constitue donc une discipline distinctive plutôt qu'une simple méthode de recherche (Hennekens & Buring, 1987 ; Sackett, Haynes, & Tugwell, 1987). Les études épidémiologiques occupent une place importante dans la recherche sur la santé des populations ou l'apparition d'épidémies. L'épidémiologie constitue aussi une perspective très utile pour aborder les problèmes psychosociaux ou psychiatriques. En épidémiologie, comme dans bien d'autres champs de recherche, les questions peuvent être examinées de façon descriptive, transversale, longitudinale, ou par une combinaison de ces approches. Plusieurs caractéristiques propres à ces façons d'étudier les questions de recherche gagnent toutefois a être clarifiées dans un ouvrage sur la méthodologie de recherche en psychologie et en sciences sociales.

L'estimation des taux de prévalence (nombre de personnes ayant manifesté un phénomène cible durant une période donnée) et d'incidence (nombre de nouveaux cas manifestant un phénomène cible durant une période donnée) constituent deux exemples d'épidémiologie descriptive. Concrètement, on peut penser à l'enquête Santé Québec ou, aux États-Unis, au National Comorbidity Survey (Kessler et al., 1994). La représentativité des échantillons revêt une importance toute particulière. Afin de pouvoir généraliser à la population entière, ces échantillons sont souvent constitués d'un très grand nombre de participants sélectionnés selon des critères précis. Au chapitre 2 nous avons discuté des avantages de l'échantillonnage aléatoire.. En contrepartie, l'échantillonnage stratifié vise à assurer que plusieurs catégories de gens, ou strates de la population, sont représentées en nombre suffisant. Dans ce cas, les données doivent être pondérées afin que les estimés de prévalence pour l'ensemble de la population à l'étude reflètent bien la réalité.

Il faut préciser que les considérations méthodologiques décrites au chapitre 8 sur l'observation directe s'appliquent très bien ici. Examinons par exemple l'importance de l'accord inter-juges dans une étude épidémiologique de grande envergure menée aux États-Unis, l'*Epidemiologic Catchment Area Study* (Robins & Regier, 1991). Cette étude repose sur l'évaluation diagnostique d'un échantillon représentatif de près de 20 000 personnes demeurant dans cinq villes des États-Unis (Baltimore, Durham, Los Angeles, New Haven et St. Louis). L'objectif était d'estimer la prévalence et l'incidence des troubles mentaux, les proportions de personnes recevant ou non des traitements et la nature des traitements, tout en palliant aux faiblesses des études épidémiologiques précédentes. L'étude ECA a due être été menée avant que les chercheurs évaluent avec précision la fidélité et la validité des diagnostics émis à l'aide de leur instrument de recherche, le Diagnostic Interview Schedule (DIS) (Anthony et al., 1985). Les intervieweurs devaient suivre le DIS à la lettre et ne posaient pas eux-mêmes les diagnostics. Puisque les réponses obtenues à l'aide du DIS étaient analysées par un algorithme informatisé et les diagnostics déterminés par un programme informatisé, toutes les nuances nécessaires pour poser un bon diagnostic ne furent pas nécessairement prises en considération. Bien que les résultats de cette recherche d'envergure ont été largement diffusés et ont influencés plusieurs décisions politiques importantes, il n'en demeure pas moins que la validité des diagnostics est encore questionnée. Par exemple, des taux d'accords (kappas, effectués à l'aveugle) rapportés entre les diagnostics du DIS et ceux de psychiatres expérimentés sont si bas qu'il faut questionner certains résultats de cette étude. Par exemple, l'accord inter-juges pour le trouble panique dans la ville de Baltimore est de 0 % ! Aucune des 22 personnes ayant reçu ce diagnostic ne semblait vraiment souffrir de ce trouble, et deux personnes n'ayant reçu aucun diagnostic souffraient en fait du trouble panique. À New Haven, Horwath, Lish, Johnson, Hornig et Weissman (1993) ont réexaminé 22 cas d'agoraphobie sans trouble panique pour conclure que seulement une personne souffrait potentiellement de ce trouble, les autres recevant plutôt des diagnostics de phobie sociale, de phobie spécifique, de trouble panique, ou n'ayant même aucun trouble d'anxiété. Il faut cependant noter que les chercheurs ont tenté d'atténuer ces problèmes comme dans le cas du National Comorbidity Survey (Kessler et al., 1994).

Comme pour la recherche expérimentale, l'épidémiologie n'est pas à l'abri des biais associés aux instruments de mesure (Hennekens & Buring, 1987 ; Sackett, Haynes & Tugwell, 1987). D'ailleurs, la mesure valide et fidèle des troubles mentaux représente l'une des préoccupations importantes en épidémiologie. Par exemple, tant que la schizophrénie ne sera pas un trouble mental bien défini opérationnellement avec des sous-types identifiables et distincts, il sera difficile de reproduire les résultats des études épidémiologiques et génétiques et de bien cerner les causes de cette maladie (Kendler & Diehl, 1993 ; Roy & Crowe, 1994). Néanmoins, une multitude d'études épidémiologiques rigoureuses contribuent de façon significative à l'avancement des connaissances dans les domaines associés à la psychologie et aux sciences sociales.

L'identification de corrélats, c'est-à-dire de variables associées au phénomène cible, peut permettre de mieux définir un problème de santé ou mieux comprendre la distribution des symptômes utilisés pour définir les troubles mentaux (APA, 1994). De plus, l'identification de corrélats peut mener à la découverte de facteurs de risque importants. Par exemple, les études de Torrey (Torrey, Bowler, Taylor, & Gottesman, 1994) et de Gottesman (1991) sur la schizophrénie mettent en évidence plusieurs facteurs potentiellement en cause dans l'étiologie de cette maladie, notamment des facteurs périnataux, comportementaux, neurologiques et cognitifs.

Dans le cas d'études transversales visant l'identification des facteurs associés au problème à l'étude, les chercheurs décrivent leur méthode d'investigation comme de l'épidémiologie analytique plutôt que descriptive. Parmi les biais méthodologiques pouvant menacer la validité interne de ce type de protocole quasi expérimental (voir les chapitres 2 et 3, Hennekens & Buring, 1987 et Sackett, 1979), il faut porter une attention particulière aux biais de sélection et à l'effet de variables potentiellement confondantes. Différents biais peuvent survenir durant la sélection des participants, notamment un taux de participation trop faible ou différent d'une condition à l'autre, le non-recrutement de participants simplement parce qu'ils ne consultent pas le service où l'étude se déroule, et une condition témoin qui diffère de la condition à l'étude sur plusieurs variables et non pas uniquement le phénomène cible. Pour sa part, l'exemple cité au chapitre 1 sur la relation entre le taux de criminalité et les églises illustre bien l'impact nuisible d'une covariable. Une étude transversale comparant trois villes de densité de population différente peut suggérer une relation entre le nombre d'églises dans chaque ville et le taux de criminalité dans chaque ville. Le lecteur se souviendra certainement qu'il ne faut pas conclure à une relation de cause à effet dans un cas comme celui-là... Après avoir introduit l'approche, nous reviendrons sur cinq stratégies pour contourner quelques-uns de ces problèmes.

La recherche longitudinale offre une solution alternative plus intéressante au chercheur en épidémiologie. Elle consiste à étudier un échantillon, que l'on nomme ici cohorte, à plusieurs reprises dans le temps. Ainsi, on ne peut se passer de la recherche longitudinale pour étudier les changements psychologiques et estimer l'incidence d'un trouble mental. Elle offre pour avantages (voir Loeber & Farrington, 1994), entre autres, la possibilité : (a) d'étudier les facteurs associés à la défection des participants ; (b) d'identifier et de contrôler les fluctuations situationnelles de la variable dépendante, la présence de plusieurs temps de mesure permettant d'estomper l'effet de variations ponctuelles ; (c) d'observer l'impact de l'environnement sur l'individu, et vice-versa ; (d) d'examiner la progression de phénomènes soumis à des facteurs de risque et à des facteurs protecteurs, ainsi que la séquence de leurs interactions ; (e) de mener des recherches sur des facteurs impossibles à manipuler pour des raisons éthiques ; et (f) de voir l'évolution naturelle de phénomènes, autant en l'absence d'intervention que longtemps après une intervention. Les principales contraintes de ce type de recherche proviennent du temps requis avant d'obtenir une réponse aux questions de recherche, de la difficulté de recevoir des subventions pour des projets d'aussi longue haleine, et du défi de maintenir le contact avec les participants.

La majorité des recherches longitudinales se déroulent de façon prospective. Ainsi, par exemple, Kagan, Biederman et Faraone suivent depuis près de 10 ans des enfants qui se démarquaient des autres par leur tempérament particulièrement inhibé face à la nouveauté dès l'âge de deux ans (Biederman, Rosenbaum, Chaloff, & Kagan, 1995). Leurs découvertes laissent entrevoir que certaines caractéristiques du tempérament jouent un rôle dans l'origine de troubles d'anxiété comme l'agoraphobie, la phobie sociale et l'anxiété généralisée. Les études épidémiologiques peuvent être simplement rétrospectives, mais les études longitudinales peuvent aussi prendre la forme de « suivis rétrospectifs » (*follow back* en anglais, Robins, 1978). Par exemple, Maziade et ses collaborateurs (1996) ont étudié les caractéristiques de personnes atteintes de schizophrénie alors qu'elles étaient enfants et adultes. Les informations à la période adulte ont été recueillies en personne par les assistantes de recherche. Par contre, les informations sur l'enfance ont été recueillies grâce à un examen minutieux des dossiers de ces participants lorsqu'ils ont été hospitalisés dans un hôpital de pédopsychiatrie, il y a de cela plusieurs années. Lorsque les informations rétrospectives sont recueillies de façon méthodique, fidèle et exhaustive, cette méthodologie permet d'épargner les longues années d'attente demandées par une méthode prospective (Rutter, 1994). La méthode du suivi rétrospectif ne bénéficie toutefois pas de la force méthodologique d'une étude pleinement prospective ou d'une manipulation expérimentale.

La façon idéale d'augmenter la valeur méthodologique d'une étude épidémiologique est d'identifier les conditions qui se rapprochent le plus fidèlement possible d'une manipulation de la variable dépendante (Rutter, 1981, 1994). On peut penser ici à : (a) l'utilisation de plusieurs conditions témoins où chacune isole une variable nuisible ; (b) tirer avantage d'événements « naturels » auxquels sont soumis les participants ; (c) identifier une relation dite « dose – réponse », où une augmentation de l'intensité de la variable considérée comme indépendante s'accompagne d'une augmentation similaire de la variable dépendante ; (d) la convergence d'une multitude d'indices pertinents ; et (e) la prédiction de circonstances où l'effet de la « variable indépendante » se manifestera et ne se manifestera pas.

Les professionnels en sciences sociales se réfèrent souvent aux études épidémiologiques pour décrire ou comprendre les phénomènes, et plusieurs chercheurs conduisent des études longitudinales afin d'étudier le développement humain. Le langage de l'épidémiologie diffère parfois de celui utilisé en psychologie et en sciences sociales, mais les concepts méthodologiques se ressemblent énormément.

LA RECENSION SYSTÉMATIQUE D'ÉCRITS

par Stéphane Bouchard

Combien de fois des étudiants ou des chercheurs ont-il eu à rédiger un texte faisant le point sur une question ? Il existe un nombre impressionnant d'articles visant à résumer les connaissances dans différents domaines ; il y a même des revues scientifiques consacrées essentiellement aux recensions d'écrits (p. ex., *Clinical Psychology Review, Psychological Bulletin*). Malheureusement, la préparation d'une recension est rarement abordée sous l'angle d'un processus de recherche. Il faut réaliser que la préparation d'une bonne recension ne se limite pas à résumer quelques articles glanés çà et là. (Cooper, 2003). Sans l'apport d'un processus méthodique et rigoureux, l'auteur peut tirer des conclusions biaisées et erronées.

Dans une recension d'écrits, les études constituent des sujets recrutés pour une recherche descriptive. La démarche s'inspire donc de plusieurs caractéristiques des méthodes d'observation, demeure sensible aux biais limitant la validité interne et externe, nécessite une critique des études sur la base des protocoles et des contrôles utilisés, et utilise même parfois des analyses statistiques. Les étapes à respecter sont donc : (a) définir des questions de recherche opérationalisées, (b) décrire la méthode utilisée, (c) présenter objectivement les résultats de la recherche ; et (d) conclure sur la base d'une analyse critique des résultats obtenus. Si elle ne prend pas ces précautions, la personne qui prépare une recension devrait afficher clairement que son travail repose sur une impression subjective de seulement quelques articles sélectionnés...

Comme on le fait pour les hypothèses d'une étude empirique, il faut définir en termes concrets et mesurables la question de recherche et ce, avant même de commencer la recension d'écrits. Cela évite plusieurs frustrations dans la démarche de recherche bibliographique (voir le chapitre 14) et permet d'orienter toutes les étapes subséquentes.

Dans une recension, il faut décrire en détail la méthode utilisée afin que n'importe qui puisse reproduire exactement la démarche. Il devient alors possible de poser un jugement critique sur la validité interne et externe de la recension. L'auteur présentera les critères de sélection et d'exclusion des articles ainsi que les banques de donnéee utilisées, et même les mots-clés utilisés avec les banques de données (Bouchard, Pelletier, Gauthier, Côté, & Laberge, 1997). Sur ce point, il faut signaler l'existence du biais de publication. Les chercheurs et les éditeurs de revues scientifiques tendent à privilégier la publication des études qui démontrent la présence de relations causales ou l'efficacité de programmes d'intervention. Les gens s'intéressent souvent moins aux études qui n'ont pas fonctionné, à celles affligées d'une faible puissance statistique, ou à celles où il est difficile d'éliminer les hypothèses *ad hoc* (contre-hypothèses formulées une fois l'étude terminée). Par conséquent, les études rapportant des résultats dits négatifs sont rarement disséminées, ce qui crée un biais en faveur de la publication des études rapportant des résultats dits positifs. Une recension qui se limite aux articles publiés s'expose donc à ce biais. Pour tenter de contrer cette limite, la recherche des études peut s'étendre aux présentations dans des colloques ou des rapports de recherche. Par exemple, dans une recension sur les interventions pour enfants abusés sexuellement, Tourigny (1997) a relevé 42 études à partir de recensions existantes, d'une recherche sur les banques de données comme PsycLit et Medline et de contacts auprès de chercheurs dans le domaine. Certains auteurs vont même annoncer, dans les revues scientifiques, qu'ils sont à la recherche d'études non publiées. Dans un même ordre d'idées, Jackson (1980) suggère la possibilité de sélectionner au hasard un échantillon des études obtenues afin d'estimer la probabilité de tirer un échantillon non représentatif.

Comme pour l'observation de comportements (voir chapitre 8), une recension porte sur l'observation d'études. Il faut donc décrire les aspects méthodologiques et les résultats de chaque étude à l'aide de grilles et de critères bien définis. L'évaluation des forces et faiblesses méthodologiques de chacune permet d'évaluer les probabilités qu'une contre-hypothèse puisse expliquer les résultats (c.-à-d. faible validité interne). Plus cette probabilité est élevée, moins on peut se fier à l'étude en question. Le protocole « de groupes » ou à cas unique utilisé occupe donc un rôle central dans cette évaluation (voir les tableaux 2.1, 3.5, 3.9, 3.14, et 5.1). Pour séparer le bon grain de l'ivraie, il faut réfléchir sur l'ensemble des éléments méthodologiques de chaque étude plutôt que d'appliquer aveuglément des règles toutes faites. Il peut s'avérer alors utile de consulter les premiers chapitres de cet ouvrage ou d'autres livres pertinents (Gidere, 2001 ; Kazdin, 1995, 1998 ; Robert, 1988 ; Vallerand & Hess, 2000).

Certains auteurs suggèrent d'utiliser un système de points accordés à chaque force méthodologique afin de comparer les études et d'éliminer celles qui n'atteignent pas un total minimal prédéterminé (Bland, Meurer, & Maldonado, 1995). Par exemple, un protocole expérimental vaut plus de points qu'un protocole pré-expérimental, l'utilisation d'une mesure non réactive vaut plus de points qu'une mesure réactive, un large échantillon vaut plus de points qu'un petit échantillon, etc. Cette stratégie présente l'avantage d'être plus objective, plus facile à reproduire par d'autres chercheurs, et d'exiger une analyse méthodologique de chaque étude. Par contre, la difficulté se situe dans la création d'un barème. Combien de points faut-il donner de plus aux protocoles des quatre groupes de Solomon qu'au prétest post-test sans condition témoin ou qu'au protocole à niveaux de base multiple en fonction des individus ? Et si les deux derniers protocoles bénéficiaient de suffisamment de participants, mais pas celui des quatre groupes de Solomon ? Combien de points accorder à une étude qui contrôle l'effet des attentes des expérimentateurs ? Finalement, quoi faire si une étude cumule beaucoup de points pour des contrôles méthodologiques mais que le protocole utilisé ou l'oubli d'un seul contrôle méthodologique invalide totalement la recherche ? En fait, l'utilisation d'un système de points crée l'illusion que les phénomènes pondérés sont quantifiables sur une échelle linéaire et qu'ils sont additifs. C'est un peu comme transposer sur une échelle de ratio des données obtenues sur une échelle nominale. Cela s'avère rarement approprié. On accorde aux chiffres un pouvoir de quantifier des choses qui ne se comparent pas vraiment. Tout de même, il faut retenir de cette méthode le désire d'opérationaliser des critères d'évaluation de la méthodologie utilisée.

Il semble généralement plus réaliste de créer quelques catégories à l'aide de critères préétablis. Par exemple, dans leur recension sur le traitement du trouble panique avec agoraphobie, Côté, Gauthier, Cormier, Laberge, & Plamondon (1993) départagent les études avec ou sans condition contrôle. Pour leur recension des études sur la restructuration cognitive des délires et des hallucinations chez les personnes souffrant de schizophrénie, Bouchard, Vallières, Roy et Maziade (1996) décrivent en détail les protocoles et contrôles méthodologiques de chaque étude pour les répartir par la suite entre les études rigoureuses, plus ou moins rigoureuses, et non rigoureuses. Dans une situation plus complexe comme la rédaction du livre sur la recension des traitements dont l'efficacité a été validée empiriquement, Nathan et Gorman (1998) ont regroupé les études en sept catégories, selon un ordre décroissant de valeur : (a) les études très rigoureuses, (b) les études rigoureuses, (c) les études ayant des limites méthodologiques, (d) les études reposant sur une approche méta-analytique (voir plus loin), (e) les recensions, et (d) les études non rigoureuses. Ajoutons que, peu importe la méthode choisie, le calcul d'un taux d'accord inter-juges vient confirmer la crédibilité de la procédure de catégorisation et d'évaluation des études.

Une fois la hiérachisation des études effectuée, il faut décider quoi faire de celles moins rigoureuses. Pour leur recension sur le traitement du trouble de stress post-traumatique, Solomon, Gerrity et Muff (1992) éliminent tout simplement les études dont le protocole ne comporte pas une affectation aléatoire à des conditions expérimentale et contrôle. Cette décision paraît louable sur le plan méthodologique, mais risque en fait de biaiser l'analyse (Jackson, 1980). Premièrement, puisqu'il n'existe pas d'étude parfaite le chercheur décide subjectivement ce qu'il élimine et ce qu'il conserve. Deuxièmement, c'est la confirmation répétée des résultats par une multitude d'études et de méthodologies différentes (c.-à-d. la réplication) qui fait la force de la démache scientifique. Si les études moins rigoureuses confirment les conclusions des études plus rigoureuses, les conclusions porteront sur un plus grand nombre d'études. Par contre, si une foule d'études moins rigoureuses contredisent les études plus rigoureuses, le chercheur devra tenter d'expliquer ce phénomène en examinant la relation entre les résultats et: (a) la méthode d'échantillonnage, (b) la méthodologie, (c) l'existence de différences entre les phénomènes étudiés. Cela peut avoir des conséquences marquées sur la validité de construit des études. D'autre part, les études moins rigoureuses offrent parfois des pistes originales de recherche ou font ressortir l'importance de certaines précautions méthodologiques.

Lors de l'examen comparatif des résultats, les études risquent de se contredire... Si les résultats sont inconsistants, il faut chercher à savoir si les différences méthodologiques ou le rôle de variables nuisibles peuvent expliquer ces différences.

Une fois toutes ces étapes accomplies, il peut être temps de tirer des conclusions à partir de cet examen détaillé des écrits. Un examen qualitatif permet très bien de dégager des conclusions intéressantes. Par contre, certains chercheurs désirent quantifier les différences entre les études ou estimer la force d'une relation de causalité à partir de l'ensemble des études disponibles. L'objectif visé ici est l'analyse statistique des résultats des études. On parle alors d'une méta-analyse (Glass, 1976; Wolf, 1986). En quelques mots, la méta-analyse se résume à calculer et à comparer la taille des effets observés dans chaque analyse statistique (le degré avec lequel un phénomène est présent dans la population, ou jusqu'à quel point l'hypothèse nulle est fausse; voir le chapitre 9 et Cohen, 1988). L'utilisation de la méta-analyse est souvent critiquée (Wolf, 1986). En effet, les comparaisons effectuées dépendent entièrement de la qualité de l'anayse méthodologique effectuée au préalable. De plus, les combinaisons inter-études sont affectées par les différences inhérentes à chaque étude (critères de sélection des participants, instruments de mesure, etc.) (Shapiro, 1985). Il faut donc rester critique, car bien que les analyses statistiques puissent assister la réflexion, elles ne s'y substituent pas (Green & Hall, 1984).

En résumé, comme le propose Cooper (2003), une synthèse d'écrits scientifiques devrait se dérouler en suivant cinq étapes, soit: (a) la formulation claire de l'objectif visé; (b) l'obtention des données, c'est-à-dire les articles; (c) l'évaluation de ces articles et de leur contenu; (d) l'analyse et l'interprétation de ce qui ressort des articles; et (e) la présentation des résultats de façon organisée. Une approche structurée, reproductible et sensibles aux biais méthodologiques permet d'arriver à des conclusions plus rigoureuses et intéressantes, au même titre qu'une recherche empirique traditionelle bien menée.

QUESTIONS

1. Dans les essais cliniques contrôlés, indiquez parmi les catégories suivantes les troubles susceptibles de s'améliorer sous placebo ?
   a) états dépressifs majeurs,
   b) troubles anxieux,
   c) schizophrénie,
   d) maladie d'Alzheimer.
   e) Toutes ces réponses.
   f) Aucune de ces réponses.

2. Parmi les propositions suivantes concernant l'analyse d'un essai thérapeutique « en intention de traiter » (*intent to treat analysis* en anglais) lesquelles sont exactes ?
   Choix de réponse :
   a) Cette méthode concerne tous les patients ayant pris au moins une fois un des produits ou suivi un des traitements comparés dans l'étude.
   b) Pour les participants qui abandonnent la recherche, on remplace les données manquantes par celles de la dernière évaluation obtenue. Par exemple, pour une personne qui abandonne après la première rencontre d'évaluation, on copie ses résultats du prétest au post-test et à la relance.
   c) Cette méthode n'évalue pas la tolérance au traitement mais seulement l'efficacité d'un produit.
   d) Ce type d'analyse est exigé par les autorités qui approuvent les nouveaux médicaments.

3. La qualité des connaissances issues des recherches actuelles en psychologie clinique du vieillissement est limitée par :
   a) Des échantillons souvent trop petits.
   b) Le manque d'instruments validés pour les personnes âgées.
   c) Les lacunes au niveau des normes pour les personnes âgées.
   d) Les problèmes liés à la distinction entre ce qui est « normal » et ce qui est « pathologique ».
   e) Toute ces réponses sont bonnes.

4. Quelles sources de variation se confondent dans une étude longitudinale en psychogérontologie ?
   a) l'âge et la cohorte,
   b) l'âge et le moment de la mesure,
   c) l'âge et le milieu,
   d) l'âge et l'évolution temporelle,
   e) l'âge et la génération.

5. En psychogérontologie, le protocole de recherche transversal permet d'examiner :
   a) Les différences entre les groupes d'âge.
   b) Les changements associés au vieillissement.
   c) L'évolution temporelle des fonctions psychologiques.
   d) Les influences des variables du milieu sur les fonctions psychologiques à un moment donné.
   e) L'importance des variables liées au contexte historique.

6. Quelles sont les quatre principales questions que les chercheurs cliniciens se posent fréquemment à propos des interventions ou des thérapies et pour lesquelles la recherche clinique peut apporter certaines réponses ?

7. Vrai ou faux
   a) Le clinicien est toujours en mesure de poser un diagnostic clinique objectif, valide, sensible et fidèle.
   b) Le cadre de références théoriques, ainsi que les styles d'approche de l'intervenant, n'ont aucune influence sur l'établissement d'un diagnostic clinique.
   c) Le cadre où se déroule l'évaluation, la définition des critères diagnostiques plus ou moins définis, l'effet halo et l'erreur logique représentent des facteurs pouvant influencer l'établissement d'un diagnostic valide.
   d) Le fait d'avoir un groupe homogène, ne possédant aucune forme de comorbidité avec la problématique étudiée, est primordial pour la validité externe.
   e) L'utilisation d'entrevues semi-structurées, l'évaluation informative, l'obtention d'un accord interjuges, ainsi que la supervision des évaluateurs sont quelques moyens pouvant aider à contrôler les facteurs de distorsion et à réduire les erreurs de jugement commises par l'intervenant.

8. Une fois les différences significatives détectées, le clinicien se pose la question à savoir si ces différences présentent aussi une signification clinique. Cette mesure essentielle du changement

thérapeutique s'effectue à l'aide de différentes méthodes. Quelles sont ces méthodes et les problèmes qu'elles peuvent susciter?

9. La recherche sur le comportement animal est-elle soumise aux mêmes règles d'éthique que celle effectuée avec des sujets humains?
10. Donnez quatre raisons qui montrent l'importance de la recherche animale en neuropsychologie.
11. Quels sont les avantages et les inconvénients respectifs des études de cas et des études de groupe en neuropsychologie?
12. Quelle est la principale différence entre les techniques d'imagerie cérébrale anatomiques et fonctionnelles?
13. À la lumière des différentes études présentées dans le texte, décrivez en vos propres mots ce qu'est le phénomène de plasticité cérébrale.
14. Relevez quatre éléments susceptibles de contribuer à l'hétérogénéité d'un échantillon lors de recherches en neuropsychologie chez l'humain.
15. Est-ce que la simulation par ordinateur permet d'effectuer la démonstration expérimentale d'une relation de cause à effet?
16. Qu'est-ce que l'épidémiologie?
17. Qu'est-ce qui distingue en épidémiologie un corrélat et la cause d'un phénomène?
18. Lorsqu'une personne désire faire le point dans un domaine d'étude ou sur une question, pourquoi faudrait-il qu'elle recoure à une méthode rigoureuse et systématisée?
19. Quelles sont les étapes à respecter dans une recension systématique des écrits?

RÉFÉRENCES

Abramson, L.Y., Seligman, M.P.E., & Teasdale, J.D. (1978). Learned helplessness in humans: Critique and reformulation. *Journal of Abnormal Psychology, 87*, 49-74.

Ader, R., & Cohen, N. (1975). Behaviorally conditioned immunosuppression. *Psychosomatic Medicine, 37*, 333-340.

Ader, R., & Cohen, N. (1993). Psychoneuroimmunology: Conditioning and stress. *Annual Review of Psychology, 44*, 53-85.

Ader, R., Felten, D., & Cohen, N. (1990). Interactions between the brain and the immune system. *Annual Review of Pharmacology and Toxicology, 30*, 561-602.

Addington, D., Williams, R., Lapierre, Y., & Le-Guebaly, N. (1997). Les placebos dans les essais cliniques sur les psychotropes (Énoncé de principe de l'APC). *Revue Canadienne de Psychiatrie, 42.*

Alvarez-Borda, B., Ramiraez-Amaya, V., Perez-Monfort, R., & Bermudez-Rattoni, F. (1995). Enhancement of antibody production by a learning paradigm. *Neurobiology of Learning and Memory, 64*, 103-105.

Anderson, J.A., & Rosenfeld, M.C. (1988). *Neurocomputing: Foundations of research.* Cambridge: MIT Press.

Anthony, J.C., Folstein, M., Romanoski, A.J., von Korff, M.R., Nestadt, G.R., Chahal, R., Merchant, A., Brown, C.H., Shapiro, S., Kramer, M., & Gruenberg, E.M. (1985). Comparison of the lay Diagnostic Interview Schedule and a standardized psychiatric diagnosis: Experience in Eastern Baltimore. *Archives of General Psychiatry, 42*, 667-675.

Association Américaine de Psychiatrie. (1995). *Manuel diagnostique et statistique des troubles mentaux.* Paris: Masson.

Bear, M.F., Connors, B.W., & Paradiso, M.A. (2002). *Neuroscience. Exploring the brain* (2e Éd.). Pennsylvania: Lippincott, Williams & Wilkins.

Berlucchi, G. (1990). Commissurotomy studies in animals. Dans F. Boller & J. Grafman (Éds.), *Handbook of neuropsychology*, Volume 4: Section 7: The Commissurotomized brain. 9-47. Oxford: Elsevier.

Biederman, J., Rosenbaum, J.F., Chaloff, J., & Kagan, J. (1995). Behavioral inhibition as a risk factor. Dans J.S. March (Éds.). *Anxiety disorders in children and adolescents* (pp. 61-81). New York : Guilford Press.

Bland, C.J., Meurer, L.N., & Maldonado, G. (1995). A systematic approach to conducting a non-statistical meta-analysis of research litterature. *Academic Medicine, 70*, 642-653.

Bouchard, S., Pelletier, M.H., Gauthier, J., Côté, G., & Laberge, B. (1997). Comprehensive review of validated panic measures. *Journal of Anxiety Disorders, 11*(1), 89-111.

Bouchard, S., Vallières, A., Roy, M.A., & Maziade, M. (1996). Cognitive therapy of positive symptoms in schizophrenia : A critical analysis. *Behavior Therapy, 27*(2), 257-279.

Bornstein, M.H. (1989). Information processing (habituation) in infancy and stability in cognitive development. *Human Development, 32*, 129-136.

Bornstein, M.H., & Sigman, M.D. (1986). Continuity in mental development from infancy. *Child Development, 57*, 251-274.

Broca, P. (1865). Sur le siège de la faculté du langage articulé. *Bulletin de la Société Anthropologique, 6*, 337-339.

Carpenter, W.T., Schooler, N.R., & Kane, J.M. The rationale and ethics of medication-free research in schizophrenia. *Archives of General Psychiatry, 54*, 401-407.

Cohen, J. (1988). *Statistical power analysis for the behavioral sciences* (2e éd.). Hillsdale : Lawrence Erlbaum Associates.

Cooper, H. (2003). Editorial. *Psychological Bulletin, 129*(1), 3-9.

Côté, G., Gauthier, J.G., Laberge, B., Cormier, H.J., & Plamondon, J. (1993). Le traitement cognitivo-comportemental du trouble panique : Une recension critique des écrits. *Revue Canadienne des Sciences du Comportement, 1*, 45-63.

Davis, H., & Hurwitz, H.M.B. (1977). *Operant-Pavlovian interactions*. Hillsdale, NJ : Lawrence Erlbaum.

Derivant, A.T., Leventhal, B.L., March, J., Wolraich, M., & Zito, J.M. (2004). The ethical use of placebo in clinical trials involving children. *Journal of Child and Adolescent Psychopharmacology, 14*(2), 169-174.

Deschamps, P., Vinay, P., & Cruess, S. (1995) *Rapport sur l'évaluation des mécanismes de contrôle en matière de recherche clinique au Québec.* Ministère de la Santé et des Services sociaux du Québec.

DiCara, L.V. (1970). Learning in the autonomic nervous system. *Scientific American, 222,* 30-39.

Doré, F.Y., & Kirouac, G. (1987). What comparative psychology is about. Back to the future. *Journal of Comparative Psychology, 101,* 242-248.

Doré, F.Y., & Mercier, P. (1992). *Fondements de l'apprentissage et de la cognition.* Boucherville : Gaëtan Morin.

DuVal, G. (2004). Ethics in psychiatric research : Study design issues. *Canadian Journal of Psychiatry, 49*(1), 55-59.

Fagan, J.F., & Shepherd, P.A. (1986). *The Fagan Test of Infant Intelligence : Training Manual.* Cleveland : Infantest Corporation.

Fagan, J.F., & Singer, L.T. (1983). Infant recognition memory as a measure of intelligence. Dans L.J. Lipsitt (Éd.), *Advances in infancy research,* Vol. 2 (pp. 31-72). Norwood, NJ : Ablex.

Fisher, S., & Greenberg, R.P. (1993). How is the double-blind design for evaluating psychotropic drugs ? *Journal of Nervous and Mental disease, 181,* 345-350.

Fodor, J.A., & Pylyshyn, Z.W. (1988). Connexionism and cognitive architecture : A critical analysis. *Cognition, 28,* 3-71.

Friend, W.C., & Weijer, C. (1996). CCNP position paper use of placebos in psychiatry. *Journal of Psychiatry and Neuroscience, 21,* 354-356.

Gallup, G.G., & Suarez. S.D. (1985). Alternatives to the use of animals in psychological research. *American Psychologist, 40,* 1104-1111.

Gazzaniga, M.S. (Éd.) (2000). *The New Cognitive Neurosciences* (2e éd.). Cambridge : MIT Press.

Girden, E.R. (2001). *Evaluating research articles* (2e éd.). Londres : Sage Publications.

Glass, G. (1976). Primary, secondary, and meta-analysis of research. *Educational Researcher, 5,* 3-8.

Gottesman, I.I. (1991). *Schizophrenia genesis. The origins of madness.* New York : W.H. Freeman.

Green, B., & Hall, J. (1984). Quantitative methods for literature review. *Annual Review of Psychology, 35*, 37-53.

Halley, F.M. (1991). Self-regulation of the immune system through biobehavioral strategies. *Biofeedback and Self-Regulation, 16*, 55-74.

Hennenkens, C.H., & Buring, J.E. (1985). *Epidemiology in medicine.* Toronto : Little, Brown & Company.

Hiroto, D.S., & Seligman, M.E.P. (1975). Generality of learned helplessness in man. *Journal of Personality and Social Psychology, 31*, 311-327.

Horwath, E., Lish, J.D., Johnson, J., Hornig, C.D., & Weissman, M.M. (1993). Agoraphobia without panic : Clinical reappraisal of an epidemiologic finding. *American Journal of Psychiatry, 150*, 1496-1501.

Hubel, D.H., & Wiesel, T.N. (1959). Receptive fields of single neurons in the cat's striate cortex. *Journal of Physiology* (Londres), *148*, 573-591.

Hubel D.H., & Wiesel, T.N. (1979). Les mécanismes cérébraux de la vision. *Pour la science*, 25, 79-83.

Huber, W. (1987). La recherche en psychologie clinique. Dans W. Hubert (Éd.). *La psychologie clinique aujourd'hui*, (pp. 175-246). Bruxelles : Mardaga.

Huber, W. (1993). *L'hommme psychopathologique et la psychologie clinique.* Paris : Presses Universitaires de France.

Hupet, M., & Van der Linden, M. (1994). L'étude du vieillissement cognitif : aspects théoriques et méthodologiques. Dans M. Van der Linden & M. Hupet (Éds.), *Le vieillissement cognitif* (pp. 9-35). Paris : Presses Universitaires de France.

Jacobson, N.S., & Truax, P. (1991). Clinical significance : A statistical approach to defining meaningful change in psychotherapy research. *Journal of Consulting and Clinical Psychology, 59*, 12-19.

Jackson, G. (1980). Methods for integrative review. *Review of Educational Research, 50*, 438-460.

Johnson-Laird, P.N. (1988). *The computer and the mind : An introduction to cognitive science.* Cambridge : Harvard University Press.

Kandel, E.R., Schwartz, J.H. & Jessel, T.M. (2000). *Principles of neural science* (4e éd.). New York : McGraw-Hill.

Kazdin, A.E. (1992). *Research design in clinical psychology* (2e éd.). Boston : Allyn & Bacon.

Kazdin, A.E. (1994). Methodology, design, and evaluation in psychotherapy research. Dans A.E. Bergin & S.L. Garfield, (Éds.). *Handbook of psychotherapy and behavior change,* (4e éd., pp. 19-71). New York : Wiley.

Kazdin, A.E. (1995). Preparing and evaluating research reports. *Psychological Assessment, 7*(3), 228-237.

Kazdin, A.E. (1998). *Methodological issues and strategies in clinical research* (2e éd.). Washington, DC : American Psychological Association.

Kendler, K.S., & Diehl, S.R. (1993). The genetics of schizophrenia : A current, genetic-epidemiologic perspective. *Schizophrenia Bulletin, 19*, 261-285.

Kesslak, J.P. (2002). Can estrogen play a significant role in the prevention of Alzheimer's disease ? *Journal of Neural Transmission.* Supplement, 62, 227-239.

Kessler, R.C., McGonagle, K.A., Zhao, S., Nelson, C.B., Hughes, M., Eshelman, S., Wittchen, H.U., & Kendler, K.S. (1994). Lifetime and 12-month prevalence of DSM-III-R psychiatric disorders in the United States. Results from the national Comorbidity Survey. *Archives of General Psychiatry, 51*, 8-19.

Kohonen, T. (1989). *Self-organization and associative memory.* Berlin : Springer Verlag.

Lambert, M.J., & Bergin, A.E. (1994). The effectiveness of psychotherapy. Dans A.E. Bergin & S.L. Gardfield (Éds.). *Handbook of psychotherapy and behavior change* (4e éd., pp. 72-113). New York : Wiley.

Lefrançois, R. (1995). Pluralisme méthodologique et stratégies multi-méthodes en gérontologie. *Revue canadienne du vieillissement, 14 (Supp. 1),* 52-67.

Loeber, R., & Farrington, D.P. (1994). Problems and solutions in longitudinal and experimental treatment studies of child psychopathology and delinquencies. *Journal of Consulting and Clinical Psychology, 62*, 887-900.

Maier, S.F., & Seligman, M.E.P. (1976). Learned helplessness: Theory and evidence. *Journal of Experimental Psychology: General, 105*, 3-46.

Maziade, M., Bouchard, S., Gingras, N., Gauthier, B., Tremblay, G., Côté, S., Fournier, C., Cardinale, A., Boutin, P., Charron, L., Hamel, M., Roy, M.A., Martinez, M., & Mérette, C. (1996). Long-term stability of diagnosis and the positive-negative distinction in a systematic sample of childhood and adolescence schizophrenia: 2- The positive-negative distinction and the childhood predictors of adult outcome. *British Journal of Psychiatry, 3*, 371-378.

Merzenich, M.M., & Jenkins, W.M. (1993). Reorganization of cortical representations of the hand following alterations of skin inputs induced by nerve injury, skin island transfers, and experience. *Journal of Hand Therapy*, 6, 89-104.

Miller, N.E. (1969). Learning of visceral and glandular responses. *Science, 163*, 434-445.

Miller, N.E., & DiCara, L.V. (1967). Instrumental learning of heart rate changes in curarized rats: Shaping and specificity to discriminative stimulus. *Journal of Comparative and Physiological Psychology, 63*, 12-19.

Miller, N.E. (1985). The value of behavioral research on animals. *American Psychologist, 40*, 423-440.

Mishara, B.L., & Riedel, R.G. (1994). *Le vieillissement* (3e éd.). Paris: Presses Universitaires de France.

Moore, A.D., & Stambrook, M. (1995). Cognitive moderators of outcome following traumatic brain injury: A conceptual model and implications for rehabilitation. *Brain Injury, 9*, 109-130.

Mountcastle, V.B. (1979). An organizing principle for cerebral function: The unit module and the distributed system. Dans. F.O. Schmitt, & F.G. Worden (Éds.), *The Neurosciences: Fourth study program* (pp. 21-42). Cambridge, MA: MIT Press.

Nathan, P.E., & Gorman, J.M. (1998). *A guide to treatments that work*. New York : Oxford University Press.

Newell, A. (1983). Physical symbols systems. *Cognitive Science*. Cambridge : MIT Press.

Newman, M.G., Consoli, A., & Taylor, B. (1997). Computers in assessment and cognitive-behavioral treatment of clinical disorders : Anxiety in as a case in point. *Behavior Therapy, 28*, 211-235.

Nudo R.J., & Milliken G.W. (1996). Reorganization of movement representations in primary motor cortex following focal ischemic infarcts in adult squirrel monkeys. *Journal of Neurophysiology, 75*(5), 2144-2149.

Nudo, R.J., Wise, B.M., SiFuentes, F., & Miliken, G.W. (1996) Neural substrates for the effects of rehabilitative training on motor recovery after ischemic infarct, *Science, 272*, 1791-1794.

Overmier, J.B., & Seligman, M.E.P. (1967). Effects of inescapable shocks upon subsequent escape and avoidance responding. *Journal of Comparative and Physiological Psychology, 63*, 28-33.

Peterson, C., & Seligman, M.P.E. (1984). Causal explanations as a risk factor for depression : Theory and evidence. *Psychological Review, 91*, 347-374.

Posner, M.I. (Éd.) (1989). *Foundations of Cognitive Science*. Cambridge : MIT Press.

Prien, R.F., & Robinson, D.S. (1994). *Clinical evaluation of psychotropic drugs : principles and guidelines*. New York : Raven Press.

Pushkar, D., & Arbuckle, T. (2000). Le contexte général du vieillissement : processus affectifs, sociaux et cognitifs. Dans P. Cappeliez, P. Landreville & J. Vézina (Éds.), *Psychologie clinique de la personne âgée* (pp. 1-22). Ottawa : Presses de l'Université d'Ottawa.

Pylyshyn, Z.W. (1988). *Computation and Cognition : Toward a Foundation for Cognitive Science*. Cambridge : MIT Press.

Richard, J., & Dirkx, E. (1996). Les obstacles méthodologiques en psychogérontologie. Dans J. Richard & E. Dirkx (Éds.), *Psychogérontologie* (pp. 17-23). Paris : Masson.

Robert, M. (1988). *Fondements et étapes de la recherhce scientifique en psychologie.* Saint-Hyacinthe : Édisem.

Robins, L. (1978). *Deviant children grown up.* Baltimore : Williams & Wilkins.

Robins, L.L., & Regier, D.A. (1991). *Psychiatric disorders in America.* New York : Guilford Press.

Rosenthal, R. (1966). *Experimenter effects in behavioral research.* New York : Appleton-Century-Crofts.

Rosenweig, M.R., Leiman, A.L., & Breedlove, S.M. (1998). *Psychobiologie.* Paris : De Boeck Université.

Rothman, K.J., & Michels, K.B. (1994). The continuing unethical use of placebo controls. *New England Journal of Medicine, 331*, 394-398.

Roy, M.A., & Crowe, R.R. (1994). Validity of the familial and sporadic subtypes of schizophrenia. *American Journal of Psychiatry, 151*, 805-814.

Rumelhart, D.E., & McClelland, J.L. (1986). *Parallel distributed processing.* Cambridge : MIT Press.

Rutter, M. (1981). Epidemiological/longitudinal strategies and causal research in child psychiatry. *Journal of the American Academy of Child and Adolescent Psychiatry, 20*, 513-544.

Rutter, M. (1994). Beyond longitudinal data : Causes, consequences, changes, and continuity. *Journal of Consulting and Clinical Psychology, 62*, 928-940.

Sackett, D.L. (1979). Bias in analytic research. *Journal of Chronic Desease, 32*, 51-63.

Sackett, D.L., Haynes, R.B., & Tugwell, P. (1987). *Clinical epidemiology : A basic science for clinical medicine.* Toronto : Little, Brown & Company.

Sahoo, F.M., & Tripathy, S. (1990). Learned helplessness in industrial employees : A study on non-contingency, satisfaction and motivation. *Psychological Studies, 35*, 79-87.

Schaie, K.W. (1996). *Intellectual development in adulthood : The Seattle Longitudinal Study.* New York : Cambridge University Press.

Scoville, W.B., & Milner, B. (1957). Loss of recent memory after bilateral hippocampal lesions. *Journal of Neurology and Neurosurgical Psychiatry, 20,* 11-21.

Seligman, M.E.P. (1975). *Helplessness : On depression, development, and death.* San Francisco : W.H. Freeman.

Shapiro, D.A. (1985). Recent applications of meta-analysis in clinical research. *Clinical Psychology Review, 5,* 13-34.

Smolensky, P. (1988). On the proper treatment of connectionnism. *Behavioral and Brain Sciences, 11,* 1-23.

Solomon, K. (1990). Learned helplessness in the elderly : Theoretic and clinical considerations. *Occupational Therapy and Mental Health, 10,* 31-51.

Solomon, S.D., Gerrity, E.T., & Alyson, M.M. (1992). Efficacy of treatments for posttraumatic stress disorder. An empirical review. *Journal of the American Medical Association, 268,* 633-638.

Solvason, H.B., Ghanata, V., & Hiramoto, R.H. (1988). Conditioned augmentation of natural killer cell activity : Independence from nociceptive effects and dependence on interferon-B. *Journal of Immunology, 140,* 661-665.

Spilker, B. (1991). *Guide to clinical trials.* New York : Raven Press.

Stillings, N.A., Weisler, S.E., Chase, C.H., Feinstein, M.H., Garfield, J.L., & Rissland, E.L. (1995). *Cognitive science : An introduction.* Cambridge : MIT Press.

Talley, P.F., Strupp, H.H., & Butler, S.S. (1994). *Psychotherapy research and practice : Bridging the gap.* New York : Basic Books.

Torrey, F., Bowler, A.E., Taylor, E.H., & Gottesman, I.I. (1994). *Schizophrenia and manic-depressive disorder.* New York : Basic Books.

Tourigny, M. (1997). Efficacité des interventions pour enfants abusés sexuellement : Une recension des écrits. *Revue Canadienne de Psychoéducation, 26,* 39-69.

Tymchuk, A.J. (1997). Informing for consent : Concepts and methods. *Canadian Psychology, 38,* 55-75.

Vallerand, R.J., & Hess, U. (2000). *Méthodes de recherche en psychologie.* Montréal : Gaëtan Morin Éditeur.

Van der Linden, M., & Hupet, M. (Éds.) (1994). *Le vieillissement cognitif.* Paris : Presses Universitaires de France.

Vézina, J., Cappeliez, P., & Landreville, P. (1994). *Psychologie gérontologique.* Montréal : Gaëtan Morin.

Wolf, F.M. (1986). *Meta-analysis.* Newbury Park : Sage.

Young, S.N., & Annable, L. (1996). The use of placebos in psychiatriy : a response to the draft document prepared by the tri-council working group. *Journal of Psychiatry and Neurosciences, 21*, pp. 235-238.

LA RECHERCHE D'INFORMATION

POUR UNE SAINE ALIMENTATION EN INFORMATION

DANIELLE BOISVERT

Le monde de l'information évolue à une vitesse phénoménale avec l'avènement des technologies de l'information et des communications. Le monde se rétrécit en rapprochant l'information des individus par la multitude d'accès électroniques à la maison. La communauté scientifique nous donne accès à son savoir et il est même désormais possible de l'enrichir d'un apport personnel. Le paradigme change, ainsi que l'illustre le tableau 14.1 ci-dessous (Lanteigne, 1997).

Cet état de fait représente donc un défi important pour l'étudiant qui doit apprendre à exploiter efficacement toutes ces

TABLEAU 14.1 **Transition du paradigme de l'information**

Paradigme traditionnel	Paradigme émergent
L'information est vue comme ayant une existence autonome, en dehors de l'activité humaine. C'est un bien livrable, d'un endroit à l'autre, ayant la même valeur pour tous. Elle est *objective*.	L'information est vue comme une construction personnelle par des humains, le résultat d'un processus. Elle est *subjective*.
But de la recherche d'information : – localiser une source – trouver la bonne réponse – avoir accès à la bibliographie pertinente	La recherche d'information est une partie du processus de construction du sens dans une démarche de résolution de problèmes. Elle vise à combler les lacunes de la connaissance.
= Formation à la localisation et à l'utilisation des ressources de la bibliothèque	*= Formation au processus de recherche d'information*

données et à démontrer qu'il a lui-même maîtrisé certains éléments de tout le savoir disponible.

Nous voulons dans les lignes qui suivent donner quelques pistes pour aider l'étudiant à cheminer dans le vaste univers de l'information. Nous désirons ainsi lui montrer à faire des choix stratégiques en reliant les outils aux questions de recherche qu'il aura à débattre, tout en tenant compte de la pertinence et de l'espace temps alloué. Le monde de l'information est à ses pieds, mais il varie énormément en qualité et en quantité. Cet univers en mouvance continuelle exige que l'étudiant développe une capacité à se réajuster avec le soutien d'un réseau informationnel tant humain que documentaire.

Pour illustrer notre propos une analogie sera utilisée occasionnellement, en espérant que ce mode d'appropriation favorisera l'apprentissage et rendra l'acquisition des notions élémentaires moins aride. Le modèle puisera dans le monde de l'alimentation pour créer un parallèle avec l'univers de l'information. Ainsi, la faim « physique » peut être associée à la faim d'information et les caractéristiques de l'une et de l'autre peuvent s'apparenter. Un être humain peut se nourrir par plaisir ou par obligation. Un étudiant peut se passionner pour une problématique de recherche ou se voir imposer une thématique dans un cours précis. L'intérêt et la motivation varient donc et l'énergie investie peut être différente. L'acquisition d'une bonne méthode de travail répond ainsi aux deux types de besoins en rapidité et en pertinence. Par conséquent, l'étudiant trouve en moins de temps un maximum d'éléments d'information très valables pour réaliser un travail de qualité.

14.1. UNE ALIMENTATION SUR MESURE

S'asseoir au restaurant, regarder le menu et commander ce que l'on désire est une situation idéale. Quelqu'un nous apporte un repas déjà préparé selon les indications que nous avons données. Nous mangeons avec appétit, notre faim est assouvie facilement, et nous pouvons vaquer à des activités plus intéressantes. Dans le monde universitaire, beaucoup d'étudiants aiment que quelqu'un fasse la recherche d'information à leur place, car ils trouvent beaucoup plus intéressantes l'analyse des données et les grandes déductions dont ils peuvent faire la démonstration à leur savant professeur. Toutefois, il est rare que le « plat » d'information soit servi tout préparé, et même si on a accès à de la « fast » information, celle-ci a transité par une autre personne qui ne connaît pas toujours nos besoins particuliers. Il est quelquefois nécessaire d'en reprendre le contenu, de l'évaluer et même parfois de revoir certaines opérations afin de s'assurer que le tout répond aux exigences de départ.

Il est aussi toujours agréable de recevoir des compliments pour un mets que l'on a préparé de A à Z. Nous avons choisi les ingrédients soigneusement, nous avons vérifié le goût et nous l'avons relevé au besoin. Les apprentissages réalisés à cette occasion nous permettent de devenir plus autonomes en regard de notre alimentation. De même, en recherche, l'autonomie dans la gestion de l'information nous permet de savoir à tout moment où nous en sommes et de faire les ajustements nécessaires sans besoin d'intervention extérieure. Aussi, à mesure que l'information devient disponible à domicile, l'étudiant doit viser à développer sa capacité à se documenter de façon adéquate, à savoir choisir les bons outils et à appliquer des critères de sélection qui assurent la validité de l'information disponible. Il reste le maître de la qualité de ce qu'il produit, et toute la valeur associée au résultat final lui revient alors entièrement.

14.1.1. L'alimentation en information

Dans le monde de l'alimentation, nous avons des épiceries, des restaurants, des réseaux de distributrices, des cafétérias qui répondent à des situations et à des besoins différents, elles exigent des interactions très variées avec des personnes ou des machines. Les modes d'alimentation informationnels prennent eux aussi plusieurs formes. Analyser son besoin d'information et se familiariser avec les ressources disponibles sont les premières étapes auxquelles doit s'attarder l'étudiant.

14.1.2. Qu'est-ce que nous voulons manger ? ou la stratégie de recherche

Au départ, lorsque la faim nous tenaille, nous nous interrogeons sur la combinaison des mets répondant le mieux à notre besoin. Nous choisissons ces mets en fonction de notre appétit et nous nous ajustons en qualité, quantité et accès plus ou moins rapidement. Si nous ne faisons pas les bons choix nous risquons une indigestion ou que la faim nous tenaille à nouveau.

L'élaboration d'une stratégie de recherche vise elle aussi à exprimer clairement notre « faim » d'information. Dans cette perspective, l'étudiant doit aussi se poser des questions essentielles pour déterminer de façon claire son besoin.

Au début de sa recherche, l'étudiant vit habituellement une certaine confusion par rapport au mandat qu'il doit réaliser, « il me faut trouver 8 articles... mais sur quoi exactement ? ». Il a un appétit soudain d'information, mais ne sait pas encore ce qu'il aimerait trouver pour le combler. Cette période de flottement crée un malaise. Certaines personnes autour de lui (principalement les experts) voudront accélérer son cheminement. Il doit résister ! S'il passe à l'action trop rapidement, il devra faire un retour en arrière, afin d'éviter de s'égarer sur un sentier autre que celui qu'il voulait finalement prendre. Cette période d'incubation est nécessaire pour lui permettre d'établir un premier contact avec son thème de recherche et peu à peu en arriver avec une formulation plus concrète.

L'étudiant peut, dès le départ, clarifier avec son professeur les variables et exigences qui composent sa question de recherche. Par la suite, il pourra faire les ajustements nécessaires avec son enseignant et réduire ainsi l'angoisse que peut générer la confusion.

14.2. LES RESSOURCES

14.2.1. Développer et maintenir un réseau humain

Le serveur ou la serveuse vous conseille dans le choix de votre plat. Dans le domaine de l'information, il existe du personnel en place qui possède de précieuses connaissances qu'il faut savoir exploiter, ne serait-ce que pour formuler son besoin de recherche, apprendre un nouveau logiciel ou se faire orienter rapidement vers les meilleures sources d'information. Avec la popularité croissante de l'accès à distance à plusieurs outils au moyen de l'ordinateur, l'étudiant doit garder un contact avec les personnes qu'il identifie comme ressources ou qui possèdent l'expertise nécessaire. Celles-ci peuvent être aussi bien son professeur, des spécialistes en documentation, en informatique, en analyse statistique ou des collègues de son domaine de recherche. Il s'agit d'un premier réseau d'information à établir. Le courrier électronique facilite l'accès à ces personnes, mais le contact personnel reste tout de même la meilleure avenue pour s'assurer des services de qualité.

14.2.2. Le réseau documentaire

14.2.2.1. REPAS COMPLET SURGELÉ OU OUVRAGES DE RÉFÉRENCE ET DE BASE

Pour amorcer sa recherche, l'étudiant a besoin, si l'on peut dire, de repas complets tout préparés qui lui permettront de faire un survol rapide des différentes textures et saveurs. Les ouvrages de référence (par exemple les annuaires et répertoires) contiennent une multitude d'éléments d'information qui gravitent autour de sa question de recherche. Dans cette catégorie, il est essentiel de retenir principalement les *encyclopédies* et *dictionnaires* qui abordent sommairement une variété de thèmes et qui peuvent être le point de départ du choix d'une orientation ou accroître la connaissance du sujet, surtout sur le plan du vocabulaire. On y trouve les grandes tendances de la discipline ainsi que les auteurs importants. Il existe aussi des manuels de base (qui sont quelquefois suggérés par le professeur), qui permettent un premier contact global avec la thématique de recherche. Bien que d'apparence élémentaire, cette dernière démarche permet de gagner du temps et d'éviter plusieurs frustrations et déceptions.

Après avoir goûté en petite quantité à ces informations, l'étudiant voit son besoin s'élaborer en termes de mots-clés et d'éléments à retenir. Il doit alors faire des choix précis qui l'amèneront à se poser une série de questions liées à la formulation de son besoin de recherche.

14.2.3. Autour de la question de recherche

Pour illustrer notre propos, un exemple présentant l'éventail du questionnement à poursuivre pour clarifier une problématique de recherche nous aidera. Une telle réflexion rend l'étudiant plus efficace dans son cheminement vers l'information, tant dans les interactions avec les êtres humains qu'avec les bases de données. Pour ce faire, l'expression « spontanée » d'une question de recherche supportera notre démonstration. L'étudiant est invité, dans un premier temps, à résumer en ses propres mots son thème de recherche en y incluant toutes les variables dont il doit tenir compte.

Exemple :

Quel est le **rôle** des parents dans le développement des habiletés chez leurs enfants pour **contrer** le taxage à l'école ?

- Les mots « rôle » et « contrer » sont-ils essentiels comme variables dans ma recherche d'information ?
- Est-ce que je trouverai tout de même des documents pertinents sans utiliser spécifiquement ces mots ?
- Suis-je certain(e) que les auteurs utilisent ce vocabulaire pour les documents que je recherche ? Puis-je trouver des synonymes ?
- Est-ce que ces mots sont vagues et difficiles à définir, tels que conséquences, impact, effets ?

Quel est le rôle des parents dans le développement des habiletés chez leurs enfants pour contrer le **taxage** à l'école ?

- Le mot « taxage » est-il accepté par tous ou est-il seulement le lot d'une mode ?
- L'utilise-t-on seulement dans le contexte d'une région ou d'un pays ?
- A-t-il des synonymes qui pourraient augmenter le repérage de documents pertinents ? (Harcèlement, intimidation, etc.)
- Faut-il l'élargir à un ensemble plus vaste pour repérer plus d'information ? (Violence)

Quel est le rôle des parents dans le développement des habiletés chez leurs **enfants** pour contrer le taxage à l'**école**?

- Est-ce que ma recherche se limite à cette catégorie d'âge? (Adolescents, enfants)
- Est-ce que j'élargis ma recherche à un ensemble plus vaste? (Rue, école)
- Quel est l'impact (en termes de pertinence du repérage) si je spécifie ces éléments et quel est-il si je les enlève?

Quel est le rôle des parents dans le développement des **habiletés** chez leurs **enfants** pour contrer le **taxage** à **l'école**?

- Quels synonymes aux mots habiletés, enfants, taxage, école puis-je trouver?

  parents: parent, famille, père, mère, grand-parent, grands-parents

  enfants: adolescent, adolescents, adolescence, jeune, jeunes, jeunesse, jeune adulte, jeunes adultes

  habiletés: habileté, aptitude, comportement, comportements, estime de soi, affirmation de soi

  taxage: intimidation, harcèlement, violence

  école: écoles, scolaire, éducation, classe, classes

Il faut noter que dans la plupart des bases de données et même sur Internet il est possible d'utiliser l'astérisque (*) pour tronquer un mot et ainsi inclure le pluriel ou la fin de ce mot par exemple: enfan* (inclura enfant, enfants, enfance, enfantin).

Autres questions essentielles

- Dans quelle langue veut-on obtenir les documents? (français, anglais)
- Quelle période veut-on couvrir? (1990 à aujourd'hui)
- Quel niveau de contenu doivent avoir les documents? (scientifique, vulgarisation)
- Quelle est la couverture géographique? (Québec, Canada, international)
- Quelles caractéristiques particulières doit posséder l'information? (théorique, empirique, historique, statistique)
- Quels types de documents doivent être repérés? (monographies, articles de périodiques, disques, cassettes, films, vidéo, multimédia, sites Web)

Toutes ces questions permettent de mieux définir le cadre de la problématique et d'effectuer une recherche d'information plus fructueuse.

14.2.3.1. Logique de recherche

Cette première prise de contact réelle de l'étudiant dégage un ensemble de concepts et de mots-clés en rapport avec sa question de recherche, concepts qu'il lui faudra organiser pour formuler son besoin au réseau électronique d'information. Pour ce faire, il est essentiel de comprendre le rôle des opérateurs logiques « et », « ou », « sauf ».

14.2.3.2. ET, OU, SAUF

Au départ, il est essentiel de faire une petite mise en garde par rapport au langage courant. Par exemple, si nous voulons faire des achats, nous dirons « j'ai besoin de confiture et de pain ». « ET » sera utilisé pour déterminer que nous avons besoin d'obtenir à la fois ces deux aliments. Pour ce qui est de la logique de recherche, il est nécessaire de penser tout autrement et de donner un sens différent au « ET ». L'utilisation du « ET » dans la majorité des bases de données veut préciser le sujet pour en arriver à quelque chose de plus pointu. Par exemple, un article portant sur la dépression et l'anxiété sera plus pointu qu'un article sur l'un ou l'autre de ces thèmes.

OU. Pour un bon café, il peut être intéressant de faire un mélange de plusieurs types de grains (colombien, costaricain, mexicain, etc.) pour trouver des saveurs particulières. En stratégie de recherche, cette approche est recommandée pour ne rien perdre en qualité. Il est donc important de se rappeler que les êtres humains n'utilisent pas tous le même vocabulaire (en raison de leur formation, de leur origine sociale, d'un contexte particulier, de l'évolution des appellations). Il est essentiel de prévoir tout le vocabulaire qui correspond à chacune des facettes de notre sujet. Pour ce faire, l'étudiant doit utiliser l'opérateur « OU » entre les mots-clés pour *élargir* son éventail de possibilités.

ET. Si nous reprenons l'exemple relié au café, la personne peut vouloir y mettre du lait et du sucre, sinon son café sera imbuvable. De même, pour la recherche d'information, l'utilisation de l'opérateur « ET » permet de *préciser* les variables qui doivent obligatoirement être présentes pour accroître la pertinence de l'information et répondre adéquatement à notre besoin.

SAUF. On peut *exclure* une variable avec l'opérateur « SAUF » lorsqu'on ne veut pas que la recherche se fasse sur des documents qui contiennent ce mot-clé.

Finalement, il ne faut pas oublier qu'il est important d'utiliser les opérateurs dans la langue de la base de données que l'on consulte, à moins d'avis contraire. Par exemple, avec un outil anglophone il faut traduire par OR, AND, NOT.

Exemple :

Résumer sa question de recherche dans une phrase claire et concise (incluant toutes les facettes exprimées en mots-clés à couvrir).

Quel est le rôle des parents dans le développement des habiletés chez leurs enfants pour contrer le taxage à l'école ?

Recherche d'information en employant les termes en français (mots-clés et descripteurs)

taxage **OU** intimidation **OU** violen*

ET

enfan* **OU** adolescen* **OU** jeune* **OU** jeune* adulte*

(Expression)

ET

école* **OU** scolaire **OU** classe*

ET

parent* **OU** famil*

ET

habilet* **OU** estime de soi **OU** confiance en soi

(Expression) *(Expression)*

Recherche d'information en employant les termes en anglais (mots-clés et descripteurs)

bullying **OR** violen* **OR** peer pressure

(Expression)

AND

child* **OR** adolesc* **OR** Young adult*

(Expression)

AND

school* **OR** classroom*

AND

parent* **OR** famil*

AND

abilit* **OR** skills **OR** self esteem **OR** self concept **OR** self perception

(Expression) *(Expression)* *(Expression)*

En plus, il est essentiel que l'étudiant prête attention aux caractéristiques particulières (en consultant l'aide) de l'outil qu'il interroge (p. ex., Manitou, Érudil, Repère, PsycLIT, Web of Science). Certaines bases de données n'utilisent pas les expressions ou génèrent un opérateur par défaut entre deux mots (délinquance juvénile devient délinquance et juvénile). L'utilisation de parenthèses, pour regrouper des synonymes ou des mots-clés, que l'on veut inclure pour élargir notre recherche peut aussi permettre de faire exécuter à l'ordinateur une opération logique qui respectera notre sujet et nous permettra de faire des combinaisons complexes.

(taxage ou intimidation ou violen*) et (enfan* ou adolescen* ou jeune*) et (école* ou scolaire ou classe*) et (parent* ou famil*)

Cette logique de recherche reste l'élément clé à retenir, avec l'évaluation de la qualité des sources, pour interroger une base de données, un catalogue de bibliothèque et même Internet.

14.2.4. Réseau d'information

Avec l'évolution du monde de l'information, les supports traditionnels (monographies, périodiques) se voient complétés par d'autres sources (Internet) qui exigent de la part de l'étudiant une connaissance approfondie du rôle de chacun dans la chaîne d'accès à l'information. Tout au cours de sa cueillette, l'étudiant doit noter avec attention l'information qu'il trouve pour ensuite compléter la bibliographie qu'il remet avec son travail de recherche. Il doit s'assurer par ailleurs que ces données sont consignées selon la méthodologie de présentation en vigueur dans son établissement (exemple : selon les normes de l'American Psychological Association).

14.2.4.1. En conserve (les monographies)

Spontanément, l'étudiant a le réflexe de rechercher des *monographies* (livres) pour commencer sa recherche d'information. Celles-ci sont, si nous poursuivons notre analogie, l'équivalent des boîtes de conserve dans l'alimentation. C'est-à-dire que leur contenu est stable; qu'il paraît à un moment donné et peut seulement être renouvelé avec une nouvelle édition. Les monographies portent sur une variété de sujets dont elles font la synthèse et leur approche peut aller du plus raffiné (thèse) au plus populaire (vulgarisation scientifique). Pour les identifier et les localiser, l'étudiant peut consulter le catalogue de sa bibliothèque qui les lui signalera grâce à une recherche qui peut se faire dans plusieurs champs (sujets, auteurs, titres, texte intégral, etc.). Il peut aussi, via Internet, consulter les catalogues de nombreuses bibliothèques (même à travers le monde) et repérer les documents pertinents pour sa recherche. En tenant toujours compte des délais qu'il doit respecter ou selon les possibilités d'accès à ces bibliothèques, il peut soit se rendre sur place ou utiliser le service de prêt entre bibliothèques pour obtenir ces monographies.

De plus, il peut être amené, tout au cours de ses recherches dans les diverses bases de données, à repérer des monographies, des thèses, des rapports de recherche qu'il doit localiser pour prendre connaissance du contenu. Pour ce faire, il doit procéder selon les démarches indiquées plus haut.

Il existe aussi sur Internet des monographies que l'étudiant peut télécharger sur son ordinateur (p. ex. en format pdf avec Acrobat Reader) et imprimer par la suite s'il le désire. Il s'agit souvent de documents gouvernementaux ou d'organismes communautaires qui offrent gracieusement l'accès à leurs publications (ex. rapports annuels, rapports de comités d'étude, rapports d'activités, etc.). Toutefois, le repérage et la permanence d'accès à ces ressources sont aléatoires il arrive souvent que leur adresse change ou que l'éditeur les retire au profit d'autres documents plus récents.

Certaines bases de données donnent accès à des monographies ou chapitres de monographies. Leur accès est souvent contrôlé par un mot de passe ou on exige certains coûts pour les consulter en ligne (p. ex. Safari). D'autres permettent de recevoir un document dans notre courrier électronique (ainsi, Digital Dissertations inclut le texte complet des thèses québécoises depuis 1997).

D'autres monographies libérées du droit d'auteur sont aussi disponibles sur Internet et regroupées sur des sites particuliers (Classiques des sciences sociales, Gallica, bibliothèque numérique de la Bibliothèque nationale de France, etc.).

14.2.4.2. Fruits et légumes (les périodiques)

L'équivalent des fruits et légumes en alimentation, les *périodiques* se renouvellent constamment et leur fraîcheur est recherchée. Ils permettent de mettre à jour l'information et de rendre compte de l'avancement de la science dans un domaine. Il est possible de les conserver pendant plusieurs années et ainsi offrir la possibilité d'une collecte d'information rétrospective. Ils traitent souvent du sujet de façon concise et pointue, de là leur utilité accrue.

Le professeur demande quelquefois à l'étudiant de trouver un certain nombre d'articles de périodiques (par exemple huit articles) pour appuyer son argumentation. Systématiquement, cet étudiant peut être tenté de prendre les premiers articles qu'il trouve sans évaluer leur qualité ou leur degré de pertinence. Ainsi, aimeriez-vous que le médecin qui vous soigne à l'urgence n'ait pas lu le neuvième article qui vous sauverait la vie, et ce, parce que son professeur ne l'avait pas exigé ? Il est certain que souvent le temps presse, mais l'exécution mécanique d'une consigne n'est d'aucune utilité sur le plan de l'apprentissage. Repérer les articles les plus pertinents pour utilisation ultérieure demeure une habileté à acquérir. De plus en plus, l'étudiant consultera à distance son information et n'aura pas toujours le soutien du professeur ou de personnel spécialisé pour l'aider à en évaluer la pertinence. Il doit donc développer son esprit critique relativement à l'information qu'il rassemble.

Le tableau 14.2 présente quelques caractéristiques à retenir pour ce qui est de l'évaluation des articles de périodiques. Ceux-ci sont soumis à des règles de présentation et de thématiques, établies par l'éditeur qui les publie et le public auquel ils s'adressent (chercheurs ou grand public), qui nous permettent de les répartir selon de grandes catégories.

TABLEAU 14.2 **Caractéristiques distinctives des grands types d'articles**

Les articles dits scientifiques

A) Articles de recherche empirique (qui incluent des données objectives)
- Les auteurs présentent les résultats de travaux de recherche.
- Les articles sont accompagnés de tableaux et de statistiques.
- On y trouve une description détaillée de la démarche de recherche (problématique, cadre théorique, hypothèses ou questions, méthodologie, résultats, conclusion et bibliographie complète).
- La lecture présuppose une connaissance approfondie du domaine.

B) Recensions d'écrits, analyses critiques et articles théoriques
- Portent sur l'analyse, la synthèse et la critique de différents travaux (recherche, intervention, programmes, politiques).
- La critique fait ressortir les qualités et les limites de certains travaux.
- Un survol des connaissances est effectué à un moment donné.
- Les pistes de recherche qui se dégagent pour le futur sont indiquées.
- Une bibliographie détaillée est incluse.

Les articles dits non scientifiques

A) Textes d'opinions et journalistiques
- Les auteurs présentent leurs opinions et réflexions sur certaines thématiques.
- Les auteurs s'appuient sur leur expérience personnelle et sur un nombre limité de références.
- Leur expertise et leur crédibilité peuvent nécessiter d'être vérifiées.

B) Projets, interventions ou programmes en cours
- Ils font état d'activités en cours de réalisation, d'implantation ou d'évaluation.
- Ils sont présents dans les périodiques des corporations professionnelles.
- Les données sont insuffisantes pour évaluer la qualité, la pertinence et l'utilité des activités.

C) Éditoriaux
- L'auteur (souvent au début d'un numéro) prend position sur une thématique pour lancer un débat ou ajouter à celui qui est en cours.

Les périodiques représentent donc, par leurs caractéristiques intrinsèques, des sources d'information de première main pour un étudiant qui veut faire un travail de qualité, intégrant des données à jour et touchant plus spécifiquement son thème de recherche. Leur accès peut être assez laborieux, étant donné la diversité de leur contenu et la quantité de ce qui se publie dans le monde. De plus, ils se présentent à la fois sous des formes traditionnellement imprimées ou électroniques.

Si nous poursuivons notre analogie, pour les repérer il faut souvent passer par des réseaux de distributrices (index imprimés ou bases de données) au contenu très inégal et dont il faut apprendre le fonctionnement pour s'y alimenter. Parfois le texte est présent, d'autres fois seule la référence bibliographique est fournie. L'étudiant doit alors faire des démarches pour obtenir l'article convoité soit en consultant le catalogue de la bibliothèque et en repérant le périodique sur les rayons, soit en demandant l'article par le service de prêt entre bibliothèques (cette dernière démarche occasionne des délais dont il lui faudra tenir compte dans sa gestion de temps et des coûts).

Le fait de connaître et d'utiliser les diverses bases de données[1] pour accéder à l'information constitue un atout majeur pour l'étudiant. L'apprentissage qu'il réalise sur le plan de la maîtrise de la stratégie de recherche et de la compréhension des opérateurs logiques est habituellement transférable lors de l'exploitation de ces outils. Il lui reste donc à comprendre les particularités de chacune au regard du contenu (types de documents, période couverte, langues), du vocabulaire qui lui est associé (l'utilisation du thésaurus peut grandement faciliter la recherche des descripteurs pertinents) et des façons de consulter, d'imprimer ou d'exporter l'information repérée. De plus, on note une tendance dans certains domaines à donner accès au texte complet de l'article, ce qui facilite grandement le travail de l'étudiant.

1. Par exemple, en psychologie, l'American Psychological Association produit une base de données qui permet de repérer l'information scientifique dans ce domaine. De plus, elle est accompagnée d'un thésaurus qui aide l'étudiant à trouver le vocabulaire (descripteurs) relié à son thème de recherche.

14.2.4.3. Cuisine internationale (Internet)

Avec « la cuisine » Internet, il est possible de « s'alimenter » dans le plus chic restaurant de Paris ou de prendre un verre dans un bar louche d'un pays exotique, et ce, quasi instantanément. Cet outil très performant élimine les frontières pour ce qui est de l'accès à l'information et rapproche celle-ci de l'individu. Maintenant, dans le confort de son foyer, l'étudiant peut, de plus en plus, interroger des bases de données, consulter le texte intégral d'articles scientifiques, prendre connaissance des informations sur tel ou tel organisme ou celles qu'un chercheur vient tout juste de créer, assister aux discussions de sommités. Le savoir se démocratise (pour ceux qui ont accès au réseau Internet...) dans la mesure où on sait l'exploiter. Il se crée souvent sous les yeux de l'utilisateur (comme nous le disions au début) et lui-même peut y contribuer.

> L'information dans Internet est dans un état virtuel. C'est dire qu'elle n'est pas conservée à la façon bien tangible des pages d'un livre. Les sites sont éphémères. Ils disparaissent ou changent d'adresse sans préavis. L'authenticité de l'information est difficile à établir (GIRI, 2003a).

En ce qui concerne Internet, qui n'est pas une panacée quoi qu'on en dise, l'étudiant doit toujours avoir à l'esprit l'évaluation du degré de pertinence des informations recueillies par ce médium. Il doit corroborer ce qu'il obtient au moyen des autres informations qu'il possède déjà ou qu'il a pu recueillir dans d'autres sources fiables, telles les bases de données d'articles scientifiques.

Le tableau 14.3 suggère quelques critères auxquels l'étudiant devrait porter attention pour évaluer la qualité d'un site Internet.

14.2.5. Outils de recherche

L'étudiant qui cherche de l'information peut disposer d'une adresse précise qui est quelquefois recommandée par son professeur. En visitant le site de son établissement d'enseignement (p. ex., la page Web de la bibliothèque ou celle de son professeur), il peut repérer plusieurs sites contenant beaucoup d'information reliée à sa discipline. Il peut alors visiter les sites proposés et trouver ce dont il a besoin. De plus, il peut sur son ordinateur personnel conserver ces adresses dans le carnet d'adresses du navigateur, afin de les consulter facilement par la suite. Ainsi

TABLEAU 14.3 **Critères proposés pour évaluer la qualité d'un site sur l'Internet**

A) Auteur(s) du site
Auteur individuel
- Auteur connu et reconnu comme crédible.
- Auteur inconnu :
  - il se réfère à un auteur connu et reconnu par ses pairs ;
  - il établit des liens avec des sites reconnus ;
  - possibilité d'accès à de l'information biographique sur l'auteur qui permet de juger de sa crédibilité et son expertise ;
  - accès à son adresse électronique ou postale pour complément d'information.

B) Auteur collectif (organisme, gouvernement ou institution)
- Organisme ou institution reconnue par le milieu scientifique ou communautaire.
- Possibilité de communiquer avec la personne qui a réalisé le site.
- Site reconnu officiellement par l'organisme.

C) Contenu du site
- But du site : éducatif, informationnel, promotionnel ou commercial.
- S'adresse à des spécialistes (niveau d'analyse, langage, accès) ou au grand public.
- Information à caractère général, spécialisée ou technique.
- Qualité des informations (sources reconnues et vérifiables).
- Couverture et profondeur d'analyse du sujet.
- Texte clair soutenu par une argumentation valable.
- Discours faisant état de faits, d'opinions ou de propagande.
- Site souvent retenu comme référence dans d'autres sites.
- Date de création du site indiquée et mise à jour régulière.
- Présence des liens pertinents et actifs.
- L'information existe sous d'autres formes (ex. CD-ROM).
- Le contenu est dérivé d'autres sources d'information (ex. bases de données spécialisées).

l'adresse URL (Uniform Resource Locator) est tout simplement l'adresse d'une ressource sur Internet. Prenons par exemple l'URL :

http://www.bibl.ulaval.ca/vitrine/giri/index.htm

http ://	www.bibl.ulaval.ca/	vitrine/giri/	index.htm
Cette partie de l'URL identifie le protocole de communication ; ici, hypertext transfer protocol.	Cette partie de l'URL identifie le serveur ; ici, le serveur de la bibliothèque de l'Université Laval au Canada.	Cette partie de l'URL identifie le répertoire et sous-répertoire.	Cette partie de l'URL identifie le fichier.

Pour accéder à quelque ressource que ce soit sur Internet, il faut donc connaître ou trouver l'adresse URL permettant de localiser cette ressource et d'y accéder. Il est important dans une adresse URL de respecter strictement les majuscules et minuscules, tous les caractères et la ponctuation. À remarquer, on n'utilise pas de caractères accentués (GIRI, 2003b).

1. Peut-on se fier à toutes les informations que l'on retrouve sur un site Web ?
2. Qu'est-ce qu'un thésaurus et comment cela peut-il être utile lors d'une recherche bibliographique ?
3. Comment départager un article scientifique d'un article empirique ou d'un article non scientifique ?

Toutefois, l'étudiant qui ne possède pas d'adresse précise doit connaître les outils de recherche proposés par Internet et être capable de les utiliser. Pour être plus efficace, il doit reprendre les données recueillies (mots-clés, logique entre les mots-clés) autour de sa question de recherche et les transposer dans cette nouvelle source d'information. Il lui faut appliquer les critères de sélection de façon rigoureuse, afin de cerner l'information la plus pertinente.

Le monde de l'Internet a comme caractéristique la mouvance constante. L'étudiant doit donc demeurer curieux et développer sa capacité de s'adapter à des environnements très variables en contenu. Toutefois, nous tenterons ici de lui donner des repères afin qu'il puisse utiliser certains outils de façon efficace.

Il peut s'avérer très important de prendre le temps de consulter l'aide disponible pour chacun des outils. Ces pages d'information illustrent avec des exemples la meilleure façon d'en interroger le contenu. Par exemple, on explique dans quelle section de la page l'outil cherche, s'il est possible d'utiliser la logique de recherche (et, ou, sauf, and, or, not) et quels sont les symboles requis pour utiliser la troncature (*) et inclure le pluriel ou la fin du mot, si les accents et les mots d'une autre langue sont permis et, enfin, on donne des conseils efficaces pour arriver plus facilement à un résultat efficace.

En ayant en tête un besoin d'information bien structuré et en gardant un esprit critique par rapport à ses trouvailles, l'étudiant peut aborder les outils de recherche de façon éclairée. Il est possible sommairement de classer ces derniers en deux catégories : ceux qui mettent à contribution une intervention humaine dans le classement des informations et les autres qui mettent à profit la puissance des machines.

14.2.5.1. Les répertoires ou catalogues sujets

Ces outils de recherche (p. ex., Toile du Québec, Yahoo) présentent l'information dans des catégories et des sous-catégories (du plus général au plus particulier). Le contenu des sites a fait l'objet d'une analyse et d'un classement spécifiques souvent par des êtres humains. Ils sont surtout utiles lorsqu'un étudiant connaît sa discipline, et veut naviguer en étant, si l'on peut dire, tenu par la main. Ce mode de recherche peut être qualifié d'intuitif, car l'étudiant doit, à mesure qu'il précise les catégories, faire des choix éclairés qui l'amèneront vers l'information la plus pertinente. Quelquefois, la route à prendre n'est pas évidente ; l'étudiant peut alors enregistrer temporairement dans son carnet d'adresses d'autres avenues qu'il pourrait explorer. L'image de toile d'araignée (Web) à laquelle on fait souvent allusion en parlant d'Internet est plus évidente avec ce mode de recherche. Il est aussi possible de faire une recherche précise, mais celle-ci se fera la plupart du temps au moyen des termes issus du classement que l'on a attribué aux sites ou nous amènera vers des outils plus performants pour ce type de recherche.

14.2.5.2. Les robots ou banques constituées automatiquement

> Des logiciels que l'on appelle des robots informatiques (crawler, worm, spiders, wanderer, etc.) parcourent les sites serveurs Internet et cumulent des masses phénoménales d'information dans des bases de données interrogeables grâce à des logiciels que l'on appelle des moteurs de recherche (search engines). Bien qu'Internet ne soit pas un tout unifié, on en constitue des ensembles globaux mais plus ou moins disparates, dans lesquels on peut effectuer des recherches par interrogation grâce à des formulaires. Ces puissants outils recherchent donc la présence de vos critères de recherche dans l'ensemble des fichiers emmagasinés ou transitant sur Internet qu'ils cumulent, souvent au jour le jour, en mémoire (GIRI, 2003c).

Ce type d'outils de recherche (Google, Alta Vista, Carrefour.Net, HotBot) exige de la part de l'utilisateur une préparation très rigoureuse de sa thématique de recherche. Il s'agit ici d'une machine qui cherche des mots, souvent dans le texte complet des pages Web, ce qui représente une quantité astronomique de possibilités de repérage. C'est pourquoi l'étudiant doit auparavant avoir déterminé ce qu'il cherche vraiment avec des mots-clés précis. De plus, il peut spécifier s'il veut se limiter à un pays, à une langue, à une période particulière, au repérage d'images, de vidéos etc. La consultation de l'aide lui permettra de comprendre comment travaille cette machine sur le plan du repérage de contenu et des diverses méthodes à utiliser pour en arriver à un degré de pertinence très pointu.

La compréhension de la logique de recherche (et, ou, sauf, and, or, not) représente un atout majeur pour l'utilisation de cet outil. Cela permet à l'étudiant d'augmenter la pertinence des sites repérés et d'éviter la consultation fastidieuse d'un grand nombre de sites.

Ces outils offrent de plus en plus un classement par sujets qui peut aider à encadrer plus exactement un thème de recherche par rapport à une discipline particulière.

14.2.5.3. MÉTA-INDEX

Ces outils de repérage (Copernic, MetaCrawler) visent à donner à l'utilisateur une porte unique lui permettant d'effectuer une recherche dans plusieurs outils à la fois. La recherche d'information est simplifiée en n'exigeant de la part de l'étudiant qu'une seule entrée de données par rapport à son sujet. Toutefois, il faut que l'étudiant demeure vigilant pour ce qui regarde l'exhaustivité de l'outil, car il existe tellement de modes d'interrogation et de possibilités qu'il peut arriver que certaines informations pertinentes n'aient pas été repérées. Ainsi, avec Copernic, il est également possible de recevoir, sur son courrier électronique, un signalement, de nouveaux sites ou la mise à jour de ceux qui portent sur une thématique préalablement sauvegardée.

14.3. CONCLUSION

Le monde de l'information, avec l'avènement de l'électronique, modifie sensiblement les modes d'appropriation du savoir. L'étudiant peut et pourra suivre des cours à distance, accéder à l'information de chez lui. C'est pourquoi sa responsabilité à l'égard de l'acquisition des connaissances et du développement d'habiletés particulières s'accroît. Certes, un réseau de soutien demeure en place pour l'aider à atteindre ses objectifs, mais ces personnes-ressources exigent de lui un investissement personnel favorisant l'autonomie et la prise en charge.

Les habiletés que l'étudiant doit développer pour ne pas mourir de faim ni se voir submerger par l'information se regroupent sous trois catégories. Premièrement, l'étudiant doit apprendre à exprimer ce qu'il désire de façon claire et précise. La capacité d'analyser sa question de recherche de façon créative en explorant toutes les avenues possibles demeure l'élément clé de sa réussite.

Devant l'univers disparate de l'accès à l'information, il doit aussi apprendre «à cuisiner» avec tous les outils qui sont à sa disposition. La curiosité et l'ouverture d'esprit demeurent des atouts majeurs dans son développement, en tant qu'étudiant et futur professionnel qui doit et devra se mettre à jour constamment. L'univers qui se crée, presque sous ses yeux, lui demande des ajustements et une ouverture à réaliser des apprentissages qui le mèneront vers les sources les plus pertinentes.

De plus, pour s'alimenter en qualité et non en quantité, il doit acquérir, de concert avec ses professeurs, un esprit critique qui lui permettra d'évaluer les sources d'information qu'il consulte, et ce, même en disposant seulement de données sommaires. Avec la masse d'information accessible, il doit être en mesure d'appliquer spontanément certains critères pour séparer le bon grain de l'ivraie. Sinon, ses actes en tant qu'intervenant ou que chercheur risquent d'être inférieurs aux standards de compétence exigés par sa profession. Les étapes nécessaires à la recherche de documentation et d'information sont résumées à la figure 14.1 pour schématiser l'ensemble de la démarche.

Enfin, l'étudiant peut même agir sur les connaissances en les réorganisant en fonction de ses champs d'intérêt particuliers. Il peut aussi créer sa propre base de données avec des logiciels comme Procite ou EndNote. Il doit toutefois retenir que l'utilisation de ces connaissances doit se faire dans le respect de la propriété intellectuelle des créateurs. Enfin, il se passe de consommateur à créateur de contenu. De là la pression qui s'exerce maintenant sur lui pour qu'il développe de façon urgente ses capacités d'analyse, d'évaluation, de synthèse, d'élaboration de contenu et même d'innovation dans sa spécialité.

FIGURE 14.1 **Schéma résumé intégrant les étapes associées à la recherche de documentation et d'information**

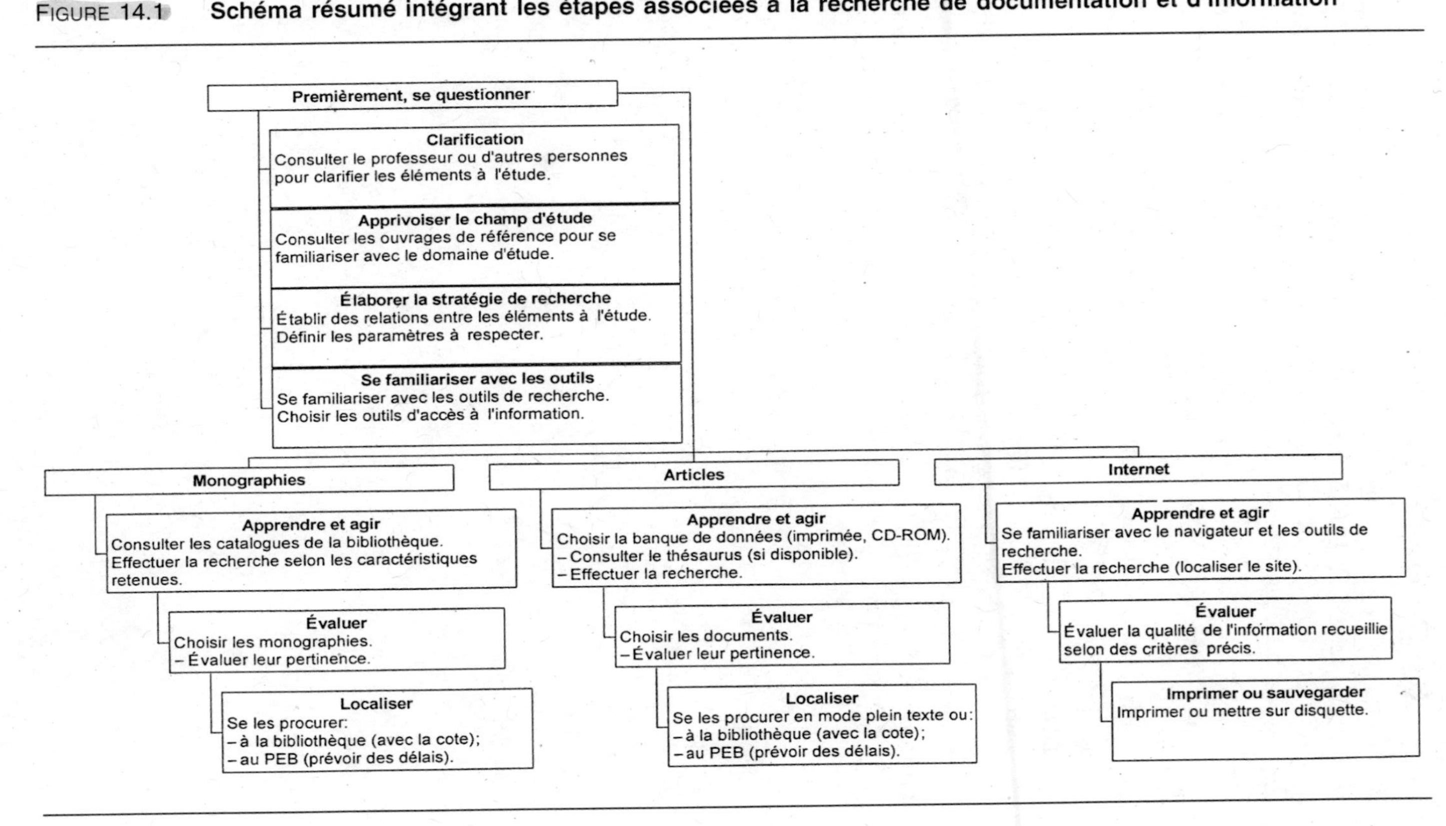

14.4. RÉFÉRENCES

GIRI (2003a). Groupe de travail sur l'accès aux ressources documentaires CREPUQ. (Page consultée le 1er août 2003). *GIRI 1.1 Description globale d'internet* [En ligne]. Adresse URL: http://www.bibl.ulaval.ca/vitrine/giri/mod1/1_1.htm

GIRI (2003b). Groupe de travail sur l'accès aux ressources documentaires CREPUQ. (Page consultée le 1er avril 1998). *GIRI: 2.1.1 Présentation des données de base* [En ligne]. Adresse URL: http://www.bibl.ulaval.ca/vitrine/giri/mod2/2intro.htm#2.1.2

GIRI (2003c). Groupe de travail sur l'accès aux ressources documentaires CREPUQ. (Page consultée le 1ee août 2003). GIRI: 3.6.2 *Outils de recherche* [En ligne]. Adresse URL: http://www.bibl.ulaval.ca/vitrine/giri/mod3/3ex1.htm

Lanteigne, D. (1997). *Le parcours méthodologique de la recherche d'information.* Formation continue ASTED, novembre.

RÉPONSES AUX QUESTIONS

CHAPITRE 1

Question 1

1. Poser une question de recherche.
2. Proposer des hypothèses.
3. Mettre sur pied une façon de tester l'hypothèse et obtenir l'autorisation du Comité d'éthique.
4. Réaliser la recherche.
5. Analyser et interpréter les résultats.
6. Poser de nouvelles questions de recherche.
7. Communiquer les résultats (publications ou autres).

Il faut noter ici que l'obtention de l'autorisation du Comité d'éthique ne représente pas nécessairement une étape distincte de l'élaboration de la méthodologie. En effet, la réflexion éthique et les éclairages apportés par le Comité d'éthique devraient faire partie intégrante de l'élaboration du plan de recherche. Mais puisque de façon pratique cela constitue une tâche additionnelle pour le chercheur, certains considèrent ce processus comme une étape additionnelle.

Question 2

Faux. Les deux méthodes peuvent apporter des connaissances précieuses. Cependant, elles ne mènent pas toutes au même genre de conclusion. Précisons que la méthode corrélationnelle ne permet pas de conclure à la présence de relations causales.

Question 3

Une démarche inductive (l'observation de faits concrets pour dégager des règles générales).

Question 4

f) b et d sont vraies

Question 5

L'application du programme d'intervention représente la variable indépendante, c'est-à-dire celle qui sera manipulée par l'expérimentateur. Il y a deux variables dépendantes dans cette étude (ce qui sera mesuré pour voir l'effet de la manipulation), soit la réussite scolaire et le taux de décrochage.

Question 6

La capacité à endurer la douleur représente ici la variable dépendante.

Question 7

Le niveau d'intérêt représente une variable modératrice.

Question 8

Le départ représente une cause suffisante, mais pas une cause nécessaire. Il n'est pas nécessaire que la mère quitte le foyer pour que l'enfant pleure; il pourrait aussi pleurer parce qu'il a perdu son ours en peluche!

L'étudiant qui veut améliorer sa capacité à identifier les variables dépendantes et indépendantes trouvera une mine de résumés français d'études empiriques sur le site Web de la Société québécoise pour la recherche en psychologie (www.sqrp.ca). Il suffit de sélectionner l'onglet « Services aux membres », puis « Afficher les résumés des communications et les programmes présentés lors de congrès antérieurs ».

CHAPITRE 2

Question 1

Facteurs historiques, maturation, sélection des participants, fluctuation de l'instrument de mesure, réactivité de la mesure, régression vers la moyenne, défection des participants, effets de l'expérimentateur, attentes des participants et diffusion du traitement. Bien entendu, ces sources d'invalidités peuvent se combiner entre elles. Consultez le tableau 2.1 pour voir une liste complète des sources d'invalidité et de techniques pouvant minimiser leur effet.

Question 2

b) Validité externe.

Question 3

La validité de concept.

Question 4

(c) La maturation.

Question 5

Voici une liste de solutions potentielles: procéder à simple ou double insu, effectuer des enquêtes pré- ou postexpérimentale, effectuer une simulation ou avoir recours à la tromperie, ou même effectuer une expérience déguisée.

CHAPITRE 3

Question 1

Dans les protocoles quasi expérimentaux, l'affectation des participants aux conditions expérimentales est constituée de manière naturelle (par exemple, hommes et femmes), tandis que dans les protocoles expérimentaux, cette affectation est sous le contrôle du chercheur (par exemple, affectation aléatoire des participants aux différentes conditions).

Question 2

Un premier type de protocole préexpérimental est l'étude de cas. Dans les études de cas, la faiblesse réside dans le fait que l'on ne dispose pas d'une mesure prétest du phénomène à étudier. Il est donc difficile de voir si le traitement a vraiment eu un effet lorsqu'on ne connaît pas le niveau initial du phénomène à étudier. Un second type est le protocole prétest post-test sans condition témoin. Dans ce cas-ci, nous ne disposons d'aucune condition de comparaison (condition témoin). Ce faisant, il est possible qu'un changement observé ne soit pas dû au traitement mais à d'autres facteurs comme l'instrument de mesure ou la maturation, par exemple. Enfin, nous retrouvons le post-test seul avec condition témoin statique pour lesquels nous comparons une condition d'intervention avec une condition non équivalente au moment du post-test seulement. Un danger dans l'utilisation de ce protocole réside dans le fait qu'il y a une possibilité que les conditions ne soient pas équivalentes au départ et, conséquemment, que le changement observé ne soit pas lié au traitement mais à une différence qui existait au préalable.

Question 3

La force du protocole de McGinnies et al. (1958) vient de l'inclusion d'au moins deux groupes dans chaque condition. L'affectation aléatoire de groupes multiples aux conditions réduit la probabilité d'effets préexistants à travers les conditions.

Question 4

Lorsque des résultats extrêmes sont mesurés à deux reprises, la deuxième mesure tend vers la moyenne, c'est-à-dire que les grands résultats tendent à diminuer et que les petits résultats tendent à augmenter.

Question 5

La fonction du prétest est de nous informer sur l'équivalence initiale des différents groupes de participants quant au niveau du phénomène à traiter. Le problème potentiel en est un d'interaction: tout effet repéré dans la condition cible peut dépendre de l'action combinée de l'intervention et du prétest, et non pas de l'intervention seule. On peut contrer ce problème en utilisant le protocole à quatre conditions de Solomon (où nous avons une condition témoin sans prétest, nous permettant d'évaluer l'effet de l'intervention seule et une condition témoin sans prétest nous permettant d'évaluer l'effet du prétest seul) ou le protocole post-test seulement avec condition témoin équivalente (où nous n'utilisons pas de prétest).

CHAPITRE 4

Question 1

Dans sa forme de base, ce protocole comporte deux conditions créées par affectation aléatoire des participants à chacune de celles-ci. Une des deux conditions reçoit une intervention et l'autre non. Ce protocole nous assure que l'intervention étudiée est la cause la plus probable de l'effet observé, parce que son application dans une condition constitue la seule différence possible avec la non-application dans une autre condition.

Question 2

Un problème potentiel avec toute étude avec des êtres humains est la possibilité que ceux-ci n'agissent pas de manière naturelle mais plutôt d'une manière liée à leurs attentes ou à ce qu'ils croient être les attentes du chercheur, par exemple. Cela est lié à la prise de conscience qu'ils participent à une recherche. La condition témoin de type sans contact aide à contourner ce problème parce que les personnes de la condition témoin ne sont jamais sollicitées dans le but de les faire participer à une étude quelconque. Ils participent donc à l'étude à leur insu. Cependant, par considération éthique, les données d'une condition sans contact sont plus souvent recueillies dans le cadre d'études quasi expérimentales où l'on compare la moyenne d'une condition cible avec la moyenne d'une condition naturelle comparable et non des données individuelles.

Question 3

Le placebo original est une pilule en apparence identique à un véritable médicament mais qui ne contient aucune molécule active. Il est possible que le simple fait de savoir qu'on prend un médicament pouvant réduire un symptôme cause une réduction réelle de ce dernier. Ce genre d'effet est, encore une fois, lié aux attentes des participants. Les effets spécifiques de nouveaux médicaments peuvent donc être séparés des effets non spécifiques associés aux attentes des participants par l'utilisation d'un placebo. Notez cependant que, bien que le placebo original soit la pilule de sucre, il est fréquent de généraliser le concept de placebo à des conditions expérimentales qui n'utilisent pas de pilule. Par exemple, l'étude de Desharnais et al. (1993) dans laquelle les chercheurs tentent de créer l'effet placebo en suggérant une attente spécifique, ou lors de l'application de thérapies qui semblent utiles aux yeux des clients mais qui ne devraient pas contenir d'ingrédients thérapeutiques actifs.

Question 4

Nous aurions avantage à utiliser la condition témoin de type intervention standard. Le suicide est une condition trop sévère pour qu'on puisse envisager la comparaison avec une condition sans intervention, placebo ou de liste d'attente. En combinant le traitement habituel avec le nouveau traitement, nous nous assurons également d'offrir un traitement efficace, même si l'intervention B se révèle inefficace.

Question 5

Les études longitudinales suivent l'évolution à plus ou moins long terme d'un phénomène et s'intéressent principalement aux changements ou aux transformations dans le temps.

CHAPITRE 5

Question 1

Les différents protocoles à niveaux de base multiples (en fonction des individus, des comportements ou des situations) représentent les protocoles à cas unique les plus rigoureux en ce qui a trait aux menaces à la validité interne et externe, au même titre que les combinaisons complexes d'alternances ABA, les protocoles avec changement de critère et les protocoles avec alternance de traitement. Il semble plus difficile de hiérarchiser les protocoles à cas unique que les protocoles de groupe (ceux présentés au chapitre 3). C'est pour cela que le tableau 5.1 regroupe les protocoles en catégories. On pourrait par exemple croire que le protocole à niveaux de bases multiples présente plus de validité interne et externe. Mais il semble difficile de statuer entre, par exemple, un protocole à niveaux de base multiples en fonction des individus appliqué avec trois personnes à un protocole complexe d'alternances ABCBABABCBA mené auprès de cinq personnes. Ainsi, les limites et les forces des protocoles de la première catégorie du tableau 5.1 dépendent de la façon dont chaque protocole est administré et des spécificités de la population à l'étude.

Question 2

Il existe trois formes de protocoles à niveaux de base multiples. Leur similarité repose sur la mesure continue des variables à l'étude et le fait que la même manipulation expérimentale est effectuée à des moments différents (séquentiellement). Les différences se situent sur la cible des manipulations expérimentales ; les manipulations peuvent être effectuées séquentiellement sur des participants différents. On dira alors que les niveaux de base sont multiples en fonction des individus. Les manipulations peuvent être effectuées séquentiellement sur des comportements différents d'une même personne (niveaux de base multiples en fonction des comportements) ou sur des situations différentes impliquant la même personne (niveaux de base multiples en fonction des situations).

Question 3

Un bon niveau de base doit présenter au moins deux propriétés essentielles. Il doit constituer une mesure continue et constante de la variable dépendante et être stable (maintien d'un niveau constant et d'une faible variabilité). Il semble important d'ajouter que, pour estimer la stabilité, il faut au minimum deux points de mesure. Par ailleurs, il ne serait pas sage d'introduire la manipulation de la variable indépendante lorsque le niveau de base affiche une tendance qui va déjà dans le sens des hypothèses (par exemple, si une mesure quotidienne de la dépression était en baisse continuelle lors de la période de niveau de base).

Question 4

On dira d'un protocole à cas unique qu'il est basé sur un changement de critère lorsque la manipulation expérimentale est introduite ou modifiée à chaque fois que la performance du participant atteint un critère fixé *a priori*, et que ce critère augmente de niveau à chaque fois qu'il est atteint par le participant.

Question 5

Une des limites importantes des protocoles à cas unique réside dans l'analyse des résultats. L'idéal serait d'effectuer des analyses statistiques, mais celles-ci sont souvent rébarbatives et nécessitent un nombre important d'observations. Le chercheur qui désire obtenir une analyse visuelle des résultats pourrait faire effectuer les analyses visuelles par plusieurs juges et calculer un taux d'accord entre eux, tenir compte dans son interprétation de la variabilité des observations durant le niveau de base, tenir compte dans son interprétation de la grandeur du changement de niveau ou de pente, confirmer les conclusions en s'appuyant sur un nombre élevé de participants et examiner le maintien à long terme des gains.

CHAPITRE 6

Question 1

Mme Janeway a développé une échelle de type ordinale. En créant ses catégories, elle produit une échelle en quatre points où chaque catégorie traduit un ordre croissant de nombre de chiens. Mais en même temps, on perd tout le rapport des distances entre le nombre de chiens qui existent avant de créer les catégories. Le nombre exact de chiens permettait d'établir des différences objectives et constantes entre chaque unité. On pouvait même dire que six chiens représentaient le double de trois chiens, ce qui n'est plus possible avec cette échelle ordinale.

Question 2

La mesure subjective du stress sur une échelle de 0 à 100 représente une échelle ordinale. Un score de 50 représente un niveau de stress inférieur à celui qu'indiquerait un score de 60. Mais il n'est pas possible d'affirmer que la différence entre 50 et 60 (10 unités) représente la même différence subjective qu'entre 90 et 100 %.

Question 3

Validité de concept, validité de contenu, validité manifeste, validité procédurale, validité de critère, validité prédictive, validité concomitante, validité divergente, validité convergente, validité factorielle, fidélité test-retest, consistance interne, versions alternatives, accord interjuges, etc.

Question 4

La fidélité quantifie l'erreur de mesure, alors que la validité documente si une mesure cible le bon construit. Ainsi, un questionnaire peut produire des résultats avec peu d'erreurs (par exemple, on arrive toujours aux mêmes résultats si on passe le questionnaire à différentes reprises), mais être utilisé pour mesurer un construit tout à fait étranger à ce qu'il permet de mesurer. Dans un tel cas, on arriverait toujours aux mêmes résultats, mais en quantifiant un construit qui n'est pas pertinent.

Question 5

En recherche, on ne mesure pas que des variables dépendantes. Il est important de pouvoir démontrer que la manipulation envisagée a bien eu lieu et s'est déroulée comme prévu. On parle alors de fidélité envers le protocole, c'est-à-dire la vérification que le protocole de recherche a été appliqué tel que prévu. De façon pratique, ce vocable inclut la vérification que la manipulation a bien eu lieu, qu'elle a été effectuée comme prévu et que le chevauchement entre les conditions est minimal.

CHAPITRE 7

Question 1

Avantages de la mesure par questionnaires :

- bref,
- simple à utiliser,
- administration standardisée,
- permet d'évaluer la perception qu'a le répondant du phénomène cible,
- donne accès à des informations de la vie privée que l'on peut difficilement observer,
- rend possible la mesure de construits complexes et abstraits (p. ex. l'intelligence).

Inconvénients de la mesure par questionnaires :

- nécessite la collaboration du répondant,
- sensible à la désirabilité sociale,
- sensible au phénomène d'analphabétisation,
- manque de clarté du contenu,
- utilité douteuse si les capacités intellectuelles du participant sont limitées,
- influencé par la complexité de la tâche ou des items,
- processus complexe de développement et de validation s'il faut créer l'instrument.

Question 2

Voici une liste de conseils que le professeur Picard devrait garder à l'esprit en préparant son questionnaire :

1. Les questions doivent être brèves et ne pas contenir d'ambiguïtés.
2. Le vocabulaire doit être simple, compréhensible et adapté aux individus visés.
3. Les abréviations et les signes sont à proscrire.
4. Les questions ne doivent contenir qu'un seul élément d'information.
5. Les expressions faisant référence à la fréquence d'un événement ou d'une situation peuvent nuire à la compréhension des questions, surtout si les échelles de réponse comprennent aussi des éléments de fréquence.
6. Les fausses prémisses sont à éviter.
7. Les items ne doivent pas contenir de double négation.
8. Les items ont fort avantage à s'appliquer à l'expérience actuelle de l'individu.
9. Les questions visant à recueillir des données sociodémographiques devraient s'inspirer largement de celles utilisées dans les recensements.
10. Il faut éviter les énoncés très polarisés où tout le monde serait d'accord ou en désaccord.
11. Les questions les plus compliquées doivent être précédées d'un paragraphe explicatif.
12. Les formulations d'items tendancieuses, qui incitent les gens à répondre dans un sens qui donnera satisfaction au chercheur, sont à proscrire.

Question 3

Il ne suffit pas d'être bilingue pour bien traduire un questionnaire dans une autre langue. Si aucune version française n'existe déjà et que la permission du concepteur de l'instrument est accordée, le chercheur peut recourir à des traductions effectuées indépendamment par deux ou plusieurs personnes bilingues afin d'élaborer une version préliminaire. La retraduction dans la langue d'origine constitue par la suite une étape fréquemment utilisée. Subséquemment, le chercheur peut faire évaluer les différents items pour que leur clarté, ou la qualité de la traduction, soit évaluée. Finalement, les versions anglaise et française du questionnaire sont administrées à un échantillon suffisamment large d'individus bilingues afin de comparer la similarité des résultats obtenus à chaque item. Tout au long du processus, il faut s'attendre à devoir réviser la traduction de certains items. Il ne reste plus par la suite qu'à évaluer les qualités psychométriques (fidélité et validité) de la version française et, idéalement, à établir des normes.

Question 4

La désirabilité sociale est définie comme cette tendance des individus à répondre aux questions d'une manière socialement approuvée. Elle représente une forme de biais dans les réponses des participants qui peut contaminer les réponses à un questionnaire d'auto-évaluation.

Question 5

Si l'on désire obtenir des réponses fidèles et fiables, il est essentiel que l'administration des questionnaires soit standardisée. Cela implique, idéalement, une administration en face à face (par opposition à une administration au téléphone ou par la poste). Il ne doit y avoir aucune modification aux consignes, aux items ou aux échelles de réponse. Si le répondant demande de clarifier un item, il faut éviter de changer la signification de la question ou d'induire une réponse (et donc idéalement dire au répondant qu'on ne peut en dire plus que ce qui est déjà dans le questionnaire).

CHAPITRE 8

Question 1

L'observation non structurée consiste à observer les participants dans des situations courantes de leur vie (par exemple, le jeu libre en services de garde), tandis que l'observation semi-structurée consiste à observer les participants dans une situation choisie par le chercheur (par exemple, en laboratoire).

Question 2

La dimension des quatre unités est trop fine et le chercheur risque de passer bien du temps à observer de façon très minutieuse pour, par la suite, regrouper toutes ces unités en une seule catégorie « sourire ».

Question 3

L'échantillonnage par individu cible consiste à choisir un individu et à le suivre pendant un laps de temps préalablement déterminé, tandis que l'échantillonnage par balayage consiste à enregistrer les comportements d'un individu (ou d'un groupe) à des moments précis préalablement déterminés.

Question 4

La statistique kappa corrige le taux d'accord en fonction de la proportion de l'accord qui peut arriver grâce au hasard. Il faut en effet corriger les taux d'accord lorsque la probabilité de faire des erreurs de codification (comportements difficiles à observer, fréquences très faibles, grande rapidité du comportement) est élevée.

CHAPITRE 9

Question 1

Une différence significative à $p < 0,05$ signifie qu'il y a 5 chances sur 100 que cette différence puisse être le fruit du hasard, et donc 5 chances sur 100 que l'on se trompe en disant que c'est une vraie différence.

Question 2

La réponse est « c ». En fait, la réponse « a » est impossible puisque, de façon très générale, toutes les mesures varient d'un sujet à l'autre et d'une occasion à l'autre : des mesures qui ne varieraient pas n'en sont pas (elles ne transmettent aucune information). Quant à la réponse « b », il est possible, voire il est habituel que les variations inter-participants se révèlent plus importantes, de plus forte amplitude, que les effets provoqués par les conditions expérimentales ; cela n'empêcherait pas à lui seul d'obtenir un test significatif. Pour contrer ces variations aléatoires et, en fait, pour en amortir l'impact, le chercheur utilise plusieurs participants par groupe (par condition) et il en prend la moyenne : la part de variation aléatoire de cette moyenne peut être rendue aussi petite qu'on veut par l'augmentation du nombre de participants. La réponse « c » indique que, soit il n'y a pas de différence systématique présente, soit la puissance statistique (taille des groupes, homogénéité des participants, précision des mesures) est insuffisante pour laisser apparaître un effet significatif.

Question 3

a) Non. La variation d'une mesure à l'autre ne peut pas être attribuée assurément au traitement expérimental ; elle peut provenir d'une différence caractéristique entre les deux personnes mesurées, ou encore refléter une fluctuation spontanée, une incertitude, dans la mesure du phénomène observé.

b) On apprend de combien peuvent différer les participants l'un par rapport à l'autre (dans le même groupe), ce qui peut nous fournir éventuellement un étalon permettant d'évaluer l'écart entre les mesures des deux groupes. Mais la base échantillonnale très faible ($n = 2$) rend imprudente toute généralisation.

c) Toute nouvelle mesure est une nouvelle information et, par conséquent, aide à comprendre et à former des inférences. Que les deux données de chaque sujet soient très proches l'une de l'autre nous rassure à propos de la qualité (la précision, ou *fidélité*) des mesures prises et contribue à la puissance statistique ; la nécessité de recruter des groupes homogènes de participants en nombre suffisant demeure.

d) L'instabilité du phénomène lui-même, l'imprécision (ou fluctuation) de ses mesures ; la variabilité échantillonnale, émanant des différences interindividuelles ; les conditions déterminantes (ou facteurs expérimentaux) du phénomène. Les deux premières sources de variation (instabilité, variabilité échantillonnale) évoluent au hasard et peuvent être compensées statistiquement (p. ex. en prenant une moyenne, dans laquelle la variabilité est réduite), la troisième source produit des changements systématiques.

Question 4

D'après la formule de l'erreur type de la moyenne, $\sigma(\overline{X}) = \sigma_X/\sqrt{n}$ (qu'on applique aussi bien à son estimateur, $s(\overline{X}) = s_X/\sqrt{n}$), nous avons $\sigma_X/\sqrt{20} = 0{,}3$ et voulons obtenir n' tel que $\sigma_X/\sqrt{n'} = 0{,}1$, d'où $n'/20 = (0{,}3/0{,}1)^2 = 9$ et $n' = 9 \times 20 = 180$. Pour que la moyenne devienne $k = 3$ fois plus précise, il faut donc utiliser $k^2 = 9$ fois plus de mesures (par échantillonnage au hasard !).

Question 5

Le modèle de probabilité (aussi appelé distribution échantillonnale) a pour première fonction de rendre possible la généralisation des données : sans lui, nous n'aurions à considérer qu'un petit nombre de données, tirées de quelques participants, et nous ne pourrions nous prononcer qu'à leur sujet. Le modèle nous rend aptes à situer nos données (p. ex. nos groupes expérimentaux) dans une population hypothétique dont ils constituent un échantillon. Le modèle prolonge en quelque sorte nos n observations en matérialisant leur population d'origine ; cela permet, en appliquant le principe du test d'hypothèses, de nous prononcer en général (« La différence observée est significative et généralisable ») plutôt que sur nos seules données.

Question 6

Le test t sur deux moyennes indépendantes possède $n_1 + n_2 - 2 = 20 + 20 - 2 = 38$ degrés de liberté. Pour être significatif au seuil bilatéral de 5 %, la valeur calculée devrait déborder les valeurs critiques $\pm\, t_{38[0{,}975]} = \pm\, 2{,}024$: notre résultat, égal à 1,500, n'est donc pas significatif.

Dans une stratégie d'expérimentation, le chercheur Archer, confiant dans l'efficacité de son intervention expérimentale, peut choisir de continuer son expérience *en ajoutant le nombre de participants requis pour que le test atteigne la significativité* : cette option suppose évidemment que les effets obtenus jusqu'à présent restent les mêmes (c.-à-d. mêmes moyennes, mêmes écarts types). Le lecteur peut vérifier, par tâtonnement ou autrement, que des groupes de $n = 36$ sujets permettraient d'espérer ce résultat [il faut isoler le n dans la seconde formule du t, section 9.3.1.2, et trouver sa valeur telle que, à partir de $t = Q \times \sqrt{20} = 1{,}500$, on obtienne $t = Q \times \sqrt{n} \geq t_{2n-2[0{,}975]}$]: par conséquent, il devra *ajouter* 36 – 20 = 16 participants dans chaque groupe, leur appliquer le protocole d'expérimentation et refaire le test. Notez que, dans un contexte comme celui-ci (où l'on augmente la taille des groupes pour que la valeur du test rejoigne la valeur critique du test approprié), la puissance statistique obtenue est (environ) de 0,50.

CHAPITRE 10

Question 1

La recherche qualitative provient du Département de sociologie de l'Université de Chicago.

Question 2

Les principaux types de recherche qualitative se regroupent sous les catégories de recherche exploratoire, recherche de confirmation et recherche évaluative.

Question 3

Les techniques des collectes de données les plus utilisées sont l'entrevue non standardisée, l'observation participante, l'histoire de vie, les documents d'archives et le groupe de discussion.

Question 4

Parmi les sujets de recherche de prédilection, on retrouve l'étude du quotidien et de l'ordinaire, l'étude du transitoire, l'étude du sens de l'action, l'évaluation des politiques et l'évaluation de la pratique professionnelle.

Question 5

Le devis de recherche qualitatif se démarque par le caractère itératif du processus de recherche.

CHAPITRE 11

Question 1

1) La description de la problématique qui concerne tous les éléments d'une situation perçue et vécue comme un problème par un groupe de personnes ou une collectivité.
2) Les buts et objectifs du programme qui constituent la représentation de la situation souhaitée après la mise en œuvre d'un programme.
3) Les ressources matérielles, humaines et financières qui sont nécessaires à la réalisation des services ou des activités du programme.
4) Les services ou les activités qui représentent le cœur du programme.
5) Les résultats ou les effets du programme sur la clientèle cible.
6) Le contexte précis dans lequel se situe le programme à un moment donné.

Question 2

La recherche évaluative peut porter sur cinq aspects distincts liés au programme d'intervention soit : l'analyse des besoins de la clientèle et de la conception du programme (l'évaluation des besoins) ; 2) l'analyse de l'implantation du programme (l'évaluation de l'implantation) ; 3) l'analyse de l'atteinte des objectifs du programme (l'évaluation de l'efficacité) ; 4) l'analyse du rendement du programme (l'évaluation de l'efficience) ; et 5) l'analyse de l'impact du programme.

Question 3

On peut penser à quatre aspects qui distinguent l'évaluation formative de l'évaluation sommative.

Aspect n° 1 Les objectifs. l'évaluation formative a comme principal objectif de fournir des résultats permettant l'amélioration d'un programme d'intervention généralement en développement ; l'évaluation sommative vise principalement à porter un jugement global sur la qualité d'un programme en vue de répondre à des questions davantage d'ordre administratif : 1) aux conditions de sa généralisation à d'autres sites ; 2) au bien-fondé de poursuivre ou non son financement ; et 3) si oui, à quelles conditions ?

Aspect n° 2 Les utilisateurs. Pour l'évaluation formative, qui a pour but d'améliorer le programme d'intervention, les utilisateurs des résultats de la recherche sont surtout des personnes qui participent directement au développement, à la gestion et à l'implantation du programme. Pour l'évaluation sommative, les résultats sont utilisés par les organismes qui subventionnent le programme, par les gestionnaires et les personnes susceptibles de vouloir exporter le programme d'intervention.

Aspect n° 3 La collecte de données. Dans l'évaluation formative, la collecte des données est principalement axée sur l'explication des processus qui conduisent aux résultats de la recherche évaluative (on peut ainsi expliquer pourquoi l'implantation du programme rencontre des difficultés ou décrire les activités qui contribuent à une meilleure efficacité). Dans l'évaluation sommative, l'accent de la collecte de données est mis sur les effets du programme ou les activités du programme sans chercher à expliquer ses résultats (par exemple, on peut dire si oui ou non le programme est bien implanté ou efficace sans pouvoir dire pourquoi).

Aspect n° 4 La communication des résultats. Dans l'évaluation formative, les données sont fréquemment analysées et présentées aux personnes engagées dans le développement du programme afin d'apporter les changements nécessaires s'il y a lieu. Les résultats sont le plus souvent présentés sous forme de communications orales et l'on cherche à interpréter les résultats en fonction des implications pour la pratique et des changements spécifiques à apporter. Dans l'évaluation sommative, les résultats sont présentés à la fin de la recherche sous forme de rapport écrit et leurs implications sont discutées en fonction de décisions administratives ou de généralisations potentielles.

Question 4

Étape 1. Définir clairement le mandat et la faisabilité de l'évaluation.

Étape 2. Déterminer le devis d'évaluation.

Étape 3. Procéder à la collecte et à l'analyse des données.

Étape 4. Présenter les résultats et rédiger le rapport.

Question 5

Du côté de l'évaluateur interne, les principaux avantages sont reliés à l'acquisition d'une meilleure connaissance du programme, de l'organisme et du contexte dans lequel le programme s'implante.

Cette meilleure connaissance peut grandement faciliter la réalisation des principales étapes de l'évaluation. Entre autres, une étude a montré que les évaluations internes ont plus d'impact sur les décisions organisationnelles (van de Vall & Bolas, 1981, citée par Rossi & Freeman, 1993). Les évaluateurs internes sont plus fréquemment en contact avec les décideurs et les gestionnaires, ce qui permet une meilleure compréhension et une meilleure utilisation des résultats de l'évaluation. Toutefois, le fait d'appartenir au même organisme augmente la pression que peut subir un évaluateur de la part des promoteurs du programme. Cette pression peut influencer le degré d'objectivité de l'évaluateur ou, dans certains cas, la crédibilité des résultats de l'évaluation pour des personnes extérieures à l'organisme.

À l'inverse, l'évaluateur externe peut être plus objectif puisqu'il ne connaît pas les personnes du programme, qu'il n'a pas d'intérêt dans le programme ou l'organisme, qu'il est moins susceptible d'être atteint par les critiques et qu'initialement il n'a pas de préjugés à l'égard des différents acteurs. Par son statut d'externe, il peut également soulever des questions parfois délicates sur la structure de l'organisation, il peut mieux intervenir en cas de conflits internes et, enfin, à titre de contractuel, il ne peut être soumis à d'autres tâches qui pourraient entrer en conflit avec son rôle d'évaluateur (Grinnell & Williams, 1990). Toutefois, le principal désavantage de l'évaluateur externe est d'avoir peu de connaissances *a priori* concernant le programme, l'organisme et le contexte.

CHAPITRE 12

Question 1

Le consentement éclairé comprend trois principaux éléments : (a) la compétence, ou la capacité à prendre la décision ; (b) la connaissance, ou le fait d'être pleinement informé des enjeux de la participation à la recherche ; et (c) la volition, c'est-à-dire la capacité à poser un consentement tout à fait libre. Lorsque les chercheurs parlent d'un consentement libre et éclairé, ils se réfèrent aux deux derniers éléments nécessaires pour obtenir un consentement en recherche.

Question 2

Dès que des êtres humains participent à une recherche, cela soulève la question du respect de la vie privée et de la protection des renseignements personnels. Le chercheur doit alors tenir compte de deux principes fondamentaux, soit l'anonymat et la confidentialité. Protéger l'anonymat signifie que l'identité d'un participant ne doit pas être associée aux données recueillies au cours de la recherche. Pour y arriver, le chercheur peut ne pas obtenir le nom des participants, ne pas l'indiquer sur les instruments et dans les bases de données, ou utiliser un système de codification (par exemple, à l'aide de numéros) permettant de masquer l'identité des participants. Pour sa part, le principe de confidentialité des données privées assure au participant que l'information personnelle divulguée au cours de la recherche ne sera pas transmise à des tierces personnes ou, du moins, pas sans son consentement explicite.

Question 3

Selon l'Énoncé de politique des trois conseils, la norme de risque minimal se définit généralement comme suit : lorsqu'on a toutes les raisons de penser que les sujets pressentis estiment que la probabilité et l'importance des éventuels inconvénients associés à une recherche sont comparables à ceux auxquels ils s'exposent dans les aspects de leur vie quotidienne reliés à la recherche, la recherche se situe sous le seuil de risque minimal.

Question 4

Certaines informations doivent nécessairement se retrouver dans un formulaire de consentement alors que, selon les cas, d'autres informations additionnelles peuvent être nécessaires ou non. Voici une liste d'informations que l'on doit minimalement retrouver dans un formulaire de consentement :

- une mention explicite que l'on participe à une recherche ;
- une description des objectifs de la recherche (voir la section 12.4 sur la duperie au besoin) ;
- une description de l'identité des chercheurs ;
- une description de la durée et de la nature de la recherche ;
- une description de la procédure ;
- une description des bénéfices et des risques potentiels de la participation et, dans le cas de la recherche clinique, des conséquences d'un refus de participer ;

- une assurance de la liberté de participer et de se retirer n'importe quand, sans que cela porte préjudice au participant ;
- une assurance qu'il conservera la possibilité de décider tout au long de l'étude s'il désire poursuivre ou se retirer ;
- une assurance que la confidentialité des résultats sera préservée ;
- une description de ce qui peut ou ne peut pas être fait avec les informations obtenues ;
- une confirmation que le participant a eu la possibilité de poser des questions sur la recherche et qu'il a reçu des réponses satisfaisantes ;
- la signature du participant (si cela est acceptable dans sa culture) et du chercheur ;
- la mention que le participant doit conserver une copie du formulaire de consentement.

Question 5

La reconnaissance de l'apport respectif des personnes qui ont collaboré à un projet de recherche se traduit dans la liste des auteurs d'une publication. La contribution scientifique ou intellectuelle constitue le critère à retenir, bien que celui-ci puisse demeurer relativement subjectif. Ainsi, contribuer à une collecte de données ou à une expérimentation ne représente pas nécessairement un apport intellectuel ou scientifique, même si le travail fut un dur labeur. Cela devrait se traduire par un ordre décroissant du nom des auteurs dans une publication ou une communication scientifique. À titre d'exemple, un étudiant qui réussit avec succès son doctorat devrait se retrouver premier auteur des articles de sa thèse, à moins de circonstances très exceptionnelles (par exemple, si l'article représente la combinaison de deux thèses).

CHAPITRE 13

Question 1

e). Toutes ces réponses sont bonnes. Un nombre important de maladies mentales peuvent en effet réagir à l'administration d'un placebo.

Question 2

Les réponses a) b) et d) sont vraies. En fait, les analyses « en intention de traiter » peuvent aussi être utilisées pour évaluer la tolérance des gens à un traitement ou un médicament. Imaginez les implications si un chercheur qui teste un nouveau médicament ne tenait pas compte des résultats des 90 % de son échantillon de participants qui abandonnent après une première rencontre en raison des effets secondaires du médicament et qu'il ne retenait que les résultats du 10 % de l'échantillon qui poursuit l'étude en raison des bénéfices de ce médicament. Reporter au post-test et à la relance les données prétraitement des participants qui ont abandonné va pondérer à la baisse l'efficacité de ce traitement.

Question 3

La bonne réponse est *e*). Toutes ces réponses sont bonnes.

Question 4

La bonne réponse est *b*). L'âge et le moment de la mesure.

Question 5

La bonne réponse est *a*). Les différences entre les groupes d'âge.

Question 6

La recherche clinique tente fréquemment de répondre aux questions de recherche suivantes à propos des interventions ou des thérapies :

- Quels sont les effets thérapeutiques obtenus ?
- Quels sont les facteurs et les mécanismes qui les ont produits ?
- Quels sont les coûts et les bénéfices des effets d'une intervention thérapeutique ?
- Quelles sont les indications spécifiques d'une technique thérapeutique ?

Question 7

Vrai ou faux

a) Le clinicien est toujours en mesure de poser un diagnostic clinique objectif, valide, sensible et fidèle. **Faux**

b) Le cadre de références théoriques, ainsi que les styles d'approche de l'intervenant, n'ont aucune influence sur l'établissement d'un diagnostic clinique. **Faux**

c) Le cadre où se déroule l'évaluation, la définition des critères diagnostiques plus ou moins définis et l'effet de halo représentent des facteurs pouvant influencer l'établissement d'un diagnostic valide. **Vrai**

d) Le fait d'avoir un groupe homogène, ne possédant aucune forme de comorbidité avec la problématique étudiée, est primordial pour la validité externe. **Faux**

e) L'utilisation d'entrevues semi-structurées, l'évaluation informative, l'obtention d'un accord interjuges, ainsi que la supervision des évaluateurs sont quelques moyens pouvant aider à contrôler les facteurs de distorsion et à réduire les erreurs de jugement commises par le l'intervenant. **Vrai**

Question 8

Voici les principales méthodes pour mesurer l'efficacité clinique et les problèmes qu'elles peuvent susciter :

- Le chercheur peut comparer les données obtenues avec celles provenant d'un échantillon d'individus dits non cliniques à l'aide de données normatives.
- En comparant les données avec celles d'échantillons d'individus encore dysfonctionnels ou simplement en mesurant les changements intragroupes dans ses participants.
- En évaluant et documentant le changement thérapeutique de façon subjective, soit par l'appréciation du sujet, du thérapeute ou d'un proche, ou en mesurant l'impact général du traitement sur le plan psychosocial.

Il faut toutefois préciser que ces techniques de vérification sont sujettes aux problèmes d'interprétation et de validité. Elles doivent donc toujours être considérées en fonction du contexte clinique pertinent.

Question 9

Non. Toute recherche impliquant des sujets animaux est soumis à des règles éthiques tout aussi rigoureuses que la recherche avec des sujets humains. Toutefois, ces règles diffèrent en raison de la population qu'elles visent à protéger. Ainsi, toute recherche animale au Canada doit se conformer aux normes du Conseil canadien de protection des animaux.

Question 10

Voici au moins quatre raisons qui montrent l'importance de la recherche animale en neuropsychologie.

- Comprendre les mécanismes de bases associés à la cognition.
- Étudier des processus inaccessibles chez l'humain.
- Assurer un contrôle plus élevé sur les variables à l'étude.
- Développer des modèles animaux de divers troubles neuropsychologiques.

Question 11

En neuropsychologie, les études de cas permettent l'investigation auprès de personnes présentant des atteintes rares ou particulièrement intéressantes au cerveau. Elles peuvent cibler de façon très précise la fonctionnalité d'une région précise du cerveau. Toutefois, il devient très difficile de généraliser à d'autres situations ou individus en raison du caractère unique du cas. Par contre, les études de groupe permettent de réunir plusieurs personnes qui présentent les mêmes caractéristiques, rendant ainsi la généralisation à des populations plus facile et augmentant la puissance statistique. De plus, elle permet la simple et la double dissociation. Cependant, il n'est pas toujours facile de rendre homogène un groupe de participants et des biais peuvent être introduits aux résultats d'une recherche en raison des différences individuelles.

Question 12

Si l'on compare les techniques d'imagerie cérébrale anatomiques et fonctionnelles, on constate que les techniques d'imagerie cérébrale anatomiques servent à visualiser *in vivo* le cerveau au repos, alors que les techniques d'imagerie cérébrale fonctionnelles permettent de localiser les régions cérébrales actives pendant l'exécution d'épreuves cognitives, sensorielles ou motrices.

Question 13

L'essence de votre réponse à la question sur le phénomène de plasticité cérébrale devrait faire ressortir que ce concept décrit la capacité du cerveau à modifier les connexions entre les neurones, c'est-à-dire à modifier l'architecture des connexions. Elle est à la base des processus de mémoire et d'apprentissage, mais intervient également parfois pour compenser les effets de lésions cérébrales en aménageant de nouveaux réseaux. Ces modifications locales de la structure du cerveau dépendent de l'environnement et lui permettent de s'y adapter.

Question 14

Plusieurs éléments peuvent contribuer à l'hétérogénéité d'un échantillon lors de recherches en neuropsychologie chez l'humain, notamment :

- la personnalité,
- l'état émotionnel,
- l'environnement personnel,
- la spécificité des symptômes.

Question 15

Non, la simulation par ordinateur ne permet pas d'effectuer la démonstration expérimentale d'une relation de cause à effet. Elle permet toutefois de démontrer la cohérence théorique d'un modèle, ce qui constitue une contribution très importante aux connaissances scientifiques.

Question 16

L'épidémiologie se définit comme l'étude de populations afin d'estimer la fréquence d'un problème de santé et les différents facteurs intervenant dans son apparition, sa propagation, son évolution et sa prévention. L'épidémiologie vise à décrire les phénomènes tels qu'ils apparaissent dans la population et tente d'inférer des relations de cause à effet sans effectuer de manipulations expérimentales.

Question 17

Il faut faire une nette distinction entre la cause d'un phénomène et les liens qui existent entre deux caractéristiques. La cause précède nécessairement l'effet hypothétique étudié. Alors, si le devis de recherche ne permet pas de déterminer de manière absolue que la variable à l'étude a précédé le problème à analyser, nous devons interpréter les résultats de recherche en termes de « facteurs associés » ou de corrélats. On parlera alors d'association statistique entre ces phénomènes. Cette association soutient cependant la possibilité de liens de causalité.

Question 18

Comme pour toute recherche, un survol des écrits scientifiques peut souffrir de biais et donc mener à des conclusions erronées. Ces biais ne sont pas intentionnels et guettent souvent sournoisement la personne qui effectue une recension d'écrits. Par exemple, il se peut qu'un petit nombre d'articles très importants soit ignoré, que la présence de biais méthodologiques inhérents aux articles analysés passe inaperçue, que certaines données soient ignorées, etc. Afin de contrer cela, l'idéal est d'aborder la recension systématique des écrits comme un processus encadré, reproductible et minimisant les risques de biais.

Question 19

Les étapes à respecter dans une recension systématique des écrits sont les suivantes :

1. Définir des questions de recherche en termes opérationnalisables.
2. Décrire la méthode utilisée.
3. Présenter objectivement les résultats de la recherche.
4. Conclure sur la base d'une analyse critique des résultats obtenus.

CHAPITRE 14

Question 1

Malheureusement, on ne peut se fier aveuglément à toutes les informations que l'on retrouve sur un site Web. Au même titre que l'on exerce notre jugement lorsqu'on lit un dépliant publicitaire, un tract ou un livre, il faut demeurer vigilant lorsque l'on consulte un site Web. L'illusion de sérieux et de compétence que peut dégager le recours à l'autoroute de l'information ne doit pas faire oublier que n'importe qui peut écrire n'importe quoi sur son site Web. Il faut donc tenter d'évaluer la qualité du contenu d'un site Internet avant de s'en servir comme source d'information.

Question 2

Un thésaurus est un répertoire de termes normalisés qui aide à trouver le vocabulaire ou les descripteurs reliés à un thème de recherche. Ces outils, souvent spécifiques à chaque base de données, permettent de connaître la façon exacte d'écrire un mot pour trouver ce que l'on cherche dans une base de données ainsi que la définition du mot en question.

Question 3

Il n'est pas toujours facile de distinguer les différentes formes d'articles et il faut comprendre la nature des différents articles plutôt que de chercher une recette toute faite (par exemple, même si les revues mensuelles se spécialisent dans les textes journalistiques, on peut à l'occasion trouver des articles scientifiques). Parmi les articles scientifiques, on retrouve notamment les articles faisant état de recherches empiriques et comportant donc des données objectives. Dans ces articles, on présente la description d'une méthodologie et de résultats de recherche. Les recensions d'écrits, analyses critiques et articles théoriques sont aussi des articles scientifiques en raison de la rigueur de la démarche qui les sous-tend. Ils portent habituellement sur l'analyse, la synthèse et la critique de différents travaux. Parmi les articles dits non scientifiques, on retrouve notamment les textes d'opinion, les descriptions d'idées ou de projets à venir ou en cours, les articles journalistiques et les éditoriaux.

INDEX

C

D

E

F

G-H-I

MARQUIS

Marquis imprimeur inc.

Québec, Canada
2011

Imprimé sur du papier Silva Enviro 100% postconsommation traité sans chlore, accrédité Éco-Logo et fait à partir de biogaz.